1968 日本現代史的轉捩點，席捲日本的革命浪潮

第Ⅰ冊
經濟高度成長與「現代的不幸」

19_68

1968〈上〉
若者たちの叛乱
とその背景

小熊英二　著／黃耀進　譯

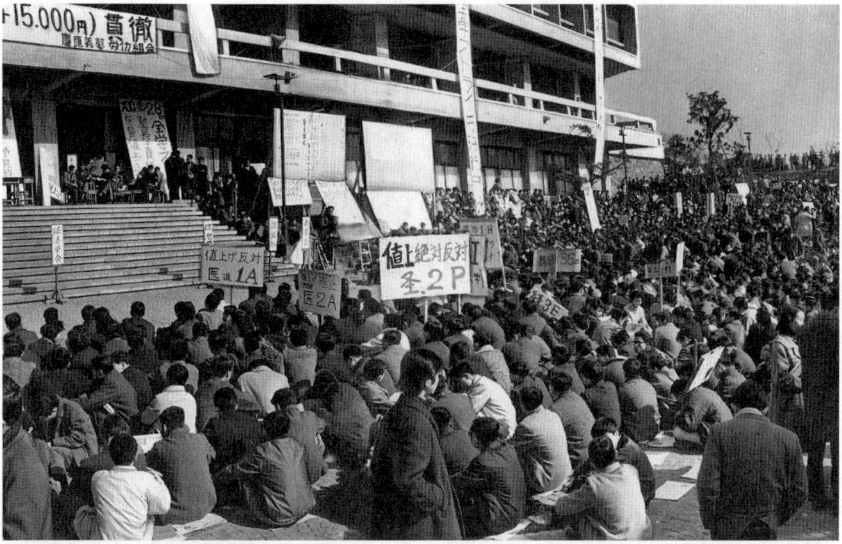

1965 年 1 月 28 日，慶應大學學生為了反對學費調漲，展開了全校罷課。圖為在三田校區集會的學生。（每日新聞社提供）

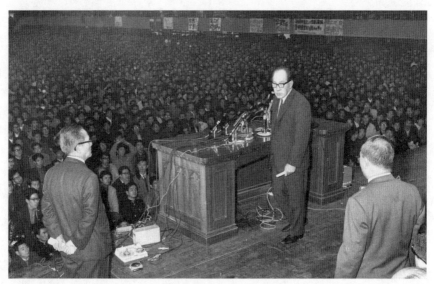

1966 年 2 月 4 日，早大鬥爭。大濱校長在早大紀念會堂向一萬多名學生呼籲平息紛爭，但最終談判破裂而離開講台。（每日新聞社提供）

1966 年 2 月 22 日，機動隊驅離在大學校園內靜坐抗議的早大學生。（每日新聞社提供）

早大因為學費調漲等問題而陷入紛爭，三年級學生由於未能接受期末考，因此無法順利升上四年級。1966 年 4 月，有學生發起遊行，高舉「讓我們考試」等標語。（每日新聞社提供）

目次

凡例

資料引用時依照如下基準。

⑴中略以「……」表示。大段引用的資料前後將空一行；從中途引用原文時則開頭加上「……」。

⑵原文中沒有的詞彙或旁注時以〔　〕表示。照引不自然的原文時，以〔　〕加入〔照錄〕表示。

⑶旁點或旁注如無特別標記，則為原文既有的標示。

⑷引用資料的出處上，如寫上「收錄於」資料集、全集、單行本等，原則上即是從該處引用。

⑸引用文之中部分表現在今日看來並不適當，但因係引用，仍舊照錄。

⑹當時的文宣品中會使用中國式的簡體字，如「鬥」寫為「斗」，此類例子相當多，除了團體的名稱等特定狀況之外，本書中皆改為現代的普通字體。

⑺部分人物為保護個人隱私而使用假名敘述、說明時，引用文中也將名字改為假名。

序章

「好感動呀！太了不起了。可是我內心一片空虛，什麼都沒有。這樣我就不能參與鬥爭了嗎？」

這段話是一九六六年左右，一位女學生的發言。那是共產主義者同盟（當時左翼政治組織的新左翼黨派〔sect〕之一，簡稱共產同或Bund）的政治運動家三上治在新宿的咖啡館對兩位女學生「意氣風發地闡述」六〇年代參加安保鬥爭時的事情[1]。

本書將檢證包含全共鬥運動在內的，「那個時代」的青年們的反叛，也就是對「一九六八年」的檢證。其目的，並不在於把「一九六八年」回顧成過往的英雄事蹟或社會寫實劇，而是以社會科學的研究方法考察為何會出現該種現象，並思考今日的我們能從中汲取出多少教訓。如此，本書的結尾，大概會再度回到開頭的這段話吧。

關於回顧「那個時代」

站在今天這個時代，去檢證「那個時代」的青年們做出的反叛，具有什麼意義？放著地球環境問題、貧富差距、年輕人就業、高齡化等問題，而去檢證「那個時代」的反叛，有其必要嗎？

如本書所記述的，他們的反叛，作為一種政治運動，大概是不成熟的。如果目的僅是要讓所謂「全共鬥時代」的人們懷念他們的年輕時光，那便沒有必要做社會科學式的檢證。此外，一些讀者想把「那個時代」當作美好的回憶，本書卻談及他們反叛的不成熟和稚拙，大概也是背離了他們的期待。

關於「那個時代」的反叛，已有大量的回憶錄，從各式各樣的立場回顧。但那並非整體描述「那個時代」反叛的作品。究竟，該反叛為何而起？對日本社會或世界具有什麼意義？給後世留下了些什麼？今日仍無對這些疑問進行綜合檢證的研究。僅有幾篇論文，將其當作社會運動先驅的例子加以研究[2]。

究其原因，大致可以歸結出數點。因為時代太過接近，而且該時代的證人們都還活著，把他們當作研究對象讓人感到猶豫。那是一種政治運動，或者是一種單純的社會風潮，又或者是包含文化在內的綜合性變革，如何定位將因人而異，採取何種取徑也是一個難題。可以想像，也有不少研究者認為那不過是一時性的社會風潮，因此沒有研究價值。

若站在今日的觀點進行客觀思考，「那個時代」發生的反叛，是一種不可思議的現象。當時是經濟高度成長的最高峰，貧困問題不斷獲得解決，畢業生也進入充分就業的狀態，在那樣的時代，為何會有大量青年高舉馬克思主義發起反叛的現象？對當時的年長者而言那是無法理解的事情。恐怕，即便是那些發起反叛的青年們，大多數也無法明確以言語說明，即便能說明，也會因每個人的角度不同而眾說紛紜。

正因如此，「那個時代」的反叛能夠興起，完全出乎當時人們的意料。後文第二章與第三章將說明六〇年代安保鬥爭「敗北」之後，六〇年代中期的學生運動便處於低潮。前述的三上治在二〇〇〇年如此說道[3]：「一九六〇年代的後半有全共鬥運動，七〇年有安保鬥爭。這究竟是否超越一九六〇年代的安保鬥爭或三井三池鬥爭，並無定論。唯一能說清楚的，就是沒有人預料到會發生這些鬥爭或運動。」

一九九五年，日本NHK企劃了《戰後五十年：當時的日本》系列節目，有一集以〈東大全共鬥〉為主題，日後該集內容被彙整為單冊書籍出版，在該書〈採訪後記〉中負責的總導播有如下說明[4]：

> 《戰後五十年：當時的日本》系列節目中，從一開始就預期〈東大全共鬥〉這集會遭遇困難。其他各集都是以戰後政治、經濟等重大轉變為主題，只要描繪現在已知的真相，就能夠帶來足夠的震撼。例如「三池爭議」般失敗者的群像劇，即便失敗，也確實有因此而改變的人。
>
> 然而，席捲全國大學的學生反叛浪潮究竟是什麼？又留下了什麼？完全無法看清。採訪過程中即便聽了運動參與者的說詞，也沒有任何一人可以明確說明。不，應該說，即便能夠提供明確的答案，這些答案也莫衷一是。……
>
> 所謂的全共鬥是什麼？在日本戰後史上留下了什麼？我們早放棄了這樣的問題，改為詢問學生們對時代、對鬥爭的局面感受到什麼，他們一直以來又如何判斷這些運動。在某種意義上，我們放棄了對運動的價值評判和「總結」。

如前所述，該如何定位以全共鬥運動為核心的「那個時代」的反叛，實際上非常困難。本書就針對NHK採訪組「放棄」的主題，亦即特意以「那個時代」的反叛「究竟是什麼」、「給戰後歷史留下了什麼」作為主題，嘗試做出「總結」。

NHK採訪組也在節目播放後的〈採訪後記〉中提及，該書的內容或許會引發當年那些青年們的抗議[5]：「我們也聽到了來自全共鬥世代的不滿之聲。他們表示『僅像歷史一樣羅列出事情，根本沒描述到本質。』那麼，本質又是什麼？這又莫衷一是了。」

「全共鬥世代」人們陳述的「本質」會莫衷一是，原因之一正如前述，他們每個人如何把親身經歷轉化成語言，皆存在差異。此外如本書中論述的，即便是「全共鬥」的經驗，每個大學的狀況、入學的年代、身為第一線運動者或幹部、是大學一年級生或是研究生、是男性或是女性等，這些外在可見的條件大為不同，也部分解釋了莫衷一是的原因。在一些回憶錄中，也有把自己的個人經驗當成「全共鬥」普遍經驗來敘述的作品。因此才會對NHK採訪組表達「莫衷一是」的不滿。

如果是這樣，那麼等到研究對象的當事者們都死絕了的五十年後，再來審視是否就比較不困難？但筆者認為，這樣的做法不啻於放棄了歷史現實。

例如，遠山茂樹、今井清一、藤原彰合著的岩波新書《昭和史》出版於一九五五年；鶴見俊輔等人的共同研究《轉向》始於一九五四年，這是因為：為了掌握戰爭這種前所未有的事態，無法等到五十年之後。

這些二戰結束十年後進行的研究，以現在比喻，就等同於去研究泡沫經濟時期，檢證經濟為何泡沫化。遠山與鶴見等人殷切期盼的是：希望追究為何發生戰爭這種悲劇，故而開啟他們的研究。如果該時代需要討論、檢證，那麼等候五十年，不啻於放棄了研究的真實／現實。

如本書內容與結論所述，筆者不認為「那個時代」的反叛僅是一時性的社會風潮。而且，也不認為那是部分論者主張的「世界革命」。從結論來說，當經歷經濟高度成長，日本持續邁向已開發國家之際，今日年輕人面臨的種種問題，如拒絕上學、自殘行為、進食障礙（厭食）、空虛感、閉塞感等所謂「現代」的「生活困難」，在當時已現出苗頭，而當年的反叛就是青年們嗅到這股苗頭後的反應。在年輕人就業不穩定、社會運動不斷興起的此刻，本書的檢證仍具意義。

會閱讀本書的人們，關心的重點大概不盡相同。例如，生活在「那個時代」、與運動相關者；將其視為社會運動前例想要從中學習者；想要理解自己父母輩世代的心態（mentality）者；想理解日本現代史中該如何定位這些運動者等等。本書是一本相當厚實的書籍，但與此前筆者的著述相同，各章都能獨立閱讀，因此也可僅選擇有興趣的章節閱讀。這在學術書籍中誠屬異例，但為讓讀者方便閱讀，此處也試著提示針對不同關切進行閱讀的途徑。

- 想儘早理解本書旨趣者：序章→第一、二章→第五章→第九章→第十四章→結論
- 想更詳細理解本書旨趣者：序章→第一、二章→第五章→第八—十一章→第十三、十四、十六、十七章→結論
- 想作為社會運動前例加以學習者：序章→第一、二章→第十五章→結論
- 關心當時的學生反叛者：序章→第一、二章→第四、五章→第七—十四章→第十六章→結論
- 欲閱讀全書但想能跳過便跳過者：跳過第三章、第六章、第十二章。

上述的閱讀方法，不過是筆者設定的簡便方案。如果關心聯合赤軍事件、第一次早大鬥爭、東大鬥爭、高中鬥爭等個別章節，僅閱讀該部分章節即已足夠（但如果想提出批評，希望能閱讀完全書，掌握整體論述後再提出）。另外，先從建議的閱讀途徑開始，讀畢後再回頭閱讀跳過的章節，也是一種方式。當然，身為作者，還是建議閱讀完全書，如果讀者能一直讀到最後的結論，一種感動也會油然而生吧。

研究對象與研究方法

對研究方法不感興趣的讀者，請跳過以下部分繼續閱讀。

在日本通稱為「一九六八年」的青年人反叛時期，嚴格來說究竟起自何年、終於何年，其實難以斷定。

廣義而言，可以追溯自一九五八年共產主義者同盟（共產同）組成，日本「新左翼」誕生之際起，到一九七四年東亞反日武裝戰線發動炸毀三菱重工大樓，或者一九七八年佔領成田機場管制塔的時期為止。對當時參與運動且到現在仍持續投入社會運動的人們而言，或許會有人主張至今都尚未結束。

不過，在此按照一般（認為的）時期劃分，將一九七二年二月的聯合赤軍事件視為「那個時代」的結束。至於將起始點設定於何時，則眾說紛紜，此處將以一九六五年慶應大學反對調漲學費的鬥爭為始。

若從新左翼通史等角度來思考，一九六五年應是反對《日韓基本條約》鬥爭的時期，筆者之所以以慶大鬥爭為起點，是基於前述筆者的問題意識。比起反對《日韓基本條約》的鬥爭，慶大鬥爭更能反映經濟高度成長與現代的「生活困難」，更能看出該反叛發生的脈絡。

本書所要探討的主題是，經濟高度成長的社會巨變期中，青年們直接面臨何種狀況，他們的集體心態又是如何；作為心態的表現，他們又採取了什麼樣的活動，經歷了何種失敗，其結果給日本社會遺留下什麼。如有必要將提及大學鬥爭的其他細節，但對這些鬥爭細節的描述並非主要目的。

在檢證之前，作為前提將說明六〇年代安保鬥爭與一九六〇年代中期為止新左翼各黨派的動向，以及發起「那個時代」反叛的嬰兒潮世代之文化和世代背景。不過所謂的「六〇年代的文化革命」並非本書主要的研究對象，本書中也將說明理由。

筆者在先前著作《「民主」與「愛國」》中，探究戰爭遺留下的集體「心態」如何影響戰後思想和論述，而本書的主題設定便是在前作的延伸上，但與《「民主」與「愛國」》不同之處，體現於資料對象與處理方法兩點上。

首先是，研究對象資料的差異。《「民主」與「愛國」》中採取的解釋是，集體心態集中在具有出色言語表達能力的知識分子身上，並針對個別論者的戰爭體驗與思想進行考察。但「那個時代」的反叛，或許因為參與者都很年輕，擁有出色表達能力的論者很少，因此本書的研究對象資料大部分是無名的學生或青年勞工們留下的文章、談話、回想，以及各行動的軼聞等。

透過此方法，考察的並非他們的論述，而是釐清他們無法言喻的心態與慣習行動（habitus），在此框架中檢證他們如何進行實踐（pratique）。亦即本書採取的取徑是探尋「那個時代」的反叛特性及其遺產。為了探尋無法明確言語化的部分，在記述細節時花費了相當筆墨，在此先請讀者見諒。

第二點便是資料的處理方法。這部分將做更詳細的說明。

如本書內容中所描述，當時的青年們苦於無法確切說明自身面對的不滿與閉塞感，因此仰賴「異化」、「主體性」等馬克思主義用語，而且多與政治狀況進行連結。

試舉一例。日本的國立國會圖書館曾獲贈由前東大全共鬥議長山本義隆編纂，全二十三卷、收錄約五千件傳單與小冊的《東大鬥爭資料集》[6]。而前述ＮＨＫ的〈採訪後記〉則寫道[7]，「我們當初曾計畫以山本義隆編纂的《東大鬥爭資料集》所收錄的當年傳單為主軸，但觸目所及者，皆充斥當時用來對外聲明的生硬的新左翼用語。」

實際上如同第十、十一章的引用，該資料集中混雜著當時學生坦率記錄的心情，並非盡是「生硬的新左翼用語」文章。不過這類坦率的資料畢竟屬於少數，卻也是不爭的事實。而當時新左翼各黨派的機關刊物，大多是誇大宣傳的報導，作為資料並無多大用處。

反過來說，全共鬥中未隸屬新左翼各黨派的學生們，其撰寫的如詩般斷簡殘篇風格的傳單、塗鴉等，則更為有用。本書中盡可能運用同時代的傳單與機構刊物等，不過對於資料豐富的東大、日大鬥爭；「越平聯」（「給越南和平！市民聯合」之簡稱）；聯合赤軍（此處指回憶錄）等，因為有其重要性，且老實說也具「易於使用」的特色，因此也大量當成對象資料來處理。本書中具有這一面向，在此也先行說明。

當時學生的手記、座談會、週刊雜誌與報紙的報導，作為當時學生直接發聲的資料，本書也進一步活用。週刊雜誌等恐有欠缺可信度之虞，不過當時學生運動的週刊雜誌由「越平聯」等年輕人打工撰寫的文章頗多，在大多數的例子中意外地很能表達學生們的「真心」意見。

本書也運用了回憶錄與日後進行的訪談資料。不過歷史研究者皆能理解，回憶錄這類文本混雜著錯誤記憶、誤解事實、自我辯護的成分，故亦有欠缺可信度的部分。

歷史學者經常採用的，接觸官方資料進行史料批判的方法，在像是東大鬥爭中的武裝內鬥（譯註：内ゲバ，又稱內訌、內部暴力、暴力內鬥）等小事件便派不上用場。此外，這些官方資料（此情況中例如公安資料）要麼無法閱覽，要麼有粉飾事件的可能性。

本書在不得不使用回憶錄時，（一）盡可能比對多部回憶錄，記下筆者認為最接近的「事實」；（二）若無法辦到時，加上附註併記多部回憶錄；（三）連這點也無法辦到時，便僅記錄此回憶錄如此記載。此外也會對照時代背景，訂正回憶錄中明顯的事實錯誤部分。

由於回憶錄與手記具有站在個人觀點書寫的特性，親臨該時代該場面的人之中，可能會有覺得該敘述與自身印象不符的情形，這點還請見諒。當然若是筆者有明確的事實誤解並對此提出指摘，筆者必定會先檢討（因為指摘不必然保證絕對正確），之後率直地接受。只是，類似「與我聽到的傳言不同」這種證據薄弱的批評，則要請讀者避免。

本書由四個部分組成，第I部說明嬰兒潮世代的世代及文化背景，以及新左翼各黨派的狀況，解說整體的背景。第II部則描寫一九六五年的慶大鬥爭至一九六八年年初的中大鬥爭，亦即對「前全共鬥時期」進行記述。第III部描寫日本大學、東京大學乃至各地大學的全共鬥運動，以及一九六七年至一九六九年的羽田、佐世保、三里塚、王子、新宿、浦田等街頭鬥爭。第IV部描寫一九七〇年六月阻止安保延長失敗後，也就是所謂敗退期出現何種思想變動，又如何影響後世，隨之說明「越平聯」、聯合赤軍、女性解放運動（Lib）等。

這樣的安排，或許與日本普遍的「一九六八年」印象略有出入。「那個時代」的青年們的反叛，通常以一九六七年十月的第一次羽田鬥爭為起始，經過東大、日大及其他的全共鬥運動，至一九七二年二月迎來最後的聯合赤軍事件。但對於第一次羽田鬥爭起至各地全共鬥運動，本書僅在第III部討論。即便讀者能同意各用一章來解說「越平聯」、聯合赤軍、女性解放運動，但對於為何還存在其他章節，大概會感到詫異。

然而，這是根據本書問題意識與主題設定而形成的結構。首先，第I部對時代、世代背景的說明，對於理解為何在如此景氣的時代，青年們會發起反叛、他們的人格形成中含有什麼樣的心態，以及「那個時代」在社會結構上是怎樣的轉捩點，都是不可或缺的。而關於新左翼各黨派的說明，則基於掌握對日本「一九六八年」產生巨大影響的黨派特性上有所必要，對於理解參加學生的社會階層與心理狀態等，也不可或缺。

此外，在第II部「前全共鬥時期」從慶大鬥爭到中大鬥爭的描寫，則是為了檢證在東大、日大鬥爭，特別是東大鬥爭中「全共鬥運動」的形式確立之前，具有什麼樣的可能性，又面臨什麼樣的極限。如閱讀本書便可充分知曉，在新左翼各黨派幾乎未介入的慶大鬥爭等時期起，為何當時的普通學生會發起大學鬥爭。不僅如此，之後的全共鬥運動不必然得遵照東大鬥爭確立下來的形式，這透過考察前全共鬥時期的鬥爭，便可看出端倪。

第III部中，開頭一章講述了一九六七年十月第一次羽田鬥爭起，至一九六八年四月的王子鬥爭為止的「激盪的七個月」，接著一章講述日大鬥爭，一章講述高中鬥爭，東大鬥爭則分為兩個章節說明；與此相對，一九六八年後期的新宿事件起，至一九六九年全國各地的全共鬥運動，以及一九六九年一連串的街頭鬥爭，則彙整為一個章節。

第III部的這種組成，一方面也是因為前述東大、日大鬥爭保留豐富資料，容易探究其來龍去脈，而相對地各地大學鬥爭在資料上受限頗多。但除此之外，筆者思考的是一九六九年一月安田講堂攻防戰以後的全國各地全共鬥運動，以及一九六九年一連串的街頭鬥爭，在很大的面向上只不過是不斷重複東大鬥爭與「激盪的七個月」中確立下來的模式。

這個時期一般皆視為「那個時代」最昂揚的時期，但反過來說，卻忽略了「前全共鬥時期」混沌狀態所具備的可能性，因此成了單一模式固化的時期。為了檢證出現這種模式的原因，以及確認不必然得依循這種固化模式，才將東大鬥爭的原委分為兩章來詳述。而為說明高中鬥爭與模式化的大學全共鬥運動背景略有不同且有其他發展的可能性，因此花費一章來描寫。

第IV部是所謂「那個時代」的衰退期與終止期。此處關注的重點之一，是此衰退期形成之「一九七〇年典範（paradigm）」決定了日後日本左派的基本論調，而此狀況乃基於何種背景而產生，其極限又在何處？在本書的研究對象中，「越平聯」算是特殊的組織，為了描寫公民運動的可能性，以及年長者與年輕人既共存又對立的持續狀態，故加入相關說明。

關於自聯合赤軍至女性解放運動的潮流，因聯合赤軍事件從當年到現在往往被賦予過多意義且多以略帶感傷口吻闡述，而為了闡明此事件的感傷解釋帶來什麼樣的影響，而舉女性解放運動作為其中一例，並特別審視了田中美津的論述。筆者認為，女性解放運動的歷史原本就應當由當事者的女性研究者來書寫，因此本書劃出一章敘述女性解放運動，僅是因為開展本書主題上所需，並無打算僭越去闡述女性解放運動的歷史。

在結論部分，針對「那個時代」青年們的反叛為何、問題點又為何、反叛給日後的日本社會留下什麼樣的影響等，進行國際比較並做總體概括。另也提出「那個時代」的衰退期中形成的「一九七〇年典範」在當今面臨什麼樣的侷限，並在對接下來的世代提示典範轉移之處，結束本書。

此外，本書處理的時代，當時的當事者大多仍然健在，但除了偶爾有當事者賜教的場合，基本上不對當事者進行訪談。筆者過去的著述《「日本人」的界限》中處理二戰後沖繩的復歸運動，《「民主」與「愛國」》中處理戰後思想，皆未進行訪談調查。其原因有三。

第一，基於一個單純的事實，那便是人類的記憶是會變形的。例如筆者在《「日本人」的界限》的資料調查之際，便遇到即便日本戰敗後留有主張沖繩自治論的文獻資料，某沖繩的復歸運動領導人士仍堅持從戰敗便一直線連結到復歸運動的說法。

這恐怕不是意圖性地隱蔽事實，而是人類為了肯定當下的自我存在方式，而打造出自己的歷史（history=his story）。如同本書第九章的註釋二四一，同一人物在一九六九年與一九八〇年代的敘述有所出入。所謂「只要詢問當事者，就可以得出無可動搖的真實」，這種想法不過是幻想。記憶是動態的。

第二，完成、修整研究時的務實問題。以本書的主題來看，若欲進行正式的訪談，恐怕不是訪談數人便可結束，而是需要進行上百人的調查。本書中採用了相當數量的回憶錄，收集了大量主要當事者（除了像山本義隆般拒絕一切採訪的人）的回憶，但如正文和註記中所述，多位當事者圍繞同一個事件往往陳述不同的回憶，這種事例並不在少數。

本書盡可能地使用多種回憶錄與當時的報導，與事實不同之處則加以註記，如果執行規模多達數百人的訪談，務實來說，肯定會陷入無法收束的狀態。更何況即便同一個人，若因記憶的變形導致八〇年代撰寫的回憶錄與現在的訪談不盡然一致，最後將無法彙整出可用的敘述。筆者靠一己之力收集並閱讀大量資料，並不畏勞苦，但面對原則上不可行之事，除判斷確不可行之外，別無他法。

第三，筆者活用至今為止一直採用的，自身擅長的文獻調查方法。文獻資料雖非萬能，但在某些時候仍能起到拆穿現代人為迎合自身而擅自捏造的記憶，或具備打破一般觀念的功能。

例如第十四章所述，全共鬥與新左翼相關人士開始把「戰後民主主義」一詞當作批評用語來使用，僅從文獻來看始於一九六九年一月以後，但此事即便對今日的當事者進行訪談，大概也無法釐清。有可能會得到「戰後民主主義？大概是一九六五年起開始批判的吧？」這種反應。天皇制或在日朝鮮人問題直到一九七〇年夏季（至少到一九六九年春季）幾乎都未被當成問題；一九六八年初夏為止的東大鬥爭具備「經濟鬥爭」與「民主化鬥爭」的特質等等，只要爬梳當時的文獻資料便可釐清，但若今日訪談當事者，或許會讓對方感到訝異，又或者對方可能打算否認。這是因為這幾點可能否定之後的鬥爭發展或他們自身的存在方式。然而，文獻資料在當時猶如把思維與心態「冷凍保存」下來，因此可剝除現今創造出來的「記憶掩蓋」或既定觀念，面對隱藏的傷口，也暗含將其撬開的力量。

筆者無意否定口述歷史的可能性，實際上去年（編註：二〇〇八年）發行的《在日一世的記憶》中也參與採用了訪談調查的計畫。筆者也不認為文獻資料萬能，只是想在自己的研究中，貫徹自一九九五年《單一民族神話的起源》起，十五年來一直使用的方法。

這種方法在某些情況下等同於揭開當事者瘡疤，因此有可能遭到抗拒。筆者並未將揭開瘡疤或打破一般觀念當成目的，筆者甚至認為「把傷害他人使其感到動搖當成目的」一事具有犯罪性質。只是，不透過這樣的方法，有些事情就無法釐清。筆者認為，即便以特意破壞一群人安身立命的一般觀念作為代價，從中獲得的東西，仍具有一定意義。

另外尚有一事必須先行說明，本書並不打算將「那個時代」描寫成英雄般的故事，若有讀者抱持這種想像，本書可能無法回應該種期待。筆者認為，即便扣除當時青年們所處時代的侷限與制約，他們的行為仍存在著稚拙的部分。

但本書的主題絕無揶揄「那個時代」青年的稚拙之意。須反覆說明的是，本書的主題在於「那個時代」的反叛在日本現代史中該如何定位，並試圖在其中找尋意義與教訓。本書的描寫即便帶給「那個時代」的當事者們違和感，但比起細節的（當事人如此認為之）事實誤解，而引發低層次的抗議與批判，筆者更期待能見到涵蓋本書整個主題的議論。

1968

第Ⅰ部

第一章　時代性及世代性的背景（上）

——政治、教育背景與「文化革命」的神話

經濟高度成長從根本改變了日本社會的型態。在此之前的常識、理念，或者不再適用，或者枯竭至徒留形式。

「那個時代」的反叛，就在這樣的時代背景中產生。這是一種反對新變化的倫理感與另一種迎合新變化的慾望，兩者共存下衝撞出來的矛盾狀態。

為了理解年輕人的反叛思潮，本章與下一章將考察三個背景要素。

第一，當時社會結構的劇烈變化，對當時的年輕人產生什麼樣的影響？經濟高度成長為日本社會帶來了一些改變，如人口朝都市集中與鄉村人口減少、升學率的陡然上升，以及既存的革新政黨轉入體制內等等。此外，當時也迎來越戰最熾烈的時期。這些時代背景及其影響，在理解年輕人的反叛思潮時皆至關重要。

第二，發起這股反叛潮流的嬰兒潮（亦即所謂的「團塊」世代），過著什麼樣的生活、在什麼樣的文化下成長，經歷過什麼樣的教育體驗，之後，於此時迎來人生二十歲前後的時光。如後所述，這個世代的人們幼時成長於經濟高度成長之前的社會，青年期則生活在經濟高度成長的成熟期。這種幼時與青年期的生活、文化間存在巨大反差，導致他們倍感困惑，這也隱然成為他們反叛思潮的背景要

素。

第三，這種社會的巨變，將年輕人逼入一種什麼樣的心理狀態中？從結論而言，在日本因經濟高度成長而由發展中國家躋身為已開發國家的狀況下，當時的年輕人置身在與「近代的不幸」不同的層次中，也就是他們直接面對的是「現代的不幸」。所謂的「近代的不幸」指的是戰爭、貧困、飢餓等情狀，而「現代的不幸」則指對認同的焦慮、對未來感到閉塞感、對生活缺乏切實感，以及現實感稀薄等狀態。

當時的年輕人持續對這種「現代的不幸」懷抱不滿，進而發起了反叛。但在只能理解「近代的不幸」的上一代成年人看來，這只是既不知戰爭亦不懂飢餓的年輕世代所發動的令人無法理解的暴力行為，僅僅反映出年輕世代的不成熟。

本章將敘述重點放在第一個背景要素，下一章則將重點放在第二及第三個背景要素，來說明這種時代性、世代性的背景。之後的章節將具體闡述年輕人的反叛背景，若想要釐清此類反叛思潮為何具備這樣的特性，這些認識皆不可或缺。

對經濟高度成長與議會制民主主義的不信任感

一九六〇年，池田內閣決定實施「國民所得倍增計畫」後，日本正式邁入經濟高度成長期。

宣布這項國民所得倍增計畫的背後，是自民黨政權對六〇年代安保鬥爭中崛起的革新勢力的危機感。雖然《美日安保條約》成功修訂，但預期中的反對運動也順勢勃發，甚而導致岸信介政權垮台，此事對自民黨的衝擊相當巨大。接續岸信介成為首相的池田勇人，不再強調五〇年代自民黨亟欲回歸二戰前政治局勢的想法，避免政治上的對決，採取致力促進經濟成長的姿態。

在此方針之下，池田一貫維持拒絕修憲的態度。當社會黨委員長淺沼稻次郎於一九六〇年十月遭右翼少年刺殺後，池田在國會上明白表示：即便自民黨擁有修改憲法所需的三分之二以上國會席次，也不會修改憲法。此外，在國會大選的一九六三年十一月，池田又再度表達在他首相任期中絕不修憲[1]。

一九六四年當上首相的佐藤榮作也持相同態度。佐藤組閣後隨即於記者會上發言表示，「新憲法的精神已經融入當今日本國民的血肉」，明確展現不修憲的決心。佐藤的胞兄岸信介見到過往支持修憲的佐藤竟如此「變節」，感到震怒不已[2]。

與此同時，岸內閣時代因朝野對抗而決裂的執政黨和在野黨關係，也被嘗試修復。池田與包含社會黨在內的在野黨約定，今後自民黨不會再倚靠多數決壓制在野黨的反對，亦即不會採取強制通過表決的手段，不久，法案在送交國會前，執政黨和在野黨的國會對策委員長會「事先溝通」，預先取得雙方共識的「國對政治」成為慣例[3]。當時池田的親信官僚宮澤喜一對這種自民黨轉變的背景因素，有如下說明[4]：

> 在民主主義尚處於不成熟階段的日本，當發生一次因國會外壓力而決定國家政策（此處應該是指六〇年安保鬥爭）的例子後，唯恐將來會形成一種慣例，危及議會主義的存續。為了不讓這種事情形成慣例，有必要再度恢復到正常的議會主義。……所以池田內閣有意避免太過張揚地掌

握政府主導權，在被說成「低姿態」的同時，也不強行通過、惡性通過法案，採取長期迂迴作戰，意欲再度確立議會主義的規則。

「國對政治」是否算得上「正常的議會主義」，此處暫且擱置不論。這種方針在穩定保守政權的同時，也使自民黨與在野黨習慣相互勾結。這種狀況，成為了日後全共鬥運動批判議會民主主義的背景。

不只在野黨，作為其基盤的工會也因經濟高度成長而發生重大變化。

在西歐的已開發國家，因一級產業的衰退與二級產業的擴大，工會的發言權大增，形成了保守政黨與勞工政黨相互拮抗的兩大政黨制。在日本，曾任池田內閣勞工大臣的石田博英於一九六三年預測：一九五〇年代自民黨票數的減少與社會黨票數大增，與一級產業就業者及二級產業就業者的增減曲線一致，因此石田主張一九六八年自民黨與社會黨的勢力將會發生逆轉[5]。不過，此預測並未成真。

在經濟高度成長下，自民黨的得票率確實減少了。自民黨於一九六〇年十一月的大選中取得三百席，達成二戰後最多的議席數，但自六〇年代至七〇年代初得票率卻一貫低下，據說原因出在自民黨支持基盤的農村人口減少，自民黨的吸票機制無法起到功能[6]。

但是，同時期社會黨的支持也未獲提升。關於原因有各種說法。有說法指出，這是因為黨內左派勢力太強，無法將自己轉變成一個因應經濟高度成長的現實的社會民主主義政黨。不過，此處另舉一個原因，即作為這個政黨支持基盤的工會出現了變質。

自一九五〇年代起，資方不再與工會對抗，而是形成把工會拉入己方的「企業家族主義」。勞工也不再依靠工會與資方對決，而是傾向與資方妥協，以達到企業整體的經濟成長，並以加薪的方式分一杯羹。公司住宅、公司內部貸款等企業內部福利的發展，也更穩固了這種傾向[7]。如此一來，五〇年代後半起民間企業的工會便失去了戰鬥性。

一九六〇年的三井三池煤礦爭議是一個轉捩點。當時社會黨的支持基盤是日本勞動組合總評議會（總評）底下的工會，其主力之一是煤礦礦工工會的聯合，簡稱「炭勞」。其中三池煤礦工會被稱為日本最強工會，在民間企業的工會中，屬於保持戰鬥性的工會之一。

一九五九年十二月，三池煤礦資方通知工會，將解雇工會運動者在內的一千兩百七十八人，工會則主張撤回解雇，否則就從一九六〇年一月開始進行無限期罷工。這場爭議被稱為「總資本與總勞工的對決」，歷經對資方採合作態度的第二工會成立，以及繼續戰鬥的第一工會成員遭右翼刺殺等事件後，七月時約兩萬人的罷工糾察隊佔領運煤的貯存槽前空地，發展成與約一萬名警察對峙的狀態。

在預期會發生流血事件的情況下，勞工大臣石田博英委託中央勞動委員會進行斡旋，八月三十日斡旋案出爐，內容是「公司取消指名解雇，被解雇者自發退職」，實際上算是工會一方的敗北[8]。

在此事前後，各地相繼出現由資方組織工會，或者組成與資方合作的第二工會。一九六四年由日本勞動總同盟（同盟）與重化學工業的工會集結組成國際金屬勞聯日本協議會（International Metalworkers' Federation-Japan Council，簡稱IMF-JC）。這些工會比起總評，都更偏向與資方妥協的路線。

經濟成長帶來穩定的生活，也加速了這種傾向。一九六〇年左右日本達成充分就業的狀態，自一九五六至一九六五年為止，完全失業率降到一%以下，勞工的平均薪資名目上達到二．二倍，實質上也有一・五倍的成長。另外一九六〇年至一九六五年，電視機的普及率從四十一・二%上升到九十五%，電冰箱從九・四%上升至五十七・二%，汽車也從二・二%迅速提升到十二・五%，把自己定位為「中間階層」的國民達到八十六%[9]。日本「一億總中流」的狀態，可以說成立於此一時期。

在這種情況下，比較具戰鬥性的總評也逐漸由主張與資方合作的大企業工會出身者佔據幹部職位。一九五四年為止的總評，由戰鬥性高的事務局長高野實所帶領，但一九五五年則由穩健派的事務局長岩井章與議長太田薰取代。民間企業的工會基本上不採取罷工形式，改採每年春天由工會代表與資方代表進行談判，取得共識後決定提高薪資的「春鬥」形式，而此形式也於六〇年代固定下來。

勞工們的意識也產生變化。一九六七年秋，總評調查部對下屬的兩萬一千名民間勞工進行意見調查。其結果，雖然對薪資與住宅多有不滿，但面對「日本的社會屬於資本主義體制，而你希望何種體制？」的問題，回答「維持現狀即可」者有五・三%，「今後對資本主義加以改良」有五十一・八%，「社會主義」有二十四・二%，「不知道」有十一・七%，「未回答」有六・八%，特別是年輕勞工許多都肯定資本主義。社會黨幹部獲知結果後，據說感到一陣愕然[10]。

此外，日本生產性本部於一九六八年春天對民間重要企業的工會幹部進行意見調查，認為「未來的社會體制將會是資本主義的改良產物」者佔六十八%[11]。雖說需要一定程度的改良，但肯定資本主義的勞工、工會幹部仍佔多數。

在這種狀況下，工會組織的遊行、集會明顯徒具形式，參加大型工會主辦的遊行者可以拿到日薪，但到了一九六〇年代後半，即便保證給予日薪也難以召集足夠遊行人數。遊行也逐漸空洞化、形式化，轉為多一事不如少一事，為避免與警方摩擦，自然不會與警隊發生衝突，工會幹部還會提醒只能走在警方許可的路徑上，並需嚴格遵守「五列縱隊」的隊伍形式，禁止參加者使用任意製作的標語牌等。

一九六八年秋季的出版品中，對總評下屬單位辦理的集會與遊行有如下批評[12]：

> 原本「連帶」關係要成立，彼此間必須存在某種緊張感。總評決定大眾集會的日期，下屬的工會基於事先設定的「動員規模」再指示更下屬機構。此「指示」中幾乎沒有需討論的政治議題或org〔organize的簡稱，指政治運動中的訴求、說法〕，就這樣通過單產本部[i]—地本[ii]—支部—分會的途徑由上而下傳達。因為以這種形式舉行如「五萬人集會」或「中央總誓師集會」等運動，所以無法由下而上發起集會，參加者也不認為這是自己的集會。……從最近參加人數僅有動員指令三到四成的狀況來看……說明了工會的現狀……。
>
> 而且這種形式的集會後進行的遊行，也在「合法」的範圍裡，一步也不打算越界。說得極端一點，這僅是在事前決定的路線上漫步罷了。

這種不尊重勞工自發性的大工會「多一事不如少一事主義」式動員，削弱了勞工的士氣與自發性，讓人不想參加，如此遂陷入惡性循環。

i 譯註：「單產」指單一產業。「單產本部」即單一產業工會的總部。

ii 譯註：地方本部，指工會的地方總部。

同時，前述的「議會主義」也益發穩固，社會黨失去了戰鬥性。一九五〇年代，自民黨有修憲等恢復日本戰前狀態的鮮明意圖，與其抗衡的社會黨也維持一定的戰鬥性，然而當自民黨轉變，表面上變得穩健，工會逐漸被資方所吸納後，社會黨也變質為維持一定席次的體制內在野黨。

在這種狀況下，許多大企業勞工都離開了社會黨。而七〇年代在春鬥等機制分到經濟成長大餅的勞工，也僅佔總勞動人口的一成多，屬較高學歷的勞工[13]；而在中小企業工作的低學歷群體與來自地方的離鄉打拚勞工，從一開始就沒有支持社會黨或總評的情感。

在某機械工業公司工作八年的二十三歲國中畢業女性員工，在一九六九年的採訪中表示：「總評什麼的，我看不起他們。每年按照時程表進行鬥爭，僅會要求調升薪資，結果只是把岩井、太田這些有名人士推上台而已。」接著她表示，工會幹部與資方勾結，批評他們只要取得一定地位便感到滿足，斷言「〔工會的〕幹部什麼的，全都是腐敗的勞工貴族呀。」[14]

這種戰鬥性的喪失，不僅止於社會黨。共產黨在一九五五年第六屆全國協議會（六全協）中放棄了武裝鬥爭路線，改為致力在議會中穩健拓展勢力。一九六〇年，社會黨右派成立民社黨，自社會黨中分離獨立，把同盟當作自身的支持基礎。另外，公明黨也成立並擴大基礎，吸收了六〇年代前往都會討生活、在大企業未組織工會的工人的選票。這些在野黨雖在議會內擺出反對自民黨的姿態，但已然失去五〇年代各種鬥爭的戰鬥性。

從結果而言，在自民黨、社會黨兩大黨各自衰退下，共產黨、公明黨、民社黨等多黨林立，「無支持政黨」的無黨派群體也在增加[15]。這種無黨派群體的擴大，反映出面對執政黨和在野黨在議會檯面下勾結的「國對政治」，以及在國會上僅做做姿態表示反對或質詢的狀況感到失望，不再期待議會制民主主義的人數上升。

社會學者日高六郎針對一九六八年中期的民意調查結果，表達如下意見[16]：

「有意見認為，為了守護日本的安全，應加入美國的『核保護傘』，由美國的核武來保護日本。您贊成嗎？或者反對呢？」

贊成　二十一・二%

反對　五十七・一%

「在保障我國安全與獨立的手段上有許多說法，您認為以下何項最該受到重視？」

增強防衛力保衛自己國家　十八・三%

強化與美國的安保條約　九・七%

放棄軍備，讓國際理解日本是和平國家　六十一・二%

「〔包含支持美國越戰在內的〕當前政府外交政策，是否充分反映國民的輿論？」

反映　十一・九%

未反映　六十三・七%

觀察其他問題的回答，可看出在安全保障問題上對佐藤內閣的支持率只有十%到二十%，反對則有五十%到六十%，正反之間存在決定性的差距。根據其他的全國調查，關於越南問題與沖繩問題，正反間落差更形巨大。

自民黨內閣雖在國會中佔據多數派，但關於重要政策，在國會外卻落入澈底的少數派。國會內部與國會外部出現如此巨大落差，實屬戰後首見。

上述民意調查中，渴求和平的回答佔多數，應是戰爭記憶還鮮明的年長者們的反應，加上後面會提到的，戰後出生的年輕階層受到二戰甫結束後的和平教育導致的結果。在這種情況下，人們理所當然會認為，議會制民主主義作為反映輿論的機制顯然未發揮功能。

日高寫道，「特別是年輕族群狀況特別顯著」，「制度的『代表』們，國會的『議員』們並未意識到這點，對於他們能否填補與民意的鴻溝，青年們表現出絕望的態度。青年們的不滿之聲，大概只能訴諸街頭。」[17]年輕族群對議會制民主主義感到失望，為了直接表達自己的意見而走上街頭遊行，也成為必然的結果。

承接這種想法的，是總稱為「新左翼」的各黨派。如第三章詳述般，新左翼各黨派起源於不滿共產黨放棄武裝鬥爭路線的學生運動家等，組成共產主義者同盟（共產同）。新左翼各黨派因六〇年代的分裂與創生，數量有所增加，不過在蔑視議會制民主主義，激進鼓吹以直接行動發起社會主義革命的論點上，各派系如出一轍。一九六八年，新左翼的中核派幹部北小路敏在雜誌對談上有如下表述[18]：

> 運動展開後已經歷十多年，期間也舉行了數次選舉。每回都說這次會獲勝，但革新陣營總是站在三分之一的高牆前停滯不前，這是為什麼？……在當今合法的議會選舉框架內，能夠嘗試的方法全部嘗試過了，但卻無法超越這堵高牆，換言之，這是因為議會主義最終不過就是這種制

度，也就是說，議會主義是資本主義最佳的外衣，我們對此必須重新加以認知。

這種主張廣被年輕階層接受。一九六八年二月的座談會上，某高中生提出如下主張[19]：「想要繼續維持資本主義社會的人緊握著政權。那些人讓自己當選的方法，就是現在所謂間接民主制的選舉方式。所以，這種選舉方式對誰有利，已再清楚不過。」

不過在這個時代，雖然有不少青年對議會制民主主義感到失望，但並未失去對政治的關心。他們關注愈演愈烈的越戰，在對既存政黨持續感到失望的同時，認為必須要採取某些形式的政治活動。這類年輕人批評形式化的在野黨與議會制民主主義，並採取直接行動。

一九六五年，反對慶應義塾大學學費調升鬥爭白熱化後，慶應義塾大學理財學會在一九六六年編纂了《對大學革新之展望》一書（第五章將討論）。該書中記錄學生們認為「一如當前議會民主主義的象徵般，我們擁有的只是一種間接性的政治，所以必須打破無法決定自己命運的形式民主主義，關於自身的命運問題，必須追求自己能作主的直接民主主義思想」，之後又有如下記述[20]：

「政治上的民主主義，被戰後歷代保守政權以議會主義的多數決原則抹殺。」「大多數的主權者被排除在決策機關與過程之外，變得必須私下解決問題。」「學生身為主權者，摸索『自行介入政治機構，自行做出決定』的直接民主主義思想，而形成廣大的能量並奮起而行。」

在一九六九年末的報導中，新聞工作者立花隆如此說明[21]：

總評相較於同盟或中立勞聯，屬於在政治活動中投入更多精力者，即便如此仍抹不去僅是附加為之的感覺。在加薪鬥爭中雖也嘗試加入政治口號，但只要加薪談判一協調成功，便不再進行活動。即便街頭遊行或政治集會，皆由中央下達動員指令，要求湊人數參加，再發給日薪，這種形式已然成為常態。

青年層中對此感到不滿，有人認為即便沒有報酬也無妨，只想參與更多政治性活動。……然而，今日的年輕人中，既不支持共產黨也不支持社會黨的人佔大多數。以下通過數字來觀察。今年春，日本經濟青年協議會針對一百一十七家公司，七千餘名公司新鮮人（高中畢業五十％，大學畢業三十六％）進行意見調查。根據該調查，支持政黨中自民黨有十六％，社會黨有九％，共產黨有一％，無支持政黨實際上達到四十一％。

同樣地，勞動調查協議會在去年底針對總評、中立勞聯下屬的工會成員約二千五百人進行意見調查，其中支持自民黨有九％，支持社會黨有二十八％，支持共產黨有四％，與此相對，回答沒有值得期待的政黨者有二十七％。上述調查若從年齡別來看將更為有趣。四十歲以上支持社會黨者超過四十％，十幾歲到三十幾歲的年齡層中，約三十至四十％回答沒有值得期待的政黨。

這已經到了既存政黨可說完全失去年輕勞工支持的狀態。更令人驚訝的是，年輕人對代議制民主主義抱持著完全不信任的觀念。

更進一步引用前述勞動調查協議會的調查，對於「認為自己的意見能通過選舉反映到政治上嗎？」的提問，回答「能」與「能反映一些」者佔四十九％，回答「幾乎不能」或「完全不能」者有四十三％。此問題也是越年輕回答「能」的人數越少，十幾歲的世代僅有三％，二十幾歲的世代則為十％。

面對這些年輕人，詢問他們思考政治參與時會想到什麼，回答是支持遊行、政治罷工等直接行動。認為直接行動「很好」有四十七％，「有點不贊成」有四十二％，「認為不好」者僅有三％。這種傾向也是越年輕越明顯。

根據對選舉與直接行動的態度，可以分為四個群體。認為選舉與直接行動皆好者，幾乎都是社會黨、共產黨、公明黨的支持者；認為選舉好但直接行動不好者，則支持自民黨、民社黨。與此相對，認為選舉不好直接行動才好者，多沒有支持、期待的政黨；認為選舉和直接行動皆不好者，則是對政治（與政黨）完全失去關心。有趣的是，這四個群體幾乎各佔四分之一。而越是年輕，就越少屬於前兩個群體，更多屬於後兩者。

立花分析，「從選舉得票率等來判斷，許多見解都認為因為進入安定成長期，所以青年層逐漸保守化。然而，對照前述調查，可見這種看法有誤。青年並未保守化，只是放棄了既存的革新派。進而不斷分化成明確的兩組：以直接民主主義為目標的激進派，以及表明不關心政治（apathy）的非政治派（nonpolitical）。」[22]而此中的無黨派且「以直接民主主義為目標的激進派」則成為六〇年代末反叛的推手。

都市的變化與人口的狀況

經濟高度成長帶來了一級產業的衰退，二級產業與三級產業的成長，以及人口急速從農村移往都市的狀況。

經濟高度成長之前的日本農業基本數值——水旱田總面積六百萬公頃，農家五百五十萬戶，從事農業者一千四百萬人——據稱此數值自明治以來幾無變化[23]。另也因戰爭之故，都會區呈現毀滅狀態，人口疏散至鄉下，一九四五年的都市人口不過二十八%。至一九五五年，從事農業者也較二戰前一九三〇年的一千三百四十七萬人更為成長，達到一千四百八十九萬人。

但隨著經濟高度成長啟動，事態發生驟變。一九五五年至一九六〇年從事農業者減少十一・九%，一九六〇年至一九六五年又減少十七・三%。在這十年間，約有四百萬人放棄農業，遷移到都市。

且這種現象在青壯年層相當顯著。一九五五年至一九六〇年，從事農業者中未滿二十五歲者減少了約百分之四十幾，一九六〇年至一九六五年未滿二十五歲者減少五十—六十%，二十五歲到三十四歲的男性減少三十六%，女性減少二十九%。一九六〇年至六五歲者減少的從事農業者人數中，未滿三十五歲者佔八十七%。一九五一年青森縣中學畢業的男性中，有二十三%從事農業，隨著高中升學率提升，以及前往都市工業地帶的「集團就業」（一九五四年開始），一九六四年時中學畢業男性從事農業者驟減至二・四%[24]。

青年前往都市的原因有兩方面，一是薪資高的工作，另一則是都市文化的吸引力。一九六〇年日本東北地方的中學畢業生起薪，只有東京中學畢業生起薪的七十一%[25]。而在電冰箱尚未普及的當時，在農村吃頓飯也是每天吃當季蔬菜，生活單調。六〇年代正值年輕時期的某男性，在二〇〇四年回憶自己從農村前往都市的始末[26]：

我既討厭鄉下，也討厭務農。孩童時代，一到夏天，每天午餐都是涼麵，晚餐就是燉南瓜或茄子，加上鹽漬黃瓜。飲水從井裡打出裝在瓶中，洗澡水拿竹桶接山泉水。一九五九年「皇太子成婚」時，家中買了電視機，在電視上有美國電視劇，見到了美國善解人意的雙親、擺著火腿與香蕉的餐桌，當然還有一扭水龍頭就有自來水的生活方式。那與自己的生活簡直天差地別。不只我生長的小聚落，連小鎮中的大家都知道，我很討厭這種鄉下生活。

所以一直以來我都認為是依據自己的意志拋棄了鄉下生活，但實際上不過是從鄉下移往都市的勞工之一罷了。

日本就業人口中農村人口所佔比率，一九五〇年為四十五・二%，一九六〇年為三十・〇%，一九七〇年迅速降為十七・九%。不只青壯年，一九六三年日本出現了由「爺爺（じいちゃん）、奶奶（ばあちゃん）、媽媽（かあちゃん）」支撐起農業的「三匠（ちゃん）農業」一詞[27]。一九四五年都市人口為二十八%，一九七〇年為七十二%，人口比例完全反轉。一九六二年東京人口突破一千萬，一九六八年東京二十三區內的人口密度為每平方公里一萬五千四百八十四人，紐約為九千八百零九人，倫敦為四千九百三十七人（兩者皆為一九六七年數據），東京儼然是超越紐約、倫敦的人口過密城市[28]。

一九六九年二月十四日《每日新聞》的晚報有如下敘述[29]：

「東京的天空，病情逐漸加劇了。十四日早上的東京，是個讓人分不清現在是清晨還是黃昏的早晨。有如身心皆被染成灰色般，成了一個令人厭惡的灰色世界。連紅綠燈都看不清楚的異常事態，讓氣象廳在早晨七點發布『濃煙濃霧警報』，都市公害部也發布有史以來首次的連續四天霧霾警報。『濃霧警報』偶爾會出現，但『濃煙濃霧警報』卻是昭和二十七年警報制度啟用後首次出現。」

急速的人口集中，也造成住宅不足的狀況。根據都政民意調查，一九六二年「對住宅感到煩惱」的回答有三十一%，到一九六五年增至四十四%。據一九六八年實施的東京都調查，包含狹小擁擠住處（未滿九張榻榻米的空間居住兩人以上，或未滿十二張榻榻米的空間居住四人以上）在內的「住宅難家庭」已佔總家庭的二十八．一%[30]。

在這些遭遇居住困難的人之中，也包含了來自各地方的青壯年勞動人口。根據一九六八年東京都的調查，東京全部家庭之中有四十二．二%向民營租屋者租房，二十八%的家庭居住在被稱為「木造租賃公寓」處，這是種「木造二層，走廊位於中間，兩邊並排每間四張半榻榻米大小的房間，內有寬四十五公分的水槽，廁所由五到六戶共用一處」的公寓。在勞動省實施的各地方勞工生活環境調查中，一九六五年受調查人口中的三十六．五%，居住在每人平均不到三張半榻榻米大小的地方[31]。

靠自己的薪水也住不起公寓的中學畢業、高中畢業上京就業者，許多都一邊寄宿在雇主／老闆的家中一邊工作。根據當時的《青少年白皮書》，一九六七年，東京十七歲以下的男性勞工有六十三%、十八—十九歲有五十二．二%、二十—二十四歲有四十二．七%採這種寄宿方式；女性十七歲以下則有六十九．〇%、十八—十九歲有四十八．九%、二十—二十四歲有四十．四%採這種寄宿方式[32]。相較之下，能夠在木造公寓租賃一間個人房的人，都還算不太差。

包含東京在內的都會區，因聚集了大量的青壯年男性，導致男女人口失衡。根據一九六五年的國勢調查（人口普查），全國的城市人口四千七百三十萬人中，十五歲至三十四歲者佔四十二％，而全國人口的男女比率為女性一〇〇比男性九十六・六，但是，東京都及其周邊地區和大阪府，則出現女性一〇〇比男性一〇一到一〇六的狀況[33]。

特別是東京，人口集中在青年層的狀況特別顯著。一九五五年至一九六五年，東京的十五－二十四歲人口增加了九十六萬人，佔增加人口的三十四％。一九六五年的東京，十五－三十四歲佔總人口的四十七％。木造公寓與「團塊世代」集中地的高圓寺地區，一九七〇年時男性人口中十五－二十九歲者佔了四十七％[34]。

而且，當時城市裡的娛樂設施尚不充分，新宿東口的歌舞伎町娛樂街剛開始發展，而新宿西口卻只有淨水廠與草原。澀谷從今日公園通往外走，全都是荒野。一九六〇年實施的調查發現，因為沒有娛樂設施用來度過閒暇時間，「甚至有人說代表性的休閒就是『休眠』，胡亂躺下就睡，另外頂多就是閒聊、讀書、聽收音機或看電視等等」，當時只有這些休閒活動[35]。

進入一九六〇年代後，狀況並無太多改善。在六〇年代後半「休閒潮」雖成為流行用語，但不過就是一年有一次到兩次特別的機會進行國內旅行。當時匯率固定在一美元兌三百六十日圓，一九六六年大學畢業的平均起薪略低於二萬五千日圓，海外旅行之類是遙不可及的夢想。

根據一九六八年實施的舉出「過去三個月中體驗過的休閒、嗜好」調查結果，除「住宿超過一晚的旅行」佔第二名，其他則由讀書、做手工藝及裁縫（僅限女性佔高比例）、在家喝酒、看電影舞台劇佔據前五名。除此之外還有自行車競賽、賽馬等賭博類也成為新興的「休閒」，稍微引人注目，但也僅止於此[36]。

更有甚者，雖說因經濟高度成長而使所得增加，但當時的日本尚處於半已開發國家，誠然一九七〇年日本國民生產毛額（GNP）誇稱已達到世界第三名，但國民平均所得仍排在全球二十名之外。而且工作時間亦長，餘暇時間只有美國的三分之二。從一九五五年到一九六七年的實質國民所得（Real gross national income）增加二・五倍，個人消費支出也達到三・六倍，但大部分的金錢都花在電視等家電的分期付款上[37]。

消費文化的滲透與二戰後那種絕對貧困感有所不同，產生出新的相對貧困感。雖然扣掉物價上漲後實質收入仍有增加，但根據總理大臣官房的「國民生活調查」指出，一九六一年回答「覺得生活變輕鬆了」的人只有十八%，回答「一樣」者佔六十一%，回答「變得更辛苦」者有十七%，相對於此，一九六六年「覺得生活變輕鬆」者降到七%，回答「一樣」者佔五十一%，回答「變得更辛苦」者上升到三十九%[38]。

當時的消費動向調查指出，「我國消費革命的特徵在於，消費革命比所得革命先行，或者至少兩者同時並行。」[39]因為依照所得上升的步調以分期付款方式購買消費品，故留給餘暇的金錢也很少。

因此當時庶民度過餘暇的方式多為讀書、飲酒、看電影、賽馬、打小鋼珠，至多以數個月一次的頻率，以職場或旅行團的形式進行住宿一晚的旅行。當時處於這種狀況下的東京，年輕男性的比率異常之高，其中大多數都住在不超過三張榻榻米大小的房子，處於金錢上沒有餘裕，卻擁有大把餘暇的狀態。

今後的章節將會說明，「那個時代」當學生與機動隊於街頭發生衝突時，往往出現許多「群眾」或「湊熱鬧者」，他們屢屢向機動隊扔石頭。一九六八年十月的新宿事件中，大量的群眾與學生們一同闖入車站內，破壞電車與車站建築。但這種狀況並非群眾對學生們的革命思想產生共鳴，對大量不習慣都市生活且對單調的體力勞動積鬱不滿的上京青年而言，這就是一種不需要花費的絕佳娛樂。

教育界的改變

經濟高度成長也使學校教育發生重大變化，而且這種變化成為青年發生反叛的最重要背景因素之一。

全共鬥往往被認為是否定「戰後民主主義」的運動。從某方面而言這的確是事實，但實際上並沒有如此單純。之所以這麼說，是因為全共鬥運動的推手中，自認是「戰後民主主義的天之驕子」的人並不在少數。

例如，在東大全共鬥中使用「暴力羅莎」（Gewalt Rosa）[iii]別名的柏崎千枝子於當時的手記中寫道「我身為戰後民主主義的天之驕子而成長」，「父母告訴我的恐怖戰爭經歷令我恐懼顫抖」，「我把憲法，特別是規定放棄戰爭的第九條奉為金科玉律。」[40]同樣參加東大全共鬥的大橋憲三日後也表示，

iii 譯註：「暴力羅莎」原文為「ゲバルト・ローザ」，後者的「羅莎」由來自羅莎・盧森堡。本詞為一九六八年的新造詞，原本是柏崎千枝子的暱稱，隨後成為從事暴力鬥爭的女性運動者的代稱。

「我思考自己的狀況，認為自己徹頭徹尾是戰後民主主義的產物。人人平等，放棄戰爭，回應全世界公民的信義而生存，這就是我的信條。」[41]

自認為「戰後民主主義的天之驕子」的他們，為何會發起否定「戰後民主主義」的運動？為了理解此事，有必要了解戰後的學校教育從剛戰敗到經濟高度成長期為止，究竟發生了何種變化。

剛戰敗後的教育，從物質極度荒廢與貧困中出發。但教師與學生都抱持著不讓悲慘的戰爭再度爆發的真切期望，存在一種欲重建民主且平等之新日本的氣象。日後成為高中老師的大河原禮三在一九七〇年回憶剛敗戰後的時代，做出如下陳述[42]：

敗戰時我是舊制中學的一年級學生。當時學生與老師都從長期戰爭的沉重壓力中解放出來，充滿了生氣。教師基於自己的信念傾注熱情持續教導學生。他們相互間的意見固然不同，仍舊如實展現個性，我們感受到那股魅力，各自追隨自己信服的老師。

學生們也思考因軍國主義教育造成的犧牲而抱持強烈自覺，認為今後必須靠自己的頭腦自主思考，不被左右。例如有人花了三個小時討論「我們為了什麼而學習國語」。學生針對「教學進度」提出問題，老師也不反駁，聆聽學生們的意見。在學生總會成立時，花了四天審查學生會憲章，學校當局也說「這是個重要的問題」，所以從早上就停課讓學生們盡情討論。

他們（指剛戰敗時的教師）之中的一人最近回想當年，表示「舊的體制崩壞，新的體制又還沒出現，此時『遵從法制判斷』根本沒有意義，故主張『作為一個人，應以良心為判斷的基準。』類似這種具有明晰革新式思考的教師雖為少數，但當時的社會情勢讓他們可以成為全體職員的領導者。我們能做出大膽的行動，正是因為有這樣的社會情勢在背後支援。」

這類教師當時遍布於全國各地的學校。一部分也因為當時的教科書不足，所以從自己喜愛的書中製作教材來教學。我因此感受到教師這項工作的魅力。這也是我特意選擇高中教師作為職業的理由之一。

在初等教育中也存在這種趨勢。六〇年代末參與反叛的世代，便是在這種以戰後濃厚民主教育為理念的初等教育洗禮下成長。日大全共鬥的運動者橋本克彥在一九八六年的回憶錄中如此說道[43]：

我們是戰後體制啟動後出生的第一世代，也是在戰後的青空下呼吸、迎向青春的廣大群體。小學時，「民主主義」、「反對戰爭」、「人道主義」有如日光灑下般，浸淫在這樣的氣氛中成長。老師們也以誠摯的目光對我們說「努力玩耍，努力學習」，他們並不是在開玩笑或諷刺，而是真心誠意地這麼告知我們。

小學裡經常可見的標語是「爽朗、朝氣、健康」，若僅是詞彙的排列，不可避免地會顯得空洞，但當時這個國家的成人們在魯莽的戰爭中戰敗，嚐過悲慘的滋味，以發自內心的真誠反省揭示這樣的標語，所以對我們而言其實已超過單純的詞彙，而能真心相信這個標語。昭和二〇年代的孩子們見大人們在日常中對歷史的誠懇反省，透過其中滲透出來的悲傷理解戰後理念。那是一種沁人內心、充滿感情的理念。

我們非常天真無邪地，以一種相信小學標語的單純，把戰後理念當作自己人生的前提來接受。

這個前提，又與全共鬥運動的前提重合。

這種教師們把戰爭體驗轉換為深植學生內心的和平願望的例子，在一九六七年成為「越平聯」（給越南和平！市民聯合）年輕運動者室謙二所撰寫之對兩位中學教師的回憶中，亦可見到[44]。其中一位教師是未婚夫死於戰爭，之後一直過著單身生活的女性教師K。另一位是男性教師H，偶爾會提及「比我優秀許多的好友們，大家都在學徒動員中死了。」

室謙二如此描寫這兩位老師：「無論K老師或H老師，都對我們展現出某種類似決心的東西。那是針對戰爭的決心。戰爭落在自己生活中的陰影，持續二十多年滲透在日常生活之中，因此他們否定戰爭。那並非政治立場之類的，而是一種心情。那是社會與個人的連結，毫無欺瞞，非常明確地教給我們。」

一九六七年，身為大學生的七字英輔，同樣也舉了某中學教師的例子。該教師陳述自身的戰爭體驗，在上課時教導學生一段軼事：「不要成為自私自利的人」，「廣島遭原子彈轟炸時，日本人爭先恐後，推擠旁人，置他人死生於不顧地逃命時，有一群人用肩膀扛起動不了的人，一同歌唱彼此鼓勵，秩序井然地列隊前進，他們，就是平時被日本人瞧不起的朝鮮人。」七字表示，「所謂社會正義是什麼？我發現自己實際上是從這位老師身上習得的。」[45]

戰後改革帶來的整體社會光明氣氛，也對他們年少時期的心理起了潛移默化的影響。二〇〇三年某位全共鬥運動的前運動者如此回想[46]：

「我小學、中學的時候，全身浸淫在民主主義教育這種東西中成長。年輕的老師們熱心指導，要我們『帶有問題意識，用言語表達出來，進行深入討論』，不斷重複累積。那可是個難得的經驗啊。」「『已經沒有戰爭了』的安心感，當那些當軍人走狗的人消失殆盡而從中獲得一種解放感，大人們的那種氣氛，我們也能懂。」「我在農村地帶長大，深刻感受到農地解放的影響。農家的人們都因此而充滿幹勁啊。」

然而這種狀況並未持續太久。從經濟高度成長的一九五〇年代後半起，保守政權對學校教育的「反動」攻勢逐漸增強。一九五六年，因戰敗後改革而導入的教育委員會公選制度被廢止，改為任命制。一九五七年，政府通知實施勤務評定，要求學校校長評定教師們的思想內容與勤務狀態。日本教職員工會（日教組）傾全力抵抗勤務評定的施行，最終卻功敗垂成。一九五八年全面修訂中小學校的學習指導要領，新設「道德」科目。

雖說如此，一九五〇年代「學校的氣氛明朗，學生們自由成長，教職員也充滿活力。」[47]一位教導「團塊世代」的東京某小學老師如此回憶一九五八年時的情況[48]：「他們受到的教育，與過往『少國民[iv]』的教育不同，遠較當年更為科學、合理。」「他們在都市的生活結構中勉強仍能『遊玩』，孩子們之間也有自治的時間與自由的空間。大部分的孩子根本不接觸補習班和家教老師，而且大多數的家庭都沒有電視。我任教的班級有四十多個孩子，應該沒有人聘家教，也只有極少數人去補習班，應該頂多只有兩、三人。」

iv 譯註：指自中日戰爭起至第二次世界大戰結束，位於大後方的日本孩童，意為年少的皇國民。

一九六〇年代發生了決定性的變化，教育導入培育經濟高度成長所需人才的政策、升學率急速上升，並出現了升學考試的競爭。

政府在宣布所得倍增計畫後開始提倡人才培育政策，訴求「在倍增計畫期間，預計將需要十七萬名科技人才，因此理工類的大學必須盡快確立學生人數的具體倍增計畫」，「為了對應理工科學生人數增長，預計必須增聘教師，在力圖培養研究所教師的同時，為達此目標特別要重視與產業界人才交流等產學合作。」[49]

文部省在一九五四年至一九六〇年早已對企業進行「職場中學歷組成調查」，確認為求經濟成長，企業需要何種學歷的人才[50]。日經聯也於一九五七年提出〈關於振興科技教育之意見〉，主張「配合學生未來就業、個人特質的教育」。前述一九五八年的指導要領修訂，為培養技術人才也把中學「職業、家庭科」改為「技術、家庭科」[51]。

當時的文部省調查局長在日後的訪談中表示，「在經濟發展的諸多要素中，要重新定位人才這個要素。為了提升人才素質而重新思考教育的意義，的確是這段期間提出的新想法。」於是，各大學開始擴充理工科，東大也在整個六〇年代增加了大約兩倍的理工科學生，社會上也出現「成績好的孩子進理工科」的風潮[52]。如後所述，大學為了擴大理工科系而提高學費，而反對漲學費的鬥爭於一九六六年從早稻田大學爆發，理工科系的研究生在一九六八年成為東大全共鬥的核心，上述內容就是這種狀況的背景原因。

一九六三年經濟審議會提出〈經濟發展中人力開發之課題與對策〉，提倡澈底推行「能力主義」，以及把佔人口三%到六%的菁英培養成「高素質人才」。這份報告指出，「戰後的教育改革，面對教育機會均等與提升國民普遍教育水準等方面，已可看出空前的改善，但反過來說，也有過於均質化之嫌」，「所謂的高素質人才，指的是能在經濟相關的各方面扮演起主導的角色，具有引領經濟發展的能力。」[53]

到了一九六〇年秋季，文部省發布將從一九六一年度起以全國所有中學二、三年級學生（所謂的「團塊世代」）為對象，實施文部省製作的「學力測驗」。文部省的機關報《文部時報》十一月號中如此描述實施學測的目的[54]：「在國民所得倍增計畫中，必須大規模地開拓人才，而最重要的，便是儘早發現優秀人才，對這樣的人施加適當的教育訓練。從這樣的看法出發，有必要在義務教育快結束前分辨學生的能力、性向，並對其未來出路進行指導。」

對此，日教組方面則展開反對運動，認為「假借人才開發之名培養人力服務一部分資本家，以這樣的目標養成人才，是對民主教育的倒行逆施，乃違背國民意向的教育政策」[55]。即便如此，文部省仍強制推動全國統一學測，雖然只持續了兩年。當然除了反對運動的力量外，發生太多不公正的情況也是原因之一。

學測結果雖不公開，但各都道府縣的教育委員會仍以「全國第一的平均分數」為目標，讓第一線的教師們拚命指導，其結果是香川縣與愛媛縣的平均分數分別獲得第一名與第二名，但根據日教組於一九六四年對兩縣實施的教育實際狀況調查指出，兩縣在實施學測當天故意不讓學力低的學生出席，老師們也事前提示解答，並採用默許作弊等手法，暴露平均分數上升的真實狀況[56]。

上述的狀況導致全國統一學測被廢止，但也確立了以考試選拔學生的模式。而「打造人才政策」、「人力政策」等詞彙也在教育界橫行，改變了戰後改革中導入的教育制度，升學考試競爭日趨激烈。

舊制中學或舊制高中的升學競爭，早在二戰之前已成為問題。一九四二年文部省為了抑止升學競爭過熱而實施學區制，規定兒童只能升學到居住地區所屬學區的中學。文部省希望藉此抑制考生集中報考部分名校的狀況[57]。

戰後的教育改革繼承了上述改革，一九四八年開始的新制高中，採取「小學區制、男女共學、綜合制」的三原則[58]。小學區制以兒童只能進入居住地區所屬學區的中學與高中為原則，因為居住地區中可升學的中學與高中已大抵決定，應當會使升學競爭消失。

而二戰結束前，僅有小學是男女共學，二戰後的中等、高等教育也改為男女共學。戰前的中等教育，明確區分為以進入更高等教育機構為目標的普通學校與學習農業和技術的職業學校，戰後認為此方式乃差別教育，改採綜合制，僅在同一學校內設有選修制的職業課程科目。

然而，此三原則從一九五〇年代後半至六〇年代便已改制。首先為了培養企業所需的技術勞工主力，湧現大量設立高職的意見，這雖然等於廢棄了綜合制，但仍以「教育多元化」的名義獲得推行。同時發生的，還有廢止小學區制與導入大學區制。一旦廢除小學區制，考生們便擠向大學區內的名校，升學競爭再度趨於激烈。雖說如此，廢除小學區制其實有兩個原因。

第一個原因是，因小學區導致二戰前的公立名校消失，取而代之的是，不受學區限制的私立學校開始名校化。例如神戶的灘高中，戰前是名不見經傳的私立學校，但導入小學區制後，過往應進入舊神戶一中的兵庫縣內成績優秀學生們大舉進入灘高中，並大量考進東京大學與京都大學。灘高中為了慶祝這種「意料之外的奇蹟」舉行祝賀大會，教師們甚至公開說出「我們的恩人就是學區制啊」的發言[59]。

第二個原因是，為了讓孩童進入舊日名校而偽造住址，從事非法跨區入學的家長絡繹不絕。市府當局為了杜絕跨區入學，還以家庭訪問等方式，確認是否實際居住於該住址。但這些家長們採取的對策則是：在跨區學區內租借公寓，只有家庭訪問時才把家人移到該處居住[60]。

因此，面對私立學校興起而感到焦躁的舊公立名校畢業的教育相關人士及官僚，還有希望跨區入學的家長們皆提出了廢止小學區制的聲音。如此一來，首先愛知縣在一九五三年取消了技職課程學校的學區，至一九五六年終於全面轉換為大學區制[61]。此後，這樣的作法也擴及日本全國。

變更為大學區制也有相當實際的理由。一九六四年島根縣轉換成大學區制時，縣府方面提出的理由指出[62]：

「我們即便前往東京陳情，但各中央單位的幹部鮮少出身本縣的人，所以總是蒙受不利的狀況。這是因為出身本縣的人很少從舊帝大畢業，從而很少出現有力的官僚。考量此種狀態，為了本縣的將來，首先必須從縣中盡可能送出舊帝大的合格者。為此，將現行小學區制改為大學區制，必須打造出具特色的高中。」

所謂「有特色的高中」，自不待言便是把縣內成績優秀的學生聚在一塊，針對升學東大等準備考試對策的菁英學校。

如此，到了一九五六年，除京都府外，全國各都道府縣都變更為大學區制。隨著轉變為大學區制，同時也造成綜合制的解體。在轉變為大學區制隨之進行的學校重新編制中，以「教育多元化」之名接受工商業界希望大量培養高職學歷技術勞工的請求，技職學校自普通高中獨立出來，同時放棄職業課程的普通高中則成為準備升大學的學校[63]。

在經濟高度成長下，高中與大學的升學率急速攀升，一九六〇年高中升學率為五十九%，一九六三年為六十七・九%，一九六五年為七十二・〇%，一九六九年為八十・三%，東京都於一九六八年衝破九十%，日本全國也在一九七四年突破九十%[64]。大學、短期大學的升學率方面，從一九六〇年的十・三%起，一九六五年上升至十七・〇%，一九七〇年為二十三・六%，一九七五年為三十八・八%。

家長們使用在經濟高度成長期取得的薪金，讓孩童盡可能地進入高級的名校，連帶使升學補習班與升學考試產業也急速發展。一九六四年秋，東京山手的小學針對「如何度過星期日」進行調查，得出結果是五年級生有二十八%，六年級生有四十四%都去參加相關業者提供的模擬考。一九六五年東京的升學補習班約有三千家，全國約有三萬家，呈現激增的狀況[65]。

這類升學考試產業的發達，公立學校也必然受到影響。在經濟上沒有餘裕送小孩去補習班的家長，要求公立學校老師多出作業，或課後補習作為考試的對策。「隔壁的學校有做（補習）喔。只有我們學校沒做，行嗎？」「缺乏熱情指導考試對策，這樣太不親切了」等，來自家長的意見鋪天蓋地送到老師們的面前[66]。

在日教組一九六四年十月彙整的調查中指出，全國六十四%的中學在正規授課之外，也實施針對升學考試的補習。高松市的某中學從三年級的第一學期起，在正規的六小時授課後每天都有兩個小時的補習，暑假也有一半期間進行三到四小時的補習。每週補習大約十個小時或更多，最多的達到二十一個小時。在某中學一年甚至舉行了三百二十次的測驗[67]。

面對這種補習的升溫，日教組最初也當作是個問題，但在現實的推波助瀾下也逐漸常態化。一九六五年的報導指出[68]：「日教組的教研集會，在（昭和）三十六、三十七年（譯註：西元一九六一、一九六二年）左右也把補習問題當作各大分科會的重要主題，針對該如何阻止這種情況有熱烈討論。但自前年起這類討論逐漸降溫。這似乎證明了，無論怎麼討論也無法解決問題，此事也就這樣定下來了。」

如上述般，經濟高度成長下的教育變化中，學生們湧現出不滿與疲勞的聲浪。當時的報導紀錄了學生們的意見[69]：

「爸媽覺得補習後成績就能提高，可是每天上六個小時的課後，還得補習兩個小時，早就筋疲力竭，回家後根本沒辦法唸書」（群馬縣男學生）。「不斷說讀書、讀書，精神都衰弱了。拚命驅策我們唸書的爸媽和老師，到底是什麼樣的心情呢」（岐阜縣女學生）。「不管哪門科目，老師們都強調『這裡是大學考試會出題的地方，要認真聽！』『上大學後不讀書也行，但現在得拚一下！』不參加社團，休息時間都在做練習題，上完課後，立刻就飛奔回家」（東京都男學生）。「除了升學考試的話題，根本無法跟同儕好好暢談。好像也認識不了朋友，覺得很寂寞」（東京都男學生）。

「教育媽媽」這個詞彙，也是從這個時期開始成為流行用語。作家藤原貞（音譯，藤原てい）寫了如下的隨筆：「兒子的朋友A君」成績優秀，他母親是個自稱「每天都會去學校送便當」的溫柔高雅的女性。但A君母親也說，「讓孩子讀書的最好方法，就是自習時間時把房間門鎖上」，藤原聽到對方這麼說，不禁心想「如果她說的是真的，那真是在蹂躪人權。」[70]

一九六二年的《朝日新聞》刊登了某個孩子的詩[71]：

數學測驗、漢字測驗、作文測驗、
學力測驗、全校測驗、
測驗、測驗、測驗
測驗追逐著我們沒空休息。
請測驗先生稍微歇息吧。
我累了。

值得留意的是，他們這個世代屬於首次以大眾規模體驗這種經歷的人。舊制高中的升學競爭，從明治時代起便已存在。但與此競爭相關者僅佔人口的百分之幾，也就是個位數的狀態。一九六〇年，日本的高中升學率大概有百分之五十幾，反過來說，在六〇年之前，日本人口中的半數，甚至超過半數，並無「升學考試」的體驗。但進入一九六〇年代後，升學考試成為人生經歷中不可或缺的要素。

亦即，一九六〇年代身為中學生、高中生的「團塊世代」，是首批面臨日本史上「全民皆受測」的世代。光是這種「考試戰爭」，便讓他們感受到非常壓抑的情緒。

這種狀況越是發展，少數不繼續升學的學生也感受到疏離與歧視。諷刺的是，這樣的情形反而讓升學熱越燒越旺。決定不升高中的熊本縣中學二年級女學生在一九六五年如此寫道[72]：

「我想上選修的英語課，但老師不肯收我，因為能選修英語的只有準備考高中的人。就算在走廊旁聽也好，我拜託老師讓我參加，但還是被拒絕了。我不甘心，很不甘心，如果人生能夠重來，我也想變得能去讀高中。如果人生無法重來，至少，我不想讓我的孩子也經歷這種事情。」

雖說如此，上了高中的學生們也沒有什麼目的，不過是聽從父母或老師的指示而升學。讀高中後也僅盯著一個目標，就是「努力讀書直到升上大學」。一九六八年一月，精神科醫師灘．稻田（譯註：Nada Inada，此為音譯，本名堀內秀）主持的座談會上，高中生們表示[73]：

「等我回過神來，已經考上高中了。這根本不是我的想法。」「我也是一回過神來就已經在高中了。為何非讀書不可？我高一的時候思考過這件事，也想過高中休學去工作看看，找過某人商量過。結果對方告訴我，進了大學就可以玩耍了，在這之前要忍耐。」

在此狀況下，教師們的風氣也有了改變。前述的七字英輔，如此描述高中時代腦中深植「對老師根深柢固的不信任感」的回憶[74]。七字遇到的許多高中教師中，「有那種精心設計過某種機制，只要熟讀他寫的參考書必定能在考試中取得好成績的老師；有說著趁年輕能多賺錢就要多賺點，所以在補習班兼課，每天都在趕場的老師。」根據七字的說法，與他們接觸時，「腦袋中首先浮現的並不是什麼上班族老師之類的陳腔濫調描繪出來的形象，而是覺得他們就是失去目標的性格破產者。」

當中學與高中逐漸變成補習班的過程中，學生也不被允許自由地活動或關心政治。新聞工作者平栗清司如此描述六〇年代後半高中的狀況[75]：

> 現在，除了部分「一流學校」以外，拿著「能力分班」名義進行「差別選拔教育」逐漸成為常態。舉個具體例子來看，例如大阪府立東淀川高中……。此校從一九五五年新成立時，便採取「迎頭趕上一流高中」的教育方針。特別是英語與數學兩種科目，高二以上的全體學生，在期中考、期末考時，都從最高分到最低分加以排序。且從最高分起每五十人做一個區隔，以此分

班。……

級任老師教導大家：「高中是讀書的地方。如果有自信能兼顧學習，就去參加社團。成績變差了就退出社團。」……這樣能參加社團或對學生會投入熱忱的人，自然會減少。

大家公然地咬耳朵說，「同年級的全部都是敵人」。級會討論時，多數學生都埋頭於桌子底下的「副業」。一年之間換好幾次班級，同學隨之變換。這種精神風氣中，根本沒有餘地培養屬於高中生的「友情」。

只要有人成績少了幾分，就被挪到下一級的班級，深受挫折感所傷，無法持續保持狀態而不斷往下淪落，最終也出現了放棄「學習」的學生。只有落到「放牛班」的學生們，才因「被害者意識」而產生扭曲的「友情」。這種班級的老師一臉若無其事的模樣，盡「義務」般地教完課便迅速離開教室。

除此之外，學校還對課外活動施加嚴格壓力。與其他學校的班際交流自然需要許可，連自己學校中的班際交流也得取得許可。學生不可以自主舉行集會。學生會的執行委員會一定需要顧問老師在場監視。校內的出版、廣播、海報等理所當然必須接受嚴格的檢閱。

這種教育與學校狀況的變化，確實壓迫著學生們。因此等他們上大學後，便以全共鬥運動的形式將其不滿一口氣爆發出來。

學生們的心情

許多學生們都對這種情況感到不滿。東京都立江東商業高中報紙有如下描述：「想用這對耳朵、這張嘴、整個身體，去感受青春。什麼都好，想對某一件事物傾注自己的熱情。想拚盡全力奮戰。這種熊熊燃燒的熱情，如此滿溢的青春，想全部用在某一件事物上。希望他日回首，不會感到後悔；他日回首，不會流下眼淚。」然而實際狀況卻是每天「看漫畫，接著是電視，然後就是深夜廣播，只能不斷消磨時間，才有救贖。」[76]

一九六九年，愛知縣立瑞陵高中學生會誌上刊載了如下的文章[77]：

在某個時間地點，根據某種能力在紙上的表現（一個人能依照教科書背下多少東西），對該人（進行甄選、分出差別）進行教育。這樣的做法令人感到驚懼。……然而，今日的教育卻把這種不人道的做法當作理所當然。學生與老師之間除了教學之外幾乎斷絕交流，同學之間也止於表面性的交往。

在這種學校生活中，說要致力於形成人格不啻是個笑話。今日的狀態就是「不管和平與否都只當作是危機四伏社會的一部分，面對真理與正義閉上雙眼，覺得個人價值之類很可笑根本不加以尊重，只為了讓自己有口飯吃才重視勤勞與責任，其他的都可馬虎帶過而活下去；只以能過上富足生活為目標時才充滿自主精神，不斷培育出身心皆不健康的國民」。

新聞工作者日置徹如此描述這種高中的現狀[78]：

「綜合從學生那裡聽來的不信任教育的聲音後，從中體現出對經營高中的印象，那就是自動化工廠的管理方式。學生只是接連送出輸送帶的成品，學校當局盡量避免製造出不符規格的成品，平順地進行機械式的推進——換言之，即是僅僅想著不要出麻煩地大量讓學生畢業，使其參加大學升學考試罷了。」

而因為升學率提高了，即便大學畢業，也不如低升學率時代般可以期待出人頭地。新的大學畢業生從事的職業類別中，「事務職」（辦公室工作）從一九五三年的四十三・〇%，下滑至一九六七年的三十一・二%；相對地，「販賣職」（業務員）工作者從三・五%上升到十九・三%。

「事務職」的地位也較往昔更為降低。一九五〇年前後，「上班族」幾乎被當作「知識分子」的同義詞，屬於社會地位很高的職業[79]。然而在一九六七年，社會學者見田宗介針對高中生進行職業觀調查時，高中生對「上班族」的印象有如下形容：「低月薪」、「無夢想」、「反覆相同的工作」、「對人不斷低頭」、「工作沒有熱情」、「退休，這是最悲慘的」。

見田在調查中指出[80]，讓高中生舉出自己期望的職業時，「因為內在和外在的制約，很少人期望以上班族為職，在回歸現實面思考職業的欄位，才出現大量的人。從而屢屢伴隨著『平凡』、『一般』、『不過是』、『普通』等形容詞或『像這樣一般』之類的接尾詞。——『覺得最差就是當個上班族過著普通的生活也行。』」

高中生已經是升學競爭「輸送帶」上的勝利者，但即便上了大學也只能期許「當個上班族過普通的生活也行」。參加一九六九年東京麻布高中的街壘封鎖的三年級男性這樣表示[81]：

「整個小學和中學時期，都不知不覺地相信，只要拚命努力，長大後就能『吃香喝辣』。不管是父母還是老師，總之大人都這樣說。然而，那些大人們，現在真的『吃香喝辣』嗎？我們已經可以看穿這些事情啦。」

在這種狀況下，許多學生都陷入了無力狀態。一九六七年，報刊雜誌上出現了「三無氣質」、「三無主義」這些詞彙[82]。其內容可以是「無力、無思想、無節操」、「無力、無關心、無責任感」等多元意涵，但指出高中生或大學生處於無力狀態這點，卻彼此共通。

一九六九年，愛知縣立岡崎高中報刊登了女高中生的文章[83]：

> 我逐漸變得無力。早上起床，僅僅是看到下雨了，就不想去學校。這種時刻，我深刻體認到學校對我是多麼缺乏魅力。——現在跟我有關的只有測驗的分數。討厭「朋友」、「好友」什麼的這種詞彙。就算是交談，也只是堆出虛假的笑容。已經習慣了這種狀態。討厭，已經厭煩透了——。

隨著這類學生人數的增加，六〇年代後半「拒絕上學」的情況開始受到關注。一九六八年六月號的東京都立墨田川高中報的報導中如此記載[84]：

「高中生的拒絕上學現在已經成為問題。最近被廣為討論。詢問該學生時，對方回答『高中這種場所，就像長不出任何草木的沙漠，我只感到自己枯燥無味。』這種狀況的起因究竟為何？其中之一，便是現在的高中已經變成考大學的補習班。中學時代起的虛無狀態，到了高中變得更劇烈，應該是為了脫離這種狀態，才走到以拒絕上學為抵制手段。」

教師中也有嘗試抵抗這種狀況的人，但在大環境下也顯得無能為力。例如前述的室謙二舉在上課時說明自身戰爭體驗的「H老師」為例。「H老師」的授課頗受學生好評，但室謙二提到「我畢業之後不久，因為那個新指導要領的緣故，這種授課方式就停止了。」[85]

此外，前述的七字英輔也記錄那位講授在廣島的朝鮮人們舉動的老師，站在升學競爭的現實面前也倍感無力[86]。該位教師在班上組織「生活班」，試圖透過讓大家打掃、製作報紙、記錄生活等活動，產生強烈夥伴意識。

七字當時擔任這個「生活班」的班長，根據他的說法，老師的這項舉措在「高達百分之九十九的同學都要升學的情勢下，不知何時會互相欺騙，不得不成為敵人互鬥，這種做法未免太過信賴那種簡單的夥伴意識」，而且「該老師的作法中，過度一味強調朋友、友情什麼的有多重要，但對那些較早熟，深諳處事之道的升學生而言，這種作法無力解決他們對測驗學習抱持的任何疑問。」

在此情況下，高中生們的意識被沖入經濟高度成長的現實洪流中。在某高中報紙上刊登的報導有如下敘述[87]：

如同「昭和元祿」[v]、「My Home」主義[vi]等詞語象徵的一般，除了一部分人以外，當下社會的實際狀況就是：泰半的人們都浸淫在太平盛世的情緒中。許多原本應具備強悍批判力的高中生，卻轉而追求休閒娛樂、盡力追求不給他人添麻煩的小市民生活並安逸其中，這讓人不得不感到擔憂。……

不久前總理府青少年局對高中生的實際生活狀況進行調查，該問卷的結果，澈底呈現出現代高中生的思考方式。舉一部分例子來看，首先是生活目標……以自我中心式的，所謂小市民的生活為目標者達五十六．一%，佔全體的半數以上。對社會的正義感或社會貢獻具有強烈意識者大約二十六%，出人頭地型僅有十%以下。從這個結果來看，彷彿是讓四、五十歲的成人穿上了立領學生制服一樣。

這種狀況，讓那些花費三小時長時間討論「我們為何學習國語」，以及為了決定學生會憲章，學校特意停課四天讓學生充分討論的戰敗初期做法，成為一種難得的奢望。對敗戰初期舊制中學教師們的身姿感激不已，一九五八年任職高中老師的大河原禮三於一九七〇年說明，他任教時，「教育委員改為任命制，教科書審定惡化，實施勤務評定，升學考試體制復活，高中開始成為補習班。」他表示「六〇年代左右，教育現場的年輕教師們感到『最近一切都讓人感到變得狹隘了。』」[88]

據大河原稱，「反覆不斷的學力測驗與升學考試體制的強化，抑制了學生的成長茁壯，妨礙了個人性格的建立。多元化導致學生的經驗與思考範圍窄化，造就了一小群菁英。『教育媽媽』以小市民的幸福為基準教育孩子。道德教育使他們僅關注身邊的小事，沒有培養自治或者觀察越南狀況等的視野。」「教育行政當局把教師考核納入框架，對教科書進行思想統制……教師團體中把異議者排除，

v　譯註：日本政治家，前首相福田赳夫於一九六四年說出的詞彙。意指經濟高度成長期天下太平，乃奢侈安逸的時代。

vi　譯註：指在社會上工作、待人處事時，凡事皆以自身家庭為優先考量的思考方式。

畫地自限的現象，在教育職場上隨處可見。」[89]

根據大河原的說法，六〇年代中期教師的「職場共通話題，就是『如何給學生們打氣促使他們用功』、『明年哪裡的大學能夠考入多少我們的學生』之類。」而學生們的反應則是：「講課都是為了考試的感覺，讓人提不起興趣唸書」，「現在的學校教育，無法讓人忠於自己的好奇與關切來唸書」，「感到自己隨波逐流，不禁覺得焦慮。」[90]

與這種現象同時出現的，是學生會活動與級會的停滯。戰敗後不久，在學生會與級會上可以自由討論社會問題，由學生們決定校規、學校管理方式等等。但到了六〇年代，學生會逐漸成為校方的御用機構，級會上也變得只討論不會有爭議的身邊道德問題。在學園祭上學生如果提出對越戰或《日韓基本條約》的企畫，校方便會禁止，這種事態層出不窮。

一九六八年二月，《朝日Journal》刊登了如下的中學生匿名投書[91]：

……昨天我朋友貼出越戰照片與反對越戰的標語時，老師卻告誡把「反對」二字拿掉。我認為反戰是人類的義務，絕不是壞事，那為何不能寫「反對戰爭」呢？社會科教科書上寫著「防止戰爭是世界人民的責任」。中學生算不算是人民呢？……身為教育者，希望老師說明「不妥」的根據。……如果在投書中寫下住址、姓名，可能會給我招致危險，所以略去不寫。我彷彿置身在軍國主義的國家之中。

許多學生在這樣的氣氛下，失去參加學生會的興趣。於是，隨處可見學生缺席學生會、在級會上偷偷做考題的「副業」。

同時，也有一部分學生不願接受這種沉悶的氣氛。他們屬於初等教育時受過民主教育的世代，亦即「戰後民主的天之驕子」。他們從初等教育習得「戰後民主主義」理念，面對經濟高度成長下的升學競爭現實時，自然會有人深感矛盾。

大河原如此回憶這類學生的狀況[92]：

他們提的重大問題有「自治」與「教育」（具體而言指學生與老師的關係）兩項。關於「自治」，覺醒的學生以「自治的停滯」為議題，企圖喚醒普通學生們的關心。一九六二年的學生們，在學校報刊上對自治與社會動向的關聯進行考察，並明確指出自治的停滯是高中升學補習班化的徵候。他們也把「自治活動即確立我們主體性的行為」這個命題張貼在走廊上。一九六四年學生在學生會雜誌上以〈不安的事情〉為題，寫道「……高中生活的餘裕遭到削減，我們逐漸忙於學業。這樣的學習是為了升學考試，連老師也承認這點。總之以考上大學為先決條件，這個觀念先行，就大致不會感到抗拒了。如此一來，腦中遂不可能浮現學生自治等想法，一路以來過著這種生活的我們，即便上了大學、出了社會，必定也只能在被決定的框架中思考和活動。」

一九六六年當一群學生想逃避學生大會離校，某位學生就在他們面前貼出「再這樣下去我們會失去自我，成為某種奴隸」的標語。那個時候，志同道合的三年級生每天都在一起討論，說等十二月要舉辦「關於自治的懇談會」，向學弟妹們傳達自己的意志。……而幾乎每年的大會上都會有人提出解散學生會的論調。也有學生訴求，「一直如此停滯的自治，已經沒有存續的價值。用我們的手親自結束學生會，將會是我們留下的唯一政治行為」（一九六五年前後）。如此，學生在自治停滯的狀況下察覺到自身所處的危機。

雖然他們努力嘗試，但學生會依舊停滯。他們……認為學生會是「學校賞給學生的」特別教育活動，這個原因導致了活動的停滯。因此，他們得出結論，認為解散學生會，不再經由學校允許，而是靠自己的意志打造自治會，只有靠著這樣的作法，才能打造充滿活力的自治會。

然而，有這種想法的學生，一個班級中不過寥寥數人。不過根據大河原的說法，這些進入大學後覺醒的學生們「許多都在大學參與了全共鬥運動」。而如之後的章節將解說的一般，全共鬥運動也是一種否定大學認可的自治會，由具備戰鬥意識的有志之士自行創立運動團體的行為。

上述的六〇年代教育狀況，在兩種意義上成為了全共鬥運動的背景要素。

第一，老師們口頭上說著「友情」或「民主主義」，但實際上學生卻承受升學競爭的壓力，因而認為初等教育中習得的「戰後民主主義」不過是種場面話，而且有這種感受者越來越多。參加過全共鬥運動的某位前運動家回憶，雖然「全身浸淫在民主主義教育這種東西中成長」，但「大約從中學生起」，便逐漸強烈感受到「大人們說的事情與做的事情不一樣，都在扯謊，不能相信。」[93]

當他們越是把「戰後民主主義」的理念內化，就越是看到眼前的升學競爭、學校的管理方式、現實的政治都在背叛這種理念，這使「戰後民主主義」看似一種「欺瞞」。這種情感在「戰後民主主義的天之驕子」世代中，成為把「戰後民主主義」視為一種「欺瞞」而加以批判，進而展開全共鬥運動的基底。

雖說如此，他們的「戰後民主主義」批判中包含著矛盾性。因為不得不說，他們自行欺騙了自身最為內化的價值觀。當時一位運動者日後如此陳述[94]：「我認為〔戰後民主主義〕被說虛妄，的確是有這樣的問題。但被說虛妄卻又感到怒火中燒。」「〔我們的〕父母親正好是一半同意『大東亞戰爭是侵略戰爭』這種說法的世代，但與此同時，就是對此說法一半感到憤怒。我覺得與這種情況很類似。」

第二，對於「教師」與「學校」所象徵的「體制」，升學競爭給學生們植入了反感。一九六八年以後，各地大學引發全共鬥的原因不一，例如有學費調漲、學生會館的管理權問題等等，某種意義上這些理由不過是一些觸發的契機。

例如一九六八年的日大鬥爭，因日大會計出現流向不明的款項，產生逃稅嫌疑，結果便以此為引爆點。然而，日大全共鬥的某運動者在一九六九年表示[95]：

回頭想想，我加入鬥爭的原因，是因為在中學、高中、重考補習班、大學等過程中飽嚐升學考試至上主義，被考試追著跑的疏離感和重壓感——即便有所反抗，頂多就是逃學去咖啡館度過漫無目的的日子，畢竟越反抗成績就越下降，困擾的還是自己。手上宛如被銬上了手銬，越想狂暴抵抗便越被鎖緊。我一路以來敵視、憎恨老師與學校，他們藉由我無法反抗的權威束縛我。好不容易上了大學……四年期間一直忍耐，但想到即便畢業，日大這種程度的大學也無法保證我出人頭地。

就在這麼想的時候，二十億日圓流向不明的款項成為契機，讓我看到了鬥爭的兆頭。我下定決心，要以過去多年的屈辱、疏離的恨意，對掌權者（理事）與教師進行鬥爭，藉此讓這些傢伙也感到困擾、鬱憤，藉此復仇。我想把多年來束縛我的教室、桌椅全都破壞。在這種心情下，我非常簡單地決定要參加鬥爭。

吐露出這種心境的不只這位學生。一九六九年一月，東大全共鬥在他們佔領的安田講堂與機動隊發生攻防戰，十九日下午一點半被攻陷前，安田講堂屋頂上的擴音器播放著全共鬥一方的「鐘樓廣播」，斷斷續續地發出如下嘶喊[96]：「發生鎮壓這種事情……所有的人民……都知道。在我們的教育中……從幼稚園、小學、中學、高中到大學為止，究竟承受了多少，希望你們想想。究竟是為了誰……為了什麼……。」

對年輕人而言，參加鬥爭一事，一部分就如東京都立江東商業高中報的報導，他們內心充滿著「什麼都好，想對某一件事物傾注自己的熱情。想拚盡全力奮戰」的願望。因此有不少的學生早有自覺，認知到自己批評的「體制」，既非資本主義，也非《美日安保條約》。參加早大全共鬥的學生在一九六九年給雜誌的投稿中有如下敘述[97]：

我用厭惡的眼光看待當前的體制，這不必然是今日安保條約下美日間的軍事體制，或者壟斷資本主義的帝國主義支配那種嚴肅的事情。……那種在心情上可稱之為反感的東西，是在學校生活中萌芽，並逐漸被培養出來的。

我是從中學開始對學校感到痛苦的。在中學，我們被規訓得整齊劃一，教師鎮日怒吼，強迫我們穿相同的服裝、鞋子，剃相同的髮型，穿同一顏色的襪子，甚至指定該讀的書本。……我們被警告、被斥責，對各種事情都戰戰兢兢。校規管控著我們，可以說我們在此第一次理解了權力的暴力。我們習慣、順服於這種狀況，當我們在學校差不多能自由思考時，立刻就被考試追著跑，根本無暇思考。……學生自治會很低調，挺身而出的人反而會成為大家嘲笑的對象。我們不知道該對什麼表示關心，我藉由上課偷懶或遲到稍微確認自身存在，在精神上成了一個傲慢的虛無主義者。……

〔進入早稻田大學後〕心情上的反感依舊高漲無法平息。從升學考試中解放出來後得以看清社會，了解到各式各樣迫切的問題一直未獲解決，或者根本沒有打算解決並就此被擱置。而我卻在表面上平和、平凡無奇的日常性中度過每一天。在這種生活中充滿某種類似焦慮的不滿，想做點什麼，而且應該要做點什麼，但卻什麼都不能做，也不知道能做些什麼，悶悶不樂的心情令人無力。……

我不願搭上〔從有名大學畢業就進入大企業當上班族的〕貨櫃船。不想變成從搖籃到墳場都有如吊車搬運的一個淺綠色貨櫃。不想變成電腦操控的一顆棋子。絕不要變成在群眾中分不出臉龐的人，不要這樣的未來。不能讓我們的將來成為當下的延長。為了守護未來，必須要破壞當前的體制。

在升學考試中奮戰，從有名大學畢業成為大企業的上班族，在「My Home主義」的「日常」中不斷埋沒自身。他們厭惡的，是自己的這種未來。東大全共鬥的某學生說：「大學不可以變成社會的補習班，即便真的變成這樣，也不能讓這種事態入侵到自己的意識中。」[98]他們認為應該拒絕「輸送帶」般的人生軌道，故投身於反叛。

越戰的影響

一九六八年，這一年也是越戰最高潮的時期。而這成為青年們反叛的重大背景。

一九六四年經歷北部灣事件（也稱東京灣事件），一九六五年二月美軍開始轟炸北越（日文稱為「北爆」）。一九六八年，在越美軍達到約五十萬人。接受美軍及其援助的越南政府軍，投入了數量極其龐大的物資，討伐、掃蕩北越軍與南越解放戰線的游擊隊。美軍以掃蕩南越解放戰線據點為名，燒毀越南農村，為了讓植物枯死灑下大量橙劑（落葉劑），強制村民前往收容營。美軍對居民還有殘殺行為，深遭國際非難。

日本的輿論一貫反對越戰。一九六五年八月二十四日的《朝日新聞》民意調查中，贊成轟炸北越為四%，反對為七十五%。這不僅僅是因為對美軍殘殺居民與灑放橙劑感到反感。對經歷過戰爭的年長者而言，同為亞洲小國的越南也遭受到過去曾經空襲日本的美國空軍轟炸，無論如何他們都覺得對越南人民感同身受[99]。

另一方面，年輕人則從不同的角度認知越戰。早稻田大學過往的運動者宮崎學於一九九六年的回憶錄中，回顧了一九六八年那個年代[100]：

雖摻雜著一些不入流的雜亂與混沌，不過仍帶著大浪將要捲起的高昂感。越戰給這個時代的樣貌帶來決定性的影響。

此時以強大的美軍為對手，只能形容說：南越解放戰線和北越奇蹟般地展開作戰。不只是停在五五波的對抗上，甚至在各地發起巨大的反擊攻勢，追擊美軍，一月時成功攻入了西貢（南越首府）。

在美國正式介入越戰時，全世界應該沒有任何一個人能預見越南會戰勝。所有人都認為解放戰線與北越會立刻被擊潰。然而，位置偏僻的亞洲小國，僅靠持步槍的游擊隊竟然能跟美國打成平手。這根本是不可能的事情。況且，即便轟炸北越燒掉了山林原野，搞得屍橫遍野，解放戰線與北越仍持續戰鬥。宛如在玩弄無限量投入物資的美軍般，利用叢林與迷宮般地下坑道，實施神出鬼沒的游擊戰，並逐漸取得優勢。除了說是奇蹟之外，沒有其他的形容方式了。

在亞洲一隅發生了奇蹟，讓世界感到茫然，最終開始為他們熱烈鼓掌。許多日本人也給作戰中的越南送上熱情的聲援。……每次只要出現越南的話題，連那些平日只會玩弄挖苦言詞的傢伙，也會脹紅了臉感到興奮。

對我這個世代的人而言，越戰是一個決定性的事情。……越戰是一個證明，反映出世界結構正發生重大改變。

東大全共鬥議長山本義隆也在二〇〇五年表示，「腳上穿著涼鞋的越南士兵，面對配備最新銳裝備、具壓倒性優勢的美軍，在軍事力量上仍勢均力敵地進行戰鬥，這個事實給世界上的反戰鬥爭與一九六八年全世界的學生反叛帶來極大的影響。」[101]若除去這個「影響」，便無法說明他們拿木頭做的武鬥棒與工地安全帽等貧弱「武裝」，去衝撞配備精良的機動隊的心理。

解放戰線的戰鬥模樣，也給他們造成影響。一九六八年一月，越南的舊曆年正月，北越軍與解放戰線發動「新春攻勢」，奇襲南越政府與美軍的重要據點。其中著名的就是解放戰線「C10」大隊，攻入位於西貢的美國大使館的特別攻擊隊二十人的戰鬥身影。

此攻擊隊佔領大使館達六個小時，之後在美軍的反攻中全部遭到殲滅。新聞記者小倉貞男如此寫道[102]：「解放戰線的戰鬥人員在上身黑襯衫的左臂上纏著紅臂章。那是『C10』的標誌。黑色褲子上有明顯的折痕，頭髮整齊剃短。新服裝、理髮，這表現出他們的出擊充滿了覺悟。」

從戰術而言，新春攻勢應屬失敗。解放戰線與北越軍短暫佔領了西貢與順化，但在美軍的強烈反攻下被擊退，而承受莫大的損失。

然而，新春攻勢在戰略上帶來巨大的效果。美國大使館雖然僅被解放戰線游擊部隊佔領六個小時，但該景象卻透過電視被全世界所報導。見到此番情景的美國一般國民面對美軍與政府宣稱在越戰中持續取勝，開始有所存疑。之後美國、歐洲的越南反戰運動逐漸激化，讓詹森（Lyndon B. Johnson）總統不得不宣布放棄競選連任。

這種解放戰線的作戰姿態，刺激了不少日本的學生運動家。在東大安田講堂攻防戰中遭逮捕的學生，在獄中書信裡有如下表述[103]：「我看著熾烈燃燒的火焰，腦海中清楚浮現南越民族解放戰線的戰士們在西貢美國大使館中的英勇作戰，以及勇敢的受死。」六〇年代末，「衝入防衛廳」、「衝入首相官邸」等呼聲甚囂塵上。

此外，也可見到把自己的「武裝」比擬成解放戰線的例子。學生們使用武鬥棒與頭盔首次與機動隊發生衝突，是在一九六七年十月的第一次羽田鬥爭，此事件將於第八章說明。大眾傳媒等有許多意見非難他們是「暴力學生」，但身為當時新左翼黨派之一的中核派幹部本多延嘉，在一九六八年三月的雜誌採訪中答稱[104]，「叫越南民眾不要拿武器，就是叫他們屈服。全學聯也是如此。」一九六七年十一月第二次羽田鬥爭遭逮捕的學生也說，「我們與越南解放戰線的人們使用陷阱的各種作戰智慧是一樣的。」[105]

越戰對於在初等教育接受反戰和平理念的年輕人們帶來強烈的反戰情感與危機感。因為，日本是越戰的重要大後方基地[106]。

日本政府協助美國，支持越戰。一九六五年二月，當美國展開轟炸北越後，首相佐藤榮作與外長椎名悅三郎於國會表明支持轟炸北越。美軍從日本籌措登陸用舟艇、卡車、落葉劑等大量補給物資。來自美軍的「越南特需」佔日本出口總額的一成到兩成，對經濟高度成長做出貢獻。

給美軍運輸補給物資的船隻，在日本政府的斡旋下使用了日本船員，至一九六七年十月為止，人數達一千四百人，並出現九位陣亡者。自衛隊採取有狀況立即反應的態勢，一九六六年九月運送軍事視察團前往南越。負責越南灣的美軍第七艦隊，基地即設在日本橫須賀，美軍艦艇於此實施修理、整備、補給等。一九六四年起美國核能潛艦開始於任務途中停靠日本港口，一九六八年一月核動力航母企業號（USS Enterprise）停靠佐世保，如第八章所述，引發了重大的抗議運動。此外，當時日本最大的國際機場是羽田機場，在一九六七年利用此機場的航空器中，美軍的專機大約佔了四成。

在越戰中受傷的美軍，有七十五%送往日本接受治療。日本國家鐵道使用俗稱「美罐」的油罐列車輸送美軍燃料，一九六七年八月在新宿發生了火燒車事件。國鐵工會在「順法鬥爭」中舉行反對美罐運輸運動，但之後油罐車仍持續運輸。沖繩成為大型戰略轟炸機B52前去轟炸北越的出擊據點，也發生過墜機事故。因為這些事情，越南把沖繩稱為「惡魔之島」，也把日本視為追隨美國的敵國。

一九六六年六月，日本外長椎名在眾議院外務委員會上明確說出日本之所以沒受到報復攻擊，乃是基於離越南很遠這個地理條件。這種狀況掀起戰爭記憶尚且鮮明的日本國民的不安。一九六五年八月二十四日的《朝日新聞》民意調查中，回答「擔心日本也會遭受牽連」者有五十四%，回答「不擔心」者有十七%。

初等教育中被教導反戰和平理念的青年們，反映出無法認同日本政府因《美日安保條約》而協助越戰的狀況。同時，他們有一部分人也擔心自己是否會被徵兵且送往越南。

例如一九六八年春天的雜誌上刊登的報導中，高中生們有如下的發言[107]：「察覺安保體制的存在，是在小學四年級的時候。六〇年安保鬥爭的前後時期。正確認知這個體制，則從越戰白熱化的時期開始。」「如此下去，大概一九七二年日本就會實施徵兵制，我們都得進入軍隊。」身為東京大學教養學部的學生部專任教授，日常接觸學生的西村秀夫也在一九六七年的座談會上談及，「關於對越戰的不安，美國學生的感受更為強烈，但在日本也覺得，如果事態持續發展，自己也可能會被拉去上戰場，這種恐懼，現在存在許多學生的心中。」[108]

此外，美軍在越戰中做出殘暴行為，而協助美軍的日本出現經濟高度成長，這個事實與當時升學競爭日趨激烈相伴，讓學生內心懷抱疑慮，認為初等教育時被教導的「戰後民主主義」理念充滿欺瞞。日大全共鬥的運動家橋本克彥在一九八六年的回憶錄中如此記述[109]：

人類應當稍微朝著更好方向前進的理念，因第二次世界大戰後的歷史被撕得粉碎，意欲向著青空高舉的理想大旗，也必然會沾染上一些髒汙，這種事實不斷地發生。

我們無法忍受，戰後一段期間內相信的、如青空般的理念遭到踐踏，「這是多麼大的謊言」，我們憤怒不已。

只要經歷過第二次世界大戰的國家似乎都有這樣的狀況，年輕人們在一九六〇年代後半，宛如事前約定好的一般，每個國家都有人群起抗議。……無論是自以為是地裝腔作勢，或是嚐到悲慘的失敗而垂頭喪氣，都是因為念及「比起什麼都不做，不如奮而起身」之故。

或許是，因為成長在相信「爽朗、朝氣、健康」的標語有如青空般清新的時代，我們身上好像浸透了那股健朗的感受。在這層意義上，我們是時代之子，在那個青春，化為全共鬥的能源而燃燒。

身為「戰後民主主義的天之驕子」，當他們因越戰而將「戰後民主主義」視為「欺瞞」的同時，也將戰後教育中教導的「爽朗、朝氣、健康」原則延伸，發起了全共鬥運動。此處，可以看出他們「戰後民主主義」的兩義性。

如前所述，無論是當時的池田內閣或佐藤內閣，口頭上雖宣稱尊重憲法但在現實中依舊協助越戰。而應當與之對抗的在野黨，卻因國會內的協商勾結，始終沒有動作。

這種政治狀況與升學競爭相同，使青年們產生「大人們說的與做的不一樣」的不信任感。某全共鬥的前運動家於二〇〇三年如此回憶：全共鬥運動會發生，是因「『大人們說的與做的不一樣，都在扯謊，不能相信』這種青春期獨有的叛逆感，以及政治－社會體制上建制派背叛了戰後的價值觀與期待，我認為這些感覺同步、共振、增幅才產生了運動。」[110]

這位運動家主張的「『大人們說的與做的不一樣』的措辭」，在全共鬥運動中被反覆使用[111]。全共鬥運動中，針對那些高唱社會批判卻不參與或不支持青年們行動的「進步知識分子」進行了強烈的批判，青年們將這類知識分子的作法視為對「戰後民主主義」的欺瞞。

這種對「大人們」的不信任，是當時覺醒青年的廣泛共識。一九六八年，某高中的校報上刊登了三年級女生的文章，如此寫道[112]：

> 我感到很害怕。沒有選舉權的我們無計可施，在不安中關注著日本逐漸變得反動化。（一九六七年把二戰前的「紀元節」）訂為建國紀念日，復活日本神話，自衛隊益發強大，核動力航母相繼停靠日本港口，運輸「美罐」、B52轟炸機墜機引發大火，七〇年安保固定化的舉動……。對此我們應保持沉默繼續唸書嗎？大人們以為我們還能唸書嗎？大人們有做些什麼扭轉危機嗎？為了讓我們能繼續讀書，他們不做些什麼嗎？

這種對「大人」的批判，在當時青年的發言中屢屢可見。一九六八年二月，參加反戰遊行的高中生在雜誌的座談會上表示[113]：「我發現大人非常不爭氣。如果大人們好好幹，我們就能學習自己想學的東西，無需來參加遊行。因為大人們太窩囊，所以我們才不得不做點什麼，因為我們意識中認定，不能把一切都交給大人。」

這種對「大人」的不信任感與反戰情感，自然地與對升學競爭的懷疑連成一氣，一九六八年起參加反戰活動的都立高中二年級女學生給當時的雜誌投稿，文中如此敘述[114]：「高中的老師們為了升學率熱中於打造半成品，特別是，不論是我就學的都立高中或地方的高中，都墮落成被稱為『名門』學校的半成品製作專門工廠。這是不關心政治與社會的大人們所打造的狀況，更是政治腐敗所造成的狀況。」

不過這種看法在青年中非佔多數。如前述總理府青少年局的調查所示，超過半數的高中生認為經濟高度成長使享受生活成為可能，滿足於「自我中心式的，所謂小市民的生活目標」，而「對社會的正義感或社會貢獻具有強烈意識」者約有二十六%。唯有在初等教育中接受反戰和平理念的部分青年，反對滿足於「小市民的生活目標」的同學與「大人」，才會有上述情緒。

日後參加聯合赤軍的加藤倫教，他家中的三兄弟全加入聯合赤軍。他們的父親是強烈想要出人頭地的前地主小學老師，拚命驅策兒子們讀書升學。加藤倫教在回憶錄中如此敘述[115]：「對父親的生存方式做出反彈，與對物質經濟發展和為滿足欲望而奔忙的戰後日本社會的反感重疊，再加上反對越戰的心情——這是〔兄弟〕三人共通的想法。恐怕當時與我們兄弟抱持同樣想法的青年應該很多吧。」「面對抱持絕對價值觀的父親，我們感到與他完全對立的，便是共產主義的價值觀。內心尋思，如果成為共產主義者，我們就能找到自身的『所屬之地』。」

越戰驅使青年加入反戰鬥爭，將他們培養成反對滿足於經濟高度成長且協助越戰的「大人」。這些因素即是青年反叛的基本背景。

「加害者意識」與貧窮

越戰也喚醒了青年們的加害者意識。這是基於日本成為美軍的後方基地，藉由「越戰特需」達成經濟成長的罪惡感。但絕不僅止於此。

這些青年是在初等教育中接受反戰和平與平等理念的「戰後民主主義的天之驕子」。他們有許多人對自己在升學競爭中將同年級生踢落，進入大學踏上菁英坦途而懷有罪惡感。例如埼玉縣立浦和高中報的報導中有如下敘述[116]：「乍看之下社會一片祥和，但我們的生活和學校生活中卻透過各種測驗，因為一分、兩分的個位數差距，被強行區分能力……根據測驗分數選擇大學，一同畢業，然後逐漸邁向搾取他人的一方。」

在升學競爭中踢落同年級的同學，生活在因「越戰特需」而繁榮的日本社會中，逐步「邁向搾取他人的一方」，這種狀況給接受反戰和平與平等理念的他們帶來罪惡感。日大全共鬥的某運動家在一九六九年的文章中表示[117]：「我們在這場鬥爭中清楚了解到的是，當今社會體制中內藏的階級性，明顯存在著一堵高牆，它幾近冷酷地踐踏、粉碎了人們必然渴求生存的慾望。……現在從大學畢業這件事，不就意味著踐踏眾多未擠進大學的人們的生存嗎？」

如第十五章所述，越平聯代表小田實於一九六六年指出，日本在越戰中既是加害者同時也是被害者。這一年越平聯邀請美國反戰運動家，召開「日美市民會議」時，小田主張「面對美國，日本站在被害者的立場。但面對越南時，日本則是站在加害者的立場。」[118]亦即，日本無法違背美國的命令，因此成為被害者，但因接受美國的命令，所以面對越南又成了加害者。

小田會如此主張，有他個人的判斷。在此之前日本的和平運動以太平洋戰爭中受害體驗的記憶作為主要原動力，但一九六六年時，戰後出生且不知戰爭為何物的世代已經成長為高中生。小田除了身為作家外，也以補習班的教學工作當作副業，因此有許多機會接觸年輕人。

在一九六六年的對談中談到，「我某次向學生們提到，岸信介過去是戰犯，他們的反應是：啊？岸先生原來是戰犯呀？這反倒讓我吃了一驚。」「面對岸信介，我是被害者，但說見到他就感到反胃的這種說法，好像已經行不通了。」[119]他從這種認知出發，認為立基於被害者意識的和平運動已經達到極限，因此改以加害者意識的覺醒為訴求，希冀創造一套說法傳遞給不知戰爭的青年們。

小田此種「被害者＝加害者」論，給接受戰後民主教育的世代造成重大影響。當年十九歲，在米子市閱讀小田文章後成立「米子越平聯」的女學生水田風（音譯，水田ふう），於一九九六年如此回憶[120]：

「一九四七年出生的我，也就是所謂戰後民主主義教育的天之驕子世代……成長過程中下定決心『不管發生什麼事，我都反對戰爭！』（拜這種『戰後民主主義教育』之賜，我一直堅信『只要大家都站出來反對，就能阻止戰爭。』）「讀了小田實的文章〈加害者的邏輯，被害者的邏輯〉（對吧？），我非常吃驚，心想：『呃，我是加害者！』『得做點什麼、真的得做點什麼』（這是用米子的方言說）。不能再坐視不管了。」

然而小田的「被害者＝加害者」論，以不同於小田意圖的形式在青年之間流傳。立命館大學全共鬥的支持學生高野悅子的手記，在她自殺後出版成《二十歲的原點》一書。書中她寫道[121]，「面對京大生和東大生，我帶著自卑情結。……一方面帶著優越感，同時又帶著自卑情結；既是被害者，也是加害者。」

對處於升學競爭洪流中的高中生，及根據成績被分級的大學生而言，將自己定位成「既是被害者也是加害者」，正好符合自己的親身感受。東大鬥爭時，贊成全共鬥而以「造反教師」聞名的東大助教授[vii]折原浩，在鬥爭爆發之前的一九六八年四月，對東大生們如此寫道[122]：「諸君能對自己的一流成績感到開心，或能以成為『名門大學』的學生而自豪，原因是什麼？如果沒有苦惱成績不好的學生，或者不存在『非名門大學』，還會有這種狀況嗎？這其中存在問題，想必諸君自己也察覺到了吧。」

面對因經濟因素而無法繼續升學的同年級生時，他們同樣會有罪惡感與加害者意識。當時全共鬥運動的某運動者於二〇〇三年如此陳述[123]：

「那個年頭不繼續升高中的理由，並非不會讀書，或者討厭學習、沒有興趣等，而是家庭環境的影響，那影響很大。」「因為經濟上沒有餘裕，所以很多人打算早點工作，減輕雙親的負擔，但不只如此，有些有必須繼承家業的壓力，那種壓力之大，現在有點難以想像。農家或商店的孩子身上背負著強大的這種壓力。」「今天升學率飛躍式的提升，升學再也不是什麼特別的事情，因此也沒必要再去感受那種『讓我去上大學』的內疚了。」

儘管身在經濟高度成長時期，他們中學、高中時代的日本尚屬新興工業化國家，仍有許多貧窮家庭的子女。當時的運動者在二〇〇〇年表示，「那個時代，還存在著貧窮這種事情啊」，「繳不出學費等等……無法負擔餐費，結果級任老師瞞著替學生支付，那是個彼此都能理解貧窮之痛的時代。」[124]

日後以赤軍派女性運動家前往巴勒斯坦的重信房子，在一九八三年的回憶錄中談到自己生於小商店的貧苦出身[125]：「〔父親〕說『不要變成那種以金錢解決人類價值的人』，但偏偏他每天都無法籌出第二天進貨的錢，落得我連餐費都繳不出的窘境。……自升上小學起，即便繳不出餐費的孩子總是那幾個，老師仍舊會說『沒帶錢來的人舉手』，我對這種無心的懲罰感到憤怒又悲傷，為了避免這種屈辱，心中不斷思考各種計畫。」

高中畢業後重信進入公司任職，但她仍記得「公司中不斷發生不合理的事情。即便表現得吊兒郎當，大學畢業生就是大學畢業生，即便為了他人認真負責，仍舊被說不過是高中畢業，那道分界線已經決定了人的命運。」之後她進入明治大學夜間部，她回憶道「思考著能否為了他人做些什麼，於是開始參與小型、親切的運動，之後參加學生運動，接著是赤軍派，到現在跨越國境。」

日後成為聯合赤軍領導者的永田洋子也如此回憶[126]，「上小學後，知道這個社會上有貧富差距，為此感到心痛。因為有的同學繳不出遠足費、餐費、教科書費。對那些繳不出餐費的人，有些同學會說：『你沒交餐費，所以不要吃餐點』，這種事不在少數。我對這種發言感到非常生氣，還曾斥責過做出這種發言的同學。」

六〇年代中期，在一本收集了慶應義塾大學學生的心聲，名為《我的學生生活無悔》的書中，有一位學生對教授和同學提出如下批評[127]：「大學生是在許多年輕人被犧牲下而被選出的少數者，從而，這些少數者是否意識到在社會上必須擔負的角色？在現在的社會中，大學生之所以能接受大學教育，需要再次強調，是因為犧牲了許多貧窮、身體孱弱的人。」

vii 譯註：日本的「助教授」，二〇〇七年起改稱「准教授」，等同副教授。

即便當時具有政治參與意識的學生不算是多數派，但與今日相比還是很多，其原因之一，就是尚處於新興工業化國家的日本還存在貧窮。這與在那個大學升學率很低的時代，大學生還保持著身為菁英，肩負帶動國家的道德責任有關。這兩個要素疊加後，產生了學生必須站在社會改革第一線的意識。

而這種意識又與對升學競爭的批判相結合。大阪府立天王寺高中報的報導如此敘述[128]：「教育被嚴酷的弱肉強食法則所壓制。老師和同學們都緊抱著極端樂天的幻想，認為『能力反映在數字上，不讀書性格乖僻的人是廢物』。我們能生存下來，是以那些無法生存下來的人為必要條件的。」

如前所述，當時的青年是首次直接面對「全民皆受測」，接受甄別的世代。他們完全習慣不了這樣的事態，也無法像日後的世代把此事當成前提條件來接受。當時的許多大學生都可以回想起那些因為貧窮或者為了繼承家業，即便成績優秀也無法升學的同學。

加上他們也是在初等教育接受平等理念的世代。他們之中有一部分人——不是全部——對在升學競爭中踢落同學考上大學一事，抱持著強烈的罪惡感與加害者意識，並認為這種狀態是必須打倒的不正常「體制」。

這些大學生之中，許多人在全共鬥運動開始之前，都如重信房子般參加了義工活動。一九四七年出生，參加了東大全共鬥的小阪修平，在二〇〇六年的回憶錄中提及「我在高中前毫無自覺地接受升學考試體制」的「內疚意識」，說明了參加全共鬥運動前曾參與的活動[129]：

「有一個名為睦鄰（settlement）的社團，相當於今日所說的義工活動，是照顧貧寒家庭子弟學習的活動。參與活動的背後動機，說誇張點就是隱於內心深層的贖罪意識。自己能在社會菁英的軌道上邁進，或許就是以貧寒人家為墊腳石的罪惡感，而讓我產生這種想法的，就是戰後民主主義中的平等主義。」

對接受戰後和平教育的青年們而言，日本支持越戰，整個社會因越戰特需而繁榮，又與升學競爭中取勝進入大學的自己形成相同的「加害者」情結，兩者相互疊加。

為了擺脫這種罪惡感，除參加反戰活動之外別無他法。東京越平聯的機關報《越平聯新聞》在一九六七年七月號中，刊登了篇名為〈對不起越南人〉的女高中生投書，文中寫道[130]：「考慮到日本的景氣上升是因越戰特需的緣故，我就覺得自己是吸越南人的血而活著，不知道該如何向越南人道歉才好。如果要我說向越南人道歉的方法，那就是反戰運動，別無他法。」

一九六八年八月，京都越平聯的機關報《越南通信》上，某個青年如此寫道[131]：「越南人民不屈不撓的奮鬥，把『人究竟為了什麼而活』這個問題捅到我們所有人的面前。」「我們難道不該知恥嗎？對於只能靠著越南人的戰鬥才能喚醒自己的良知，以及除了自我滿足之外什麼也達成不了的自己。」

越平聯採取的是非暴力的運動，但學生們罪責感越是深重，就有不斷與機動隊發生衝突、從事過激行為的傾向。對於這種將罪責感轉化成過激行動的心情，當時深受學生歡迎的《朝日Journal》週刊雜誌的年輕記者，出生於一九四四年的川本三郎在一九八八年的回憶錄如此說明[132]：

……當時日本的反越戰運動不由分說地帶有一種「內疚感」。日本人既無法站在受害者越南人的立場上，當然也不與加害者美國一方同夥。對美軍提出「反對越戰！」時，反倒出現「既然不是當事者不要多嘴」、「不知徵兵制恐怖的日本人別對我們指手畫腳」等等回應。……

在今天，回想當年時屢屢會美化地說「六〇年代尚存正義」，但這樣的說法恐怕是錯的。我們確實打從心底反對越戰，但同時也對身在安全之處反對戰爭這種「正義」，感到厭惡與內疚。……

今天回想起來，〔赤軍派等〕會傾向這類激進的行動，大概也是因為帶著「無法忍受世界各地都在發生戰爭，我們卻在安全地帶和平地過生活」的內疚感爆發，因而焦躁不已吧。「他們面對非生即死的危機，然而我們卻處在和平之中。」為了斬斷這種內疚，只能一頭栽入激進的行動中……。

如前所述，當時的年輕人抱持著「大人們說的跟做的不一樣」的心情，他們享受著經濟高度成長的「和平」與「繁榮」，意識到自己是「加害者」，因此很容易為了達成言行一致，而走上激進的直接行動一途。

從這種背景出發，全共鬥運動中很流行「自我否定」這個詞彙。此前的左翼運動中也有「自我變革」的用語，這指的是意識到自身小資產階級的本質，並投入到共產主義運動的正義事業。但全共鬥運動中提倡的「自我否定」，性質上與左翼運動的「自我變革」有所不同。

某全共鬥運動的前運動者於二〇〇三年如此敘述[133]：「〔全共鬥〕不再是我們仗著無可非議的正義，批判邪惡的體制和權力，進行改革的運動。因為我們的『日常性』恰恰支撐著這種不當的體制，所以要改變體制，就得改變自我，兩者合而為一，我們必須以這種方式展開戰鬥。」

身為升學競爭中的「勝利組」，未來將成為日本經濟支柱的公司員工或官僚，這樣的學生們卻抱持著加害者意識，理所當然會思考「我們的『日常性』恰恰支撐著這種不當的體制，所以要改變體制，就得改變自我，兩者合而為一，我們必須以這種方式展開戰鬥。」此即「自我否定」的表現。

如此，來自越戰的刺激與他們的升學競爭體驗相結合，這種現象導致他們對同時期中國的文化大革命產生了共鳴。一九六六年九月六日的《朝日新聞》中，刊登了十六歲高中生對文化大革命中的紅衛兵——文化大革命當時，十幾歲的青少年們自稱紅衛兵，對中層幹部的「腐敗分子」等大人們進行群眾批鬥——產生共鳴的投稿。該文敘述道[134]：

「與我們同世代的中國青年們，即便只是中學生也貫徹以社會主義建設國家，他們指責社會上的不公不義，提出了尖銳的批判。」「社會上存在著許多對政治毫不關心、只熱中於猴舞[viii]等事物的人，以及被升學考試追著跑，除了讀書以外沒有任何餘裕的人，我們日本的年輕人與他們相較，差異也太大了。確實，我覺得紅衛兵的行動有許多可疑之處，但關心政治這點，我們必須大力學習。」

話雖如此，這類學生照例是少數派，某位教師曾說過，「今日高中生把精神都集中在升學考試上，紅衛兵從一開始就不在他們關注的範圍內。」當時二十八歲的社會學者見田宗介，為了更釐清這點，於一九六六年對高中生進行「覺得紅衛兵如何？」的面訪調查。

見田面訪了幾種不同類型的高中生，除了升學高中裡只關心考試的學生以外，出現了如下的回答：「我認為日本才需要紅衛兵。」「至少紅衛兵具有我所沒有的……今天日本高中生所沒有的一些

viii 譯註：Monkey dance，一種以手上下揮動模仿猴子、人猿姿勢的舞姿，一九六〇年代曾在世界上大為流行，日本也大約在一九六五年大為盛行。

東西。我對他們既感到了不起，也感到很可怕。」「剛聽到文化大革命的時候，感覺自己很能理解那種心境。長期以來，各種生活習慣已經成為社會上的一種絆腳石。」

這些發言的高中生究竟有多理解文化大革命的實際狀態，令人存疑。但他們對「大人們」將社會腐化，而中國青年想要改正此點的狀況，表現出共鳴。

作為該調查對象的一九六六年高中生，在一九六八年至六九年成為大學生，亦即全共鬥運動的世代。而在全共鬥運動期間，東大鬥爭中也在東大「赤門」豎立起巨幅的毛澤東照片，並高舉文化大革命的口號「造反有理」。

此外，這個世代也是在年少期見識過六〇年安保鬥爭的世代。眾所周知，日本協助越戰的基礎即源於《美日安保條約》。該條約每隔十年進行一次檢討與延長，故一九七〇年便成了有機會撤銷安保條約的一年。參加東大全共鬥的社會學者橋爪大三郎在一九九五年如此表示[135]：

「〔六〇年〕我還是小學生，什麼都不懂，不過對六〇年卻留下一個深刻的印象，就是下一次機會就在七〇年之類的。心中忖度，七〇年應該會發生些什麼事情，必須發生什麼事情。屈指一算，屆時剛好是我大學三、四年級的時候，還記得當時覺得這正是一個好時機。可能大家也都這麼想吧。」

這個世代的許多人也都有同樣的印象。日後以代表「全共鬥時代」的和歌作家而廣為人知的道浦母都子，在她還是早稻田大學生的六〇年代末所撰寫的文章中，提及「還是小學生的時候，發生了六〇年代安保」，「進入大學時的我，記得思及『我四年級時將是一九七〇年』時，心中有股無法言喻的感覺，帶著一股七〇年代或許意外地學生將不再是學生的心情。」[136]參加東大全共鬥的人類學者船曳建夫也在一九九八年記錄道，「人概從小學生的時期起，就思考過自己成為大學生之際，將正好是一九七〇年（昭和四十五年）《美日安保條約》修訂之年。」[137]

如此，這個世代在越戰正值高峰之際懷著「加害者意識」，面對即將到來的七〇年代，這些大學生的青年終於在六〇年代末爆發了反叛。

「政治與文化革命」的神話

下文將轉為考察當時的文化背景。一九六八年曾被論述為「政治與文化革命」之年。例如，一九六五年生的酒井隆史在二〇〇四年的著作中有如下文章[138]：

……這個時期大規模社會運動的浪潮，皆以反對越戰為基礎。與過往的鬥爭不同，工人和農民退居幕後，少數族群、女性、同性戀、學生等多元的社會運動主體躍於幕前。最重要的是，這場政治鬥爭與文化領域的各種實驗相互交織在一起，為一九六〇年代這個「政治的季節」帶來極厚的深度，也顛覆了「政治」與社會運動的傳統和通俗形象，為其賦予了新的意義。

這是常見的「一九六八年」印象。然而，日本「一九六八年」的實際情況有別於上述情況。

確實，在日本一九六〇年代的反叛中，「工人和農民退居幕後」，但包含新左翼各黨派在內的運動者們，多數為古典馬克思主義的信奉者，他們期待工人和農民的奮起，而最終演變成以學生為主體，只不過是一個結果，原因在於他們得不到工人和農民的支持。

此外，日本「同性戀」社會運動起於一九九〇年代。「少數族群」與「女性」運動，如第十四章所述，始於一九七〇年代後半。如序章已說明的，對於一九六八年到六九年初的東大全共鬥，國立國會圖書館收藏了全二十三冊的傳單資料集，但幾乎找不到提及包含在日朝鮮人在內的少數族群、女性、同性戀等問題的傳單[139]。酒井撰寫的「一九六八年」印象，可以說都是以美國為基礎形塑而成。

此外，酒井所言「這場政治鬥爭與文化領域的各種實驗相互交織在一起」，也有值得商榷之處。在日本，六〇年代也出現多元的文化實驗，但本書對於涉及文化面的部分，僅限縮在討論脈絡中所需的範疇。

理由之一，即「一九六八年的文化革命」日後遭神話的部分太多。一九五一年生的音樂評論家澀谷陽一在一九八〇年時如此敘述[140]：

> 以前，某百貨公司使用「聽披頭四（The Beatles）長大」為口號，作為促銷活動的主題。這麼一說，也確實有披頭四世代的說法。
>
> 每次聽到這種詞彙，我心中都會冒出痛苦的回憶，想要反駁「胡說！扯謊！」在日本，無論哪個地方，根本沒有什麼聽披頭四長大的世代。只有極少數、限定的人能夠聽到披頭四。在所謂的日本唱片排行榜上，披頭四的排名也經常陷入苦戰。披頭四什麼的，只存在少數的西洋音樂迷中，而且這群人之中僅有一小部分的人，才將他們視為偶像。
>
> 如果日本有披頭四世代的話，那麼我們應該是該世代的核心成員。若「聽披頭四長大」這個口號正確，那我周遭應當有很多人聽披頭四才是。但班上的披頭四迷僅有我一個，在整個學校也

只能找出少數幾人。甚至可以說，投機者樂團（The Ventures）、彼得、保羅和瑪麗（Peter, Paul and Mary，PPM）還更有人氣。

大致而言，當時日本社會對披頭四的音樂並未給予適當的評價，僅認為那是一種社會風潮。因為披頭四在美國與英國引起瘋狂流行，這種異常現象在日本也成為話題，但討論的內容都是他們的頭髮、時尚、引發的流行現象等，至於他們的音樂，可說完全沒有被認真討論。

披頭四來日本時（一九六六年），好不容易全日本都陷入癡迷披頭四的熱潮中，人們從各自的觀點出發，紛紛討論著披頭四。當時我是中學三年級，披頭四還曾被選為級會的討論議題之一。班上只有我一個披頭四迷，因此自然顯得孤單，無法暢所欲言。

因為同世代的朋友們不斷提出「披頭四不過是暫時性的現象」、「大家都只是趕流行跟著炒話題罷了」、「欲求不滿的抒發管道」等，我與其說憤怒，不如說哀傷，實在很不甘心。

類似澀谷的說法不在少數。一九四九年生的音樂評論家恩藏茂於二〇〇三年說道，「日本的年輕人輕易地就接受了披頭四嗎？並沒有這回事。追根究柢，年輕人中屬於西洋流行樂迷的人原本就不那麼多，像我們這種被稱為『披頭四狂熱粉』的人，整個學年也不過只有五個人。」「『長髮很髒』、『很吵，那根本不是音樂』、『受風潮所驅使，樂迷的個性未免太過輕薄』等說法，不只出自大人之口，同班同學中也確實屢屢有人提出。」[141]

音樂評論家三好伸一表示，「雖然我們被稱為披頭四世代，但那個時候披頭四絕非主流，他們的樂迷，一個班級中只有一到兩個，不對，甚至更少也說不定。所以銷量也有限。」恩藏詢問當時唱片公司的負責窗口，對方說因為披頭四唱片的銷量不佳，對媒體發表時會「故意多加個零」，或者「在文件上偽造銷量數字並蓋上『機密』的圓印章，為了引起來唱片公司的媒體記者注意，還把文件放在桌上並故意只露出一部分讓對方看到。」[142]

隨著歲月更迭，披頭四的音樂逐漸感染日本社會，但當年的青少年全都沉迷披頭四的狂熱印象，則可說是日後創造出來的「神話」。披頭四唱片在日本真正暢銷，是在一九七三年，俗稱「紅盤、藍盤」的最暢銷唱盤發售後的事情[143]。此外，六〇年代日本大學生認知中的先銳激進音樂並非搖滾樂，而是現代爵士樂（Modern Jazz）。

從市場分析起家的評論家三浦展，一九八八年在東京多摩中心站前，針對昭和二〇年代（一九四五—一九五五）出生的一百二十位男性，做了音樂體驗的問卷調查。根據該調查，「團塊世代」在六〇年代後半最喜歡聽的音樂類型為：民謠三十九・二%、日本歌謠曲十三・七%、熱門流行歌十一・八%、古典音樂十一・八%、爵士樂九・八%、搖滾樂七・八%[144]。

另外，當時的唱盤與吉他都算高價商品。一九六八年大學畢業生的平均起薪為二萬九千一百日圓，黑膠唱盤一張二千一百日圓，民謠吉他國產貨（山葉）一把要一萬八千日圓，美製吉他則超過二十萬日圓。對國、高中畢業的勞工，或從父母那裡領零用錢的國、高中生而言，黑膠唱盤或吉他都是只可遠觀的奢侈品。國、高中生即便聽披頭四，也多是在廣播上聽，或者存下零用錢買單曲唱盤。

同樣的狀況也出現在時尚流行中。一九四八年生的作家龜和田武在二〇〇三年以〈偽造的六〇年代造型竟成為主流〉為題在雜誌上發表評論[145]：

這個冬天的主要流行造型為六〇年代。因此《Hi FASHION》十月號推出〈覺醒的六〇年代〉特輯。

「由披頭四與崔姬（Twiggy）體現出來的時代氣氛，全都充滿衝勁與能量，並且如此高雅。」……

一看就是六〇年代風的外國人模特兒，看著他們的姿態，我腦中浮出「真懷念啊」的想法。接著突然察覺，〔現實中的六〇年代〕我們日本人身邊見不到這類西裝或高級時裝展風格的迷你裙。六〇年代的時尚僅存在傳達巴黎時裝週資訊的照片中。「懷念」那種優雅高尚的冬季造型，是一種記憶錯誤。聽著橋幸夫與舟木一夫長大的世代，今日把自己視為徹頭徹尾的「披頭四世代」的想法，也跟這種錯誤類似。

如龜和田所言，當今視為「六〇年代風格」的時尚，即便部分存在英國與美國，但與六〇年代的日本青年們基本絕緣，或者僅是一種高價的、不可觸及之物。雖然日本也流行迷你裙，但當時比起新買的，手工縫製更為便宜，因此許多女性都拿手頭持有的裙子改造成迷你裙。

觀察現存照片等保存下來的大學鬥爭時的服裝，在一九六五年及六六年慶應大學、早稻田大學反對學費上漲鬥爭中，男學生多穿高領學生服。前述一九四七年生、一九六六年進入東大的小阪修平敘述，「見到電視上播出當年的學生服裝，心中冒出『這是當年的我們嗎』的想法，那種古樸風格令人驚訝」，「又不是運動會，竟然有這麼多穿著立領學生服的學生四處走動。」[146]

當時身為青年，參加過越平聯的運動者室謙二在一九六八年十一月的評論中，引用了雜誌《平凡

PUNCH》的文章[147]：「好像把嬉皮或迷幻等說成主流時尚，但對正統派而言，那些不過是極少數的人。」室謙二也引用了當時日本國產服裝品牌VAN的專務董事大川照雄的話：「日本沒有教育孩子如何著裝的機構，學校中沒教，家庭中也不太教導。所以學生們對穿制服以外的時間應該如何穿搭，並沒有什麼概念。」

沒有把握這種日本的實際狀況，設計出被神話的「六〇年代」而慘遭滑鐵盧的例子之一，便是二〇〇六年四月創刊的《dankai punch》雜誌。年輕總編推出了以VAN與巴布・狄倫（Bob Dylan）為六〇年代次文化的專題，但銷售量遠遠未達預期目標。該雜誌總編於二〇〇七年十二月表示，「今日回想，我想像的『團塊世代』印象，太過概念化了。」雜誌的「專題主題也從披頭四、一九六八年、千秋直美傳說」，改為「個人史的寫法」、「再騎一次自行車吧」、「妻子的死亡及其後」等[148]。

上述的總編還如此表示[149]，「媒體回顧當年時，總是出現民謠游擊[ix]與全共鬥。這種現象乍看在當時是主流。但，團塊世代的大學升學率僅有兩成，其中一部分人參與全共鬥。原本他們就是少數派啊。」

不過，隨著經濟高度成長，社會也激烈變化，年輕人的服裝變異也更為激進。到了一九六八年的日大鬥爭與東大鬥爭時，穿著帶防風帽夾克及棉製褲的人變多，幾乎見不到穿立領學生制服的人。但牛仔褲此時仍不多。日本國內自一九六二年起生產牛仔褲，但當時仍帶有濃厚美式高級衣料的印象。如僅透過照片確認，牛仔褲普遍成為一般服飾，大概是從一九六九年前後開始的。

而髮型也發生了很大的變化。越平聯核心成員之一的作家小中陽太郎，在一九七三年的著作中談及一九六九年春季至夏初，前往新宿西口觀看民謠游擊集會播放的紀錄片《地下廣場》時的感想[150]：

「年輕人們的短髮，讓人想起了這四年的歲月流逝。六九年初夏之際，年輕人還多是短髮。」一些對時尚敏感的人，如民謠游擊隊的部分成員，在一九六八至六九年左右留起了長髮，而年輕人較普遍地留長髮，大概是從一九六九年後半到七〇年代才開始。

但，即便牛仔褲普及後，人們的著裝概念，例如女性穿裙子是基本常識，這種想法仍不易改變。京大全共鬥運動者且為社會學者的上野千鶴子，在二〇〇三年與加納實紀代的對談中如此說道：「當時女孩沒有穿褲子的習慣。那是一個如果穿著牛仔褲去〔大學〕上課，同學就會問『今天要去遊行抗議？』的時代。」加納則回應，牛仔褲「是戰鬥服裝呀。」[151]

此外，本書不重視「文化革命」的第二個理由是，所謂六〇年代前衛文化的創造者，並非年輕人。

經常被列舉當作此時期文學、戲劇、藝術、電影等範疇的改革者們，可舉吉本隆明、寺山修司、三島由紀夫、赤瀨川平原、宇野亞喜良等人。但上述這些人在日本戰敗時皆為二十歲左右或十多歲，六〇年代時已是三十多歲，屬於「戰中派」或「少國民世代」。在電視或音樂領域中，暫且不提登上舞台的歌手、演員，當時的製作人、劇作家、作詞作曲者大部分皆屬上述世代。

漫畫的創作者年齡稍有下降，即便如此仍較二十歲前後的學生更為年長。在戲劇界亦然，一九四〇年生的唐十郎在當時的文化旗手中屬於年輕一輩，但也屬於在六〇年代安保時期迎來青春的世代。

ix 譯註：日製英語，來自folk song（民謠）+guerrilla（游擊戰、游擊隊）。越戰期間的一九六八年左右起，出現於大阪、東京等處的學生、公民反戰集會，眾人集結於車站前廣場，歌唱反戰民謠等歌曲。

評論家絓秀實是給予「六八年」極高評價的人物，但他在二〇〇七年的座談會上也表示當年「在戲劇界，稱為地下（underground）世代的都是六〇年安保世代呀」，承認「不能全面說都是六八年的人、事、物。」[152]

當時的學生運動也有類似的狀況。一九六八年新左翼各黨派與東大全共鬥的高層，皆為一九六〇年安保鬥爭或一九六二年大學管理法鬥爭的世代，又或者是同世代的研究生運動者。聽聞前述絓秀實的說明後，座談會的同席參與者高橋順一與府川充男也回應道「不只在戲劇界，六八年在政治運動中擔任核心的人們，即便東大全共鬥也是第一次安保世代」，「新左翼黨派的最高領導部大抵都是六〇年的安保世代呢。」[153]

實際上，廣為人知的六〇年代知名人士，如前所述是較六〇年安保世代更年長的少國民世代或戰中派。而新左翼各黨派的領導層多屬六〇年安保世代雖屬事實，但如第十章所述，由研究生擔任全共鬥領導層是東大的特殊現象，與其他大學的全共鬥不同。因此，雖然有不少主張認為應特別重視「六〇年安保世代」，但在文化、運動的領導層中多為更年長者一事，仍是不爭的事實。

一九六〇年代末成長為二十歲左右的世代，在文化創作者中有一些例外，那便是自行創作和歌唱的民謠歌手們。但他們絕大多數都在正式出道後便不再參與政治活動。在出道前也有如高石友也或中川五郎等，在越平聯機關報投稿或訪問越平聯辦公室的狀況[154]。然而，一九六九年初夏達到高峰的新宿西口民謠游擊集會中，並無職業歌手參與。

文化創造者一直是年長者的現象，原因之一在於當時「成人」與「孩子」的界線尚且明確，夾在中間的「年輕人文化」才剛現出一絲端倪。當時的運動者在二〇〇三年回想當時的文化狀況[155]：

B：今天似乎出現一種既非大人也非孩童的，類似年輕人（young adult）的世界。……我們當學生的時候，只有大人的世界與孩童的世界，我們在當時真的是不上不下的狀態。

A：這讓我回想起，例如我們把埴谷雄高、安部公房、開高健、大江健三郎、高橋和巳、吉本隆明……這些人的作品，毫不猶豫地當作同時代的精神加以接受並閱讀。有時為了一較長短也會說出類似批判的言論。不過試著查了一下，發現實際年齡與我們相差不少。即便年輕一輩也與我們相差超過二十歲。……因為沒有特別屬於年輕人的世界，所以直接一頭衝進大人的世界。要是有哪個人，自以為已經掌握經驗與歷練，認真地試著闖入大人的世界後，就會忽然理解，啊！大人的世界真不容易，內心感到一股震驚。

B：覺得害怕之後收手，接著便投入漫畫的世界，當時也不像今天有青年漫畫，所以就一頭栽進兒童漫畫如《少年雜誌》、《少年Sunday》的世界。……如此一來，我們的腦袋一方面接受大人們的進步思想與文學，一方面又存在著少年漫畫，成為一種四不像的雜菜粥。

這種處於「雜菜粥」狀態的年輕人，將漫畫主角的名字寫在安全帽上，在運動的鼓動演講上排列組合生硬的思想專有名詞。這種現象相當值得玩味，但此處不會把他們愛讀的吉本隆明或寺山修司當作研究對象。

原因顯而易見，例如，即便六〇年代披頭四給日本年輕人帶來影響，但研究披頭四所能得到的結果，終究是英國社會的階級結構或愛爾蘭裔移民的境遇等問題，調查披頭四並無法理解日本年輕人的心理或社會背景。同樣的，即便鑽研吉本隆明或寺山修司，或許能成為戰中派或少國民世代的研究，但對六〇年代末青年們的反叛研究，則屬於不同領域的研究。

如果特意將重點放在文化上研究，那或許有一個取徑是研究當時青年們如何接受吉本隆明及其他作家的作品，然而青年們對吉本等作家的著作理解到何等程度，實際上相當值得懷疑。例如當時的運動者吉田和明在一九八四年的著作中提及，當時在大學中將吉本著作「像寶貝似地抱在胸前行走的女學生和男學生四處可見」，但「像我們這種普通的學生，終究不是讀了就能理解的軟性書籍。而且老實說，根本讀不懂。」[156]

當年還是高中生的四方田犬彥，也在二〇〇三年有如下敘述。四方田在一九七〇年參加吉本的《南島論》演講，會場爆滿，全部都是年輕人。但大部分的聽眾都無法理解吉本演講的內容，四方田自身也「中途起就幾乎跟不上演講的內容了。」而「坐在我隔壁的女大學生，似乎更是從一開始就放棄去理解，當吉本演講時，她不斷揮動鉛筆，描繪著他的肖像畫。」[157]

從結論來說，青年們雖然閱讀吉本的著作，但可以說，大部分的青年都無法理解他的思想。只是將「自立」、「幻想」、「擬制」等吉本的詞彙當口號般來使用，為吉本批判丸山真男等「進步的知識分子」時的姿態報以喝采，當時的女性解放運動使用「對幻想」這個吉本的關鍵詞時，賦予了與吉本原本意圖完全相異的意義，這樣的作法正是許多青年們「接受」吉本思想時的真實狀況。

原本，青年們消化思想的能力便有限。自六〇年代中至六〇年代末，依舊殘存著大學生應當成為有教養的階層的昔日教養主義概念，因此大學生尚有讀書的習慣。但根據前東大全共鬥的小阪修平回憶，一九六六年當時他們進入大學後，「每天讀書達三百頁是基本額度」，但「到了週末因為累積了太多未消化的額度，所以就讀雜誌（大概就是《世界》之類的綜合誌）來湊數」，這就是當時的真實狀態[158]。

前日大全共鬥的橋本克彥也閱讀了當年流行的沙特（Jean-Paul Sartre）、佛洛伊德、馬克思、埴谷雄高等。不過閱讀的動機是「為了讓認真又可愛的女孩關注我」，至於內容則「完全看不懂」[159]。

總而言之，六〇年代的青年們雖是文化的消費者，但並非創作者。他們這個世代正式成為創作者，得等到八〇年代他們成為作家、學者或文案寫手後。在這層意義上，比起六〇年代反叛的文化，可說八〇年代的消費文化才是經由他們之手創生出來的文化。

此外如第四章所述，當時的新左翼各黨派只有提倡當時的古典馬克思主義或者存在主義式馬克思主義的程度，大多數的運動者都非常忙碌，除了自家黨派的機關報之外，幾乎沒空閱讀書籍。

順帶一提，日後被稱為「法國現代思想」的思潮，也被稱作「六八年的思想」，這點也不符事實。李維史陀（Claude Lévi-Strauss）的《野性的思維》（*La Pensée sauvage*）、傅柯（Michel Foucault）的《瘋癲與文明》（*Folie et deraison*）與《詞與物》（*Les Mots et les choses*）、拉岡（Jacques Lacan）的《文集》（*Écrits*）、阿圖塞（Louis Pierre Althusser）的《保衛馬克思》（*Pour Marx*）、羅蘭・巴特（Roland Barthes）的《寫作的零度》（*Le Degré zéro de l'écriture*）、德希達（Jacques Derrida）的《論文字學》（*De la grammatologie*）等，這些一九五〇年代至一九六七年的著作，並非受一九六八年的巴黎「五月革命」刺激而產生的作品。

從世代上來看，李維史陀與桑原武夫、巴特與丸山真男、傅柯與吉本隆明、德希達與小田實幾乎屬於同世代。所謂的「法國現代思想」無論從作者的世代來看，或者從書寫的時期來看，應當稱為「法國戰後思想」會更妥適。

在六〇年代末的日本，包含當時已經被視為有些落伍的沙特在內，存在主義開始流行，結構主義等則僅停留在雜誌介紹這些思想在法國如何流行的程度。因此在理解同時代法國思想的當時大學教師看來，全共鬥或新左翼各黨派的思想呈現出「落伍」的狀態。

當時的年輕教師蓮實重彥在一九九三年如此敘述全共鬥運動[160]：「感覺好像看到了什麼落伍的慶典，最初的印象是現在還談什麼大學解體，是不是被寵壞了。而且，運動本身使用前一個時代的舊經典來支撐，這種感覺一直持續到最後都未能脫離。」

共產同運動者的三上治在二〇〇〇年的著作中，評價全共鬥運動在「形式」上是新的，但在思想上卻十分貧瘠。根據三上的說法，全共鬥運動的主要成因是經濟高度成長，「高度資本主義化之下形成學生階層的異化意識」。但三上稱，使用當時流通的舊馬克思主義與存在主義的詞彙把這種異化意識「轉換成社會性的詞彙具有相當高的難度。」[161]這個問題也是本書的主題之一，後面將繼續說明。

接著，本書不重視文化問題的第三個理由，在於六〇年代青年們反叛而成為運動者的人們，不必然與使文化變貌的人們重疊。

年長的運動者傾向將音樂或時尚當作「小布爾喬亞資本主義文化」而規避。當時年輕運動者之一的西井一夫在一九九八年回憶六〇年代中期至後期前輩運動者對青年文化的態度時，有如下敘述[162]：

> 我很喜歡多人流行樂團（日文稱Group Sounds，簡稱GS）老虎樂隊的〈只愛你〉（君だけに愛を），但在當時的自治會房間中，即便把嘴巴撕裂也不能承認。……漫畫的話，白土三平尚可接受，但《剛速球甲子園》（男どアホウ甲子園）則不行，大概就是這樣的感覺。《破廉恥學園》（ハレンチ学園）就更別提了，完全不行，說起來，就像有某種潔癖一樣。

在這種情況下，那時候文化領域的運動者們還相當保守。「興趣」與個人的「喜好」之類，比起思想或主義，根本沒必要當作問題，那些都是枝微末節的東西，這種「看法」當時已然是一種常識。爵士樂或搖滾樂確實已獲得一定的認同，但大眾歌謠曲、通俗漫畫、小說則仍相當受到歧視。

此外，生於五〇年代前半的四方田犬彥與坪內祐三在二〇〇四年的對談中有如下表述（他們把一九四七至四九年出生的人們稱為「全共鬥世代」[163]）：

四方田：……所謂全共鬥世代的人們，即便喜歡東映的黑道電影或演歌，但他們究竟聽不聽搖滾或流行樂之類的音樂呢？也就是說，在封鎖的街壘之後可以唱高倉健或都春美，但他們也唱披頭四嗎？對此我抱持很大的疑問。

坪內：是啊，全共鬥的人們意外地不聽搖滾或美國、英國的音樂。

四方田：可說是種禁慾吧。如果帶吉他進去，就會給人不認真的感覺吧。

坪內：似乎沒怎麼見過全共鬥的人平時在街壘內聽搖滾呢。

在東大全共鬥佔領的安田講堂之前架有帳棚村，他們在裡頭彈吉他，東大全共鬥也舉辦搖滾音樂會，這樣的事例確實存在，因此四方田與坪內的說法稍嫌誇張。不過，他們陳述的氣氛也的確存在，屬於一部分的真相。

東大全共鬥的運動者們也對自身並無文化性的創造行為有所自覺。一九六九年四月的座談會上，作家野間宏對東大全共鬥核心成員山之內正彥問及全共鬥是否「以包含文學、電影、美術、音樂在內的形式進行鬥爭呢？」詢問對方是否也在文化面盡力進行鬥爭。但山之內回答，在文化層面「東大鬥爭在這點上，怎麼說呢，只能說相當貧瘠。」[164]

反之，從事文化活動的青年一方，則有迴避參與政治活動的傾向。以在寺山修司主辦的劇團「天井棧敷」擔任音樂導演而知名，也是新宿名人「瘋癲族」[x]男性，生於一九四八年的J・A・凱撒（Julious Arnest Seazer，本名：寺原孝明）在二〇〇五年如此表示[165]：「我對反戰歌曲、民謠什麼的完全不感興趣，就像運動者分為革命家與『瘋癲族』兩類。因為我認為必須先解放自我，否則無法獲得自由，所以對革命抱持懷疑。因此（一九六八年十月二十一日的）新宿騷亂之際究竟做了什麼，我完全忘了。」

日本的「瘋癲族」與美國的嬉皮不同，根據當時的常識，日本「瘋癲族」並沒有政治上的主張。一九六七年，《越平聯新聞》十月號刊登了來自旅居美國者的投稿，其中有如下敘述[166]：「這邊（美國）和平運動中值得注目的，是應該稱為新嬉皮族的，所謂的『嬉皮族』大量參與的狀況。」「他們透過自身的存在企圖改革社會，在反戰、和平運動中大為活躍，這點恐怕與日本的『瘋癲族』大相逕庭吧。」

反觀東大全共鬥，並不特別關心嬉皮標舉之「感性的解放」。《世界》雜誌在一九六九年二月對東大的全體大學生、研究生進行問卷調查，針對鬥爭的目標進行複選，結果，與東大全共鬥對立的共產黨青年組織民青提倡之「大學民主化」佔四十六・二％，居首位；東大全共鬥提倡的「確立自我主體」佔四十一・七%，居第二位；接下來是「表明對體制的拒絕」、「解體現行大學體制」等全共鬥派的目標，以及「恢復理性」、「驅逐暴力學生」等民青派的目標，各自佔約二成，而「感性的解放」佔五・五%[167]。

一九六八年八月二十四日，東大全共鬥佔據的安田講堂前方廣場上，舉行了新宿「瘋癲族」大集合的「瘋癲集會」（正式名稱是「研討會——對暴動的邀請」）。但根據當時的報導，聚集的大多都是戴著黑色安全帽的無政府主義者或看熱鬧的群眾，「瘋癲族」只有幾個人。無政府主義的人們訴求破壞權威，對前校長的銅像潑灑白漆，並拿鋸子要鋸斷銅像的頭部，東大全共鬥的學生們則加以制止，場面一片混亂。根據當時的雜誌報導，之後東大全共鬥表現出「苦於如何『評價』准許外部人士參加集會一事」，「盡可能不願提起此事」的態度[168]。

根據上述調查結果以及「瘋癲集會」始末，政治學者高畠通敏於一九六九年的對談中表示：「當『瘋癲族』進入東大的時候，大概有把所有『瘋癲族』都趕出去（此處有誇張之嫌）的討論吧。看現場的狀況，所謂透過感性的解放、情慾解放，方能確立自我主體的想法，根本毫無說服力。」與其對談的平井啟之則回應「這就是日本學生運動的特質啊。」[169]

高畠認為，會有這種傾向正是因為東大學生「太過認真」，「例如，若針對日大進行調查，大概會出現不同的結果。」[170]然而，當時日大全共鬥書記長田村正敏在一九六八年九月面對週刊雜誌訪問時回答[171]：「『瘋癲族』？他們雖然反叛，但不否定體制，所以不行。」

x 譯註：此處指嬉皮風格者。但，日式的瘋癲族與西方的嬉皮並不完全相同。

反之，如前述J．A．凱撒般，藝術家們對政治倒是具備覺醒的觀點。當時的民謠歌手小室等在二〇〇五年對新宿西口的反戰民謠游擊集會如此表示[172]：「大聲歌唱的話，現場的氣氛會變好，也有淨化作用，但最終整個社會或個人都沒有改變。那是六〇年代後半。今天已經冷淡下來了。所以對西口民謠游擊，人們肯定感到違和感吧。」

日後與前赤軍派運動者結婚的加藤登紀子也在一九九九年表示，「我最討厭『政治』」，「因為對〔一九四三年生的〕我而言，『六〇年』是一場敗北。從六八年開始，我就是完全的局外者。」[173]如前所述，民謠游擊集會上並沒有出現職業歌手。

在這種狀況下，當時學生們愛唱的《朋友啊》的作者岡林信康，屬於在職業歌手中少數積極參與政治集會的一人。他在一九六八年春從土木工人轉變成歌手後，旋即說出「以歌曲為契機產生連帶感，接著發展成運動。我想追求這樣的可能性。」[174]但即便如此，他也在一九六九年末寫下如下文章，放棄在集會上歌唱[175]：

「大體上，說出『聽到你的歌曲之後非常感動，你是我的夥伴』這種話的人最可怕。既然是夥伴，提供很低的演出費用，也就理所當然了。既然是夥伴，下舞台之後也該繼續往來。因為是夥伴……。在這種狀況下持續一年半的時間，每個月超過二十天都被那群人東拉西拽，實在是疲憊不堪。接近兩個小時的演唱結束後，他們就喊：來！一起吃飯吧！一起討論吧……。如果拒絕，對方就會說出：『唷，擺出大明星的架勢啦。岡林應該不是這種人吧。』之類的話。」

「我提出自己的身體已經扛不住了，拒絕前往參加，對方就會饒過我嗎？『身為夥伴竟然不來嗎？只不過增加一天的行程，沒什麼影響吧。』這種說法已經是最輕微的了。……所謂歌曲這種東西，不就是從真實生活中汲取出來的東西嘛。剝奪我的生活，說什麼夥伴、夥伴的，這麼說的你們難道沒有責任嗎？結果，就說什麼我腐化了，上電視就擺出大明星的架子了，被大眾媒體所毒害了，裝作一副很懂的樣子批評我。這不就是你們在幹的事情嗎？真是夠了，不幹了！」

而學生運動者方面，不只反對「布爾喬亞文化」，而且他們有許多人對文化或時尚根本毫不關心。一九六六年的早稻田大學運動者宮崎學回憶道[176]：

首先，每天的生活據點，也就是學生會室，總是略帶髒亂。當時大學正門右手邊的二號館是法學部，學生會室就在該棟地下室。即使大中午也略顯陰暗的走廊，立牌看板與木頭角材之類的雜亂堆置，走廊兩側並排著左翼系統的社團辦公室，其中一間就是學生會辦公室。室內也是散放著印刷傳單用的謄寫版、便宜粗糙的傳單印刷用紙，空間帶著墨水的髒汙，一片雜亂。

聚集此地的運動者們也是一副略顯髒亂的打扮。蓬亂的頭髮，身著襯衫，套著廉價的褲子，褲子上的直線折痕早就看不見了。我記得似乎沒有任何一個傢伙穿當時時尚流行的牛仔褲。

這些運動者，大多沒有時間或經濟上的餘裕投身文化活動。例如一九六七年十月，週刊雜誌詢問橫濱國立大學某運動者的日常時，得到這樣的回答：「每個月有四、五天不回住處，大致都睡在學校或自治會辦公室。金錢方面當然缺乏，靠打工與募款在生活。」[177]

另外，一九六八年一月，新聞工作者詢問佐世保鬥爭的核心學生運動者是否看電影時，對方回答「沒空看啊。只看了《阿爾及爾之戰》〔La battaglia di Algeri，刻畫阿爾及利亞獨立戰爭中游擊隊群像的電影〕。」這位運動者的日常生活也是「幾乎每天熬夜，〔與同居的女性〕一週只有碰面一次，而且只有幾個小時。雖然被〔同居女性〕交代『只有一週見面一次這點必須嚴格遵守』，但往往難以信守承諾。」[178]

當然，任何類型中都有例外。如第四章所述，新左翼黨派中「革馬派[xi]」就被說很時尚。小阪修平回憶道，「第一次看到上身牛仔外衣、下身牛仔褲的運動家，大概是一九六七年吧，心想對方還真帥氣。」[179]雖說如此，但對此敘述的更適切評價或許是：大多與時尚無緣的運動者中，意外出現一個穿著流行高級牛仔布料服裝的人，這種特殊性才讓小阪的記憶特別鮮明。

反之，熱中文化活動的人則無暇參與政治活動。搖滾樂團「裸體集會」（Les Rallizes Dénudés）的成員頭帶紅頭盔演奏，也有屬於赤軍派的成員，因此談及當時政治與文化的交織時此樂團曾被提及，但其成員久保田麻琴在二〇〇六年如此回憶道[180]：

「當時的鼓動性政治傳單，我讀不懂。……我認為寫的人也不是真正理解那種內容，所以總是先抱持著懷疑，心想這些傢伙，沒問題吧。跟這類人完全無法成為朋友。實際上我忙於音樂，根本不是參加學生運動的時候。」

一九六八年十一月，在東大鬥爭中的駒場祭上，由日後成為作家的橋本治設計，畫著背上有紋身的黑道男子，海報上的標題寫著「媽媽／不要攔我／背上的銀杏正在哭泣／男子漢呀／東大將何去何從[xii]」。這幅海報成為熱門話題，在談及政治革命與文化相連結時，也曾被舉出當做例子。

但作者橋本卻是完全不關心政治的學生[181]。根據橋本在一九九八年的回憶，「〔六八年的時候〕我甚至連『新左翼黨派』、『全共鬥』與『民青』都分不清楚，以為『社會主義全都一樣』」，進入罷課階段後，他熱中於歌舞伎研究會與設計研究會的活動。因為橋本擅長畫圖，所以有人委託他畫立牌看板，不過他尋思「總之要在圖上寫點什麼，反正淨是人們看也看不懂的東西」，就在立牌看板寫上迷幻風格的圖形文字，結果收到「你這樣寫大家看不懂」的抱怨，據橋本說，他感到一陣「驚訝」，心想「竟然會有人認真閱讀立牌看板呀！」駒場祭的海報似乎也是這類委託的延續。

相對於這種實際情況，當時年長的評論家傾向把學生運動與「瘋癲族」視為同類。評論家大宅壯一在一九六七年十二月的評論中如此敘述[182]：

「因為全學聯等同於『靠社會風潮來抵抗』而『活躍』，從這點而言，『瘋癲族』與全學聯的學生在性質上根本沒有差異。他們同樣缺乏思想，他們的主張支離破碎，甚至連詭辯都稱不上。」「他們戴頭盔遮住臉，靠著這種新的時尚裝扮，享受著與警察及機動隊衝突的戰慄遊戲，稱其為一種休閒運動也不為過。口中吐出迷幻調性的詞彙，出售迷幻調性的時尚，如果日本百貨公司發揮商業精神，那麼明年大概就會推出全學聯樣式的流行裝扮了。」

這樣的指摘在某些方面確實一針見血，不過當時的運動者們聞言應該相當激憤吧。

xi　譯註：全稱為「日本革命的共產主義者同盟革命的馬克思主義派」。

xii　譯註：銀杏為東大的校徽。海報上的黑道男子，與當時熱門影星高倉健及其電影的意象重合。

「神話」誕生的背景

但，也有一些資料記錄了與上述內容相反的事例。例如與前述的J・A・凱撒的敘述相反，一九六八年十月二十一日「國際反戰日」時，有不少「瘋癲族」參與新宿等地發生的騷亂事件。

如當天在日本防衛廳前與社學同（社會主義學生同盟）學生一起投擲石塊的「瘋癲族」少女事例，當時的報導指出[183]：「她從地方的高中畢業，想要成為演員而前往東京，居住在廉價公寓裡。根據她的說法，在東京的國分寺有一處『嬉皮村』，她在該處聽聞國際反戰日的事情，當天她外出閒逛，晃到了防衛廳附近，中途就混入了遊行隊伍中，開始丟擲石塊，然後就在現場遭到逮捕了。」

一九五〇年代擔任東大教養學部自治委員會長，以熟悉六〇年代學生運動而聞名的批評家大野明男，在一九六八年十月的座談會上表示[184]：「我知道那位女性，經常丟石頭啊。根據她的說法，歸根結柢是為了釋放自己扭曲的感性，所以只要見到機動隊就丟石塊。她的做法完全不講求效果或戰術，她說無論是勝是敗，全都無所謂。這麼說著便拿起石頭丟，只不過，她丟完就跑去GoGo Bar玩耍了。」

曾是共產同運動者的三上治，回憶一九六七年末學生們拿著武鬥棒，戴著頭盔跟機動隊發生衝突的時期[185]：「那個時候，抗爭遊行的前一天或者前幾天，都會被女學生纏著，要我帶她們去阿哥哥喫茶。……她們大概是想藉此緩解鬥爭前的緊張吧。」

在京大全共鬥的主辦下，一九六九年四月十一日至十九日舉辦了「壘祭」（街壘慶典），其中可以看到如下的節目。演講方面有小田實、松田政男、寺山修司、若松孝二等。此外還有由「THE

MUSTANG、THE MUSTAPHA、裸體集會」等樂團演奏背景音樂的阿哥哥派對，以及前衛劇團「炎」的公演等[186]。

在日大全共鬥編纂的《叛逆的街壘》中，也隨處可見「對我們來說，今天（佔據的）校舍是（嬉皮的）溫室，馬克思是『解藥』，只是把國際歌換成現代爵士樂、節奏樂、藍調、阿哥哥舞罷了」，「在馬克思與可口可樂的氾濫中展開鬥爭」等文章[187]。一九六九年初的週刊雜誌上報導，日大文理學部的鬥爭委員會在佔據的校舍中舉辦聖誕節阿哥哥大會，田村正敏委員長親自跳阿哥哥舞[188]。

從這些乍看矛盾的資料，可以讀出以下兩點。

第一，今日看來不過是很普通的文化與政治運動接軌，在當時仍被視為新鮮的事物，而大眾傳媒與學生有過度推崇這種事物的傾向。特別是對只知拒絕「小布爾喬亞資本主義文化」、左翼運動的年長者們看來，這些都是「現代之子」的運動形式，相當的新奇。如前述大宅壯一的文章，大眾傳媒有過度放大這類現象的傾向。

上述日大全共鬥的阿哥哥派對，也被放在強調「如果他們把頭盔脫掉，那麼他們也就全然像是現代之子」的脈絡下報導。儘管只要通讀日大全共鬥編纂的《叛逆的街壘》，便可見到大部分文章都訴說了正當的問題意識與鬥爭始末，但大眾傳媒上卻只有「在馬克思與可口可樂的氾濫中展開鬥爭」一節變得知名。而當時的年輕人也對年長的運動者心懷抗拒，似乎對自己將文化與鬥爭接軌感到相當自負。

第二，對政治運動與文化活動的參與程度存在問題。如前所述，學生運動的核心運動者，無論在時間上或經濟上皆無餘裕從事文化運動。同時，如J・A・凱撒或久保田麻琴般熱中於劇團或音樂創作活動者，特別是以其為職業維生的人，則無時間或經濟上的餘裕去參與政治運動。簡單來說，沒有人可以同時既是東大全共鬥的議長又是劇團「天井桟敷」主角，而且在時間、物理上也不可能存在這樣的狀況。

不過，也有不少人像上述的「瘋癲族」少女和抗爭遊行前到「阿哥哥喫茶」的女學生一樣，偶爾參加遊行，偶爾也進出街壘，立志當演員或前往「阿哥哥喫茶」，同時邊緣性、部分性地參與政治運動與文化運動。從絕對數字而言，比起當一個核心運動者、真正的劇團演員或音樂家，各個領域都有部分參與的人佔據了多數。

連帶說明，自一九四七年至四九年出生的世代雖有「團塊世代」、「嬰兒潮世代」、「全共鬥世代」等稱呼，但其中的「全共鬥世代」則與實際狀況有所出入。這主要是因為，一九六五年的大學升學率為十七・〇%，一九七〇年為二十三・七%，此世代的人們大約有八成都未升上大學，也與全共鬥運動無緣。

而且，大學生也不是全數都參加全共鬥運動。京大全共鬥的運動者上野千鶴子在二〇〇六年表示，「（大學內）全共鬥派如果加上周邊的贊同者大約有兩成，反全共鬥的人大約有兩成，剩餘的六成大學生是所謂的不關心政治者。」[189]這雖然是上野的推測，但應與實際狀況頗為相符。

在前述《世界》雜誌對東大學生的調查中，即便因時期有些變動，不過大致仍得出「參加」、「支持」全共鬥者大約從三十一%到三十八%，採取與全共鬥「對抗」立場者從十%到二十八%，剩下的是「中立」或「不關心」的大學生。此外，「參加」東大全共鬥人數最多的時間點（一九六九年一月）也只有十六・九%[190]。

包含京都大學在內，不像東大鬥爭那麼熱烈的各地大學鬥爭中，參與全共鬥運動者不過百分之幾，可推估大半的學生都屬「不關心政治」者。這些「不關心政治者」當大學被街壘封鎖而無法上課時，要麼回老家，要麼外出旅行，要麼在家讀書、做自己感興趣的事情，類似橋本治這種熱中參加社團活動者甚多。

一九四七年生的越平聯運動者山口文憲，在二〇〇六年如此敘述[191]：

想當然耳，即便在學的大學爆發熱烈的全共鬥，也不可能全體學生都參與。那些不關心的人，在未參與政治的意義上當時稱為「不關心政治（學生）」（或者「普通學生」），無論在哪一所大學，都是此類學生佔多數，這也是事實。

例如開創優衣褲（UNIQLO）的柳井正會長（一九四九年生，大概因生於二月，所以與一九四八年生的人一同入學）當時也是早稻田政經學部的學生，他的大學生活如何呢？

「雖然上了大學，但恰逢學生運動熾烈的時候，幾乎不曾去學校。罷課很多，約有一年半的時間大學處於封鎖狀態。對於那些偏向暴力傾向的學生運動，我無論如何都無法適應，最後就在看電影、打小鋼珠或麻將中，無所事事地度過了大學四年。」（《一勝九敗》，新潮社）

團塊的大學生中，這應該是一種普遍的樣態。

那麼，在真實的狀況中究竟有多少人有參與全共鬥的體驗，對此事該如何認定？假設當時全日本的大學生中，有二十五％（這是高估的數字）與全共鬥發生關聯好了，在那個大學升學率十六％的時代，有二十五％大學生參與，那麼佔整個世代的比率，至多為四到五％。換言之，只有這麼多人親自參與體驗過全共鬥。……那，這種體驗的質量又如何？

> 這個問題相當困難，即便總體稱之為全共鬥體驗，但實際狀況仍因人而異，相差甚遠。一方面，那些戴頭盔的同學來強行招募（當時的用語稱org，取自組織、組織化的英文organize），在既害怕又感興趣的狀況下參加了兩、三次抗爭遊行，類似這種參與程度的人也有。另一方面，也有一些多次被逮捕最終被實際判刑入獄，遭退學的人。……因此，那些基於自身一點體驗就自吹自擂「我是前全共鬥成員」的傢伙，恐怕不過是在吹牛。

在同世代中即便加以高估，也僅有四到五%的人具備「全共鬥體驗」，因此「全共鬥世代」的稱呼當然並不適當。此稱呼會普及，可推測是因體驗過全共鬥運動的人皆為大學畢業菁英，日後有較多在大眾傳媒上發言的機會，因此才出現此一詞彙。

順帶一提，一九八五年東京生活文化局在《關於剛滿三十歲者的生活意識調查》中（當時此世代屆齡三十），詢問如何稱呼自身世代，「全共鬥世代」排在最後，而且四十四．五%的男性與五十二．五%的女性都回答「感覺很不好」。排斥這個詞彙的理由有「此印象僅代表極少數人」、「我在學生時代反對全共鬥」等[192]。這就是為什麼，這個世代沒有上大學的八成左右人們，加上即便上了大學也未參加全共鬥的人們，對於自己被稱為「全共鬥世代」會感到意外吧。

此外，山口所舉的「體驗的質量」也相當重要。如前所述，一九六九年二月《世界》雜誌對東大學生的調查中，回答「參加」全共鬥者，一九六九年一月為十六．九%。當時東大大學部學生約一萬三千人，研究所學生大約四千人，其中的十六．九%代表在一九六九年一月約有三千人「參加」全共鬥。

但一九六九年一月的安田講堂攻防戰中，堅守抵抗後遭逮捕的東大學生為一百零七人。為了持續抗爭，部分參與者如東大全共鬥議長山本義隆，便在全共鬥的決議下事前出逃，即便如此其餘超過兩千數百人自稱「參加」全共鬥者，大概絕大多數只是發發傳單、參加過幾次抗爭遊行的程度。

這類部分參與者與核心運動者不同，大概有充裕的時間與金錢可以去看電影或跳阿哥哥。對這樣的人而言，說記憶中的六〇年代末是「抗爭遊行與阿哥哥的時代」，其實也不為過。在日後，當全共鬥被以誇張的形式敘述，六〇年代末才呈現出一種「政治與文化革命的時代」這種表象。

作為這種表象的例子，可舉批評家四方田犬彥在二〇〇三年回顧他高中時代的作品《革命青春：高校1968》[193]。他在書中談到自己又去鑑賞法國新浪潮電影，又聽搖滾樂，又閱讀現代詩，還在高中鬥爭中參加了街壘封鎖等豐富多彩的體驗。

然而，閱讀後冷靜思考，對於這些電影或音樂，他不過是以消費者的身分觀看乃至購入商品。他在文化層面的創造性作為，僅停留在與友人錄製前衛音樂風的錄音帶。況且在他的高中，主導鬥爭者為共產同系統的高中生組織，即高安鬥委的運動者，四方田則幾乎沒有擔負到這類角色。

換言之，四方田本身，無論在文化上或政治上，都沒有進行創造性的、積極性的活動。但當他大量舉出當時的電影片名與事件名稱，藉此高談闊論自己的高中時代時，遂給人一種他宛如在那股巨大的文化、政治動盪中一路走來的印象。

順帶一提，當時四方田所居住的家宅有中央空調系統，搭配玫瑰雕飾拱門，屬於豪宅等級，而且位居東京都中心，在東京教育大學附屬駒場高中通學，在經濟上與文化上皆為相當富足的階層。當他陳述自己得以鑑賞大量電影、購買高價的唱盤與錄音帶時，也不能無視背後的這種階級背景。

關於這種出身階級的問題，美國的新左派（New Left）與日本的新左翼也有所不同。如第四章將介紹的一般，社會學家高橋徹受到美國新左派運動者的研究刺激，自一九六七年至六八年初也對日本的學生運動者進行調查。結果判明，美國的新左派運動者多出身中上階層，擁有豐富的文化背景，也傾心於新的文化，與此相對，日本的學生運動者多出身中下階層，平均生活費也低於一般的大學生，因此並無時間、經濟上的餘裕參與文化活動。

筆者並無批評四方田的意圖。如果二十歲前後的年輕人能夠從事創造性的文化、政治活動，那足堪稱為天才，同時也是頗受命運眷顧之人。且恐怕不僅四方田，當時大多數邊緣的參加者們實際上應該也只參與了部分、周邊的活動，即便如此，應該不少人感覺自己從當時的文化與政治運動中受到重大影響，這點自然不難想像。在多愁善感的青年時期，就算客觀上與某事僅發生些許的關聯，對當事人卻留下重大的影響，這種狀況屢見不鮮。四方田的《革命青春：高校1968》也只是率真地寫下自己高中時代的回憶，最後成為上述的敘述而已。

關於產生「政治與文化革命」神話的第三個理由，是每一年的變化都頗為巨大。如學生的衣著、髮型從一九六五年至一九七〇年出現急遽變化，隨著經濟高度成長，大眾文化的滲透也在僅僅幾年間改變了學生運動的氛圍。閱讀現存的資料紀錄，一九六六至六八年學生們施行的自主企畫，與一九七〇至七一年左右的企畫相較，可以看出微妙的變化。理所當然地，隨著時代的推演，出現越來越親近包含搖滾在內的大眾文化的形式。

而總體而言，年長的運動者對「小布爾喬亞資本主義文化」的反抗更為劇烈，與此相對，年輕幾歲的運動者對大眾消費文化抱有親近感的例子並不少。一九五〇年生、當時的年輕運動者高橋源一郎在二〇〇三年如此敘述[194]：

> 比我們高差不多兩個年級的人，差不多都是無可救藥的率直左翼，低一個年級則大概有一半的學生已經變成消費社會化的左翼了。
>
> 現在也還記得，當時的運動者戴著頭盔呀。那是一個記號，用來區別，紅色（共產同）又是左翼的顏色，還有白色（中核派、革馬派）、黑色（無政府主義支派乃至無黨派（Non-sect））等。不過，我的學校存在黑、銀雙色的團體。這究竟意味著什麼，其實就是把資生堂的「MG5」化妝品瓶子直接圖案化而已。

在前面曾引用宮崎學說運動者們「略顯髒亂的打扮」的文章，是對一九六六年的描寫，而在三年後的一九六九年二月週刊雜誌上，他則如此提到[195]：「說到以前的運動者，風格大多是略顯髒汙不修邊幅。當然現在的激進派搞鬥爭時也是略顯髒亂的模樣，畢竟筆挺的打扮也不能做抗爭運動，要把自己弄得有點髒才是帥氣的運動者。……因為，套上颯爽的皮夾克，穿著緊身的牛仔褲，讓頭髮長得像披頭四一樣長，才是同世代的年輕人公認的帥氣。」

因為上述的報導都以強調當時運動者是「現代之子」的筆調來撰寫，因此內容必須打折扣來閱讀。即便如此，數年間經濟高度成長的果實，亦即大眾消費文化滲透到運動者之中，某種程度上屬真實狀態。因此，年齡越小的運動者，就越有把「那個時代」回憶成文化與政治緊密連結的狀態。但這與「高差不多兩個年級」的運動家的回憶大相逕庭。同樣的，根據參與活動的時間是一九六六年，或一九六八年，抑或一九七一年也會有所不同。

以上，我們分析完了「那個時代」反叛的世代政治背景及教育體驗，以及「一九六八年」乃「文化革命」的「神話」實際狀態。下一章將說明這個世代的真實文化背景，也就是他們的童年經驗，以及背負這種文化背景的他們在經濟高度成長下激烈變化的社會中直接面對的認同危機，還有亦屬本書主題之一的「現代的不幸」。

第二章　時代性及世代性的背景（下）

——對經濟高度成長的困惑與「現代的不幸」

本章將接續前章，探討導致「那個時代」的反叛的一代人的背景與心態，為第Ⅱ部以降反叛的具體敘述提供背景知識。

本章的重點將放在以下三點。第一，嬰兒潮世代是在經濟高度成長之前度過童年的，當時日本尚處於發展中國家，他們成長過程中形成的基本文化與性規範，與經濟高度成長後的文化與性規範大不相同。第二，他們對經濟高度成長所帶來的大眾消費文化與都會，抱持著既強烈排斥又憧憬的矛盾情緒。第三，大舉升學進入大學的他們，對「量產」的教育現實感到幻滅，困擾於認同危機與缺乏生存真實感，而產生自殘行為與進食障礙等已開發國家型的「現代的不幸」——這與發展中國家型面臨的飢餓或戰爭等「近代的不幸」有著截然不同的性質。

本書的主題以及在今日討論該時代的意義，即在於此。追尋這種「現代的不幸」的發生根源，以及首次直接集體面對此種不幸的世代做出了何種反應，採取了何種行動，又如何經歷失敗，最終給後世遺留下些什麼，這就是本書的主題。而本章即是在探討其起源並解釋其背景。

童年的文化落差與「量的力量」

如前一章所述，一九六八年所謂的「文化革命」，在日本具有被誇大的「神話」色彩。那麼，這場反叛真正的文化本質究竟為何？就結論而言，即成長於發展中國家的嬰兒潮世代，因為經濟高速增長而感受到社會急劇轉變為已開發國家，所產生的激烈衝突現象。

為了理解這點，就必須把握這個世代具有所謂「隔世為人」（一生中經歷了兩輩子）的狀況。筆者的前作《「民主」與「愛國」》中也探討過，根據一九四八年版聯合國遠東經濟調查，即這一代人出生的時期，日本國民的人均所得估計為一百美元。同時期的美國為一千二百六十九美元，錫蘭（日後的斯里蘭卡）為九十一美元，此時日本還是亞洲的發展中國家。但經過一九六〇年代的經濟高速成長後，日本迅速躋身經濟大國，成為已開發國家的一員。

這種發展，讓嬰兒潮世代童年時生活在發展中國家的狀態，青年期則被拉入已開發國家的生活狀態。觀察五〇年代為止的日本平民照片，男孩多是光頭或留著「小男生頭」[i]，女孩幾乎都留著「妹妹頭」。特別是在農村，大部分的孩子都穿著稱為「桶袖和服」的寬袖服裝。但進入一九七〇年後，青年男女們改穿上牛仔褲，髮型也變為長髮。換言之，嬰兒潮世代在十數年間體驗了從衣著、髮型到生活方式的劇烈變換，兩者間存在巨大落差。

這種劇變與落差，給這個世代造成了不安感。特別是好不容易從地方村落來到城市的青年們，不安感更為強烈。如第一章所述，當時的東京不比今日，並非充滿消費品和娛樂設施的城市，但在一九六四年的東京奧運前，城市大幅進行整頓，二戰剛戰敗後的殘垣斷瓦景象完全不復存在。從農村或地方都市遠道而來的人的眼中，當時的東京是個了不得的人工城市。

例如，一九六五年進入早稻田大學就學，而從京都來到東京的宮崎學，如此記下自己抵達東京時的印象[1]：「東京的變化大到令人詫異。……奧運後的東京，不僅嶄新且井井有條到機械化的程度，看在我這個剛從古都前來的人眼裡，除了耀眼還是耀眼。」連京都出身的宮崎都有這種反應，應該不難想像對出身農村的人來說，東京映照出何種「機械化」的風景。

來自岡山縣，一九六六年進入東大的小阪修平如此回憶道[2]：「記得一九六七年為了看戲劇首次前往六本木時，見到道路正中央的高架道路與其下聳立著的鋼筋水泥支柱，頗感震驚。對今天的人而言，這種景色已是理所當然。但對當時的我而言，這是充滿疏離感的東京風景象徵，也是我想體驗的時代象徵。……在〔沙特的〕《嘔吐》一書中，我感覺到東京的近未來式風景。」「那是高中時代想像不到的，與『異物』相遇的經驗。我大一、大二時腦子裡充滿沙特，但與其說意識形態上或哲學理念上充滿著存在主義，不如說來自地方的學生回過神來卻發現面對某種不可名狀的、抽象的焦躁感，因此才會在沙特思想中尋找可以表現自己感受的詞彙吧。」

此外，小阪還寫道[3]，「家中開始使用電鍋，應該是在小學二、三年級的時候，購入電視則在皇太子（譯註：現在的上皇明仁）與美智子決定結婚的小學五年級之際。……因為有電視，夜晚去寺廟的廟埕看《月光假面》放映會的機會也隨之消逝。」「我出生的一九四七年，在自家以外，如醫院等處出生的新生兒約只有二．四%，到了我升大學的前一年的一九六五年，已經高達八十四%。」

i 譯註：小男孩的髮型，剪齊瀏海，兩側與後部剪短。

在城市區域，經濟高度成長改變了孩童的文化。到一九五〇年代為止，還存在著以糖果點心店或巷弄為舞台的「孩子王文化」。根據近年的研究，「這種『孩子王文化』、『巷弄文化』的解體與衰退，始於一九五〇年代後半起的（黑白）電視普及與學歷社會」[4]。景致與生活習慣急速變貌，童年起習慣的風景消失，為這個世代帶來對整個社會的違和感與疏離感。小阪針對這種「風景的變貌」帶來的感覺，做出如下描述[5]：

……風景的變貌帶來的感受，我認為某種程度上是整個世代共享的。「社會的哪裡有點奇怪」，「某些地方有種隔閡的感受」，「與社會之間存在某種落差」，「社會正朝著怪異的方向邁進」等，即便表象上各有不同，但在社會的變貌與感受的變化交叉之處，語言便開始發動敘述。透過當時的「大眾社會」或「管理社會」等詞彙，人們對因高度經濟成長而出現的社會，進行批判性的敘述。許多青年對這種新出現的社會感到違和。

這類感覺，造成「異化」這個馬克思主義用語的普及，學生在升學競爭中感受到戰後教育理念與現實的隔閡，兩者疊加之後給他們造成一種「現行體制有所錯誤」的茫然感情。

而六〇年代中葉以降，大學面對升學率迅速提升導致學生人數驟增的狀況，增蓋了水泥製的校舍建築。在農村與巷弄裡成長的學生們於此嚐到了不安感與疏離感。在一九六八年中核派全學聯的幹部們撰寫之《全學聯思考什麼》中，提及「在大學入學的瞬間，面對與高中生活完全異質的群眾，自己也成為其中的一員。在現代建築中生活，是種難以名狀的人生空白。」[6]

曾任京都大學學生部長的岡本道雄於一九九一年的座談中，如此論述全共鬥運動時學生們的心態[7]：「當時，那種物質豐裕的程度，給人一種非常不安的感受。所有人都不習慣那種物質豐裕，心中總是帶著壓力。」根據岡本的說法，「一直以來忍受著貧窮，但刷地一聲那種感覺頓時消逝時的不安狀態」，成為全共鬥運動的泉源。

一九四〇年生的女性史研究者加納實紀代，也在二〇〇三年談到對經濟高度成長的違和感[8]：「突然間越來越富足。買了洗衣機，也購得電視……。」「心情變得很糟，不斷思考這樣好嗎？這樣好嗎？」

共產黨青年組織的民青運動者大窪一志於二〇〇七年的著作中，如此描述全共鬥運動爆發前的一九六六年社會氣氛[9]：

> 說到一九六六年，彩色電視機、汽車、空調以「新三神器」的名義普及，當時的工作獎金、百貨銷售額紛紛創下歷史新高，大眾消費潮不斷湧現。隔年的一九六七年，社會上宣傳著大規模休閒時代的到來，東京新宿出現了「瘋癲族」與地下族，被稱為「昭和元祿」時代。……我們一方面感受到那樣的氛圍，一方面覺得若不做些什麼抵抗這種狀況，就會感覺全身僵硬。
>
> 在這樣的氛圍下，那些非運動者的學生們，或許與我們不同，但他們的心中同樣積蓄某種難以名狀的憤慨，想要爆發出來。接著以思考越戰為契機，誕生某種對世界的罪責意識，面對一方面協助越戰，一方面又佯裝不知情高唱和平、追求經濟成長的日本社會集體性利己主義，喚起了反叛的意識。我認為這正是六〇年代後半學生運動的原點（ethikos）。

當他們這一代在鄉村或巷弄中成長的人，面對因經濟高度成長而出現的大眾消費社會時，他們感到不安並渾身僵硬。這種不安的具體表現，是基於日本經濟成長乃是協助越戰而來，形塑出的加害意識。如此，他們對經濟高度成長而劇變的社會充滿困惑與不安，使全共鬥運動以反越戰運動與「自我否定」等形式來表現自身想法。

從一九六九年二月組成的早大反戰聯合（日後發展為早大全共鬥）發表的宣言，可一窺上述狀況的端倪[10]：「我們不是該把對這個奄奄一息的消費社會的憎惡當成自己的語言、當成自己的武器，加以組織嗎？」「你們選擇『繁榮』、選擇『和平』，選擇這種壓迫我們的『秩序』嗎？或者與拚命追求自由的我們一同嘶吼『不！』呢？！」

他們對「富裕」的不安感，在與社會景致變化相重疊後，經常使用馬克思主義的詞彙「異化」，或者通過「荒誕」的前衛戲劇來表達。小阪修平在一九九一年如此寫道[11]：

「都市的景致，在這十年（六〇年代）之間出現驚人的變貌。在都市中登場的人們的服裝與表情也同樣改變了。……但，在應當實現的繁榮之中，我們的作為卻開始讓人感到一種陌生的社會樣貌。正因為存在這種社會與對社會感受性的變化，導致存在主義興起，『荒誕』一詞廣受推崇，異化論流行。」

對這種「異化」的抵抗手段，只有「反抗」。日大全共鬥的運動者於一九六八年書寫的文章中如此敘述[12]：「若把現代的狀況定義為『瀝青叢林』，那在今日的『人的異化』中『反抗』，將是最具人性的行為。」

關於這種「人的異化」的感覺，一九四四年生，當時就讀東京藝術大學，日後成為攝影家的藤原新也，在一九九九年回憶六〇年代後期時如此敘述[13]：

記憶中，曾寫過關於自身存在感薄弱的文章，當時將之比喻成大量生產的商品。從周遭的環境到身上的所持物品，乃至於住宅等等，都以企業規範的規格不斷在增生，這在今日已成為既成事實。此狀況的徵候，在六〇年代便可逐漸見到。亦即，自己無論去任何場所，都無法確認自身，無論行至何處，皆彷若從同一面鏡子中映照出自己，臉龐完全一致，而自己的存在感卻變得稀薄。我記得寫的文章內容大概就是如此。

今日虛擬與現實的問題被大量討論，六九年時我感受到的，大約就是這種東西。對於自己的現實不斷遭剝奪，總是感到一股「焦躁」。

當時處於該狀態的藤原，在一九六九年前往印度旅行，在該地見到許多屍體，他說「看到屍體後……該說心情變好了，還是說自己的心情變得寧靜了，又或是取回了自身呢……類似自己『活著』的這種東西，在此首次獲得確立。」現在也有些試圖看屍體照片來確認「自己『活著』」的愛好者，藤原可以說是他們的鼻祖吧。

因經濟高度成長與大眾消費文化的滲透，有不少青年都抱持著與藤原相同的「無法確認自我」的不安。不過一部分人並非靠看屍體照片，而是企圖藉由與機動隊發生衝突，來確認「活著」的切實感，這樣的人在藤原的世代中並不少。

對童年環境的懷舊又與這種心情相結合。某日大全共鬥的運動者於一九六九年參加日大鬥爭前如此書寫自己[14]：「最讓我感到氣憤的，是即便在滿身泥濘到處追逐蜻蜓與抓蝌蚪的幼年時期，或者當孩子王的中、小學時期大概也絕不容許周圍的威迫與卑鄙，卻在不知不覺間不再讓我感到憤怒。」與此同時，對自己遺忘了初等教育中被教導的理念，耽溺於大眾消費文化而充滿罪惡感等，也與上述情緒連結。另一位日大全共鬥的運動者在一九六九年參加鬥爭前如此寫下自我批判的內容[15]：「小學、中學時代否定天皇制，憐憫窮人，反對戰爭，有過『人類皆平等』這樣的觀念性思考形式，但進入高中後或許因為家庭的經濟糾紛、進入反抗期等原因，逐漸沉迷於女孩、打扮、遊玩。僅僅『為了離開父母』而進入日本大學，一如資產階級要求的學生形象般，過起沉溺於酒精、女性、打扮、麻將、小鋼珠的怠惰日子。」

歌手加藤登紀子在一九九九年針對《「離別」之歌》與《知床旅情》能在一九七一年大為暢銷的理由，做出如此解釋[16]：「企圖放棄過往時代的日本，或許也有種類似感傷的成分。因為新時代要來了，所以日本必須支撐這樣的時代，來到必須捨棄舊時代『鄉下』、『農村』、『雙親』、『家庭』之類的時期。」

這種懷舊與感傷主義，與當時全共鬥派學生喜好高倉健主演的黑道電影相連結。這種電影的典型套路是：重視「俠義」的傳統黑道組織面對與資本主義勾結的新興黑道壓迫，在對立之初不斷忍讓，最終忍無可忍後闖入對方組織鬥毆[17]。

電影導演山田洋次於二〇〇五年針對《男人真命苦 3 戀愛大放題》（フーテンのとら）系列電影有這樣的說明[18]：

〔六〇年安保鬥爭中〕樺美智子在針對國會的抗爭遊行中死亡時，我人在天王山吧。從那之後這個國家落入美國的統治下，對美國的意見只會唯唯諾諾地聽從。這種作法促成經濟繁榮，每家每戶都有冷氣，有彩色電視，有所謂的3C〔彩色電視（color television）、冷氣（cooler）、汽車（car）〕。

不過，在那樣的時代中，日本人心中隱然有某種不安感，覺得「這樣好嗎？這樣下去沒問題嗎？」人類不是有種想在哪個地方找出平衡的感性嗎？就在那個時候，一九六九年時寅次郎這個角色誕生了。寅次郎是走上與3C完全相反方向的男人。與物質上的繁榮完全無緣，是個幾乎沒有欲望的男人。頭腦不好長相也不行（笑）。沒有任何可取之處，終年不斷失戀的男人，為何會受到大眾的歡迎？這不是我或渥美清高明，而是這個角色的某種典型，迅速鑽入日本人的不安感中吧。

觀眾們一邊笑著寅次郎，或許也會鬆了一口氣，心想「我們心中還有一些正直的、有人性的、溫柔的心意」而感到安心。即便在每天都得拚上老命的生存競爭中想著出人頭地與賺錢，但偶爾看看「寅次郎」，或許能放聲一笑，垂下眼淚，獲得些許安心。七〇年代時，電影院也是擠滿學生。學生們會對著寅次郎大叫「好耶！」之類的。

到東京求學的學生中，許多人的雙親為了籌措學費賣掉田地或山頭。六〇年代曾是早大的運動者，日後成為人權律師的內田雅敏在二〇〇一年如此說道[19]：「〔老家擁有的〕山頭，終於為了我與弟弟的學費而全數賣光。隨著人人擁有私家車的時代來臨，老家山頭一帶蓋了一堆『愛情旅館』，據說土地賣了一個好價錢。只是兒時熟悉的山頭風景變了，讓人覺得非常遺憾。」

這種經驗伴隨著罪惡感，向人們腦中植入了對山村或農村的懷舊情緒，這也與人們加入反對公害運動、反對成田機場的三里塚運動相連結。一九四三年生的福田克彥在獨立製片的小川製作公司持續拍攝三里塚鬥爭，他記錄道，只有農村才是「人們一直以來親手打造的『原鄉』」，而電視等媒體報導「讓許多人覺得三里塚的鬥爭太過輕易放棄了。」[20]而共產同的運動者三上治於二〇〇四年如此敘述：「如果去〔農村地區的〕三里塚，就會想起小時候的回憶。我小時候因為農事尚未機械化，所以會被要求以某種形式去幫忙。炙熱的夏天被叫去田地除草，使用手推式除草器，在田中來回耙動。手一邊抓著被水蛭吸血的傷口，一邊繼續永遠做不完的農事。農事的空檔則跳入小溪中抓魚。就是那樣一種炙熱夏天的回憶。」

對出身地方縣市的學生運動者而言，三里塚的成田機場建設，是國家權力蹂躪他們過往的「田園」故鄉，欲使其變身為「柏油叢林」。他們為了擺脫賣掉故鄉田地與山林而前往都會的罪惡感，只能投身機場建設反對運動。

這種社會的劇變，培養了青年們的反感與正義感。日後參加聯合赤軍的加藤倫教如此回想中學時代[21]：

> 中學的同班同學會嘲弄似地以「鄉下人、鄉下人」叫我們這種從名古屋市外通學而來的學生。……因為我家實際上就是農家，對於那種以侮辱性口吻叫著「鄉下人、鄉下人」的人，以及跟著起鬨的人，我還記得打從心底冒出的那股怒火。

時間到了東京奧運的隔年，日本達成戰後復興，開始搭上經濟高度成長快車，那是個高唱「衝吧！衝吧！」的年代。全民皆沉醉在躋身先進國家的感受，電視、洗衣機、吸塵器早已普及，大家的目標轉向購買自用車、購買自宅，為了更高的薪水捨棄「鄉下」，一波又一波不斷擠入城市。

或許可以這麼認為：在那種時代風潮下，讓尚且年幼的少年們輕視農業，把「鄉下」、「鄉下人」當作落後的象徵，當作侮蔑的對象。……

即便年幼，我也能感受到同學輕蔑「鄉下」與「鄉下人」的時代背景。因此，比起對他們個人的憤怒，我逐漸對與「農業」對立的「工業」、與「鄉下」對立的「城市」（特別是大城市）更抱持著一股憤怒與憎恨。

同時我也對舉辦東京奧運而推動的建設，如東海道新幹線，東名、名神高速公路等感到某種質疑。伴隨自家周邊的急速變化，整個世界以極高速度變貌，我都以清醒的眼光看著，尋思「這樣的狀況，能持續到什麼時候呢？」

這樣的加藤，會加入了信奉「農村包圍城市」毛澤東思想的革命左派，進入聯合赤軍的山岳基地，也是理所當然。

如此一般，六〇年代末進行反叛的青年們，即便身穿迷你裙或牛仔褲，根底中仍內化著童年的農村風景與「孩子王文化」。這種矛盾，成為了他們反叛的動力來源。

在他們喜愛的文化中，亦可見到此種矛盾。如前所述，他們喜歡老式標舉「俠義」的黑道電影。

他們熱愛的歌手藤圭子雖然穿著最新流行的時尚服裝，但唱的歌曲就是日本演歌。他們愛讀的漫畫《巨人之星》等，內容也在強調不合時宜的「鬥志」。

他們的童年經驗不只有罪惡感，還帶來一種樂天性質。曾是京大全共鬥運動者的社會學者上野千鶴子，如此評價自己的世代[22]：

「要說嬰兒潮世代有什麼共通的強項，大概就是城市裡尚有空地的『空地世代』。所以即便什麼都缺乏也能存活，就算沒有『國家』也不覺得困擾，他們帶有一股這種樂天性質。」「我們世代的青春期，也算與勉勉強強、默默經歷日本高度經濟成長的時代重合，即便提出『反對』、『有異議』，仍舊抱持樂觀，懷著『等時間過去了，事態就會變得比現在好些』這種沒有根據的信念。」

關於這點，與第一章介紹的日大全共鬥橋本克彥所說的「成長在相信『爽朗、朝氣、健康』的標語有如青空般清新的時代，我們身上好像浸透了那股健朗的感受」有著共通之處。在不斷上升的經濟高度成長氣氛中成長、且在初等教育中被灌輸「爽朗、朝氣、健康」的理念，支撐著他們對社會運動的樂天看法。

此外，當時的景氣也支撐著這種樂天性。因經濟高度成長導致人手不足，換工作、就業都很容易，打工的時薪也高。日後把學生運動喜劇化撰成小說《我是什麼》並因此獲得芥川賞的三田誠廣，在一九八四年的座談會上如此回憶道[23]：

「那個時候還處於經濟高度成長，例如學生打工的工資格外地高。《我是什麼》這部作品中也稍微出現過，例如去中小企業的工廠打工，學生的工資比正式員工還高。身上沒有掌握任何技術的學生竟然能領到更高的工資，即便沒有深入思考也能知道，年輕人非常低估這個世界。他們帶著一種可以輕鬆地生活，無論幹什麼都能生存下去的心情。在這種狀況下，他們才會有彷彿搭上『只要不喜歡就全部破壞也無妨』這艘大船般的心情，投身社會運動。」

之後的章節將說明，在全共鬥運動中打造出來許多大學的街壘，都是靠著學生們輪班去打工才能維持。這在打工時薪甚高的時代方有可能。

這種樂天性也塑造了這個世代成長期的經驗。因為這個世代的人數眾多，在他們長大時，教室也配合著增加，社會必須做出相應的制度。隨之也出現以他們為對象的漫畫雜誌陸續創刊的現象。一九四八年生的評論家加藤典洋在一九九八年演講時如此說明[24]：

> 所謂的嬰兒潮世代，人數非常多。這個世代所處的戰後日本社會，整個社會形態變化巨大，有如時代的冰河一邊在山間移動一邊不斷改變地貌。或許因為如此，今日回想起來，他們之中，或者個人自身中，還是形塑出某種獨特的感情，我們不能否認對他們存在這種感覺。也就是說，作為一個人，他們的成長期與始於一九六〇年的日本社會經濟高度成長期重合，這點也有影響。……時代隨著他們起飛，這種近乎無所不能的感覺，就在他們心中。

評論家三浦展形容這個世代是「從量轉為質的世代」。一九六〇年大學升學率為十・〇％，一九六三年為二十一・七％，一九六八年為二十三・八％，一九七三年為三十八・〇％，升學率急速上升期實際上出現於一九六〇年至六三年，並非六八年時期發生的現象。但因這個世代的人數眾多，故大學生、短期大學生的人數從一九六三年的九十一萬六千人，上升到六八年的一百五十二萬五千人，增幅高達六十六%[25]。

三浦據此論及，「團塊世代人學升學率非常高的〔錯誤〕印象」雖然廣為流傳，但「那只是因為團塊世代人數眾多之故」，接著他如此表示[26]：

「團塊世代因為人口眾多，即便在質上未出現重大變化，也因量的巨大變化，成為具有改變社會印象能力的世代。……對社會而言，見到了一個新世代的到來。過往被視為少數派的人，也因此被認為成了多數派。原本以為不過是變化的預兆，卻一口氣成了既成事實。這就是團塊世代的力量。」

隨著這個世代的成長，教室增建了，以他們為目標對象的消費品大量賣出，可說是「量的力量」。當然，這並非他們自食其力獲致的成果。但他們在成長過程中，持續體驗了社會的變化。這個體驗給了他們「時代隨著自己起飛」的「無所不能感」，因此從今日看來，他們的反叛帶來了一種可說是奇異般的樂天與莽撞。

少年期文化的影響

此外，以他們為目標讀者而銷售的消費文化，特別是從他們小學高年級起到中學生時期創刊的漫畫雜誌等，也帶給他們「無所不能感」。

一九五九年講談社推出《少年雜誌》、小學館推出《少年Sunday》，一九六三年《少女Friend》、《瑪格麗特》創刊。這些漫畫雜誌，特別是少年雜誌中，許多都描繪一些擁有超越成人腦力與行動力的少年，他們是「正義的夥伴」，糾正了腐敗的大人所創造的世界。關於這些漫畫為何會在戰後出現，一九四一年生的動畫電影導演宮崎駿在二〇〇二年如此解釋其背景因素[27]：「日本在第二次世界大戰戰敗之際，通俗文化不得不有所改變啊。輸掉戰爭的大人，如果露出一副自以為是的模樣，社會將無法容忍，是吧。所以戰敗之後大概到《幻影偵探》為止，真的都是以少年作為主人公呀。而且，《鐵人28號》裡的金田正太郎不是也比署長更聰明嗎？那不是為了讓兒童能夠接受而已，大人們也覺得少年更加純潔，所以對敗戰沒有責任，因此才以少年當作主角。」

這類漫畫或電視節目，給全共鬥運動帶來了無形的影響。前日大全共鬥的橋本克彥記錄自己孩童時代對一九五八年電視開始播送的《月光假面》倍感狂熱後，提及「全共鬥努力奮戰了。他們是大量出現的月光假面。」[28]一九六八年的新聞報導也如此描寫一位東大全共鬥的學生[29]：「林君想起了幼時愛讀的『原子小金剛』。即便現在——雖然那大概是笑話吧，他仍會對朋友們說『原子小金剛才是理想的人類』，引得朋友們發笑。」「他們認為，原子小金剛的行動力正是能改革大學的能力。」

加入聯合赤軍的加藤倫教在二〇〇三年如此回憶[30]：

> 我們從小就討厭暴力。從來沒有與朋友、與兄弟姊妹打架、吵架的記憶。
>
> 既然如此，為何會加入認同以武力進行鬥爭的團體呢？對此自己也感到不可思議。……
>
> 今日想來，這背後有電視節目中「英雄」形象的影響。七色假面、鞍馬天狗、原子超空人（八號超人）、原子小金剛……我們的世代就是在憧憬這些英雄中成長的。而英雄絕對不會用言語說服對方，而是以力量降服邪惡。
>
> 若說那些英雄的身姿讓我們邁向武力革命，或許會被人嘲笑。但當開始理解社會時多少會受

到電視的影響，每個人多少都有這種經驗吧。用種幼稚的說法，就是我想成為「正義的夥伴」。

人們屢屢提及，全共鬥學生在街壘內仍愛看漫畫。在舊時代思維仍存在的六〇年代，往往認為大學生＝大人，或者大學生＝菁英的預備軍，而「大學生看漫畫」這事，足以讓年長者震驚。三浦展說，「當時大學生看漫畫是比人咬狗更稀奇的現象，因此讓有理智良知的大人頻頻蹙眉。」[31]但學生們只不過是無法輕易脫離從童年起便親近的漫畫文化罷了。

一九七〇年三月的「淀號劫機事件」中，赤軍派犯人集團發出聲明時還放入了當時人氣漫畫的書名，表示「我們是《小拳王》」。這種聲明，就如同今天劫機犯聲明「我們是《機動戰士鋼彈》」般，人們只會認為既幼稚又自以為是，讓年長者驚詫，但又引起年輕人的共鳴。

此外「戰爭紀錄」類的漫畫、雜誌造成的影響也不容忽視。日本剛戰敗後不久被佔領軍禁止的「戰爭紀錄」，以一九六一年《少年畫報》刊載的〈零戰太郎〉為契機重新復活，《零戰隼人》、《紫電改之鷹》等皆流行於六〇年代。參與全共鬥運動的世代，少年期熱中閱讀這些戰爭紀錄漫畫與戰記專門雜誌《丸》等。早大運動者內田雅敏如此回憶中學時代[32]：

那是中學二年級時的事情。忘了級任老師是在哪個機會下曾提起，當今的年輕人分為曼波派與丸派。曼波是指舞蹈的曼波舞，也就是指「軟派」，丸是指連載戰爭紀錄的雜誌《丸》（似乎今日仍存在），也就是指「硬派」。……我自認絕對是硬派，所以購讀了《丸》雜誌。對沒有體驗過戰爭的悲慘與真實狀況的孩子而言，面對戰艦、巡洋艦、驅逐艦組成的活躍的海戰，以及戰

> 鬥機之間的空戰，不可能不覺得有趣。因此立刻就沉迷了，對於在哪裡的海戰，美日的什麼軍艦參戰，又如何沉沒，都變得能朗朗上口。

如內田敘述般，他們能狂熱閱讀《丸》，正因他們是「沒有體驗過戰爭的悲慘與真實狀況的孩子」。越平聯的核心人物之一，曾在菲律賓戰線見過許多餓死者的福富節男，在二〇〇五年的訪談中表示，「以前，當出現《丸》之類的軍事雜誌時，我連伸手去碰都感到厭惡。」[33]

然而，曾狂熱閱讀《丸》的運動者並不只有內田。東大全共鬥的小阪修平在回憶錄中提及「我是閱讀《丸》的少年」，「沉溺於如果日本能成功自瓜達康納爾島（Guadalcanal）撤退，事態將如何的空想中。」[34]又，根據加藤倫教的回憶，與倫教一同參加聯合赤軍的哥哥加藤能敬，少年時代「很熱中製作模型，喜歡做第二次世界大戰中的軍用機，甚至購讀軍用雜誌來塗裝模型。」[35]

這類「戰爭紀錄」在六〇年代流行的背景因素之一，在於當時的漫畫作家是二十五歲左右的少國民世代。他們屬於接受最多皇國教育的世代，但又未被徵兵或參加實際戰鬥。因此當他們長大成人，可以繪製漫畫出版時，便以童年時憧憬的戰機飛行員作為主人公。

此外，到了六〇年代中葉，大人們也淡忘戰爭的悲慘程度，出現以懷念自己青春期來懷念戰爭的風潮。因此自六〇年代起，戰爭電影或戰爭紀錄的出版品逐漸流通。經歷過戰爭的世代，二戰後經過二十年，也開始有餘裕從「娛樂」的觀點回顧戰爭，這樣的姿態也影響了當時的青少年。

其他的背景因素還有，因為嬰兒潮世代屢屢從父母與兄姊口中聽聞戰爭經驗，故習慣於有關戰爭的話題[36]。一九四七年生的山口文憲於二〇〇六年如此回憶並說明自己的青少年時代：「在孩提時代，對我們這個世代而言，戰爭是種貼近身邊，真實發生過的事物」，「當時的大人們真的經常談到戰爭。不如說，不管什麼閒談或回憶的話題，都與戰爭相關。」

就像這樣，因為太過頻繁聽聞那種〔戰爭或空襲〕如何可怕的體驗，結果這個世代在孩童時代，心中不知不覺形成了「擬似戰爭（空襲）體驗」的狀態。

例如，「我在機關槍掃射下成功逃生」的描述即是其中之一。這段話源自一位認識的大姐，她被〔艦載機的〕格魯曼追擊，逃跑時在跌倒的瞬間回頭望向天空，那時清楚見到座艙內駕駛員發紅的笑臉。日本全國中有許多相同的體驗，大家都說「清楚見到座艙內駕駛員發紅的臉」，我也（覺得好像）記得戴著護目鏡發紅的臉，以及機關槍掃射的聲音。……我是戰爭結束兩年後出生的，不可能實際見到那樣的狀況，但我至今仍不相信自己沒見過那樣的景象。我甚至覺得，如果站上法庭的證人席，我只會說「確實看見了。」

……這種孩童時代培養出來的擬似戰爭體驗，以觀念的形式把戰爭自我同化，對團塊世代日後的行動造成什麼樣的影響？這不是本書能夠探討的主題，但如果從此處下手探究，或許可以對「團塊世代為何拿著武鬥棒，沉迷於單方面的『戰爭遊戲』？」……求得一個答案。

這種少年時期的記憶對該世代的影響，大致可以分為三類。

首先是強烈的反戰情感。反對越戰的意識自然有民主教育的影響，但同時也因童年的「擬似戰爭體驗」，得以移情於遭空襲的越南人民。我們能推測這也是背景因素之一。

例如日大鬥爭之際，一些擔心鬥爭長期化將影響孩子就業的家長們舉行大會，據說當時一位日大全共鬥的學生如此叫喊[37]：「爸爸！媽媽！我小的時候坐在母親的膝上，被教導要守護自由。……從戰地回來的父親也教導我，不要成為去殺人的人。爸爸！媽媽！我就是為了這個理由而戰鬥。」

其次，被在戰爭中殺過人的父親所生下的一種罪責感。三浦展在他擔任編輯時，撰寫過名為〈團塊世代女性歷史〉的報導，他寫下讀者中曾有「團塊世代女性打來稍嫌歇斯底里的電話。」[38]「詳細的內容已經記不清楚，不過她頻頻說著『我們是被從戰爭中歸來的雙親所生下的，你懂嗎？你懂嗎？』，這部分給我留下深刻的印象。」這也就是第十四章所述的反對越戰運動和「一九七〇年的典範轉移」的背景因素。

第三點影響，便是在全共鬥運動或新左翼運動中，大量使用戰爭、軍事用語。一九六八年一月，第八章會提到的參加佐世保鬥爭的「社學同」運動者荒岱介，如此回憶他遭催淚瓦斯擊中被救護班搬送的狀況[39]：「『有傷兵，快讓路！』當時在鬥爭中有如像是在軍隊般，稱受傷的人為傷兵，稱被逮捕的人為俘虜。」本書之後也會論及，當時的運動中大量使用如「安田講堂防衛隊長」、「斥候」、「軍團」、「六九年秋季決戰」等軍事用語。

這個世代的男性在少年時代，玩的就是「戰爭遊戲」。擔任東大全共鬥議長的山本義隆是大阪不動產業者的五男，成績優秀，小學時代曾是「戰爭遊戲」的領導者。山本的小學同學於一九六九年回憶道[40]：

「他充滿戰鬥精神，彷彿不知害怕是何物呢。不知不覺中發展成正式的戰爭遊戲，分成兩派組成軍隊，偷來一箱學校供餐用的麵包貯藏在禮堂的講台下當作糧食。大家肩荷棒子穿著長靴做戰鬥訓練，他就擔任部隊長，站在前頭發號施令啊。」最終，在一九六八年的安田講堂前，全共鬥或新左翼各黨派的青年們也肩荷武鬥棒做戰鬥訓練，在安田講堂貯藏食糧，從事固守城池的戰鬥。

「戰爭遊戲」這類以肉體互相衝擊的遊戲，在他們那個電視與玩具皆不普及的童年相當流行。根據前日大全共鬥的橋本克彥的說法，自己孩童時代的遊戲是相撲或名為「水雷母艦」的戰爭遊戲，「玩耍的時候大家都以肉身直接衝撞。」[41]而且這種「肉身衝撞戰」是「大家團結一氣，蜂擁衝入敵陣，敵人的防禦隊伍則把進攻隊推出圈外。被推出去就失去遊戲資格。到最後形成從一開始就採取冷不防的突擊戰術」，遊戲程度相當激烈。橋本表示，「團塊世代嚴密區分敵我的精神原點，或許就出自這種肉身衝撞遊戲。」與機動隊的肉身衝突，嚴格區分敵我而發生內鬥的原因之一，或許就在此處。

當時的運動者之一，日後成為社會學者的伊藤公雄於二〇〇四年如此寫道[42]：

自六〇年代至七〇年代初期，可說是明確證明從戰後的男孩文化中復活的軍事文化，在日本男性文化中更加深入扎根和體現的時代。自一九六〇年代末至七〇年代初，被稱為全共鬥運動的大學鬥爭中，也可窺見這樣的情況。在主張反戰、和平主義作為理念的同時，行動上卻戴上頭盔拿著武鬥棒，這種觀點矛盾的運動形式背後，可看出他們孩童時五〇年代至六〇年代的男孩文化的陰影（在理念上大致承認反戰、和平、民主主義，以及對被理念壓抑的軍事文化表現出濃厚興趣的矛盾心理／在日本少年大眾雜誌的勸善懲惡、人情主義、精神主義、決心主義與西部片或格鬥中的美式英雄般堅毅且孤獨之男性形象的大雜燴），此事並不難理解（此感想也是置身其中的筆者的自我警惕）。

然而他們的這種文化背景，仍與他們的「戰後民主主義批判」一樣，充滿了矛盾。被認為因經濟高度成長而失去的「舊式日本」，在成為懷舊對象的同時，也成為要被排除的令人厭惡的對象。

當時某位運動者回憶自身的童年[43]：「我不覺得現狀非常好。類似封建式的舊日感覺不僅飄蕩在成人的生活中，也在兒童之間飄散。類似親子間的束縛，或者地緣上的束縛……。不過能以批判性觀點如此審視的根據，在於可以看到今後，覺得可以看到未來，也就是站在一種今天已經變得更好了的立場。」

此處「封建的」地緣、血緣共同體的束縛，「孩子王文化」等等，孩童內心對「親子間束縛」的厭惡，以及民主教育中教導的光明未來觀，加上經濟高度成長下培養的「今天變得更好」的樂天性，渾然合為一體。曾為御茶水女子大學運動者的一位女性，在一九九六年如此回憶道[44]：

「我們會採取行動，既不是意識形態也非思想更非理論之故。運動的理由是後面跟著來的。不如說，對我們這些生於戰後的世代，對舊態依然的秩序與常識感到憤怒，這才是重要的。……完全承接這種違和感的便是全共鬥。歷史想要終結古老陳舊的價值觀，追求新的價值。我們抱持一股熱情，認為改革的鎖鑰就握在我們自己的手中。」

對「古老陳舊價值觀」的否定與相信自己可以改變社會的樂天性，也在此處共存。而打破舊世代「封建式」價值觀，則來自戰後的民主教育理念。但同時他們也緬懷農村風景，為黑道電影中「大哥、小弟」的「俠義」奉上掌聲，把「戰後民主主義」視為「欺瞞」並加以批判。

三浦展在二〇〇五年表示，這個世代的特徵是「二戰前的舊日遺風與戰後的新思潮經常同在他們的心中。」[45]一方面接受戰後民主教育的理念，一方面喜好舊農村與黑道電影；一方面對經濟高度成長而破壞農村風景的高樓市鎮感到違和，同時又享受經濟高度成長的果實，也就是大眾消費文化。可以說，多重的矛盾並存構成他們的感性。比起被稱為「一九六八年的文化革命」的音樂或思想，這種矛盾與認同危機更形成了青年們反叛的背景因素。

對於性的感覺

六〇年代末青年們的反叛，也被說成給性道德帶來重大變化。然而調查當時的紀錄，此論述大多是日後被神話的部分。

美國等地的青年反叛，多與搖滾樂、毒品、性解放運動連成一氣，由此推測日本也相同，這種假設也引發了當時年長者的好奇心。例如一九六八年的座談會上，將「瘋癲族」與「全學聯」皆評為一種社會風潮的評論家大宅壯一，與熟知學生運動實際狀況的大野明男有如下的對話[46]：

大宅：前陣子聽從美國回來的永井道雄說，美國大學生有很多濫交什麼的。這方面怎麼樣？全學聯在性方面如何？

大野：這個嘛，沒有這種狀況。雖然不再認為性是個禁忌，但還沒到實踐的地步（笑）。

大宅：不過呀，在學校佔領的地方，暫時拿個棉被，不是很容易就可以做了嗎？

大野：所以說，日大這邊是男女分房睡的。

這種現象的背後，與一九五〇年代起發展成「富裕社會」的美國不同，五〇年代到六〇年代初期，日本仍是發展中國家，傳統的性道德規範尚屬嚴格。舉其中一例，以下為內田雅敏小學時期的一段經驗[47]：

那是小學六年級時的事情。在遠足的時候，前往鄰鎮海岸目的地的途中下起了大雨，大家飛奔躲入附近的電影院。……全學年大約兩百五十個學生突然湧入電影院。……我們進入電影院時正在上映名為《滂沱大雨》的電影，電影中的帥哥演員佐田啟二與女演員岡田茉莉子互飆演技。不過總之，那不是給小學生、孩子們看的電影。進電影院不久，很快就出現那種怪怪的場景。……西方電影或許無所謂，但日本電影中出現親吻等畫面，還是讓人心跳加速。我感覺自己狀況逐漸不太對了，煩惱該怎麼面對周遭的同學們。就在這個時候，畫面突然中斷，電影院內變亮，接著學年主任的老師突然廣播說：「很抱歉正放映到一半，不過因為時間不夠，接下來將切換到另一部電影。」

聽老師這麼一說，我突然放心了。……大概是領隊的老師們大感慌張，趕緊說服電影院的人員吧。

老師們在性規範上要求嚴格，而因電影中斷而感到「放心」的內田等學生們，也自然把這種規範內化。內田接著又敘述中學時的一段往事[48]：「那是中學三年級運動會的預演。一年級的學生跳民俗舞蹈。……我對男女牽著手跳舞感到吃驚。二、三年級的學生大聲叫嚷，多少帶著些竟然不讓我們也幹同樣事情的嫉妒感。因為我們的叫嚷導致一年級學生們都停了下來。而正式運動會時則取消了一年級學生的民俗舞蹈。」

如此度過少年期的他們，長大後在異性面前感到緊張，無法自然地與對方交往的人並不在少數。山口文憲如此回憶自己的「初次約會」[49]：

> 那是我高中一年級時的事情。入學後不久，我就喜歡上了同班的某女同學。為此，我參加了只有在午休時間練習的民俗舞之類的活動（其實根本沒興趣），其實就是不斷圖個有接近她的時光。
>
> 在這種情況下，偶然某個交響樂團來到本市。我只覺得這是個好機會，便邀約那個女孩一起去市民會館聽演奏會。
>
> 不過我們住的是個小城市，如果出雙入對前往那種場所肯定會被誰看到。考慮到這種風險，對我這個成績與評價都不怎麼樣的人也就罷了，對品學兼優的她而言，願意出席這次約會顯然鼓足了勇氣。
>
> 接著果然一如預期，擔心的事情變成了事實。她答應後我很開心，結果太早抵達會場，這也是一個失敗，加上我穿著制服去，也讓事情更不順利（原本打算穿制服去是為了表現會遵守校規，不會做壞事，想增添一點保障）。開演之前兩個人並排坐在空蕩蕩的會場中，那模樣實在非常顯眼。等待期間認識的人陸續進場，例如與家長和兄弟一同前來的同學、學長，最後連老師也來了。不過沒有任何人跟我們說話。男生以偷笑的鬼臉走過我們身旁，女生則擺出好像看到不該

看的東西般的困擾表情，盡快地走向座位。

看演出的期間她不再沉著，開始坐立不安。好像心情不好地低著頭，兩手緊握捲起的節目單。……大概已經忍受不了這種如坐針氈的狀態了吧。鄰座的少女抬起臉來，以斥責般的眼神看著我們這邊。之後她板起臉孔擺出優等生的表情，似乎要向我確認一般說：

「山口君……我們沒做壞事對吧。」

或許地方城市與東京有所差異，但這種性規範並不容易改變。根據一九七二年以女性解放運動者而聞名的田中美津所撰文章，在東京也有「僅是男性來訪（不論有無要發生性行為），就把對方趕出公寓的女性」，這是當時一般的風潮[50]。

而大眾傳媒與年長者則對街壘內的年輕人們投以好奇的眼光，揣測他們是否在裡頭搞起「自由的性行為」。一九七二年的週刊雜誌陳述，「社會上廣為流傳，說在校園中搭蓋起的街壘內，許多男女熱中於『解放的性』。」[51]

但青年們卻反對這樣的敘述，且反而有許多例子強調大家都遵守著性規範。一九六八年，為了參加「如何成為社會運動者」的講習而入住大學街壘內的女高中生，在當時的手記中寫道[52]：「女孩晚上就寢時一定在女孩的團體，氣氛上完全不可能出現大人們帶著情色本位想像的光景。」

即便如此，大人們的好奇心依舊未曾停止。一九六八年八月的《週刊Playboy》刊登了一篇名為〈全學聯「固守街壘的男女學生」在裡頭都幹些什麼？〉的文章，正反映出這種好奇心。文章中訪談了東京都內街壘封鎖中的四名大學生，調查在街壘內的學生們從事何種性行為[53]。

但調查結果卻不符「大人們」的好奇心。睡在東大安田講堂的大約一百名學生中有三十名左右的女性，但男學生們說道：「這裡的氣氛不會讓人想要戀愛和做愛啊。（女性）要麼煮泡麵，要麼泡咖啡，要麼彈鋼琴之類的，其他沒做什麼特別的事情。」

而約一百五十人佔據的日大理工學部中，學生則表示：「原則上女學生晚上十點回去，但也有因討論較久而留下的狀況。遇到這種狀況就讓她們睡在講師室，從裡面上鎖。這麼做並無誇張的成分，即便有人認為這是布爾喬亞式的思維方式，但因為這是我們首次進行鬥爭，所以不想留給任何人可以攻擊我們的口實。」

在大約三十人長時間佔據的東京教育大學文學部，學生也說，「也有女學生留宿的狀況，不過並沒有把她們當作性對象。直到現在都沒發生特別的問題。」慶應大學日吉校舍內大約有男性三十人、女性十人堅守，男學生答道：「雖然也有把她們當作女人的時候，但同為鬥爭同志，所以並無逾矩的想法。」調查結果違背了編輯部的期待，報導的最後寫道「在他們的『鬥爭病例表』中並無性交的選項。雖然可能只是在強忍著。」

一九六九年二月《Sunday每日》報導中，把全共鬥學生們強調成「現代之子」，並寫道他們對於性採取壓抑的態度，並且舉日大全共鬥為例[54]：

> 街壘中也存在著戀情。但大多數的情況是「一來是女學生屬於絕對少數，二來我們把她們稱為『全恐龍聯』，屬於素質上的問題。」（某日大學生表示）街壘中不會產生出戀情，只能在街壘中對在外頭的戀人或女友做柏拉圖式的思念。但是這些男生相當受歡迎，實際上鬥爭的女學生

也很有魅力。在鬥爭現場，可以見到她們穿著牛仔褲與微髒的連帽夾克四處奔走的模樣。包含鬥爭同情派的女性在內，平時街壘中也出入一些穿牛仔褲、靴子等衣物，相當帥氣的女孩。而街壘中難以發生戀情的真正原因，第一大概是「革命軍的紀律」問題吧。在他們封鎖的街壘中留宿的場合，一定會給女孩子分配一間禁止男性進入的專用房間。因非常時期的大量動員而必須留宿時，也會出現男女和衣混雜而睡的狀況，但並不會發生犯錯的事。日本學生的街壘中並無自由性愛。

但此事並不意味這些現代之子是舊定義中的道德家，也不是柏拉圖式愛情的信奉者。……說實話，他們是對被稱為鬥爭的這種新體驗感到萬分著迷。獲得自由的他們取得屬於自己的城堡、心靈相通的夥伴，加上與機動隊對決時神暈目眩的興奮感——還有比這更刺激的體驗嗎？異性的事情當然不會縈繞於心。街壘中的男女都以平常朋友的方式交往。

雖說如此，但在鬥爭中產生情侶，發生性行為的事情似乎也不少見。如第九章提到的，日大藝術學部中也有在街壘中同居的情侶。且上述《週刊Playboy》報導中，東大有人回答「有需要的話外出就行了」，慶大也有人說「在附近的森林就可以與女友見面了」。如果想發生性行為，出街壘去就行，沒有必要在眾目睽睽的街壘中進行。

法政大學的某女性運動者在一九六八年五月的雜誌採訪中表示，「的確，四月的時候我只有回家三天左右。平時都在學校的自治會室或走廊鋪上棉被眾人混雜著睡。不過這種時候一定穿妥連帽外套與褲子，甚至穿著襯褲才睡。」不過她也承認「大家睡著的時候，有些情侶也會中途消失身影。大概是去校外的旅館了吧。」[55]

即便如此，警察或「大人們」仍對街壘內的性行為充滿臆測。一九六八年四月，警察搜索過法政大學經濟學部自治會室後，警視廳公安部某刑警對週刊雜誌的採訪回應[56]：「女戰士似乎相當『自由性愛』啊。畢竟，不久前『現場搜捕』時，法政大學的自治會室鋪著幾套被褥，據說某套之中睡著男、女學生戰士。唉呀，那好像真的是相當『刺激的風景』啊。特別是女學生呢。」

然而，當該週刊雜誌記者訪問實際前往現場的刑警時，真實狀態則是如此[57]：「那天的事情，好像被加油添醋了一番四處流傳啊。那天自治會室內確實鋪著兩套被褥。我進入室內的時候有一位女學生出來。當然房間中不可能有男學生。……伸手一探鋪著的棉被，兩床都還是溫暖的，代表除了剛出去的女生之外還有另一個人曾睡在另一床吧。除此之外都是想像了。」

這類偏見似乎引發眾多女學生的抗議。法政大學的某女子運動者在一九六八年的雜誌採訪中回答，「大人們好像立刻就把我們當成『自由性愛』的人。實在很愚蠢啊。」東京學藝大學的女學生也回答，「警察這種人，實在是很下流啊。既然把我們當成孩子來對待，那就不要來窺探我們混雜著睡下的模樣。而且，機動隊對我們的那些叫囂又算什麼？喊出的話實在非常猥褻。……下流到我都覺得羞恥，說不出口啊。」[58]

一九六九年秋，參與日比谷高中街壘封鎖的高中生座談會中，也出現「街壘中並未發生什麼不可思議的性行為」的敘述，似乎隨著時間演進，街壘中的性行為也未廣泛發生[59]。性行為的大量頻發，大概是街壘被拆解後，仍感到挫折的學生們走上戀愛或同居而帶來的結果。

根據參加弘前大全共鬥的植垣康博的說法，街壘拆除後，「同居在全共鬥運動者之間迅速流行起來」[60]。曾參與千葉大全共鬥的女大學生也記載「本部建築〔的街壘〕也被撤除，沒事可做的時候，在街壘中認識的男女湧現一股風潮，就是即便在租屋處或宿舍發生性解放也無妨，在這樣的風潮下發生肉體關係。我也不例外，一次性關係後便懷孕了，之後做了墮胎。」[61]

如同這位女大學生一樣，此時期不斷有人懷孕與墮胎。運動衰退的七〇年代初期，據說一年之中有多達兩百萬件的墮胎[62]。

此狀況的背後，與她們未具備充分避孕常識有關。與學生運動者們有交流的評論家竹中勞在一九六八年十一月的雜誌訪談中，如此評論女性學生運動者[63]：「她們對於性，可以說無知到可憐的程度。」其中的一個原因，是她們的少年期成長於性道德嚴厲的時期，並未接受過適當的性教育。因聯合赤軍事件而聲名大噪的永田洋子如此回憶道[64]：

> 在學校，老師告知我們有關生理期的事，是在小學六年級的時候。老師只把女學生集中起來，說明女性有生理期，初潮來時甚至會以紅豆糯米飯加以慶祝，強調絕非該厭惡的事情。之後說明在生理期該如何處理，應該在不讓任何人知道的狀況下帶妥生理用品，儼然帶著應當隱藏生理期的態度。至於生理期的機能、生理期與性的關係，則隻字未提。中學一年級時也是，生理期被當作是特別的話題，只有在黑板上畫生理解剖圖說些不著邊際的說明，至於生理期與性的關係，或者關於性愛，則一概不提。

僅接受過這般程度性教育的女性運動者如果發生性行為，會不斷有人懷孕與墮胎也就不難預期。

加上當時能獲得正確性知識的書籍也未普遍流通，購買避孕工具也不如今日方便，也沒有可泰然購入避孕工具的氛圍。上野千鶴子在一九八七年的對談中如此表述[65]：「全共鬥結束，政治的季節過後迎來了性交的季節。結果，無論男女都成雙成對，墜入這類的關係中。成雙成對後，因為大家都不擅長避孕，所以很快就懷孕了。」

但即便進入性行為日益頻繁的七〇年代，這個世代的許多人，心中的性道德依舊保守地令人意外。一九七二年三月的《週刊讀賣》中刊載的報導，針對四位女性運動者的性意識進行採訪，充分展現出她們的「保守性」。

受訪的女性運動者承認有主張「通過性來變革自身」的人，也有「在鬥爭中因深愛的男朋友被女性同志『奪愛』因此離開鬥爭，或轉移派別的人，此外也有僅因發現了很棒的男朋友就『放棄理論』而奔赴對方黨派」的案例。但大致上她們的回答都是，「我這個人，在性事上有非常保守的部分」，「想穿著白色嫁衣舉辦婚禮」云云。最終報導下結論，表示「採訪中遇到的這四位，在性事上不過是小女孩罷了。」[66]

這個世代在七〇年代成為一夫一妻制「現代家庭」的形塑者，並不令人意外。與文化層面的意識相同，嬰兒潮世代從童年內化形成的性意識是「保守」的，因此日本並未如美國的學生運動發生「性解放」直接與學運結合的狀況。

然而，就像文化和衣著一樣，性意識似乎也會隨時間推移而變化。根據一九七三年ＮＨＫ放送文化研究所的「日本人意識」調查，回答「只要有婚約或相愛，即便發生婚前性行為也無妨」者，多過了回答「不該發生婚前性行為」者，這些女性的受訪者多生於一九五〇年[67]。

換言之，即便是全共鬥運動的參加者，一九六八年是大四生的人（一九四五至四六年生，二十二歲），與是大一生的人（一九四九至五〇年生，十八歲），在性意識上也有著相當大的差距。如果是東大全共鬥議長山本義隆（一九四一年生）等人，則差距便更大。同居的現象從全共鬥衰退期開始流行，也與越年輕，性規範就越寬容有關。

這種差距也給青年團體內部帶來矛盾。例如聯合赤軍事件中，山岳基地內的男女裡最年長的永田洋子與森垣夫生於一九四五年，二十七歲；最年少者生於一九五五年，十六歲，兩者間存在相當的年齡差距。

如第十六章後述，聯合赤軍中的核心運動者，生於一九四八年的大槻節子因為與脫逃成員發生性關係而被永田嫌惡，因此遭到批鬥。永田與大槻年齡僅差三歲，但此時期三年的差別就如第一章所述，相當於學生時代是穿立領學生服度過，或者穿牛仔褲度過的差異。此事有可能也反映出永田與大槻在性規範上的落差[68]。

但總而言之，無論在文化上或性事上，這一世代在表面上代表「嶄新」，但內心深層卻很大部分繼承了保守的「傳統日本」。即便外表穿著牛仔褲或迷你裙，卻很大地保留了光頭或妹妹頭的少年時代被教導的意識。套用第一章引用的龜和田武的詞語，他們絕大多數並非「徹頭徹尾的披頭四世代」，而是被「橋幸夫與舟木一夫培育的世代」。

在大學的經驗

這個世代如第一章前述，在歷經升學競爭後進了大學。但他們大多對大學感到失望。

首先是因升學率迅速上升與大學生數量大增，導致大學方面應對不及。面對學生人數遽增，大學採取在大禮堂架起麥克風，以大批量生產的教育方式來對應。校舍、食堂、圖書館等座位不足，新建校舍與經濟高度成長下的通膨相乘，造成學費高漲，引起學生們的不滿。此外，因為學生總人數太多，學生無法期待能與教授直接接觸或對話。

升學率的上升加上學生人數的增加，使大學——特別是私立大學——數量驟增。一九五二年，四年制國立大學有七十一所，私立大學有一百一十六所，到了一九六七年，國立大學有七十四所，私立大學則有二百五十八所[69]。東京的私立大學因學生人數眾多，龐大化到甚至被稱為「巨型大學」的程度。

一九六六年，進入法政大學的大一新生面對報紙採訪時，如此表示：「我們是嬰兒潮的第一波，因此從小學起就習慣人數眾多，即便如此，入學典禮時仍舊嚇了一跳。至〔昭和〕四十年（一九六五年）為止，在日比谷公會堂分三次舉行的入學典禮，到四十一年為了一次解決而在武道館舉行，但館內卻呈現爆滿狀態。語言課程一班高達七十人，語言以外的課程都在可收容四百至七百人的禮堂裡進行，就算這樣，仍是大家都得互搶座位[70]。」

大學生的暴增，原因之一在於私立大學想要賺取學費而超收學生。根據一九六六年五月的《法政大學新聞》，一九六六年度的新生約有九千人，「實際上這已經超過定額的三．三倍，而且其中有四成是候補生、體育生、附屬學校來的推薦生等，非依正規考試入學的學生。」[71]

一九六六年九月的《中央大學新聞》指出，駿河台的中央大學校本部的面積中，在校舍中每名學生可分配到〇・四六坪，校地每人可分配〇・一六坪，教室面積中每坪得擠入十名學生[72]。理論上條件應較私大更佳的東大，一九四九年有一千八百零四名新生，但在政府的理工科系學生人數擴充方針的影響下，一九六六年的新生達到二千九百二十六人，教養課程大多數都變成量產課[73]。

一九六六年四月的《慶應義塾新聞》如此陳述[74]：「〔商學部的課程〕修課人數比原訂人數高出近七百到九百人，如日本經濟結構論（一千四百二十六人）、外匯論（一千二百六十四人）、經濟政策（一千一百八十四人）。此外，不限於商學部，超過千人的講座有電影戲劇論A（二千三百二十八人）、電影戲劇論B（二千三百七十六人）、教育原理（一千七百九十八人）。」「教養課程中，也有一個教師帶三千名學生的講座。」

一九六七年四月的《慶應義塾新聞》更刊載了如下報導[75]：

「去年四月，慶應大學政治學科二年級，某專業科目發生希望修課者無法全數進入教室，一部分站在教室外的狀況。教授與教務處只要對照選課人數與教室收容人數，應該充分預料到會發生這種狀況。……S君直接對教務處呼籲『沒有座位，拜託處理一下！』，得到的回應卻是『每年四月出席者甚多，可能進不了教室，但到了秋天出席者就會突然驟減，所以不會有什麼問題。』」

該職員的回應是個事實。當時某御茶水女子大學的學生回憶道，「大學的講課極其無聊，教師甚至不看學生的臉，就著數十年如一日的講義，一味地讀下去，這種例子不在少數。」[76]對課程失望的學生們遂前往咖啡館或「雀莊」（麻將館），人數過多的情形也自然紓解。

參加日大全共鬥的學生，在一九六九年如此記錄鬥爭前的狀況[77]：「那種毫無內容的課程如果以錄音機錄下來給授課者聽，他們自己也會感到臉紅而閉嘴的，即便如此他們仍一成不變地永遠板著臉誦讀下去。而且連一個認真聆聽的學生都沒有。結果只看到前往附近麻將館待著的學生人數，與該課程的低劣程度成正比。我也不例外成為其中一員。」

不過，授課品質低劣也存在著不得已的理由。一九六六年五月的《法政大學新聞》指出，「一個教師負責的學生人數……國立大學是十二人，私立大學平均是三十五人，與此相對，本大學則是一百一十五人，甚至到了經濟系更高達二百一十六人」。在此情況下，一九六四年法政大學教職員工會與校方折衝談判後，決定教師的授課負擔為，專門課程教師與一般教養教師每週四堂，語言課程教師每週五堂，即便如此，實際授課負擔仍是協商數值的一．九一倍，「許多教師從每週四堂上升到每週十一堂。……狀況糟時更高達二十一堂（第一教養、語言課程），專門課程也達到十六堂（文學部）的狀況。」[78]

教學品質低落的原因出在教師負擔過重，以及教師品質的低下。隨著既存大學增收學生人數，新設立的大學數量增加，教師人數也一口氣擴增，雇用了品質不佳的教師，或者聘用從其他大學退休的教師的狀態層出不窮。一九六七年四月的《慶應義塾新聞》指出，教授出現「量產型授課→失去熱情不願授課→講課狀況不斷劣化」的惡性循環，而學生則出現「量產型授課→對學問不再感興趣→逃課」的惡性循環[79]。

此外，大學數量激增也產生了劣質的大學生。因為在那個時代，地方上的有力人士以投資的形式設立大學後，即便學費甚高仍能收到學生，並能從中攫取鉅額利潤。

因此在新設立的私立大學中，根據前法政大學校長大內兵衛的說法，也存在「程度無藥可救的學生」。一九六七年四月，二百五十八所私立大學中，因設備投資需龐大資金，而不設理工類學部的單科大學佔了八成以上。進入私立大學時被收取的費用，如學費、入學費、設備費、實習費、捐款等等，在當時大學畢業生起薪二萬六千日圓左右的時代，再怎麼便宜也得來到四十至五十萬日圓之譜。其中還有以前現代方式經營，校長採取世襲制的大學[80]。

一九六六年十月的《朝日Journal》指出[81]：「收取高額學費，給予少數專任教師『公務員（國立大學教授）等級的優厚待遇（！）』，以不到一名學生學費的費用聘請兼任講師，並由兼任講師負擔數百人的量產型課程，這樣搞，經營大學當然可以賺大錢。」「歡迎增設大學的差不多都是：不被允許去東京遊學而暫時放棄升學的地方大小姐、無處可去的〔沒有大學教師職務〕博士畢業生，加上〔退休後仍想就業的〕老朽大學教授等人物。」

慶應大學理財學會收集學生對教師的不滿如下[82]：

「因年紀大、身體衰弱或其他理由於上課時無法明確表達者、太多不必要的重複者、無法汲取重點者、無法敏捷迅速且正確傳達欲表達內容者，這些人無論過去的實際業績和名聲如何，都該退出大教室的講課。」「教授強行自我推銷……只處理極端專門化且極小主題……的著作。」「〔授課時〕不該偏向自身興趣，因為教室不是發表自身學說的場所。」「授課時希望避免單純誦讀泛黃陳舊的筆記或稱為教科書的東西。」

一九六六年七月的《東京學藝大學新聞》與收集慶應大學生反饋的《我們的大學生活無悔》中刊登的學生文章，分別有如下陳述[83]：

無論如何缺乏實力，只要說是大學教授，社會上大概都會承認其地位，身分也獲得保證。即便默不作聲或致力於副業也不會被說是「稅金小偷」。反之，越是迎合大眾傳媒，像偶像一樣登台的知名教授，愚蠢的人就越是稱讚他們。這類教授面對癡迷於教育的母親們，便利用她們的愚蠢，加上博取評論家的喜好，想必享受著賺錢如喝水的樂趣。……理所當然這類教授肯定不會把學生放在眼裡。即便如此，他們依舊以滔滔不絕的表情說著迎合對方的話語，所以內容是如此的陳腐。

究竟教授們如何思考自身在教室裡的定位？他們是否意識到自己講授的內容將成為學生們思想的血肉？……

教授們是否思考過自己身為大學教授意味著什麼？如果認真思考過自己在教室中所說的話有什麼樣的意義，自己的研究發表在社會上擔負著什麼樣的責任，他們應該會更拉緊自己臉上的肌肉吧。……學生的生活方式等事情，對教授的學問而言乃屬他人瓦上霜，他們專注的不是為了人們的學問，而是為了學術而學術的學問。在此想率直地請教各位老師們：

「你們為你們的學生們考慮了多少？」

對於上課的「無聊程度」，其他人也說了不同的感想。教授們，特別是被稱為進步的教授們，在教壇上闡述民主主義、和平與平等的理念，然而對經歷過升學競爭的學生們而言，只感到那是脫離現實的空洞理論。一九六八年進入東大，日後成為社會學者的橋爪大三郎如此回憶道[84]：

「大學很無聊。……教授們信仰原則並據此教學，但實際上卻與推動社會的想法有所落差。這使學生們確實感受到『欺騙感』，並給學生的熱情澆上一盆冷水。」

在私大與女子大學也有限制學生活動的狀況。日本大學禁止和壓制學生活動將在第九章說明，也有些女子大學主張必須教育出「賢妻良母」。根據評論家大野明男的說法，某女大學生如此描述大學的狀況[85]：

「大學採行完全不承認學生自由活動的管理機制。例如學生發傳單或在留言板上呼籲同學們做些什麼時，或者自治會發出新聞等，都採取『刊登許可制』。如果未獲許可便散發傳單之類，立刻會遭到退學或停學。」即便知道有此狀況仍進入該女子大學的理由是，「就是一個『最低保障』，只要接受了就能入學，算是有個學籍。因為既討厭待在鄉下，留在家中又必須去上升學補習班，不許去東京。而且志向也沒有遠大到為了進入想升學的大學，而願意去補習班蹲一年的程度。」

最後一波嬰兒潮世代接受大學考試是在一九六八年，當年全國大學預定收入四十六萬名學生，而應考生則預估高達七十四萬人[86]。理所當然地，除了成為高四生的二十八萬人以外，還有些人不得不進入第二志願、第三志願的大學。

大野明男紀錄了當時大學新鮮人的心聲[87]：「我們大學的廁所裡有塗鴉寫著『所謂大學就是東大。其他都不是大學』。唉，即便是第二志願也不得不入學，這種心情也是能理解啊。」「那種塗鴉，我們大學也有呢。」「進入第二志願大學的空虛感，我也能感同身受呀。」「我們幾乎都是第三志願，就像是空虛感的大集合呢。」

進入「第三志願」的大學，接受量產型授課，導致不滿高漲。根據一九六六年的《法政大學教育白皮書》，學生的不滿如下[88]：「座位的數量不足」、「教室太大坐在後方看不見黑板」、「校園太狹小，沒有做學問的氣氛」、「希望有場所能與朋友安心對談」、「課餘的時間，除了校外的咖啡館之外無處可去」、「應把學生共用空間改得更大」。

根據此白皮書，對教師與學生之間的接觸感到「非常滿意」為〇．七%，「有點不滿」、「非常不滿」的合計是八十四．七%，並湧現「教師處事太過事務性，完全變成了上班族」、「缺乏有魅力的教授」、「老師似乎太過忙於副業，對話時不夠積極」等聲浪。這種不滿，在全共鬥運動中成為學生以集體形式頻頻批鬥教授的背景因素。

從教授的眼光看學生

從教授方面來看，他們對六〇年代以後的學生抱持大量的不滿。

根據一九六六年某私大的調查，學生對於「為何選考這所大學」的問題，最多的回答是「想考進其他大學，但因考試成績不夠，沒辦法才來」，佔四十四．九%。與此相對，回答「覺得教授群或講座很好」佔二十八．一%[89]。

從六〇年代中期起，母親陪同孩子參加大學入學考，並在一旁遞茶給飯成為普遍的狀況。一九六七年度的東大入學考上，約一萬三十人的考生中約五分之一有母親陪伴。當時的報導提到[90]：「大部分（的母親們）應該在二戰中是女學生，屬於被迫疏散、參加勤勞動員，無法好好讀書的人們。在這種狀況下，她們生出越來越多的孩子，最後形成嬰兒潮。在那些她們連牛奶都欠缺的日子裡……。這次我〔指母親們〕要讓大家看看我如何實踐夢想，而最好的方式，就是〔孩子考上〕東大。」

一九六七年的報導形容道：「大學生變得像小孩，大學簡直幼稚園化了」，「今天的大學生簡直就是被過度保護，猶如在溫室栽培出來的人。」[91]教授們懷念大學低升學率時代，那些自我期許為社會菁英的大學生們。在教授們看來，六〇年代中期後的學生們，沒有任何目標地入學，只是群缺乏氣魄的「現代之子」。

急速增加的學生們學力低下，也被當成問題。一九六七年一月埼玉大學職員工會的調查說明，因為量產型授課變多，「靠人海戰術進行作弊的學生激增，而且有許多教師都感嘆他們學力顯著低落。」此外課程不及格人數也驟增，根據報告，一九六五年以前無法取得「物理學概論」學分的人不過一成左右，此時急增到四成，德語連一個學分都拿不到的人增加到兩倍[92]。

語言課程與量產型授課不同，一個班級應當只收數十人，但根據一九六七年某東大學生回答雜誌的採訪[93]，表示「不管是五十個人或五百個人，單向式的教學仍舊未變。即便是語言課程，也是依序讓學生們翻譯，一學期大概只能輪到一次，然後就結束了。」

東大法學部針對這個問題採取的對策是，以一小群的學生為對象，設置由教授提出問題讓學生思考的課程。但學生們大多流向量產型的課程。根據接受量產型課程的學生說法，在這種課程中只要記筆記即可，「小組的班級就會被問問題，得自行思考答案，對自己可能無法確切回答會感到『不安』。」教授們針對升學考試的弊病，提出「給他們的課題他們會做，但不會自發性地學習」，「沒有自行思考的習慣」等意見[94]。

曾任法政大學助教授的北川隆吉在一九六六年以「現代學生氣質」為題，如此闡述道[95]：「對現在的大學生而言，所謂『好的課』，就是容易記筆記，課程整體的起承轉合都很明確。而那些彙整得不太好，教師將自己思考的問題與學生討論，這種授課『不值得信賴』，所以是不好的課。」

北川也如此敘述[96]：「這種缺乏問題意識的狀態，產出了一種學生，他們以滿不在乎的表情問老師『畢業論文寫什麼好？』，還說『請告知寫論文的參考書』。」而學生們「多少有點把自己必須解決的問題，投射到外在條件去的想法。量產型教育這個詞彙，也是在這種心境下匯聚而成，把這種課當作逃生口的狀況絕對不在少數。」

在東大教養學部任教十六年的助教授，於一九六七年如此評論「最近的新鮮人」[97]：「也有一些天生的英才。但幾乎所有的學生都只擅長考試，能考出平均八十分的成績，卻感覺不到他們領悟了。幾乎找不到那種雖然不擅於考試，但心中存在某種特質的學生。」

這些教授的說法，也並非毫無根據。一九六五年阪大工學部熔接學科因出現高達六成的留級者，所以把留級者叫到研究室，一個動作一個指令地教學以便讓他們升級。其中一位留級的學生如此訴說[98]：「高中時代老師的指導在腦袋中起了連鎖反應」，只要依照老師說的去做即可，但在大學裡「不知道該學些什麼好，只是一味地徬徨。」

既覺得量產型授課無聊，但又跟不上小班要求自發學習課程的學生，便逃到社團活動與打工之中。根據一九六七年京大進行的調查，一年級的留級生中，排名第一的留級理由是「在社團活動上花太多時間」，佔四十三・〇%，第二位是「入學後太過放鬆」，佔三十九・七%。而二年級以上的留級者則以「入學後的解放感」佔第一位，達三十六・七%，其他理由有「社團活動」、「打工」、「沉迷麻將」等，約各佔二成[99]。

一九六八年全國高中校長會議也得出一個結論，即伴隨升學率急速提升，「有三分之一的高中生並無能力接受高中教育。」[100]這類高中生也同樣高中畢業，而且進入大學就讀，因此造成上述的狀況。

在東大教養學部學生部任職的西村秀夫助教授，在一九六七年的座談會上如此表述[101]：「其中一個問題是留級，也就是留級生太多了。對所謂舊帝大系統的大學試著進行調查，得知此狀況大約從昭和三十八（一九六三）年左右急速增加。」

從教育學的觀點來看，當高等教育升學率達到十五％時，學生就已不再是社會菁英，而變得大眾化。一九六三年（昭和三十八年）正是日本高等教育升學率超過十五％的年度（四年制大學為十二・一％，短期大學為三・四％）。

因學生的大眾化導致對政治的關心低迷，也成為一個問題。一九六七年的報導指出，「關於大學生的小市民意識，受到強烈的批評。他們變得只關心個人的生活，極少積極投入國家、社會發展的意識，甚至根本看不到。」[102]

一九六七年擔任東大文學部事務長的尾崎盛光，如此評論學生們的普遍風氣[103]：

> 對現在的學生而言，不管是戰爭、革命或者恐怖，都是間接的見聞，而非社會史上的經驗。談到他們的經驗，應該就是被焦躁感所迫，作為極端且直接的自我問題，僅關心眼前的升學與考試學習罷了。從而對現在社會與制度完全沒有餘裕加以質疑，即便多少有些疑問，結果也不得不與自身的事情連結進行思考，變成一種無計可施的消極。完全缺乏自我意識的開發。這只能說是把〔中學、高中、大學、就業等〕已決定的人生方向視為理所當然，一路走來的結果。

教授們並非全都是以菁英身分度過大學生活的世代，也有體驗過戰爭與飢餓的世代。前述的法政大學助教授北川隆吉在一九六六年的〈現代學生氣質〉中如此敘述[104]：「想到自己學生時代，因擔心不知何時赤紙〔徵兵令〕會寄到，總是一邊面對著死亡，一邊學習。在這種狀態下對習得內容的意義與困難，總是有強烈的感受，並如此生活下來。與此相比，現在的學生擁有想知道什麼就都能知道的條件，也不需總是面對死亡。然而，他們卻沒有那種投入真心實意去理解事物的欲望。」

在這樣的教授看來，六〇年代中期以後的學生們，既不成熟也不可靠，對社會缺乏關心，不知勞苦為何，只是被過度保護的兒童。曾任東大教養學部講師的杉本敏夫在一九六六年實施〈最近的東大學生像〉調查，其概要如下[105]：

（一）首先他們是被過度保護的兒童。由熱心教育的父母所扶養長大，在精神上無法斷奶。這點可說非常像兒童。

（二）他們是優等生。從小學起便成績優異，不論他人或自己都認同自己身為優等生的資格，雙親也感到自豪，認為還是「深受老師喜愛」。

（三）忍耐度低。人生的失敗經驗，至多就是是否當過高四生而已。順遂的人生自然使他們無需忍耐，變得缺乏耐性。

（四）對他人感同身受的能力很差，總是自我中心。

杉本的調查中更進一步如此表達當時東大生的氣質：「關於對社會的態度，總是站在旁觀者的角度，總是批判者，不會親身投入做點事情。站出來的時機，僅限於明確與自身利益相關的事情。優越感極高，但相反地也表現出沒有自信的一面；想要極度表現自我主張時，卻展現出極端依賴的態度。進一步而言，面對進入東大究竟想做什麼這個問題，只有極少數人擁有明確的目的，大多數人都只是抱持著『想要進入東大』的漠然心情一路走來。對將來的目標也是一樣，大多數人都只是茫然地想著將來要進入大企業。」

一九六七年春天的東大畢業典禮上，校長大河內一男發表以下講話[106]：「從『大學這種機器』裡正在大量產出缺乏自我意識、沒什麼個性、責任意識異常低落的青年。用自己的頭腦思考，憑自己的良心判斷，靠自己的責任感行動的生活方式，恐怕要就此斷絕了。」

有雜誌在報導東大校長苦口婆心勸誡畢業生時如此陳述[107]：

二戰後的一段時期，為了從廢墟上重建日本社會，每個國民皆須站在這樣的立場上，認真摸索各自的前途，於此時期，畢業生的立場也如此，猶如在狂風巨浪的大海上划行小舟，心中徘徊著一種不安與悲愴感，校長的講話也是在勉勵畢業生划出船隻，其話語充滿力道與格調，在自食其力開拓前途上作為畢業生的精神支柱，對畢業生們起到指導性的影響力。

與此相對，今日的社會浸淫在安定的氣氛中，身為現代之子的畢業生們只要不偏離既定的軌道，就必然有光明的未來。……今日的畢業典禮雖同樣是航行出港，但卻帶著一種觀光旅行團乘坐豪華郵輪出發的慶典氛圍。

一九六五年十月，《週刊平凡》雜誌刊登篇名為〈咦——！大學生是漫畫迷〉的報導。社會上也對在東大教養學部的駒場學生合作社中，《少年Sunday》與《少年漫畫》一上架便立刻售罄的狀況感到吃驚[108]。如前所述，當時的「成人文化」與「兒童文化」仍有清楚劃分，在此狀況下，大學生沉迷於代表「兒童文化」的漫畫，不啻給包含教授在內的「成人們」一種大學生素質低落、「宛如孩童一樣」的印象。

除了學力之外，不少指責稱大學生們喪失公共道德。升學率尚低的時代中，無論在人格或教養上，大學生都被期許應成為社會的模範人物。但一九六七年十月出身「一流國立大學」與「一流私立大學」的兩個學生，從已打算雇用他們的公司盜出裝有現金的帶鎖儲存櫃，後因無法解鎖而欲放回該櫃時，正好被警察逮捕，此事給社會上帶來「大學生道德低落」的印象[109]。

在全共鬥運動爆發前的這個時期，國立教育研究所的稻生勁吾進行問題調查，內容是「近來，社會上普遍知悉關於大學生的人格形成有許多問題，老師們與自己大學的學生接觸後，對於學生的人格形成感覺到什麼樣的問題？」根據稻生的概括，教授們的回答大致如下[110]：

「（一）對大學抱持著錯誤的觀念，只把大學當作求職的工具；（二）養成一種好像把教授教的東西背下來就是做學問的態度；（三）思慮與判斷皆狹隘且淺薄；（四）缺乏為了形塑人生觀與世界觀的思索；（五）倫理意識低落；（六）欠缺主體性；（七）缺乏責任感，卻強烈主張權利；（八）對老師的信任感薄弱。」

稻生認為原因之一，可歸咎於升學考試的弊害。根據稻生的說法，「高中時期正是人類面對人生、內在世界進行啟蒙，創造性與自我確立開始萌芽的重要時期，然而，今天的大學生在此時期卻壓抑自身的讀書欲望，一路以來僅專心致志於升學考試。」其結果，造成「使思慮判斷陷入貧困狀態，助長利己主義，只會在強迫狀態下學習」等弊害。

稻生更進一步力陳大學校方的量產型授課所造成之弊端：

> 更加糟糕的是，即便好不容易考上大學，大學校方卻尚未備妥軟硬體制，課程要麼是高中的重複，要麼把專門程度低的課稱為一般教育，實施量產型授課，也有因爆滿而無位可坐的狀況。……圖書館狹小，想借的書也不容易借到。想與老師討論也會因為老師太過忙碌而遭拒絕。業務繁忙四處奔走的老師也很多，兩、三個月才進行一次或兩次的集中授課，當然或許也有些老師住得太遠。……一直以來都把進入大學當作人生目標的眾多學生，在入學的同時也陷入失去目標的頹廢狀態，對此大學方面則一直無法給他們提供新的人生目標。

刊登稻生這篇論文的一九六七年十二月號《時》雜誌，以特輯形式併入〈讓教授哭泣的學生〉，並刊登了名為〈從教授的眼光看現代的學生〉的報導[111]。此處各大學教師提出了對當時學生的印象，其敘述如下：

「因為想著只要能取得學分就好，所以對自我、社會乃至國家都缺乏認識，沒有上進心，軟弱無力的利己主義者。變得只專注在思考：只要平安畢業、順利就業就好。」（私大法學部長）

「許多學生都不知道為了什麼而進入大學學習。缺乏追求將來理想的行動。」（私大藥學部長）

「自己從未思考如何成為一個真正的人。」（私大文理學部長）

「可能是因為大學升學考試準備期間太過勞苦，作為一種反動，進入大學後就覺得已經取得畢業的門票，所以產生不學習的傾向。」（國立大學教養學部長）

除此之外還列舉了「許多學生的態度都不把老師當作老師」，「非常專斷、利己，對自我與他者欠缺認知」、「不具備犧牲精神，拒絕一切要自己做出犧牲的事情」、「熱中於強調自己的想法，不站在對方的立場思考事情」、「大多數的學生都不關心整個校園的問題，並未真正了解大學自治，只考慮如何利用他人，欠缺社會奉獻的精神」、「消極主義。無論對自己或對社會，都不積極參與」、「很少自己下決定並負起責任」等等。

另一方面，也有人對教授與學生之間溝通不足的問題，提出反省。相關意見如「教授與學生之間，並沒有出現人格上的交流」、「至今為止，我們這些教授太不關心學生，時間過度被自己的研究所佔用，好不容易學生來請教，也沒有好好談話的機會」、「有學生來商量或討論，但我們只流於形式上的、機械式的對應處理，無法深入學生的內心」等。

總而言之，教授方面的意見可以概括如下：「大部分的學生們對社會、學校、同學等自身周遭的環境，都感到強烈的疏離感。學生們發生的各式各樣的問題，意外地許多都是這種疏離感的某種表現。」「我認為學生有非常強的需求，但終究，我們能否充分回應他們呢？」「今日的學生確實存在許多問題，但實際上他們也心心念念要解決這些問題。」

發生全共鬥運動時，許多教授們都將其視為獨善其身、有如孩子般的學生們開始進行「自我的權利主張」。同時，一部分對學生運動展現出理解態度的教授則認為，大學與教授們有許多應反省之處，並洞察到整體社會問題與「疏離感」才是引發全共鬥運動的原因。可以說，雙方的這些看法皆不無道理。

空虛感與「現代的不幸」

在升學考試中過關斬將，但上大學後並無明確目標的大學生們，許多都陷入空虛感中。一九六七年進入東大的某位學生，曾在日記中寫道「除語言的課之外，都是在大教室使用麥克風的典型量產授課。託此之福，我的內心如此空虛。」[112]

一九六六年的《法政大學新聞》中，介紹了學生之間大量傳出「不知道為了什麼而學習」、「什麼事情都不想做」、「大學的上課很無聊」、「無法抓住未來的目標」等意見[113]。同年九月八日的《名古屋大學新聞》中則刊登了如下報導：「大學，不過是一個詞彙，卻寄託了夢想與希望，促人猶如拉車之馬般地冒進。從幼稚園到大學，突破無數考試難關而傷痕累累的勝利者們，被放入『自由之園』的大學後，暫時感到一片茫然。據說也有人持續這種狀態超過一年[114]。」

如第一章所述，「三無氣質」這個詞彙是在一九六七年出現在大眾傳媒上，媒體稱，此詞流行於東大的駒場校區，指入學後呈現的無力狀態。從六〇年代中起，便以「五月病」這個詞來形容大學新鮮人的這種狀態。以理解與同情東大全共鬥而聞名的東大教養學部助教授折原浩，於東大鬥爭正式展開前的一九六八年五月的評論中如此敘述[115]：

……入學之際充滿歡愉的解放感，但通過這個階段後，便被拖入無以名狀的空虛感、無力感深淵，完全無計可施。在被升學考試束縛的時期，即便是抱持遠大抱負，想著「進入大學獲得自由之後」這個也想嘗試，那個也想嘗試的人，一旦嘗試後，也完全感受不到當初的那種欲求。最終這種空虛感逐漸轉變成焦躁感，讓人感覺「不能這麼下去」、「必須做點什麼」、「但應該做什麼」、「必須有主體、要主動，但究竟該如何才能形成主體？」至此，他們才認知到這種沉滯與迷惘的狀態就是「五月危機」。

某慶應大學的學生一方面持續批評教授，一方面如此陳述學生的狀況[116]：「對那些真切對大學感到失望的認真學生而言，危險是存在的。因為會冒出自己為何上大學、為何學習大學課程的疑惑。……許多罹患精神病的學生，都是因為老師選擇對這樣的疑惑視而不見。」

調查大學生實際狀況的教育學者鈴木博雄，在一九六八年的著作中如此敘述[117]：「近來出現不少對大學生活感到不適應症狀的學生。罹患精神疾患或者退學的人數增加……自殺的學生也變多。原因之一，就是不適應在大型量產大學中的人際關係。」

鈴木指出，脫離這種不適應狀態的方法之一，就是與教師交談，另一則為參加社團活動。然而，教師因被要求接受大量的學生，工作極其繁忙，極難期待與他們有人與人之間的交流。而社團活動也有許多不足之處。

首先，當時大學因學生人數激增，對社團活動時所需的設備、空間並無法對應處理。一九六六年五月的《法政大學新聞》指出，食堂、小賣部等設施的現狀，僅達「福利厚生生活面積基準值」的一成，「至於學生會館、文化性社團、學生共同設施等，根本連建設藍圖都沒有。」[118]

即便已有學生會館的大學，面對學生人數增加時，也來不及確保充足的空間。一九六七年十月的《岡山大學新聞》中如此敘述[119]：

> 「關於學生會館的利用狀況，每天大概有八場集會，集會設施都處於滿員狀態，使用率已達百分之百。食堂設施可容納八百人，即便如此，使用者卻超過一千四百人。餐桌使用的翻桌率超過七次，遠高於基準值的三次。如此一來，午餐時間就得在食堂大排長龍等待，放學後各集會室全數滿員，而且還得兩到三週之前就預約，否則根本無法使用。」

有許多學生即便加入社團，也只是暫時克服孤獨感，依舊無法滿足與他人交流的欲望。一九六六年六月的《橫濱國大新聞》中如此敘述[120]：

> 社團活動被喻為大學生活的精華，但概括來說，就僅是學生們在沙龍般的氣氛中不斷閒聊而已，這個所謂的共同體，其意義不過就是把人聚集在一起罷了。……社團活動變成這樣的根本原因是什麼？答案可以從加入社團時的個人動機找到。為了逃避孤獨，或者說個人因孤獨難耐而尋求排解，而嘗試將自己與某些組織連結，這便是主要的個人動機。因為他們剛從真正孤獨的〔升學考試〕戰鬥中解放出來進入大學，然而過了一陣子便發現大學生活依舊孤單，而〔升學〕戰鬥這種強烈的目的意識卻被剝奪了，這反而造成內心無所憑依的泥沼式悲劇。置身於其他同樣孤獨的學生們當中，又更加深了這種孤獨感。大教室中眾多不認識的臉龐形成無言的壓迫，一個人佇立在嘈雜的食堂中時，內心浮現難以言喻的焦慮。這些孤獨的學生為了逃避孤單而轉向組織，亦即社團尋求救贖。……面對下課後的自由時間，茫然一人度過的不安，此時他們匆忙邁步前往社

團室，在那裡人們終於會以笑臉相迎，那裡是與他們一樣孤獨的人們用來忘卻孤獨的場所。但覺得能逃離孤獨的想法不過是暫時的，當再度返回一個人的住宿處時，襲來的卻是比之前更為強烈的孤獨感。

上述一九六七年的京都大學留級生調查中，八・六％的一年級留級生，與二十三・三％二年級以上的留級生，留級原因都是「精神疾病」[121]。六〇年代中期起各大學設置了學生輔導室，也配置了心理諮詢員或輔導員。

然而，學生輔導室的諮詢內容也反映著時代而有所變化。一九六四年中央大學前往學生輔導室的學生中，諮詢內容最多者為「轉系、轉科」，佔三十一％，「精神衛生」則佔十三％，排第三名。但到一九六五年時，「精神衛生」已佔三十九％，躍升第一名，第二位的「轉系、轉科」則跌至十九％。到輔導室的學生中，不少學生提出諸如「所有的女性都愛上我了（看她們的臉就知道）」、「與朋友的關係惡化，感覺快抓狂」之類的問題，輔導員不禁詫異道：「連這種程度的事情都沒有朋友可以商量嗎？」[122]

也有一些學生無法承受內心的空虛，為了確實感受活著而選擇自殘。曾是立命館大學學生的高野悅子，其手記《二十歲的原點》中頻繁出現在住處以剃刀割手的場面。高野如此書寫那些自殘行為的場面[123]：「剃刀壓在肌膚上，心一橫便劃了下去。轉眼間紅色的血便滴落下來。」「有句話說『就算是我，也是有血有淚的。』我的肉體中流淌通紅的鮮活血液。站在巨大怪物的眼前不知道自己想做什麼，無法信任自己，說著『我是這個房間的國王』的傢伙，身體裡也正流著鮮紅的血液。」

此外，還有人出現進食障礙的症狀。知名的女性解放運動者田中美津提到，在參加學生運動前每天都「沒有生存的實際感受，彷若陷入黑暗洞穴當中」，而有厭食症的傾向。「我不再進食。變得無法吃東西。」「心中變得空洞後，也停止了營養的補給。」「潛意識的部分對我下令：像妳這樣沒有價值的傢伙，不吃東西也無妨。」據說某段時期，田中有四個月幾乎都沒進食，甚至產生視力障礙[124]。

這個時代還不存在「割腕」、「厭食症」等詞彙。但在逐漸轉型為大眾消費社會的日本，卻不斷發生這種現象。

此外，也有靠消費或休閒來填補內心空虛的人，但其中仍有不少人無法因此填補心靈的空缺。東大全共鬥的無黨派運動者大原紀美子在一九六九年的手記如此書寫進入鬥爭前的心情[125]：

> 即便前往百貨公司，面對琳琅滿目的商品，卻越來越感到什麼都不想要。我非常喜歡漂亮的東西。我雖然也喜歡欣賞繪畫，不過也同樣喜好看時裝表演與百貨櫥窗。我喜歡看樹木與眺望天空，也喜歡有美麗室內裝潢的咖啡館。就算試著去思考這些不過是表面上的裝飾，但還是喜歡漂亮的東西。……然而就在購買想要的商品的瞬間，那股吸引我的魅力便刷地一聲消逝。真正想要的東西並非那個。

「真正想要的東西並非那個」這點，他們自己也清楚，但若詢問真正想要的是什麼，他們卻無法回答。

無法抓住活著的真實感受，應稱為「現實感喪失」。自殘行為與厭食症，乃是為了確認現實感喪失的自我存在與肉身而必須採取的行為。如前所述，藤原新也藉由前往印度見到屍體才首次感受到活著的感覺，他於一九九三年如此描繪六〇年代後半[126]：

以那個時代為界，現實的存在樣貌逐漸改變。

我認為，從那個時代起到九〇年代為止，一路貫穿的主題是現實的稀薄化問題。如果垂下鉛錘，便會發覺此礦脈從六〇年代便已萌芽，並持續壯大，一直通往今日的虛擬現實世界。我的旅程反映著這種生理性的生存感覺。

那個時代人們經常喊著「肉體」一詞，進入七〇年代後變成「身體」此一警醒人們的詞彙。肉體與前現代的風土和一級產業的結構結合，並隨著時代的推進而逐漸被抹除。

對他而言，拍攝屍體照片的行為，可說是為了確保活著這個「真實」。同時，也有人是透過「學生運動」來確保「真實」。

雖說如此，在一九六〇年代中期，如第II部所介紹，各地持續發起大學鬥爭，但此時期卻是學生運動的停滯期。京大教育學部在一九六五年彙整了「關於大學生社會地位的生活意識調查」。據此，對「感到最開心的事情是什麼？」的回答，「社團等團體活動」佔二十七%，「個人交友」佔十七%，「個人的興趣教養」佔十八%，之後為「學習、讀書」佔十一%，「麻將、電影等娛樂」佔七%，「戀愛」佔六%，「什麼都沒有」佔六%，接著是「學生運動」，佔一%[127]。

而《明治大學新聞》在一九六六年對明大學生的政黨支持進行調查，「無支持政黨」佔四十三％為第一名，其次為支持自民黨佔二十四％，支持社會黨佔七．二％，支持共產黨佔三％，支持公明黨佔一．三％[128]。如第一章所述，學生對議會制民主主義失去期待，導致「無支持政黨」的無黨派群體持續增加，而此調查也反映此種現象。

至於馬克思主義，因一九五六年蘇聯入侵匈牙利，蘇聯與中國侵害人權的狀況不斷被揭露，加上經濟高度成長下認識到馬克思主義與日本現實有所脫節，因此除部分的學生運動者外，在日本社會已經失去過往的威信。甚至曾為共產黨派運動者的大窪一志因聽到蘇聯、中國、北韓、南斯拉夫等地狀況，過了六〇年代中期後便帶有「現存的社會主義無論在何處都失敗了」的認知，表示「我們對社會主義各國幾乎不抱幻想。」[129]

毋寧說，當時獲得部分矚目的，是因難耐心靈空虛而加入新興宗教的學生[130]。根據一九六七年的一篇報導，訪談了加入標舉反共思想的統一教教會學生，接受訪談的信眾學生幾乎全體皆為「『升學學校』的畢業生」，度過「全部為了考試」的國、高中時代，對大學感到失望後入教。也有之前雖加入左翼運動，但因失望而加入統一教會者。這篇報導如此描述這些學生們：

諸君們的經驗談使人感受到許多事情。首先，在這個功能社會中價值竟如此多元化，意識形態不斷走向消亡，值得信仰的事物似乎正在消逝。過往曾作為眾多學生存在價值的馬克思主義，與近年世界情勢相對照後失去其神通之力，教養主義則埋沒於大量消費洪流中，〔一般的基督〕教會不僅喪失原本的「救贖」功能，連作為附屬特徵的西洋風情，也變得不再有魅力。

其次是學生們對學問不具熱情。不只太田君（接受採訪的一位學生）提及大學上課相當無聊。這個責任一方面在大學方面，但另一方面，從小學以來一路只習得如何獲取高分的學生們，其大腦結構也不適應必須自行學習的大學學問。

面對追尋價值失敗，缺乏用自己頭腦思考的能力等狀況，尋求某種解決之道的學生，便以追求參與社會（統一教會）作為出口。

此報導也指出，「一部分的左翼學生與最近興起的右翼學生」也企圖逃離空虛感，這點與加入統一教會的學生「在根本上似乎相同」。雖說如此，這篇報導發表於一九六七年九月，撰寫這篇稿子的記者，大概沒能預測到一個月後的一九六七年十月，以第一次羽田鬥爭為契機，新左翼運動又重新高舉原本已然失勢的馬克思主義，而且由之後的全共鬥運動承接並繼續發揚。

然而，這些學生們的「空虛」，看在戰爭體驗世代的教授們眼中，只不過是在和平時期既不知飢餓也不懂貧困的「現代之子」們所抱持的奢侈煩惱。在一篇提到有許多學生因精神疾病前往輔導室的報導中，如此表達輔導員的說法[131]：

「理由很簡單啊。二戰後經過二十餘年，大家豐衣足食後終於可以知書達禮、關注往後的人生。證據就是，諮詢的內容並不見傾訴生活困苦或煩惱失業的『物質性』問題，反而許多是『精神性』的東西。這類煩惱的種子，其實相當奢侈啊。人生諮詢能夠形成風潮，也是因為社會和平之故。」

上面談到的六〇年代大學生的不關心政治與缺乏氣力，對那些先入為主地認為六〇年代乃「政治的季節」的讀者而言，或許會感到意外。但正如之後的章節將說明的，全共鬥運動其實也是學生們為擺脫這種狀態而進行的鬥爭。

有一些教授在某種程度上能理解學生們的這種心態。前述撰寫〈現代學生氣質〉的法政大學助教授北川隆吉，在一九六六年如此敘述[132]：

「那些緊抱道學的人們……，大概無法理解當今學生心中的那種『寂寞』吧。」「幾乎所有的學生都不談挫折、疏離，大部分人都是放棄、忍耐。他們的這種狀態使其形象顯得如此脆弱，外人看來幼稚，有時甚至認為這就是大學生。」「然而，是什麼原因造成這種狀態？至大學為止的教育，以及在大學中是否存在真的教育，得以讓他們脫離這種狀態？關於這些問題，社會又有將其視為真正的問題嗎？」

前東大全共鬥的鈴木貞美在一九九三年如此回憶道[133]：「由於國民所得增加與二戰後的嬰兒潮步入上大學的年紀，大學生的人數增加。高中生、大學生們在高學歷社會的學力競爭激化，與社會分類系統持續被建構的狀況下成長起來，當時社會們給他們貼上了『無氣力』、『無關心』、『無感動』的『三無主義』標籤。在他們的面孔下，卻隱藏著在相對安定期中對社會的閉塞感，以及對大學生活的不滿。」

一九六七年一月，蒐羅年輕人心聲的雜誌報導中，以〈我們快被「和平」所窒息〉為題[134]，新聞工作者筑紫哲也在一九八四年寫道[135]：「表面上看來，全共鬥是『政治的季節』，之後便脫離政治，開始進入冷漠世代的時代，但可以說，這些時代變化的準備期，或者已經包含所有要素的，就是全共鬥運動。」

此時代青年的「閉塞感」、「空虛感」、「欠缺真實感」，與過往支撐政治運動、勞工運動、和平運動的那種脫離飢餓與貧困、對戰爭的恐懼等情緒，恐怕是性質截然不同的東西。在只知道貧困與戰爭等「近代的不幸」的大人看來，那些都只是無法理解的，奢侈的煩惱，也是因經濟高度成長而持續進入大眾消費社會的日本社會所出現的新型態「現代的不幸」。而這種新型態的「生活困難」，則成為「那個時代」反叛的背景。

從「空虛」邁向「政治運動」

敏感的運動者們開始察覺，在因經濟高度成長而劇變的社會中生活的學生們，除陷入「三無主義」外，似乎也因那份「空虛感」而產生不同以往的運動。他們也切實感受到馬克思主義並不符合經濟高度成長下的日本社會現實。在本書開頭也曾提及，經歷過六〇年代安保鬥爭的共產同運動者三上治，如此回想六〇年代中期的一段場面[136]：

> 那個時候，我在新宿一家名為Prince的咖啡館延攬女學生加入運動。……她們其實在大學中組織鬥爭。
>
> 我就像過往一樣，談起校園鬥爭的歷史與今日戰鬥的意義。……就在我滔滔闡述完一輪後，其中一位就說：「好感動呀！太了不起了。可是我內心一片空虛，什麼都沒有。這樣我就不能參與鬥爭了嗎？」這段話讓我備受衝擊。我趕緊打圓場，說絕對沒這回事，但內心真的覺得很震撼。

……當時，我們對社會上流通的左翼詞彙覺得有種空洞感，這種言語與自身感性脫節的狀態相當惱人。她所說的空虛感，我本身也有。我很能理解，比起那種時代意識或空虛感，更像一種被吊在空中、不上不下的感受。但我無法仔細思考那種空虛感其實是當時學生們極其普遍的意識，未能悟及〔數年後發生的〕全共鬥運動就是由類似她們這樣的學生所主導。當時只意識到，她們與我們安保鬥爭世代有所不同。

我暗暗思考，正確而言，她們並非為了什麼，或者以實現什麼為前提，而是以一切皆無的空虛感面對時代。與她們的談話，給我的全共鬥觀帶來重大的影響。

必須注意的是，這個時代及這一代人處於全體國民經歷升學考試、無氣力的狀態，而且是初次經歷大眾消費社會中「現代的不幸」的時代與世代。學生的無氣力、無關心等，在今日看來是不值一提的普遍現象。但在那個時代，這卻是非常新奇的狀況，並引發青年們的激烈反彈。

在升學率低的時代被視為「菁英種子」的過往大學生形象，也在這個時代迅速發生質變，成為持續形塑日後大眾化的大學生原型的時期。大學教授們實際上也不斷「上班族化」，不過仍保留著追求真理的高潔知識分子形象。即便實際上，大學生與大學教授已然普遍化、大眾化，但價值觀依舊未能轉換。

根據一九六五年京大教養學部的學生意識調查，對「在大學增加與學生社會地位低落的情勢當中，你認為學生應該扮演什麼樣的角色？」這個問題，有如下回答[137]：九％認為「地位並未低落，而且其所扮演的角色也不該改變」；八％認為「地位雖未低落，但角色應當改變」；四十五％認為「地位雖然低落，但角色不該改變」；二十六%認為「地位變得低落，而且角色也應改變」。亦即，大約半數的學生們即便承認大學生地位低落，但仍認為不該放棄學生應扮演的角色，保持著舊時大學生應有教養與負責推動社會的意識。

當時的一位全共鬥運動者於二〇〇三年如此說明[138]：「今日回首過往，對比我們年輕的世代而言，最難理解與變動最大的事情，就是大學、知識分子究竟是什麼，如何定位，大家的想法截然不同。」「當年大學佔據崇高位置，大眾感覺大學教授或知識分子是『了不起』的人。幾乎見不到像今天那種流竄於電視上的人。」「我只希求一個不被任何人打擾、不用顧慮任何人、不用諂媚任何人、可以學習想學習的東西、探究欲研究的事物，至少在觀念上自由的世界。我認為，這樣的空間不就存在於學術自由與大學自治的理念中嗎？大學中應當存在這樣的世界，不是嗎？」

這位前運動者又繼續說道[139]：「對大學的先入為主看法，或者該說期待感，不論在我們心中或社會上都普遍且根深柢固地存在著。當然大學已經相當大眾化，換言之，這也讓我們得以進入大學。可以說是一種實際獲得的利益吧，例如很大一部分就表現在便於求職這種想法上，什麼學歷主義之類的，當然自己也有很強的意願想進入一流大學、有名大學，不過，確實也還存在著別的吸引力。」「有時候也會一本正經討論如何通過學問形成人格……自吹自擂這種事情有點不好意思，不過真的討論過，並分成幾派，例如有像是升學雜誌般的傢伙，主張實際利益的傢伙，還有人格形成派，大家投稿不斷爭論，搞得轟轟烈烈的樣子……。」

然而，進入大學後直接面對量產教育的現狀，前運動者表示「我們陷入被大學背叛，大人們都在說謊的感覺中。這也是邁向全共鬥運動的重大契機。」[140]之後的章節將會提及，全共鬥運動中「大學自治」與「知識分子的權威」一概成為學生們激烈攻擊的對象，但如第一章所述，這可說與他們批判「戰後民主主義」時相同，正因為他們將這類價值觀深度內化，結果才會爆發「遭背叛」的激烈怨恨情緒。

當時大學產生變化的要因，也不僅止於大學生激增與大學大眾化。如第一章所述，因為政府與財經界的要求，國家在「產學合作」的名義下推動理科類擴編，大學不斷從「探求真理的學府」轉變成「經濟成長人才的培訓機構」。

對大學仍抱持舊有觀念的學生們對此感到「遭背叛」。「反對產學合作」成為「那個時代」學生運動的主要口號之一，這並非單純出自反對資本主義的馬克思主義意識形態，也因為大學背叛了學生對大學的想像。

例如，一位日大全共鬥的運動者於一九六八年如此寫道[141]：「今日，大學把我們學生塞入一個類型，那就是產學合作這種弊害。而我們的戰鬥，就是打破這種產學合作的鬥爭。……身為學生，應該致力於學習研究，以及不受工業社會毒害，這不是理所當然的事情嗎？現在這種理所當然的事情，已經不再理所當然。」

上述文章中提及，大學理應是「不受工業社會毒害」，探究真理的學府一事，大致可以視為古典的大學觀念。然而這種古典大學觀遭背叛的情感，也成為全共鬥運動的動力來源。

而這種情感又與第一章所述，即他們這個世代在升學競爭洪流中被送上「輸送帶」的厭惡情緒相互重疊。調查當時學生運動者的東大社會學家高橋徹，在一九六八年夏天給雜誌的投稿中如此敘述[142]：

自被評為校園鬥爭轉捩點的一九六四年慶大學費鬥爭（將於第五章後述，此處大概是一九六五年的誤植）以來，許多學生的意識中都存在著當今大學不過是「幻想的共同體」的想法，他們認為，大學的實體乃配合帝國主義式壟斷資本主義體制的人力政策，屬於受他們委託的機構，而學生就是在此體制下，遭受經濟、心理剝削的被壓迫者。何況，當今的大學在高度資訊工業社會的要求下，被迫改制成大量培訓學生（量產型大學化），授課內容也貼近現實主義（只培訓精於實務技能的專門人員），這樣的舉措喪失了獨立的「教育與研究自由」，體現出真實意義上的「大學危機」。……

……今天許多學生意識深處中的大學印象，既非單純且抽象的「理性學府」，亦非閃耀著自由與自治理念的「批判式大學」，而是部分甚至已蒙上刻板印象、知性頹廢的「人類機器人製造所」，或者「壟斷經濟體的外包研究所」。

此處出現的「幻想共同體」一詞，是當時學生們受其喜好的吉本隆明《共同幻想論》的影響而廣泛傳播的詞彙。吉本在該著作中並未討論大學，但對認為校方背叛自己認定的大學形象的學生們而言，「幻想共同體」仍是一個能引起他們共鳴的新創詞彙。至於批判大學淪落為滿足壟斷資本方所需的「人類機器人製造所」、指責「產學合作」等，則屬當時學生運動的共通傾向。

而學生們認為自身發動的學生運動，乃是糾正走偏的大學現狀，使其恢復成「理所當然」的正常大學的運動。主張由學生會館進行自主管理的《同志社學生新聞》，在一九六六年五月十五日號的報導中有如下敘述[143]：

學生會館要把空洞化的大學恢復回原本的姿態，也就是讓每個人從已被支配體制埋沒的狀態中解脫、蛻變出來。具體而言就是我們的自治活動（包含社團活動、班級活動等）的場域，此自治乃以學問為志向；以及每個學生的主體性活動——文化活動、創造活動、思想活動、體育活動——透過這樣的追求必使上述活動成為發酵的母體，而大學也必須成為確立自我主體性與追求自我最大可能性的「學術殿堂」。這也意味著我們必須完成自我的使命，亦即研究學問、遵從教育奉獻社會（人民大眾）。

如第六章後述，詩人關根弘在一九六六年的早大鬥爭採訪時，學生為他介紹街壘後的狀況，叫喊著「反對產學合作」的某糾察隊學生告知他，「所有的學生都必須在心中築起街壘，在街壘之內，有種守護學術自由的心情。」對於這個學生的發言，關根評論道[144]：

「大部分的學生畢業後便就業，如果大學就是這樣的場域，那將只生產財經界希求的學生，與此相對，學生一方以真理為場域，對『大學校園』抱持懷舊感，似乎這才是真相。所以在某種意義上，可說學生一方才是保守的。」

「學生一方才是保守的」，此觀察相當敏銳。但饒富深意的是，當政府意欲限制「大學自治」之際，學生們展現出相反的反應。

六〇年安保之後，繼任首相的池田勇人於一九六二年五月的參議院選舉演說中表示，「不管在義務教育或者大學教育，教育都有被當作革命手段之嫌」，「我已經指示荒木文部大臣，將重新檢討大學的管理制度」，暗示將籌備大學管理法案（大管法），藉此限制大學自治，恢復文部大臣駁回大學自選人事的權力[145]。此大管法在學生與國立大學協會（國大協）的反對下並未通過，但大學校方的權力也因而萎縮。

一九六五年十一月，東京大學公布「大學自治與學生自治」（通稱〈東大手冊〉）。內容指出，所謂大學自治並非他物，就是教授會的自治，學生自治則是「教育的一環」，意在涵養自治意識，故要求「那些號稱自治活動的目的在於以武力癱瘓大學規則與慣習的學生」進行「反省」[146]。此外，國大協於一九六六年十一月公布〈關於學生問題之所見〉，強調「學生自治」是為了教育而賦予學生的權利，因此「既然學生站在接受教育的立場，就必然要接受一部分的制約。」[147]

然而，理論上應抱持「保守」大學觀念的學生們卻對此表示反對。國際基督教大學教授、也曾任學生問題委員會委員長的一瀨智司，於一九六七年的座談會上指出，因「戰後民主主義教育的結果，使青年們變得能大膽主張自己權利」，所以〈東大手冊〉或國大協般的自治觀才遭他們反對[148]。

此外，有許多學生批判大學以教授為頂點，其下分列助教授、助教、研究生、大學生，這種講座制實屬「封建」性質。一位御茶水女子大學運動者透露自己投入學生運動的動機，在於對量產型授課的失望，並舉出「在我的專業，也就是地理學教室中帶有保守的氣氛，跟我的性格不合。」[149]

亦即，學生們一方面抱持著大學是「探求真理的學府」、「不可被工業社會所毒害」等「保守的」大學觀，同時他們也如接受民主教育的世代般，主張自身的自治權，反對「保守的」學生自治觀與講座制。

這種矛盾的態度，也類似他們面對「舊日本」的姿態。他們反對「家族」、「親子長幼關係」所代表的「舊日本」，但同時又對標舉「俠義」的江湖黑道電影奉上喝采；既對鋼筋水泥的大樓校舍感到「身為人類的空白」，也對三里塚的農村風景感到懷舊。

換言之，學生們面對社會、大學因經濟高度成長而發生的急遽變化，在感性層面無法趕上，因此陷入分裂的狀態。日本整體從一九五〇年代的發展中國家型社會，因經濟高度成長而不斷朝已開發國家社會變貌，在這段過渡期中，學生們懷著「吊在半空中」的不安與意識形態危機。

接著他們對經濟高度成長後的社會將變成何種樣態感到茫然，對此產生反彈。此時他們也意識到已大眾化的大學生不再是菁英，只不過是「微不足道的上班族」預備軍，而自己置身在這種狀態，日後只能從事乏味的機械式勞動，除了購買「自宅」或「自家車」所象徵的大眾消費品之外，不可能擁有什麼「夢想」。

一九六八年二月的某雜誌報導指出，「現在大多數的大學生，不過就像軍隊中的下士候補者，好不容易出社會後，也是日日夜夜被併入疏離的生產關係中，不過是一群可悲的人們。」[150]一九六八年五月，京都越平聯的機關報《越南通信》刊登一篇學生的文章，文中如此敘述[151]：

……我記得一位決定進入報社工作的朋友，臉上帶著寂寞的微笑對我說：「我已經登上人生的頂峰了。之後只有按照規定好的平坦路途，不斷朝下坡行走而已。」某種無法言喻的沉悶在彼此的心中擴散，而且絲毫沒有消散的跡象。對於共享這種沉悶的日本青年們，我們究竟能描繪出什麼樣的未來景象呢？又能從什麼地方找出流露的人性呢？我們的創造性遭到扭曲，被套上條件限制，我們的向上性並非朝著社會改革，而是讓我們朝既定的體制貼近。我們的生命，完全就是被飼養的狀態。

評論家豬野健治於一九七二年的評論如此寫道[152]：「筆者曾看過由電腦列印出來的十家企業薪資數據，展示從公司新鮮人到退休金為止的所有資料，當時心中感受到的那股空虛，至今仍不能忘懷。畢竟，看了那張表就已經明白知道自己五年後、十年後，甚至是退休時能領到的薪資。」「這對感受性強的人而言，不得不說是種難以忍受的狀態。」

豬野在這篇文章中把這種狀態形容為「管理社會」。此「管理社會」一詞，一直在定義模糊的狀況下屢遭使用，大致上可以看做對上述茫然閉塞感的一種表述。

政治學者高畠通敏於一九六九年一月表示，「大學已不再是保障踏上菁英之途的機構」，之後更如此記錄[153]：「今日的學生運動同時對『資本制社會』，以及或者該說更多是對『管理社會』燃起熊熊敵意……大概是因為階級晉升的出人頭地之途遭封閉，是種階級性的怨恨。」「這點可從學生諸君們的傳單、演說中頻繁出現『我們這一輩子早就注定是底層上班族，只能成為下士階級的人』看出。」

最能活用自身創造性的技術行業，也在經濟高度成長的狀況下，使業務變得形式化。根據評論家中島誠的說法，某電機生產大廠的研究職員有如下的怨言[154]：

「至昭和三十五年（一九六〇年）左右，企業高層提出開發基本技術的方針，以此為主可以從事某種程度的自由、主體性研究。但自昭和四十年左右起，不只高層，連各工廠都對技術提出新需求。……什麼『零件的銅線容易遭腐蝕，快想想辦法！』之類的，『全都是修理工一般的研究』。」

中島形容，「今日的研究人員，即便在如日立、八幡、東芝的大企業中，他們也不過是整體研究技術系統中的一個小齒輪。」

熟悉學生運動的評論家大野明男，記錄了一九六八年遇到的一位高四生的說法[155]：「在當今日本所謂的『好職業』中，沒有任何一種是我想加入的。」「特別是被塞入既存社會的某處，更讓人厭惡。」

對於此學生的心理，大野如此分析[156]：「對今天的學生而言，畢業就是以上班族的形式被嵌入社會中，而這也就意味著喪失了身而為人的主體性。」「他們的切身感受就是：必須考上這個大學的過往，與必須融入這個社會的未來，被連結在同一條線上，而橫陳在這中間的就是缺乏樂趣的學生生活。如果『婚姻是人生的墳墓』這句話有部分屬實，那麼他們也實際感受到『畢業就是自由的墳場』。」

但與此同時，他們同樣擔憂自己偏離軌道而無法就業。大野繼續記錄上述高四生的說法[157]：「不過，大學呢，還是先考上再說。高中時代的好友中雖然有人現在過著『瘋癲族』的生活，可是我沒有自信可以走到那一步，那麼脫離社會的框架。」

大野訪談在東大教養學部負責學生諮詢的西村秀夫助教授，根據西村的說法，某大學的文化祭實行委員會委員長，在學生報上提出如下的呼籲[158]：「我們這些現代的學生們，什麼事都可以自由去幹。可以說我們擁有一切的自由。只有一件事除外，那就是『放棄當學生的自由』！」

而他們思考可打破此閉塞感的方法，其中之一便是參與政治活動。一九六八年七月的《越南通信》中，某看護學校的學生如此敘述[159]：「因為學校內充斥著漠不關心的風氣，所以自治會活動顯得停滯。我們六十個學生，在鋼筋水泥的溫室內，每天二十四小時，共接受了三年的教育，要求我們一如期待地成為護士，一如期待地成為醫療從事者。」「會從這種狀況中逃出，促成我參加越平聯的，就是對這種內藏於近代鋼筋水泥校舍、宿舍中的舊時代殘餘，做出的一種反抗。」若將這篇文章的「醫療從事者」改為「上班族」，將「越平聯」改為「全共鬥」，也能道盡全共鬥運動參與者的心情。

一九六八年十月八日，在新宿參加抗議遊行的某學生，一邊毆打雜誌記者一邊如此說道[160]：「我的人生，特別是被澈底體制化的部分，一切都被詳細規定，成了黑白的人生。大學畢業後進入某公司就職的那一刻，連退休金的金額就都已經被計算好了，這種非人道的制度必須連根拔除、推翻。眼下正在革命，暴力是可被容許的。」

參加過日大全共鬥的名倉將博在一九九五年如此敘述道[161]：

支撐全共鬥的並非意識形態，而是茫然的不滿，是質疑「這樣繼續下去好嗎」的心情。……託經濟高度成長之福，日本變得相當富裕。可是，那種「賺錢方式」讓人非常不滿。大學變得大眾化，即便大學畢業也無法成為菁英，我可不想變成把整個人生都奉獻給公司的俗氣上班族。大學畢業後等著我的就是地獄般的加班，一點意思都沒有。進入企業後，根本成就不了任何事情。在大學還能幹點事情。我認為所謂的全共鬥，就是在變得富裕的時代才必須發起的運動。

中核派、社青同解放派、共產同這三個被稱為「三派」的新左翼黨派，在東京的有名私立大學中擁有強大勢力。有人主張，前述私大的量產型教育是造成這類新左翼黨派蔓延的原因，一九六八年時擔任日大教授的三浦朱門認為，現代學生不滿的根柢，比起量產型教育，更多是來自對未來的閉塞感。他如此說明[162]：

現在的學生，特別是私大的學生批評量產型教育。但即便在舊制的東大，類似概論之類的學科，也是一個班級數百名學生。……

請思考一下三派勢力強大的大學吧。中央、法政、明治等，全國知名的私立大學，還有相當有名的地方國、公立大學也是。更進一步來說，要無條件地說這些大學是一流大學，確實有點困難，即便如此也不是二流大學，暫且就稱其為一．五流大學吧。對這些大學的學生而言，無論學生生活或者出大學後將來的前景，都面對一定的困境。

根據文部省的統計，昭和四十年（一九六五）大學畢業者中有十六萬四千人打算就業，其中進入大企業的有六萬八千人。所謂的大企業，是指從業員工超過五百人的公司……外包工廠等級也包含在內。……

……昭和四十年的《Sunday每日》公布兩百家一流企業錄用員工的出身學校，人數大約八千。表中未顯示的是，進入一流企業或成為國家公務員，再加上其他職位足以稱道的大學畢業生，約有二萬名。而且其中超過半數名額皆由五、六所一流大學所佔。……

……我在教室中遇過的學生裡，也有那種如果去大企業宣傳部之類的職場，定能發揮所長的青年，但最終去開砂石車，成為河邊砂石場的事務所長，或者去當成衣的業務員，整天在零售店之間奔波。如果想幹這種程度的工作，不用去大學也行。高中畢業就很足夠了。

何況他們的家長都期望自己孩子能取得符合〔往昔〕大學畢業身分的職業地位——如高級公務員、一流企業員工。在家長的期待與失去色彩的將來夾擊下，這些學生們認為自己只是被放上輸送帶的石子。他們歇斯底里地大吼。

「都是因為賺錢第一的大學收了這麼多學生的緣故。就連教師們也都把我們當石子，沉默以對。這種大學，該澈底摧毀。大體來說，這個世道已然扭曲。無論是日本政府、美國或者蘇聯，甚至中共也是，都在欺騙、壓迫民眾。真正能夠聯手的，只有在砲火中逃竄的越南人民，以及他們之中悍然起身反抗的解放戰線勇士們。」

即便是「一流大學」的東大學生也共享這樣的心情。他們對大學不再是「探究真理的學府」，而變成「人才培訓機構」，也用自己的方式表達失望。曾任東大教養學部學生部專任助教授的西村秀夫，於東大鬥爭正式發生前的一九六八年四月撰寫了如下評論[163]：

在高中時代，許多青年都具備自我客體化（self-objectification）的能力，會問自己「為了什麼而學習？為何而生存？」但升學考試體系不容許這樣的質疑，他們只好擱置這樣的問題意識，「總之先考上大學」，以升學為目標唸書，之後入學。他們帶著粲然的期待進入大學，但大學的量產化教育狀況卻讓這些新鮮人幻滅。

最終，學生們逐漸開始認為，現在的大學也成為幫助維持資本主義體制，為其發展的人才培訓機構之一。學生也認為，自己處於半組裝的機械般狀態，被放上了培訓機構的輸送帶上。……這種不安與焦躁並非專屬於參與運動的學生們。負責與學生交談，一直以來陪伴來諮詢的學生們一同思考的我，也強烈感受到這樣的情緒。

西村也說明投身學生運動的學生們對自己同學的無氣力感到焦躁[164]：「在我接觸到的有限學生中，他們都是正直且值得關愛的學生。但他們心中卻被單一的想法所佔據。在交涉的場合，如果發展不如自己預期，便會激動地做出攻擊性發言。」「『什麼辦法都沒有』，這是學生們常用的詞彙。在什麼辦法都沒有的狀況下，對將來不帶有明確的願景，面對包圍自己的權力高牆與暴力威脅，他們只能賭上自身進行『毫不妥協的武力鬥爭[ii]』。」

想要打破自己被送上人才培訓機構「輸送帶」的狀況，這種感覺最終成了各地全共鬥運動的共同基底。

對無法言喻的「現代的不幸」做出掙扎

然而，即便要打破閉塞感，也只能想出沒有「明確將來願景」的「毫不妥協的武力鬥爭」，這是各地全共鬥共通的狀況。日大全共鬥的議長秋田明大在一九六八年十一月的對談中如此敘述[165]：「日大學生被馴服在體制中，作為無思想和無批判性的中階技術人士，被當成商品送入社會。這次鬥爭，正是為了明確拒絕這樣的狀況。具體應以何種形式開展，目前還很難說。無論如何，首先我們要宣示將以人應有的姿態活下去。」

ii　譯註：武力鬥爭的原文為「実力闘争」。在日本的運動脈絡中，「実力」為實際具有的力量，有著對抗媒體或警方冠上的「暴力」這種負面用詞的積極意義。

此處秋田完全沒有提及運動的具體展望，亦無對理想社會的改進計畫，僅談及欲抗拒社會與大學，「以人應有的姿態活下去」。這點與當時其他各先進國的學生反叛也有所共通。一九六八年秋，美國社會學者大衛・理斯曼（David Riesman）對美國的學生運動有如下敘述[166]：

這對我們這些較他們年長的世代的人而言，是非常難理解的事情。原因在於他們的目的太過雜亂無章。這與往昔馬克思主義者或列寧主義者專心致志實現某種具體性與變革性的新社會的目標截然不同。

他們以蔑視制度、將重點放在個人、對組織進行普遍性的否定來貫徹這種目標。他們這種狀況或曰：拒絕科技；或曰：拒絕工業社會；或曰：拒絕一切官僚的、陳腐的、過度組織化的事物。

總之，非常難掌握現在學生們的訴求。日本人稱為「哥倫比亞〔大學〕抗爭運動領袖」的馬克・拉德（Mark Rudd）被問及「你究竟想追求什麼？」時，各位認為他如何回答呢？「我們追求作為一個人。我們希望能被當作人來對待。」

這就是他的回答。

那完全稱不上是綱領（program）。學生們在疏離他們視為傳統資本主義機制的同時，也疏離了傳統的共產主義機制。

甚至連中學生也共享這種不滿。《越平聯新聞》中刊登的中學生投稿有如下敘述[167]：「我們是非洲的黑猩猩，被人類抓住，受三年表演訓練，表現最好的送入世界級的大馬戲團，其他的依等級發配給各單位。」「學校——或者說被嵌入體制中——並非想把我們培養成人，不讓我們作為正當的人呼喊訴求，而是把我們培養成順從於權力者或企業——也就是統治者——的順服機器人。」「我們，想作為人而活著。作為人活著。」

這種不滿，對前述僅知飢餓、貧困、戰爭等「近代的不幸」的長輩們而言，是難以理解的。他們許多人只將此事視為現代年輕人過著奢侈的生活，卻因些許的不滿而使用暴力。他們無法理解「現代的不幸」這種壓迫青年們的閉塞感。

但青年們即便能說出不滿與抗拒，但卻無法具體言明他們所求為何。一九五六年蘇聯軍隊入侵匈牙利，一九六八年入侵捷克等事件，使他們對現存的社會主義國家感到失望。然而，他們這些二十歲前後的青年們，並無能力描繪出可取代社會主義理想中的未來社會，這也在情理之中。

前述的東大助教授西村秀夫在一九六七年的座談會中表示[168]：「諸君最激烈的想法是……因為自己身為教育的受害者，所以我們當然要把教育改革得更好，這必須是由我們來做的事情。但是，自己來做，究竟該怎麼做，摧毀大學後該如何進行建設，革命該如何進行，卻沒有明確的願景。只能說是非常衝動的，一種欲罷不能的心情。換言之，某種程度上，他們給人非常類似藝術家的感覺。」

在日比谷高中參加街壘封鎖的高中生們，於一九六九年的座談會說道[169]：「那麼，當被問及你們究竟追求什麼時，我們的回答是那是一種無以名狀的憧憬。我們直覺地知道，自己在當今社會中沒有任何追求，根本什麼都沒有。就算被問想追求什麼，也無法以言語形容。」「所以，我們的欲求，能填滿我們的，只能以詩的形式來表達啊。」

眾所周知，當時的高中生與大學生非常喜歡吉本隆明與谷川雁等現代詩人。東大鬥爭中成為知名口號的「尋求連帶而不畏懼孤立」，即引用自谷川雁的文章。東大鬥爭最激烈的時期，由全共鬥派罷課執行委員會等單位發行的手冊中，也屢屢引用吉本隆明的詩[170]。

越平聯的年輕運動者室謙二於一九六九年五月寫道[171]，大人們詢問在富饒且無飢饉的和平社會中高舉「革命」進行學生運動的學生們，「究竟為何有那麼強烈的不滿？」然而「這樣的提問，反而最讓學生們感到焦慮。」而且，「我們欠缺可以說明我們感受的語言。這件事情本身，讓我們感到焦慮。」

前述東大全共鬥的大原紀美子寫道，消費品中已無自己想追求的「東西」，她在一九六九年的手記中也有如下敘述[172]：

「我一直抱持著一種恐懼，就是當理想破滅，證明自身無能，自負遭粉碎之際，自己肯定會埋頭於抑鬱的平凡生活與品味其中的微小幸福。」「我絕對不願成為沒有熱情的人。」「我不想變成只會思考卻一籌莫展的人。我想要敏銳的感覺，從感動轉向行動，這是我的想法。孩提時代那種天真的感受，究竟消逝到哪裡去了？」想到之後隨著年齡增長，感受將變得遲鈍，竟難過到讓我想哭的程度。」「反抗應該能把我拉出這片泥淖。我有沒有可能超越反抗呢？什麼樣的反抗是必要的？今天這個時代反抗什麼才是合適的？」最終大原抱持著這種無法言喻的情感，找到反越戰運動與東大鬥爭作為「反抗」的出口。

而且實際上，乍看之下不關心政治的大多數大學生，也潛在地共享這類不滿，他們對學生運動並非毫不關心。前述明治大學一九六八年的「關於大學生社會地位的生活意識調查」中，在「學生的政治運動」問題中，回答「積極參加」者有三%，回答「有興趣但不參加運動」者有五十四%，回答「不關心」者有二十九%[173]。

到了一九六六年，對議會制民主主義感到失望，「沒有支持政黨」的無黨派化持續發展，同時，實際參與學生運動者雖然不多，但對大學生活或整個社會抱持疑問，關心學生運動者數量甚多。這種潛在性的多數派因為越戰白熱化、大學大眾化、學生閉塞感益發沉重而人數更為增加，並在一九六八年一口氣爆發反叛。

在東大鬥爭中身為助教共鬥成員的最首悟，於一九九五年如此陳述[174]：

> 學生為何覺得前途未卜，為何會變得如此茫然，旁人大概難以理解吧。……學生也不明白自己的態度或想法出自何處，又該如何整理。換句話說，學生已無法掌握自己。……長篇大論地嘮叨著想法，卻又無法掌握那些想法。……
>
> 無論聽到什麼都想說「我有意見」。當時學生們經常喊的「沒意見」的吆喝，其意義就是對體制發出「我有意見」的訊號。對什麼都「有意見」。……只要思考自己的未來就會有意見。

在「學生已無法掌握自己」的狀態下，他們只能暫且引用吉本隆明的詩或馬克思的用語來書寫傳單。但他們並非真的信奉馬克思，只是流行使用馬克思的詞彙企圖表現自身的不滿。

而能最迅速表達自身無以言表的不滿的方法，就是在學生運動中從事暴力的直接行動。前述的室謙二如此說明[175]：在升學考試競爭中，「我們認為，人生的二十幾年期間，都被放在虛偽的裝置中成長。一直以來我們都深信得為了毫無意義的目標，為了捏造且強制賦予的『存在價值』而努力。」「對於自己的不滿，或者在虛偽中生活，大家無法以言語說出厭惡的心情。在許多場合，便從這種焦躁中產生出在運動時使用暴力的單向溝通方式。」

以直接行動衝撞機動隊，與自殘行為相同，都能獲得肉體上的滿足感。在那瞬間追求逃出「現代的不幸」的感受，為此他們使用暴力。一九六八年六月，一位日大全共鬥的運動者寫下以下手記[176]：「我生活至今，一直都沒有任何感受。這是因為我不知道為了什麼而活。所以覺得何時死亡都無所謂。因為這樣，無法生出對未來的願景，也失去了活著的意義。戴上頭盔，手持武鬥棒與死亡面對面，這種時刻大概能產生出某種形式的，活著的感受吧。藉此可以獲得某種含糊的，關於活著的認知。」

在一九六八年十月二十一日新宿事件中，遭逮捕的早大學生也如此敘述[177]：「與機動隊對決時，使用奇襲攻擊對方算是旁門左道。只有正面衝撞機動隊才有意義。」「這是在燃燒青春。透過肉體表現自己的堅定信仰與正義，我的能量是永恆不滅的。我如此深信，也試著確認這種可能性。」

對不知該往何處衝撞，心中充滿茫然不滿的學生們而言，這種行動讓他們找到「國家權力」這個明確的敵人。一位早大全共鬥的學生在一九六九年表示[178]：「在觀念上，我雖理解與機動隊對峙時的緊張，以及秩序背後國家赤裸裸的權力，但是從上了大學後才有實際感受。不過，說句不怕人誤解的話，其中還伴隨著一股快感。」

這樣的心情與耽溺於自殘行為的立命館大學生高野悅子相同。她在日記中寫道：「想加入抗爭與機動隊交鋒。轟轟烈烈地痛揍他們一頓。如此心情應該會很好吧。」之後加入了全共鬥運動[179]。

一九七〇年十月的《越平聯新聞》中，刊登了高中生與高四生的投稿[180]：「所謂〈現行體制的支配性〉價值觀，是上大學決定了那個人的能力＝人的價值。而這樣的價值觀，又是由現代資產階級社會所規範而來。」「在澈底實施量產化教育的補習班，認真（？）聆聽商品化課程的我，那個時候也戴上頭盔遮住臉龐，在街頭組起陣勢吼著『打倒日帝，大學解體』。而在彼時，我確實地感到自己活著。」

社會學者高橋徹在一九六八年七月的座談會上，如此談及學生運動激進化的狀況[181]：「其中之一是認同的問題。今天的左翼學生固執地提出存在論式的質疑。」「加上青年時期特有的認同危機表現，我覺得雖有幼稚之處，但仍真誠努力地去把握社會危機。」

六〇年代末的學生運動正是一種「認同危機的表現」。參加多摩美術大學全共鬥的女子大學生，於一九九五年如此回憶[182]：「經濟高度成長的扭曲之處產生了水俣病、越戰、根據減反政策[iii]進行收穫前採購——發生這種社會狀況，還一味要求學生聽從校方所言順從地進入企業，依照企業的期望工作。『自己』當真覺得這是好的嗎？」「為換取安定的物質生活，我也自動自發地從學校組織融入工業社會，因而造成閉塞感——首次有整個世代的人都在思考『自己究竟是什麼』，那就是『團塊世代』，而我也正是其中的一員。」

日本從「近代」邁向「現代」的夾縫中，首次集體性地遭遇認同危機的世代，即是六〇年代末的

iii 譯註：二戰後日本對稻米產量進行調整的農業政策。基本上是壓抑稻米產量的政策，要求農家縮減實際耕作面積，一九七〇年度開始執行，二〇一八年度廢止。

青年們。他們為這個煩惱尋找出口，有些人拒絕上學，有些人走上自殘，有些人成為「瘋癲族」，有些人則參加了全共鬥運動。

東大共產黨派的運動者大窪一志回憶道，「大約一九六七年左右，我們開始被說：學生們的狀況似乎發生變化了。」[183]一九六七年進入大學的學生中，如果讀過兩年高四便是生於一九四六年至四七年，如果是應屆，則生於一九四八年至四九年。大窪清楚感受到「這些傢伙，某些地方不一樣」，是在一九六七年二月十一日的反對恢復建國紀念日（二戰結束前的「紀元節」）運動，以及同年十月反對佐藤首相訪問南越運動的時候。原本六〇年代中期的學生運動完全處於低潮，此時卻聚集了超乎預期的大量學生，讓大窪深感訝異。

不過根據大窪的說法，他認為「這種狀況，似乎與『政治自覺』有所不同。」亦即，「稍加觀察，學生們不必然是為了訴求或鬥爭課題而前來聚集，反而感覺他們參與抗議與阻擋的行動本身，是為了給形態不定的、對社會的憤懣找尋一個紓壓口。以『越南』為主題其實只是一個象徵。而『拒絕協助越戰』是對日本社會型態的各層面表達抗拒，是一種彙總式的象徵。」

這開始使人感到青年們的「運動」與堅信馬克思主義的舊世代的運動，彼此性質相異。東京都立墨田川高中新聞一九六八年六月號、長野縣立松本深志高中的校刊《校友》一九六八年年度號，各自刊登了如下的報導[184]：

人們說現代的學生們的生活是黑白的。社會上也疾呼著人性和個性的喪失。這種狀態下，高中生形成了一種齊一式的「人種」。他們可分為兩類，一類是盲從於任何事物，另一類則相反，不願隨波逐流而加以反抗。……

此狀態下的反抗，是要打破自我喪失的狀態，也是取回自我的手段，因此加以反抗。透過反抗規格化的事物，找出不同的東西，亦即自己打造出僅屬於自己的東西。藉此尋回自我。

無論在現代機器文明發達的狀態中，還是在學校內，抑或在社會中，都是個性益發喪失的時代，似乎只有透過反抗的手段，自我才能存在。高中生對升學式教育存疑，覺得「這種學習方法肯定有問題」，「在這個對個人非常重要的時期，過著這種生活真的好嗎」……幾乎所有的學生都如此思索著。……如果社會是惡的，那就打造自己的世界，納入個性與人性，找出自我即可。即便從旁人看來，這樣的舉動只是單純的反抗。

引發今日學生行動的最大原因為何？一言以蔽之，大概就是這個社會了。……

對這樣的社會，年輕而純粹的心感到憤怒。如此，即便他們的行動有革命思想支撐，但卻不是為了實踐革命，也非為了實現社會主義。……這是對龐大的，無可救藥的，髒汙的社會進行反抗。這也可說是一種焦躁。……終究，學生運動不過是一種掙扎，不過是年輕人的抵抗。但我們不應否定這些運動。毋寧我們自身也必須以某種形式投入此運動中。我們必須這麼做，即便這是種掙扎。

於是，青年們在缺乏表達自我語言的情況下，一味叫喊著「不」，半意識到這種「掙扎」與「焦躁」沒有出路，為了追求確立自身的認同，開始展開了「反叛」。

第三章　新左翼的黨派（上）

——自源流至六〇年安保鬥爭後的分裂

本章中將概述與共產黨處於對立關係，並以革命為目標的各種「新左翼」政治組織，即新左翼各黨派誕生的來龍去脈[1]。下一章將分析這些新左翼黨派的「特徵」與運動者們的心理及其他要素。

不過，本章講述的一九六〇年安保鬥爭與新左翼各黨派分裂的過程等內容，對缺乏背景知識的讀者可能顯得太過複雜與繁瑣。要讀懂第五章開始的運動的具體發展，有三項最低限度的必要知識。

首先，直至一九六〇年代中期，相繼出現了比共產黨更偏向極左的新左翼黨派，如中核派、革馬派、共產同（學生組織為社學同）、社青同解放派、結構改革派等。其次，這些新左翼黨派與共產黨及其青年組織的民青（共產黨本部位於代代木，故又稱為「代代木派」）處於對立的關係，而各新左翼黨派（總稱「反代代木派」）之間也是相互對立的關係。到了六〇年代後半，各派召集隸屬自家的自治會組成「全學聯」，其中的中核派、社學同、社青同解放派從一九六六年末起組成「三派全學聯」。對於不具背景知識的讀者，以及熟知當時狀況的讀者，可先跳過本章及下一章，直接閱讀第五章，待整體讀畢後再重讀這兩章。

日本戰敗與「全學聯」的誕生

為了爬梳新左翼的誕生，本節將概述至六〇年代為止的戰後日本學生運動。

日本戰敗之後，全國的舊制高中與大學、中學等，興起設立自治會及學生會的運動。當時的運動者大野明男形容甫敗戰後的狀況：「組織自治會的口號，最有名的就是『校園民主化』。佔領軍下令把背負戰爭責任的人逐出公職，當時也稱為「肅清」（purge），受此激發，全國的學校也興起『驅逐戰犯教授』的浪潮。」[2]

戰後的學生運動，即是以驅逐歌頌戰爭和煽動學生參軍的教授為起點，實現「校園民主化」。而學生對戰爭期間侵吞配給品的教師、強制學生進行農事作業的不滿等，也與此運動相重合。組織自治會一方面是佔領軍的命令，但也因為有能加以呼應的社會背景，所以學生自治會才確立下來。

這種運動在佔領軍下令之前，就已經自然而然展開了。一九四五年十月，上野高等女學校發生全校罷課的行動，訴求罷免侵吞物資的校長並將物資做公平分配，要求讓主張民主的教師復職等，並由學生一方取得全面勝利告終。同樣在一九四五年十月，水戶高中（日後的茨城大學）也發起罷課，全體學生佔領宿舍，他們批判軍國主義與校長的獨裁統治，要求重新審查遭罷免的民主派教師，最終也是由學生一方獲勝，罷免了校長[3]。這些運動蔓延到各地大學與舊制高中，一九四六年十一月，東京大學成立了學生自治會。

自發產生的學生運動，以接受共產黨指導的學生為核心，在全國進行組織。一九四六年二月，共產黨指導下的學生召開青年共產主義同盟第一屆全國大會，也組織了學生生活協議會。為了響應一九四七年二月一日將舉行的總罷工，召開了關東學生聯合大會。儘管該次總罷工在佔領軍的命令下遭中止，但仍成為全國學生自治會集結的契機，組成了全國國立大學自治會聯盟（國學聯）[4]。

隔年一九四八年的三月，國立大學學費調漲三倍，私立大學調漲兩倍，導致不繳費運動越演越烈。國學聯發表聲明，反對學費上漲，同年六月，全國的大學及高專[5]展開有史以來第一次全國性罷課，共有一百一十四校、二十萬名學生參加[i]。

這場要求撤回學費調漲的鬥爭，因文部省的態度沒有改變而告失敗。受到此教訓，學生意識到有必要集結全國的自治會，一九四八年九月，作為全國大學自治會聯合體的「全日本學生自治會總聯合」（全學聯）成立，成立章程中訴求「和平與民主主義，更好的學生生活」[6]。首屆委員長由東大的共產黨員武井昭夫出任。

當時的領導者經常在鼓動演說時說：「作為全學聯旗下集結的全國二十萬學生的代表——」[7]。一九六八年僅新入學生就有四十六萬人，學生總數則達一百四十萬人。上述演講時的說詞，是大學生尚屬少數菁英時的產物。

文部省也試圖限制學生的政治活動。一九四八年十月，文部省發布給次官的通知，內容包括學校的政治中立、禁止校內政治活動等十個項目。十一月時，大學被納入文部省的行政管轄下，並公布限制大學自治的大學法草案。全學聯透過全國大學生的總罷課加以對抗，最終取得勝利，大學法被中止提上國會議程[8]。

i 編註：高等專門學校是日本教育體制中的一種學校，類似台灣的五專。

之後全學聯也進行罷課，反對驅逐共產主義者及其同情者的赤色整肅（Red Purge），並獲得一定的成果。但一九五〇年以後，全學聯因共產黨的內部紛爭而被捲入巨大的動盪中。

一九四五年十月，佔領軍下令釋放監獄中未「轉向」的共產黨領導者，之後共產黨將佔領軍定義為「解放軍」，認為即便在佔領下也能透過議會進行和平革命，並採用此一和平路線。一九四九年一月的眾議院選舉中，共產黨獲得三十五席，共產黨書記德田球一在六月的擴大中央委員會中發言表示，「階級決戰不斷接近，勞工鬥爭表現出以革命為目標的政治性」，「九月必須打倒民主自由黨（當時的執政黨）。」[9]

然而，佔領軍與日本的保守政權並不允許共產黨如此抬頭。一九四八年左右起，美蘇冷戰轉劇，美國因此改變策略，認為與其促成日本的民主化，不如將日本培養成反共陣營的一員。

一九四九年中，一都三十縣十九市制定了《公安條例》，規定示威遊行或集會必須事前向公安委員會提出申請及取得許可。一九四九年六月，《工會法》與《勞動關係調整法》進行修訂，新增了管理職不得加入工會與否定暴力行為等條款。政府宣布了約二十九萬人的行政整頓，工會組織率從一九四九年六月起的一年間，由五十五．七％降至四十五．九％。接著政府單位、教育界、言論界展開赤色整肅，據稱政府相關機構約有九千人，民間企業約有二萬人被逐出職場[10]。

隨著佔領政策的轉變，共產黨的擴張遭到壓抑，在此狀況下，一九四九年末，國際共產主義運動組織的共產黨和工人黨情報局（Cominform，以下簡稱共產黨情報局）透過蘇聯代表部，指示共產黨幹部開始進行非法活動。一九五〇年一月六日，共產黨情報局的機關報批判日本共產黨的和平革命路線，刊登一篇應採取具體行動要求「美軍及早撤出日本」的論文。一月十七日，中國共產黨的機關報

《人民日報》也表明支持共產黨情報局批判日本共產黨的態度[11]。

一九五〇年一月，正值六月韓戰爆發前的時期，而一旦韓戰爆發，日本將成為美軍的後方基地。因此，中蘇兩國似乎都寄望日本共產黨能展開反美軍鬥爭。對此，佔領軍最高司令官麥克阿瑟（Douglas MacArthur）於五月三日指責日本共產黨「公然成為國際共產主義運動的走狗」。五月三十日，共產黨派的遊行隊伍與美軍在皇居前廣場發生衝突，六月六日，佔領軍下令，將所有共產黨中央委員會成員及機關報《赤旗》編輯局委員全數從公職中驅逐[12]。

動盪的日本共產黨中央委員會在激辯之後，決定接受共產黨情報局的批評。但共產黨中又分裂為兩派，其一為幾乎無條件接受批判的「國際派」，以及提倡應訴求日本情狀並表明感受，對批判有所保留的「所感派」。

一九五〇年六月，共產黨中央委員會遭驅逐出公職之際，包含德田球一在內的所感派任命自己派系的八人擔任臨時中央指揮部，並在未通知國際派七人的狀況下轉入地下，所感派佔據黨中央的主流[13]。掌控黨中央的所感派開除了宮本顯治等國際派黨員，並迫使他們自我批判，各地共產黨支部內兩派的派系鬥爭日益激化。

與共產黨相關的各種文化團體等，也受到黨內鬥爭的煽動，文學團體的新日本文學會因中央被國際派所掌控，所感派的黨員作家分裂出去，另創新雜誌《人民文學》，並對新日本文學會展開批判。同時，歷史學會則由所感派佔據優勢，因此國際派的黨員歷史家被迫進行自我批判[14]。

全學聯領導幹部如武井昭夫委員長等，則以國際派為主流。本來從一九四九年阻止大學法的鬥爭起，全學聯便與日本共產黨中央處於對立狀態。

對立的原因在於對學生的定位。從馬克思列寧主義來看，學生不過是「在階級上動搖無常的小資產階級市民之子弟」。這樣的見解具有一定的說服力，因為當時日本的大學升學率低，出身下層階級的大學生仍屬少數。因此學生運動僅僅被視為對工人階級抗爭的支援，或者為招募將來能成為黨幹部的優秀學生，抑或在擴大校內對共產黨的支持上有點意義而已。

正因如此，共產黨的學生對策部批判了發動全國大學生罷課以阻止大學法的全學聯。對策部認為，採取總罷課這種激烈的戰術進行抗爭，若遭鎮壓恐有破壞學生運動之虞，比起這種舉措，更應注意學生切身的需求，並加強對校內外民主勢力的統一鬥爭。亦即，激進的鬥爭可能失去普通學生的支持，所以應該採取穩健的戰術[15]。而這也成為六〇年代以降共產黨派學生運動的基本路線。

面對共產黨的這種學生觀，全學聯委員長武井昭夫在黨分裂時提出了意見書。其重點在於「學生作為一個階層，乃工人階級的盟軍，是一支作戰的部隊。」[16]學生本身就是在革命中扮演獨立角色的「階層」。對共產黨中央感到不滿的學生黨員們，相當歡迎武井的主張。

「學生作為一個階層」，這個發想的背景似乎來自武井等人的戰爭體驗。當時的大學升學率極低，如共產黨中央所言，大學生是遠離一般勞工的「小資產階級菁英」。然而，武井在二〇〇二年回憶當時的想法[17]，「經歷第二次世界大戰的學生，無論出身階級為何……因為一路經歷了軍國體制下的可怕經驗，所以整體而言作為擁護和平與確立民主主義的階層，可以協助達成共同的目標。」

當時的大學生，多是「學徒出陣」中生還的復員士兵，或者戰爭期間遭「勤勞動員」而無法求學的原舊制高中生。這樣的學生們，自認與未被徵兵和未成為勤勞動員對象的年長者相比，自己才是站在最前線的戰爭最大受害者。因此足以擔任戰後和平運動的旗手，有一股自成「階層」的自負。

但由所感派掌控的共產黨中央卻不接受這樣的意見。所感派呼籲由自己派閥掌控的北海道學聯、關西學聯從國際派領導的全學聯中分裂出來，組織「第二全學聯」[18]。而東大教養學部自治會因拒絕服從所感派，結果黨中央對其發出解散命令，許多學生黨員都受到開除黨籍處分[19]。

把日本共產黨逼入混亂狀態的，是蘇聯與中國對國際派的批判。一九五一年八月，莫斯科廣播電台強烈批判日本共產黨內的反主流派，也就是國際派。中國共產黨的機關報《人民日報》也刊登社論，直指日本共產黨應當團結在主流派——所感派的領導下。

這些批判，對國際派實屬致命的打擊。當所感派對共產黨情報局的批判表示異議時，國際派卻是主張應當遵從批判的一方。因此在日共分裂時期，據稱國際派的黨員仍堅信「即便現在我們屬於少數派，最終莫斯科還是會降下審判，還我們清白。」[20]然而，中、蘇卻下令要求國際派必須自我批判，並遵從黨主流派的領導，團結一致。

從中、蘇的角度來看，日本共產黨在韓戰期間必須扮演的最重要角色，就是在領導人之下團結一致，擾亂美軍後方，此時發生分裂之類的鬥爭，對中、蘇毫無利益可言。而對國際派黨員而言，中、蘇的這種反應只讓他們感到震驚。當時擔任東大教養學部自治會副委員長，隸屬國際派的島成郎——十四歲時經歷日本戰敗——如此回憶一九五一年八月聽到中、蘇批判國際派時的反應[21]：

「或許與當年同是盛夏時節的緣故吧，日本宣布戰敗那天，澈底抗戰論者的大人們聽到天皇玉音放送時，大家都流下眼淚，茫然若失地說『天皇已經下詔，戰爭結束了』，當時還不理解詔敕的意思，只是漠然地看著這樣的情景，而聽到對國際派的批判時，腦海中兩種畫面重疊，彷彿重複曝光的照片般。」「〔面對日本共產黨中央〕如此奮力站在批判立場，不屈服於中央權威一直戰鬥的人們，聽到莫斯科權威的這種批評，就宛如聽到『玉音放送』一般，感到愕然與無法置信。」「所謂的國際主義，就是絕對服從蘇聯共產黨啊。」

就這樣，國際派瓦解，其黨員進行自我批判，並回歸黨中央的領導之下。島因屬國際派而遭共產黨開除黨籍，之後寫下自我批判書並申請恢復黨籍，回歸了日本共產黨。根據島的回憶，讓他最印象深刻的是「在四面楚歌下仍毫不退讓，持續堂堂主張先前原則具備正當性的武井昭夫身影。」

一九五一年二月的日本共產黨全國協議會上，由所感派佔據的黨中央早已放棄和平革命路線，面對日本及美國佔領軍改採武裝解放鬥爭路線。中、蘇會支持所感派，部分大概也是因為所感派打出這條路線。

接著，這條路線於一九五二年一月作為日本共產黨的新黨綱，於第五屆全國協議會中通過決議[ii]。所感派的武裝鬥爭路線幾乎完全忠於中國共產黨的毛澤東路線，自農村推廣武裝鬥爭，以農村包圍城市，向都會區展開解放鬥爭。

在此方針下，工人、學生及在日朝鮮人等組成「核心自衛隊」等秘密武裝組織，使用火焰瓶或爆裂物進行鬥爭，學生並組成「山村工作隊」派往農村。一九五二年五月一日，約三萬人的抗爭隊伍在皇居前廣場與數千名警隊發生衝突，造成兩人死亡，二千三百人受傷，被稱為日本的「血腥五月」事件。

然而，當時的日本社會狀況有別於共產革命前的中國，其武器只是私製的火焰瓶與土製炸彈，並無槍枝之類的火器。以武井昭夫為核心組成的反戰學生同盟對此提出批判，認為「今日的日本各地，根本沒有可讓武裝解放鬥爭開花結果的條件，採用農村包圍城市的中國革命方式只是東施效顰，是個決定性的錯誤。」[22]

但，一九五二年三月，連全學聯也罷免以武井委員長為核心的執行部，換上以所感派為主的執行部。在一九五二年三月的全學聯第六屆大會上，甚至發生主流派學生黨員對反主流派施加私刑的事件。

根據當時東大學生黨員吉川勇一的說法，對那些被監禁於地下室的反戰學生同盟成員「不僅加以毆打、踹踢，還拿燒紅的火筷子灼燙他們，或者輪姦女學生，要求他們進行自我批判。」[23]接著在全學聯大會的場合上提議解散反戰學生同盟，決定將武井昭夫等二十七人「逐出國民戰線」[24]。順帶一提，日後吉川在一九六五年加入第十五章講述的越平聯，任職事務局長且相當活躍，而且因為該次私刑事件的記憶，對於越平聯內部的少數意見採取絕不排斥的態度。

至於作為「山村工作隊」被派至農村等地的學生黨員，則要求他們對農民進行啟蒙活動，使農民反抗地主、都市勞工奮起，以備在日本實現武力革命。只不過，這類運動幾乎都以慘敗收場。當時年輕黨員之一的中岡哲郎如此回憶道[25]：

……五二年的夏天，我難以忘記如何目送前去長期工作的學生們。在我們的腦袋中，想像著山村地帶的農民們正「在日本貧窮農村的半封建制度下，受山村地主的榨取之苦」，而根據毛澤

ii 編註：此處疑似日期有誤。日本共產黨第五屆全國協議會為一九五一年十月舉行，會上通過的武裝鬥爭綱領，又稱「五一年綱領」。

東的方法在農民腦中植入革命思想，便是他們的任務。……無論去到什麼地方，為了能在最短時間內匯聚大眾革命能量，成為創造奇蹟的英雄，就不能期待有輕鬆的工作。所以，類似事前調查好自己將去的場所，確保有居住的宿舍，準備大量備用的金錢以防萬一等等想法，是最不革命的思考方式。真正的革命工作者，是胼手胝足，只要有《赤旗》與小冊子就能隨時隨地讓革命的種子發芽。這是指導他們的人們所說的言詞。而他們也遵照指示準備後出發。……

但是，過了三天後，他們便回來了，三三兩兩如殘兵敗將般。他們從第一天起就有警察的巡察尾隨，在當地請求借住也遭拒，只能在墓地旁的雜物間就寢，以廢棄礦坑的洞穴為根據地繼續工作。但有什麼人面對這種有如乞丐般的外地人時，能毫無警戒地接受他們的策動呢？他們澈底累垮，精力耗盡地逃回來。今天回顧起來，這種像漫畫般的情節，實屬理所當然。然而，在當時我們卻是全心全意地投入。而返回的友人，因為失敗感與自認身為革命菁英竟無法忍耐痛苦的自卑感，許多人就此一蹶不振。

根據島成郎的說法，這個時期共產黨的氣氛如下[26]：「同一組織中共同奮鬥的同志，一夜之間變成敵對關係，互相貼上反黨分子、分裂主義、派系等標籤。形勢轉變下否認自己的認知，走上屈從『自我批判』的道路。這種醜陋的紛爭與毫無建樹的議論，使人筋疲力竭，有些人則失去對黨的好感而離去。」「遊戲般的非法活動與組織內部永無寧日的內部肅清。像我這種屬於反對派的人，就被當作宗派主義者公然或者私下遭到監視。」

武裝鬥爭路線失敗了，共產黨的勢力與威信一落千丈。黨員人數也驟減為幾分之一，被社會視為激進團體而失去輿論的支持，在一九五二年的國會大選中，共產黨無人當選[27]。

全學聯的勢力也呈現衰退。一九四八年九月的第一屆大會共集合了來自一百四十五所大學的代議員，一九四九年五月的第二屆大會時加盟學校增加到三百四十九所，但到了一九五二年第五屆大會時只有五十四所學校派出代議員，其餘二十所學校僅送出旁聽者。而就在此衰退的大會上，決定支持武裝鬥爭路線，以及通過開除武井昭夫等人的決議[28]。

共產黨的穩健化與共產同的組成

如此，全學聯的活動處於低迷狀態，不過國際情勢與狀況最終出現了變化。

首先，一九五三年史達林（Joseph Stalin）過世，韓戰進入休戰。史達林之後繼任蘇聯共產黨總書記的赫魯雪夫（Nikita Khrushchev）提倡「與資本主義和平共存」，使冷戰轉趨緩和。

當「與資本主義和平共存」成為國際共產主義運動的方針時，日本共產黨也在一九五五年七月的第六屆全國協議會（六全協）放棄武裝鬥爭路線，並公布所感派領導人德田球一亡命中國，並已於一九五三年死亡，而武裝鬥爭路線錯誤的責任，除去若干的自我批判外，幾乎都推給了德田球一。

這種方針轉變，也讓宮本顯治等國際派黨員獲得復權。一九五二年遭解散的反戰學生同盟（反戰學同）也被重建[29]。而今後的學生運動則被要求依照一九四九年以前共產黨中央主張的，改為關注學生切身的要求，採取對校內外民主勢力進行統一戰線的路線。

在此路線之下，認為學生黨員應當透過被稱為「歌聲運動」（うたごえ運動）的合唱隊活動，拉

近與普通學生的關係。「學生們回到教室，自治會是照顧學生日常生活的服務機構，連給廁所準備肥皂也是任務之一」，自治會活動也出現了設置垃圾箱運動等。由於此方針是一九五五年九月的共產黨第七屆中央委員會決定的，故俗稱「七中委主義」[30]。

然而，一直以來投注心力採取武裝鬥爭路線的學生黨員們卻對此路線轉變感到震驚，許多人都在此時脫黨。根據曾為東大共產黨員的森田實的說法，森田向東大基層組織黨員報告黨的方針轉換時，島成郎「扯開嗓子異常大聲地怒吼」，「那我這五年之間做的事情究竟算什麼？要求支派進行自我批判，那也是錯誤的嗎？什麼才是正確的？」[31]

島如此回憶當時東大黨員基層組織者會議的情景[32]：

> 九月舉行了東大基層組織者總會，超過百人出席，那時見到的地區領導人模樣，實在很悲慘。之前說這是黨的指令，威風八面地發號施令的他們，不只態度一百八十度改變進行自我批判，甚至抱怨「我們也是受害者」，而大學生們則不顧羞恥地大哭嚎叫「黨剝奪了我的青春」之類。見到此景，不禁震驚於難道這就是黨的真相嗎？還對一九五二年以來屈服於「黨的統一」名義下，為了成為「優良共產黨員」而將內心感性壓碎的自己，感到一股不可抑制的憤怒。

到了一九五六年二月，赫魯雪夫在蘇聯共產黨第二十屆大會上演說，批判史達林為獨裁者。同年八月，匈牙利發生工人的反共產黨起義，蘇聯軍隊為鎮壓而入侵匈牙利。這一連串的事態，使蘇聯及日本共產黨的權威更形低落。

全學聯活動也被迫趨於停滯，不過島與森田聯繫起全學聯書記局與反戰學同等單位，集結處於崩解狀態的學生黨員，重建起活動。他們依據的就是一九五〇年武井昭夫提出的「學生作為一個階層」的思想[33]。

共產黨中央把學生視為小資產階級，把學生運動當作培養候補幹部的過程，或者致力於服務普通學生的「生活需求」藉以擴大黨勢力的工具，島等人對此已感到不滿足。對他們而言，「學生作為一個階層」的想法充滿魅力。武井的戰爭體驗與對前世代的違和感，使他提出「學生作為一個階層」，然而此時期這個思想已脫離戰爭體驗，轉變成學生在革命中具有獨自存在意義的理論。

一九五六年六月，反戰學同提出「先驅性論」。這是指「到普羅大眾真正提高政治地位為止，學生必須總是勞農市民的先驅，為他們指明戰鬥方向，或者持續為友方陣營敲響警鐘」。這種即便勞工運動處於低潮，學生運動仍必須作為革命導火線為勞工戰鬥點火的思想，給日後的新左翼運動帶來重大影響。在此思想之下，反戰學同於一九五八年五月改組為社會主義學生同盟（社學同）[34]。

一九五六年六月的第九屆全學聯大會上，批判要求滿足學生生活需求的「七中委主義」，直接打出和平擁護鬥爭理念，把「作為階層的學生運動」定位成階級鬥爭的一部分[35]。接著一九五六至五七年，全學聯便傾注力量於砂川鬥爭。

所謂的砂川鬥爭，是指位於東京都立川市的美軍基地為了擴建而計畫徵收砂川區的土地，當地居民與工會為反對徵收，發起阻止履勘的鬥爭。一九五六年十月，全學聯動員約一千五百名學生，與工會會員一同對抗警隊阻止土地履勘。隔年一九五七年七月七日，約四千名勞工及學生與警隊進行對峙，成功阻止履勘[36]。

全學聯的砂川鬥爭能夠獲勝，媒體也起到一定的作用。立川位於首都圈近郊，砂川鬥爭現場湧入了大量新聞記者與攝影師，當時的全學聯既不帶武鬥棒也不帶頭盔，肩並肩組隊面向警隊，單純以肉身承受警棒的揮擊。當時的運動者說「大家都抱持著有如宗教家般的心情。」[37]這種以非暴力方式一味向前的姿態，透過報紙、新聞影片和剛開始普及的電視傳播給大眾，獲得輿論同情，迫使鳩山內閣不得不中止履勘。

政治學者大嶽秀夫於二〇〇七年饒富深意地指出，因為在砂川一味與警隊發生衝突，「把自己的肉體暴露於危險的極限狀態進行抗爭」，這種態度大奏其功，所以六〇年安保鬥爭之際，「共產同與全學聯首腦可能有一種天真的期待，認為在安保鬥爭中也採取相同戰術，政府就會放棄安保修訂。」[38]無論如何，全學聯在砂川鬥爭中取得勝利，使他們幹勁大增。

如此，全學聯恢復了活力，根據島的說法，「這些運動中，我們已經未完全遵照黨的指導。不，應該說，如果沒有去反抗黨企圖控制我們的這種來自中央的妨礙，我們的運動也無法推展。」[39]共產黨中央並不喜歡全學聯這種「激進」的鬥爭。

針對砂川鬥爭的評估，全學聯內部發生齟齬。站在「學生作為階層」立場的島與全學聯委員長香山健一等人，主張砂川鬥爭是在學生主導之下進行的鬥爭。與此相對，批判派則主張，砂川鬥爭的成果來自社會主義勢力的優勢與輿論高漲之故，學生只起到輔助的角色[40]。

不過根據島的說法，「政治對立這種東西，『場面話』總是繞著理論或政策來講，但『真心話』或起因則由極細微的人情先行」，此次論爭也是一例。領導砂川鬥爭的是森田實、香山健一、島等東大生團體，他們的組織管理略顯強硬，激起早大出身的全學聯書記長等人的反彈，正是這次論爭的

「真心話」，這是島的見解[41]。

島這種對論爭的定位究竟有多符合事實，我們並不清楚。但學生運動中東京大學學生處於優勢的狀況，則一直持續到日後。日後成立的共產同及其他新左翼黨派，也有同樣傾向，即東大生或東大出身者佔據中央，加上早稻田大學或京都大學出身者擔任指揮部，而法政大學、明治大學、中央大學等學生則組成在第一線與警察戰鬥的士兵階級。

到一九五八年五月全學聯第十一屆大會時，全學聯內部的對立進入到決定性的階段。大會上肯定了「先驅性論」，即「學生作為階層」是無產階級的盟軍，是無產階級鬥爭的先驅[42]。但批判派則透過妨礙議事進程擾亂大會，兩派發生小型衝突。

看不下去的黨中央在大會隔天的六月一日，召集兩派黨員前來共產黨本部，舉行小組會議。但黨中央不承認先驅性論，而且對批判派抱持同情的態度，為此，從六全協以來一直積累不滿情緒的香山與森田等人「經年的憤懣爆發」，決議不信任黨中央委員會，並演變成與黨本部人員互毆的局面[43]。

共產黨中央批評此事乃「結黨以來首次的反黨暴行」，將森田與香山等人開除黨籍，同情他們的學生黨員也被以「分裂活動」為由開除黨籍。

這些被開除黨籍及脫黨的學生黨員，於一九五八年十二月以島為書記長，組成共產主義者同盟（共產同）。成立時宣言「公認的共產主義領導部（史達林官僚主義）已經墮落為背叛世界革命的機會主義組織，在單一國家內強制推行社會主義建設與和平共處政策。本同盟在理論上、組織上與他們做出明確區隔，對他們進行絕不妥協的鬥爭，為把新的共產國際建設成世界性組織而努力，為作為世界革命的一環的日本無產階級革命的勝利而奮鬥。」[44]這個共產同，成為日本新左翼各黨派的源流。

在這段宣言中，將蘇聯與日本共產黨批評為透過「和平共處政策」與資本主義妥協，是種以「一國社會主義」背叛「世界革命」的「史達林主義」。此處的「史達林主義」與「史達林主義官僚」等詞彙，也被日後組成的新左翼黨派所持續使用。

此時，日本的新左翼經常標榜自己是國際主義。而在過往，日本共產黨認為反對戰爭的共產主義者是「真正的愛國者」，反美軍基地鬥爭也打著「反美愛國」的名義。只有左翼才是「真正的愛國者」之見解，在共產黨發起反抗活動的法國、蘇聯、中國等地，也經常可見。

但新左翼卻在此與日本及蘇聯共產黨做出切割，高舉「世界革命」與國際主義。根據日後成為共產同運動者的荒岱介二〇〇八年的著作，「對與日本共產黨分道揚鑣的新左翼而言，批評史達林主義是一國主義，已變成慣用的詞句」，「自採用一國和平主義路線的六全協之後，共產黨不再謳歌『共產國際』，但新左翼的政治集會，或者過往的學生自治會大會，抑或反戰勞工集會等，則高聲提倡。」[45]六〇年代末的反叛運動，厭惡共產黨及其青年組織的民青（民主青年同盟），喜愛高唱「共產國際」，其源頭即出於此處。

此外，這個論述方法也受到托洛斯基（Leon Trotsky）批評史達林論述的影響。在俄國革命中肩負重任的托洛斯基，批評蘇聯與史達林安逸於一國社會主義，提倡應進行世界革命，最終在流亡墨西哥時遭史達林派出的刺客所暗殺。對各國共產黨而言，「托洛斯基分子」就是「反革命分子」的同義詞。但隨著蘇聯及日本共產黨威信低落，五〇年代後半起對托洛斯基的重新評價也再度興起。

根據島成郎的說法，從砂川鬥爭時期起，共產黨內視為禁書的托洛斯基著作，在批評共產黨中央的學生黨員們之間「秘密流通且貪婪地閱讀」。島也表示，「托洛斯基告發史達林的龐大革命理論，對我造成了巨大的衝擊。真的是讓我大開眼界。」[46]

其他方面也出現了對托洛斯基的再評價。一九五七年一月，寫過馬克思主義相關著作且舉辦「辯證法學習會」的黑田寬一、共產黨員太田龍、曾任共產黨京都府委員的西京司等人組成「日本托洛斯基聯盟」。此聯盟於一九五七年十二月改名「日本革命的共產主義者同盟」（革共同），成為日後中核派與革馬派的源頭[47]。

然而，革共同與共產同並未能結成一體。首先，革共同的組織過小，創立成員僅五人，一九五八年七月自稱純粹托洛斯基主義者的太田，與主張必須批判性地吸收托洛斯基思想的黑田分裂，太田組成「關東托洛斯基聯盟」，此團體日後改稱「日本托洛斯基同志會」，之後再改名「第四國際日本委員會」，作為托洛斯基提倡的第四國際日本支部，成為一個新左翼黨派，通稱「四托洛」[48]。

到了一九五九年八月，黑田寬一與西京司也分道揚鑣，黑田組成「革共同全國委員會」，西組成「革共同關西派」。分裂接連不斷，根據當時身處革共同全國委的星宮煥生回憶，革共同全國委「最多時也不超過十人，是個類似研究會的組織」，關西派包含西京司在內，也僅有兩位定期參與的運動者[49]。

當時的運動者藏田計成認為，學生不參加革共同的理由除了該組織不斷分裂之外，也因為「當時的學生黨員屢屢指出『革共同從理論出發，我們則從群眾鬥爭出發』。」[50]

革共同宛如圍繞著黑田的學習社團，具有理論先行的傾向，因此追求積極展開運動的學生們對此團體並不感興趣。

島成郎還舉出兩個討厭革共同的理由。第一，就像盲從蘇聯的日本共產黨一樣，讓人「無法忍受他們把第四國際與托洛斯基視為絕對權威的國際權威主義。」其二則是「採用『打入主義』這種假他人之功，成一己之事的下流本性。」[51]

各個繼承托洛斯基思想的第四國際團體，特徵就是採取「打入主義」。這是指加入已經存在的革新派組織，進而在內部擴大自身影響力，把對方變成自己的組織。忠實繼承托洛斯基思想的第四國際日本委員會等團體，皆採取派遣自身成員進入社會黨組織的戰術。

根據島的回憶，革共同也在共產同使用打入主義，「因為共產同是大眾性的中間主義團體，所以加入他們展開新左翼黨派活動，企圖藉此擴大自己派系的勢力」，面對這種做法，他覺得「胡搞也得有個限度」[52]。但前述的星宮煥生指出，革共同全國委討論打入主義大約是在六〇年安保鬥爭結束後的六〇年秋季，因此島的見解有錯誤[53]。無論如何，島對革共同相當反感。

不過共產同在創立之初，是只有二十個左右的前學生黨員聚集起來的弱小組織，但不滿共產黨領導的全國各地學生運動者、各大學的共產黨基層組織〔支部〕員等不斷聚集，之後更將社學同納入管理下，共產同擴大了在全學聯內部的勢力。留在共產黨一方的僅剩大阪府學聯與兵庫縣學聯[54]。共產同於一九五九年一月創立機關雜誌《共產主義》，作為與共產黨有所區別的先鋒組織，獲得學生們的支持。

然而，共產同雖然在學生組織中獲得成功，卻幾乎沒有掌握勞工。例外的狀況是共產黨港區地區委員會整個組織都加入了共產同。共產同在中央有政治局，政治局發行機關報《戰旗》與機關雜誌《共產主義》，政治局下還有負責學生的學對部與負責勞工的勞對部。但勞對部實力不強，僅在全遞、全電通、都教組、長崎造船等擁有微薄的局部影響力[55]。

根據島的說法，即便在共產同勢力最強的六〇年初，也只有同盟成員約一千八百人，其中學生佔八成，勞工佔兩成，然而這也僅是推測，藏田日後回憶道，「共產同的全國大會約一百人，因此最興盛的時期也只有四、五百人。」藏田也承認共產同無法掌握勞工，勞對部「頂多介入地區中小企業勞工爭議，施以指導並獲取同盟成員而已」，就算在六〇年安保鬥爭中也是「只要有點接觸的勞工便加以動員，讓他們拿著旗幟，跟隨在學生遊行隊伍後面的程度罷了。」[56]

結果，共產同終究以學生為核心，共產同與全學聯宛如一張雙重曝光的照片。具體而言，共產同學對部就是全學聯書記局的成員，都學聯（東京都學生自治會聯合）書記局則與全學聯書記局連成一氣，這些運動者負責指揮抗爭遊行與指導各地大學運動[57]。各地大學的共產同運動者在班級討論等場合喚起普通學生的關注，肩負動員抗爭遊行與集會的角色。

即便如此，共產同作為一個組織仍不成熟。連書記長的島也無法正確掌握自身的成員人數，上述的同盟成員人數也只是透過記者採訪做出回答。此外，作為革命組織不可或缺的綱領，也因為共產同成立後立刻捲入六〇年安保鬥爭，最終只有成立一個草案[58]。

共產同下聚集的學生們中，即便最年長的島也只有二十七歲，大多數人幾乎都是二十歲左右，雖說其中也有優秀人才如日後成為知名理論經濟學者的青木昌彥（以筆名「姬岡玲治」從事寫作），但並沒有經驗豐富的運動者。曾是共產同成員的西部邁如此回憶道[59]：

「簡而言之，共產同對所有的根本問題都是一無所知。例如現階段的帝國主義，應取而代之的政治體制，與活在其中的人們的生活等等。從馬克思主義中擷取符合自己情感的部分加以拼湊，這就是共產同的作風。」「所謂共產同的『革命』，僅是純粹或者澈底表達理念的語詞。因此，他們可以異常誠摯地說出『革命』一詞，但幾乎沒有人能把這個詞彙付諸實行，也沒人打算這麼做。」「老實說，共產同根本沒有正確的認知，既無人才也無餘裕。總之，不過就是愚蠢年輕人的團體。」

島也在回憶錄中如此說明[60]：「組織的實際狀態是，反史達林主義各派的繁雜分子聚集，他們的理論與思想皆未成熟，不具備將其彙整成綱領的能力，實話就是，開始發生綱領論爭之類的事情後便陷入無法收拾的狀態。」前東大法學部綠會（自治會）委員長且常任京濱南部地區委員會的葉山岳夫，日後甚至說共產同「是否真的是馬克思主義者的組織，值得存疑。」[61]

有不少成員都提及共產同在理論上的不成熟。全學聯書記次長東原吉伸指出[62]：「當時學生運動的主力諸君，年齡從二十歲到二十二歲，島是二十五、六歲。主力的諸君即便精通革命理論（世界同時武裝革命論）的歷史與理論結構，但對於應打倒對象的日本權力與實際狀態，卻幾乎一無所知。」

雖然東原表示共產同的領導者精通理論，但曾任機關報《戰旗》總編輯的大瀨振卻如此回想[63]：「我們除了學習列寧，也檢討羅莎．盧森堡（Rosa Luxemburg）與盧卡奇（György Lukács）。但尚未討論到葛蘭西（Antonio Gramsci）。而且，完全沒有討論西歐社會民主主義運動的觀點。」

雖說如此，共產同對這種狀況卻採取一笑置之的、學生社團般的開朗態度。東原回憶當時位於金助町的全學聯書記局氣氛[64]：「『誇大妄想』、『珍奇』成為一種暗語大受歡迎。『這不是有點誇大妄想嗎？』這個意思就等同『把這個當作鬥爭方針很有意思。就這麼決定了。』」「一般來說理論都是粗枝大葉，氣氛多是愉快的，包含女子大學的同志諸君在內，存在許多『妄想男』與『妄想女』。」身為書記長的島也回憶道[65]，共產同「不需要〔共產黨般〕晦暗的組織策略，而是開朗且充滿活力，毫不造作的團體。」

可以見到，青年們對革命夢想充滿誇大妄想的氣息，享受著某種樂觀的氛圍。因為財政困難，全學聯書記局中只有一台電話，而且似乎也半年未繳費而被電話局斷線。但全學聯書記長清水丈夫表示，「對於成為革命發祥地的全學聯事務所，電信當局不是理所當然該捐贈一台電話嗎？」面對催促繳費的電話局員則罵對方是「反革命分子，保守反動」[66]。

然而，他們太過急於批判共產黨中央的年長世代，卻未自覺到自身的力量不足。前述的中岡哲郎於一九六〇年出版的著作中如此敘述[67]：

我曾經與共產主義者同盟的兩、三名典型的現代政治青年交談過。無論怎麼談，我從他們口中聽到的主張只有：當今所有的左翼指揮部都不行；今天的日本需要新的左翼指揮部；能形塑新的左翼指揮部的，只有他們自己。簡單而言，他們的論述中僅能聽出過往的一切都不中用，是種一刀兩斷式的評價。根據這個評價，他們產生出只有自己才是未來創造者的自負心態。

曾是武裝鬥爭期共產黨員的中岡曾談起自己的經驗，表示共產同的成員們只是不斷在重複「（共產黨的）指揮部是錯誤的。」中岡指出，「他們對其澈底否定，而且他們的思考全被這種否定的衝動帶著走。」[68]這種傾向與日後新左翼各黨派及全共鬥也有共通之處。

共產同的青年們即便有「自負心」，仍缺乏智慧與財力。東原回憶當時全學聯書記局營房（barracks）的氣氛[69]：「雖然缺錢但卻意氣昂揚，即便不清楚革命究竟是什麼，仍舊充斥著革命前夕可能降臨的氣氛，從小事到整體，都處於粗糙簡陋的狀況。」

因此，各大學的前學生黨員也未全體加入共產同。西部邁回憶道[70]，共產同成立時「東大教養學部的共產黨基層組織等同解體，但共產同也未因此氣勢高漲，因為許多人都開始脫離戰線。對大學中的夥伴而言，並不認為共產同是個有思想、有組織的地方，不值得賭上自己的人生。」根據曾任前全學聯組織部長的林紘義回憶，「共產黨駒場基層組織在〔昭和〕三十四年二月一日的基層組織會議上，有三分之一的人加入共產同，三分之一留在〔共產〕黨，三分之一放棄政治活動」[41]。

然而，共產同機關雜誌《共產主義》第一號上針對共產同尚無綱領一事，有如下說明[72]：「我們反對資產階級式團體提出的在組織之前得先有綱領，在行動之前得先有綱領的說法，我們持續關注每天發生的階級鬥爭課題，只有在實踐烈火中的試煉，才能誕生出無產階級解放的綱領。」比起思想，更追求直接行動。共產同憑此想法往前突進。

他們最初的課題便是與共產黨以及革共同競爭並取勝，掌控全學聯指揮部。共產同控制下的全學聯與都學聯中樞部門也開始有人脫隊，並加入被認為在理論層面優於共產同的革共同全國委。共產同成立後不久召開的一九五八年十二月全學聯第十三屆大會上，革共同屬於多數派，掌控著全學聯執行部。為此，共產同在一九五九年三月的共產同全國基層組織（支部）代表會議上開除革共同派系的成員，六月的第二屆共產同大會也排除了革共同的團體[73]。一九五九年六月召開的全學聯第十四屆大會，成為共產同、共產黨、革共同三方競爭的場域。

此次大會最終由共產同取得全學聯執行部的多數，包含委員長唐牛健太郎、書記長清水丈夫在內平均年齡只有二十一歲，成為全學聯史上最年輕的領導幹部。唐牛出身北海道，性格爽朗，甚至被說成「比石原裕次郎更加帥氣」。清水擅長演說，據說是個「膚色白晰的帥哥，全國女學生都憧憬著他。」[74]日後，唐牛以身為六〇年安保鬥爭中的全學聯委員長，清水在擔任全學聯委員長之後成為革共同中核派而為人熟知。此新執行部在首次的記者會上「天真爛漫地表示將『舉行罷工、示威遊行』，讓大家一陣目瞪口呆。」[75]

如此，共產同掌控了全學聯，成為全學聯主流派。遭排斥的共產黨派自治會，於一九六〇年四月組成「東京都學生自治會聯絡會議」（都自聯），通稱全學聯反主流派。同時，革共同還在一九六〇年四月組成學生組織「馬克思主義學生同盟」（馬學同）。至此，由單一全學聯統一的學生運動，開始分裂出不同派系。

共產同與六〇年安保鬥爭

共產同成為主流派掌控全學聯後，全力投入反對《美日安保條約》修訂的鬥爭。共產同組成之前三個月，也就是一九五八年九月起，美日開始針對條約修訂進行第一次交涉，一九五九年三月，革新系諸團體集結組成「安保阻止國民會議」。共產黨雖只以觀察員身分加入這個以社會黨與總評為主軸的團體，但共產黨強烈主張應把共產同排除在外。

原本，社會黨與共產黨都認為，在安保修訂這種日本國民難以理解的外交問題上，難以發起大規模的運動。國民會議數度發起「全國統一運動」，但主要被動員的都是為了賺取當日津貼的工會成員，無論抗爭遊行或集會都缺乏動力。

而共產同在一九六〇年三月的全學聯第十五屆大會上主張「岸內閣作為遂行日本壟斷資本帝國主

義政策的政治整體，誓死推動『安保修訂』」，因此決定傾全力阻止安保修訂[76]。共產黨與革共同關西派拒絕參加此次大會[77]。根據島的說法，「我們決定讓剛成立的共產同傾盡一切力量在這次的安保鬥爭上，進行作戰」，但缺乏財力與人才的共產同即便舉全力投入，「當被問及如何預測事態發展時，依舊一無所知。」[78]

共產同之所以一舉成名，是因為一九五九年十一月二十七日衝入國會的事件。當天，國民會議以阻止安保修訂第八次統一行動的名義，由工會等組成的抗爭隊伍包圍了國會。但共產同率領的全學聯主流派學生卻無視國民會議的解散指令，衝撞警隊的人牆並衝入國會場內。

見到此狀，一部分學生與勞工也衝入國會，而社會黨和總評幹部們雖在宣傳車上呼籲解散，但全學聯的清水書記長跳上警察裝甲車並在車上靜坐抗議，其餘人員也在國會玄關前廣場持續靜坐了五個小時。根據當時都學聯執行委員，也是共產同同盟成員的林紘義說法，共產黨幹部志賀義雄來到學生面前發表演說，表示「國會不是用這種方法強行進入的場所，趕緊滾！」[79]

面對共產同的直接行動路線，引起部分不滿國民會議溫和抗議活動的勞工與學生的同理心。某勞工說「從這個時候開始，才覺得國會是屬於自己的」，某學生則寫下「全學聯的行動確實雜亂無章，但至今一直站在群眾運動第一線的，經常都是全學聯。」[80]

然而，衝入國會後該做些什麼，共產同完全沒有方針，只是在國會玄關前展開集會，或者在國會玄關小便[81]。他們對日本的政治過程充滿無知，似乎也不知道這樣的行動能否阻止安保修訂。

而自民黨則發布聲明指責共產同是「侵犯神聖國會的暴徒」。警察廳長官表示，可能會逮捕這次示威遊行的負責人、社會黨書記長淺沼稻次郎。當時社會上把暴走族稱為「雷族」，各報社也模仿這個稱呼稱共產同為「紅色雷族」，藉此加以批判。社會黨在事件隔天召開中央執行委員會，提出「要求不遵守幹事會指示的全學聯脫離國民會議。本黨今後將致力於重建有秩序的學生運動」方針。共產黨機關報《赤旗》也指責「托洛斯基主義者們……做出挑釁的舉止，並破壞了聯合行動。」[82]

共產黨指導下的全學聯反主流派運動者們，雖然批判強度不如共產黨中央，但也對全學聯表現出不贊同。曾為早大運動者的山田和朗也是隨全學聯主流派衝入國會的人之一，但隔日見到報紙寫著「暴徒闖入國會」等文字時，說：「瞬間我感到糟了，覺得自己被設計了。這完全是反效果，說不定是權力方設下的陷阱，讓我聯想到過往納粹做出的國會縱火事件。」[83]

雖說如此，以青春作為燃料的共產同，並未留意既存革新勢力的非難。共產同掌控的全學聯主流派第二屆中央委員會把十一月二十七日的衝入國會行動，定位成：學生作為勞工的先驅，證實了「先驅性理論」。另外，自民黨政調會長船田中則強調有人在國會玄關小便的事實，稱這「已經不能用惡作劇這個簡單的詞彙來形容，而是某種更深層次的革命行動」，但這樣的評價反而讓共產同成員更加洋洋得意[84]。

共產同的直接行動確實是運動的引爆點，這在某種程度上也是事實。當時隸屬革共同全國委的埼玉大學學生小野田襄二有如下的回憶[85]。

根據小野田的說法，埼玉大學對安保鬥爭並不熱中。小野田表示，「一九五九年六月的全學聯第十四屆大會上，共產同主導的全學聯書記局推出安保鬥爭方針時，我完全搞不懂。根本找不到反對安保修訂的理由。」「只要是資本家幹的事情，全部都加以反對，這是必然的，但除了這種粗暴的理由之外，其他部分只讓人一頭霧水。」

此時期的安保修訂，是針對一九五二年締結的安保條約進行修改。舊安保條約中，在日美軍擁有治安出動權等權力，反映出在韓戰之下若日本發生革命，美國將不惜干涉日本內政的意志。之所以會有承認干涉內政的內容，是因為根據憲法第九條日本不能擁有軍事力量。此外，美日之間未締結共同防禦條約的原因之一，也在於即便美國本土遭受攻擊，日本也無法出動軍隊之故。

為此，六〇年的安保修訂中，規定日本的美軍基地若遭受攻擊，將視為對日本的攻擊，日本將共同反擊，以這種形式締結類似共同防禦條約，取而代之的，是美軍不再具有治安出動權。日本的革新勢力認為，在日美軍基地遭受攻擊時有將日本捲入戰爭的危險，因此反對安保修訂，但站在岸信介首相的角度來看，修訂條約可讓日本脫離從屬美國的舊條約，進而站在美日對等的立場，訂定接近共同防禦協定的安保條約。因此有許多人並不反對此次修訂。

但根據小野田的說法，自十一月二十七日衝入國會事件被電視報導後，「使情況完全改變。安保鬥爭中最大的煽動者，比起唐牛，不如說是電視台。」而「因發生一一・二七鬥爭，革共同全國委認為，如果不支持共產同（全學聯），形勢將火上添油，所以選擇作為夥伴加入他們。」[86]

原本共產同缺乏經驗且相當天真，十一月二十七日指揮衝入國會的全學聯副委員長加藤昇、全學聯副委員長糠谷秀剛、都學聯書記長永見曉嗣等，竟然不抱任何警戒心便返回自宅，當天夜晚即被逮捕。因沒回家而逃過逮捕的全學聯書記長清水丈夫與共產同東大基層組織營的葉山岳夫，沒了去處後便逃往東大駒場與本鄉校區，堅守十餘天後遭到逮捕[87]。革命組織都必須準備秘密基地一事，他們幾乎未曾思考過。

一九六〇年一月十六日，岸首相準備赴美簽署修訂的安保條約，為了阻止首相，共產同率領的學生們提倡「武力阻止」並前進羽田機場[88]。但國民會議唯恐招致混亂，停止前往羽田機場示威，改於日比谷舉行抗議集會。

共產同一方則根據岸首相預定於十六日夜間赴美這個前提，從全國召集學生，但因前一天下午四點，接獲岸首相訪美班機將於十六日上午八點出發的情報，為了進行武力阻止，不得不從前一晚便前往羽田機場徹夜等待。共產同的據點在東大駒場宿舍，他們旋即以此處學生為主力，派出約七百人前往羽田機場並佔領機場大廳。但約晚間十點以後，警察、機動隊逐漸加強盤查，甚至右翼組織也來妨礙，致使後續學生幾乎都無法進入機場。

機場內的大約七百人中，包含全學聯委員長唐牛健太郎在內，全學聯書記局及共產同的主要成員皆在此處，他們從晚間十點三十分起召開集會，築起街壘固守機場大廳的食堂，不過在警隊的包圍下，他們陷入「甕中捉鱉」的狀態。最終警隊衝破街壘，將學生逐一拖出後由便服公安刑警確認長相，共產同的主要幹部幾乎全遭逮捕。剩餘的學生在警察踢打中，被送往距離機場一公里左右處釋放。

公安刑警確認長相逐一逮捕主要成員一事，顯示出公安警察已掌握共產同組織及其成員情報。逃過逮捕的共產同幹部，僅有為了總體指揮而身處機場另一處的島書記長、公安刑警看漏的社學同書記長藤原慶久，以及因指揮後續部隊而未進入機場的全學聯書記局二人，加上京都府學聯委員長北小路敏數人[89]。

共產同領導層有高達七十七人遭逮捕，即便是暫時性的，共產同的確陷入毀滅狀態。這種接近自毀的拙劣直接行動，遭到輿論的強大批評。根據島的回憶，新聞記者給他們「貼上有別於過往攻擊

『左翼』時的標籤，如『赤雷族』、『左翼太陽族』、『大學方帽暴力團』、『破壞主義者』等等」，也對革共同套上「『一揆主義[iii]』、『冒險主義』、『布朗基主義（Blanquism）』等罵名」。而「即便遭逮捕者多達八十名，卻沒有任何一位律師接手救援活動」，而且，「共產同內部也出現強大的壓力，欲採取讓領導層盡數被捕的戰術。」[90]

對於這種自毀式戰術，事前共產同內部也有人持反對意見[91]。歷經前共產黨京大基層組織營，後參加共產同的小川登提出，衝入機場只會導致全員被逮捕，故加以反對，主張「租用一台直升機，朝岸信介首相的飛機投擲大量石頭或磚塊，如此飛機便無法升空」，「如果數十人被捕，必須籌措高額保釋金，如果採用我的戰術，只需三個人乘坐直升機即可執行。」

然而，根據小川的說法，「女大學生憧憬的」全學聯書記長清水丈夫表示「還是用我的提議，也就是用數百人佔領機場大廳」，駁回了小川提案。而傾慕清水的女大學生們也表示「我們不是游擊隊，而是在做群眾運動啊！」贊成清水的提案。據稱，當清水的提案通過時，「女子美術大學的學生們發出『耶！』的歡呼聲。」這個場面雖可看出共產同確實像二十歲左右年輕人的團體，充滿「開朗的氣氛」，但結果卻導致幹部被大量逮捕，組織陷於毀滅而告終。

不過，不滿足於國民會議溫和行動的人們，受到共產同盲目冒進的直接行動所刺激，表現出支持共產同的態度。包括清水幾太郎在內的知識分子們發表聲明，擁護全學聯主流派。共產黨港區委員會在羽田鬥爭後三個月，加入了共產同。此外，長崎造船勞工基層組織也加入共產同，各地工會等組織開始可見支持全學聯主流派行動的態勢[92]。

然而，財務讓共產同領導層頗為苦惱。根據前全學聯書記次長東原吉伸所述，在一九六〇年，大學剛畢業月薪為一萬三千五百日圓，「從早稻田機廠包電車前往國會議事堂的費用是一輛五千日圓，巴士一輛七千日圓」，一次示威動員僅早大就需要二十至三十輛巴士。島也在回憶錄中寫道，「我們的戰鬥以超乎預期的規模增長，鬥爭資金也膨脹十倍、二十倍。人數增加的常任運動者們進行全國招募的差旅費、發行週刊《戰旗》等的印刷費、對大量遭逮捕者的救援費用、宣傳車的租用費」等等需求，讓他們「絞盡腦汁為資金四處奔走。」[93]

根據島的說法，「在安保上，每個月需要一千萬日圓規模的資金。」借來的宣傳車也在激進的示威遊行中遭到破壞，「必須賠償約五十萬日圓的費用。而且這已經成了日常狀態。」全學聯的基本資金來自各大學自治會的加盟費，但「全學聯的加盟費根本不夠，還從文化人那邊募捐，也在街頭募款。只要是無條件的金錢，就算來自惡魔，也會向對方借錢。」[94]

為了籌措這類資金，共產同用盡了各種辦法。除了認同共產同的知識分子捐款，也從二戰前身為共產黨委員長，日後轉向成為右翼大人物的田中清玄獲取贊助。根據東原的回憶，「因為一句『不管站在什麼立場，錢就是錢，只要能籌措所需資金即可』，這句話就成了方針。」田中相當賞識島，據說為他引見產業界、保守派政治家、治安相關人士，甚至連黑道山口組組長、著名反共知識分子福田恆存與海耶克（Friedrich Hayek）等人也介紹給他認識[95]。

根據田中在一九六三年《週刊朝日》訪談中的回答，他於一九六〇年二月號的《文藝春秋》雜誌發表一篇名為〈告全學聯諸君〉的文章，對全學聯主流派展現善意的態度，因此，「他們讀了文章後

iii 譯註：指日本的農民起義，或指武裝暴動。

就來說想見面。」根據負責財務的東原所述，六〇年代安保鬥爭中全學聯主流派募集的資金大約為一千萬日圓，其中田中捐贈了四到五百萬日圓[96]。

共產同前去見田中一事，也被全學聯共鬥部長小島弘證實。根據他的說法，讓田中向《文藝春秋》投稿的人，是具有學生運動經驗的桐島洋子（當時任職文藝春秋社，日後成為評論家）。但文章發表時，大部分全學聯幹部都在一月羽田鬥爭遭逮捕，全學聯中央執行委員僅剩東原與小島二人。此時，這兩人再加上另一位學生，共三人前往拜訪田中[97]。

從右翼手中取得資金一事，在一九六三年TBS廣播的〈扭曲的青春——全學聯戰士之後的狀況〉節目中被披露，數名前全學聯主流派幹部在田中手下工作一事也被公開，成為共產黨批判共產同時常用的藉口。然而，此管道的資金籌措始於大半幹部被逮捕的時期，因此共產同內部也只有少數人知悉，據都學聯副委員長藏田計成稱，他是在鬥爭後的報導中得知組織取得田中的捐款，讓他頓感「青天霹靂」[98]。

島與這些「大人物們」只保持必要的勾結。東原如此回憶[99]，「島打算如有機會，會再與這些人一起吃飯。至於我，某次有位鋼鐵業的大人物親切地對我說『來幫我拎皮包吧』，暗中表達好意，邀我前往他公司的秘書課任職，但我卻立刻回了一句（站在左翼學生來看的）優等生答案：『我不當壟斷資本的爪牙』。」除了島，「幾乎所有書記局的學生都是穿著學生制服，過著清貧的日常生活。實際的狀態是連放鬆休息的時間都沒有。」[100]

共產同內部也出現動盪。島表示，一九六〇年四月，安保條約修訂在美國簽署完畢，國會也來到批准議程的尾聲，無論國民會議或共產同都開始浮現「放棄的氣氛」，頻繁議論如「有鑑於共產同急速膨脹，現在是投注心力鞏固內部的時期」、「不要埋首於群眾運動，應該以討論綱領為主，圖求理論上的統一」、「把主軸從學生運動轉移到勞工運動，轉換活動形式」等[101]。

在這種狀態下，等到一月在羽田遭逮捕的共產同幹部獲保釋後，三月全學聯召開了第十五屆大會。由共產同掌握主導權的該屆大會上，總結了十一月衝入國會與一月的羽田鬥爭乃正確路線，唐牛再度當選委員長，並決議四月二十六日「賭上全學聯的命運」衝入國會示威[102]。

如前所述，共產黨派的代議員偕同革共同關西派對此次大會採取抵制姿態，並於四月組成東京都學生自治會聯絡會議（都自聯）。都自聯日後改稱為全自聯，成長為全國性組織。而革共同全國委則把重點放在組織勞工上，如前所述，四月成立馬克思主義學生同盟（馬學同）[103]。

同時，四月共產同召開第四屆大會，此時島進行激烈的書記長報告，表示「當廣大群眾的能量爆發出來時，如果有三千名接受過各種鍛鍊的真正職業革命家，奪取政權也非不可能」，「即便共產同全員皆被逮捕，組織暫時毀壞，仍要貫徹此鬥爭。」[104]

針對島的此次演說，各方反應不一。大阪全勞協議長前田裕晤回憶道，當時一方面認為島是「非常厲害的煽動者」，一方面思考「三千人的話，如果不全數集中在東京，大概無濟於事，如此一來地方上將如何變化，讓人擔心。」[105]東大駒場教養學部自治會委員長西部邁如此回憶道[106]：

……六〇年從三月到四月，大家都可清楚看出共產同在思想上與組織上皆處於危機之際，他〔島〕提出的方針，即所謂的「三千人職革說」。職革，指的是職業革命家，總之，若能盡速培養出三千名職業革命家，走進街頭巷尾投入顛覆權力的直接行動，那麼共產同應該會有光明的前景吧。這便是書記長下達的唯一判斷。

從一個自認「我很不喜歡強迫他人，也不擅長街頭指揮」的人口中聽到這種煽動主義的說法，而且在現實中也不見足以實行的基礎，如果將此做法強加他人，只會造成周遭人們的痛苦。這讓我想到五〇年代前半的「投擲汽油彈」是否捲土重來？我們甚至開始忖度，在面臨危機時，人是否就會回到年輕時的妄想之中。

如前所述，共產同的同盟人員只有數百，至多二千人不到。在此情況下提出培養三千名「職業革命家」的演說，使聽者覺得是「妄想」，大概也無可厚非。

但是，根據島的說法，「我所聲稱的賭在安保鬥爭上，並非樂觀地認為如此可以在日本造成革命情勢，夢想奪取權力成為現實課題」，他認為「只靠今天的一小群組織就可取得權力之類的想法，不過是幻想罷了。」只是，面對社共兩黨等既存革新勢力提出「若從未認真思考過奪取權力的課題，那麼反對運動不過是擴大自己派系勢力的手段而已」之批判，共產同為了反抗，才選擇把全部力量賭在安保鬥爭上[107]。

值得關注的是，這場運動的主要目標並不在反安保修訂上，革新勢力內部已經改為競爭誰更有戰鬥性。這種比起運動的政治效果，反而更重視如何以激進行動在左翼陣營中獲取關注的傾向，也與日後的新左翼各黨派相通。

此外，島並沒有時間思考戰略。全學聯書記長清水丈夫日後曾表示，島「因為嚴重的財政危機，說他實際上把大部分時間都花在籌款上也不為過。也因為這個緣故，與我們一起喝酒時一方面舒緩俱疲的身心，也經常談起宏大夢想或養精蓄銳。」[108]透過三千名革命家奪取權力的演說，大概也是這種「宏大夢想」之一。

四月二十六日，社共兩黨等國民會議在日比谷戶外音樂堂聚集約八萬人集會，進行將反對新安保條約的請願書送交國會的溫和示威遊行。但共產同批評這是「進香遊行」，並在全學聯主流派的率領下執行衝入國會。實際上，成為全學聯指揮部核心的東大本鄉與東大駒場（東C）的共產同基層組織，曾以四月是大量新生入學的時期，故不適合採取激進的方針而加以反對[109]。但包含北海道大學出身的唐牛全學聯委員長在內，共產同的幹部終究執行了衝入國會的行動。

以社共兩黨為核心的國民會議自然批判該種戰術。四月二十六日當天，他們在東京都內各大學的門口張貼傳單，內容是「無視國民會議的決定逕自行動，如果他們追求的就是混亂，那麼全學聯領導層就應該負起全部的責任。」[110]

四月二十六日當天，在唐牛全學聯委員長、社學同委員長篠原浩一郎等人的鼓動演說之後，學生們嘗試越過警方裝甲車的路障衝進國會。島表示「看著數千名的學生、勞工，一個接著一個越過路障，突破警方防壁的身影，我太過感動而不禁流下淚水。」[111]

然而，現實中這樣的戰術與羽田鬥爭相同，都是自我毀滅的行為。爬上裝甲車的學生們遭遇到拔出警棒嚴陣以待的警察時，只能逐個挨揍並被逮捕。實際上，共產同採用的方針與去年十一月衝入國會時一樣，就是進入國會後舉行抗議集會，這是唯一的方法。根據藏田計成的說法，東大基層組織的幹部們在當天曾表達「關於四．二六鬥爭，政治局只有喊著幹吧幹吧，但沒有任何內容。我們反對此方針」的意見[112]。

結果，包含唐牛全學聯委員長在內，眾多共產同幹部被捕。而且本次警方採取的方針是：在新安保條約自動生效[iv]之前，都不會釋放被逮捕的幹部。唐牛被拘留到十一月，糠谷副委員長則拘留到安保條約自動生效的隔日，以至於之後的鬥爭都未能參與。日後唐牛總結式地表示「共產同終結於四・二六鬥爭。」[113]

為何共產同會如此執著於這種自毀戰術？藏田計成在日後的著作中如此寫道[114]：「共產同＝全學聯把命運賭在四・二六鬥爭上。……當時是如此判斷的。如果，在這個時間點上共產同＝全學聯無法獲勝，安保鬥爭也無法獲勝，在國民會議，特別是與代代木〔指共產黨。因共產黨本部在代代木，故有此俗稱〕的黨派鬥爭也將無法獲勝。」

此外，藏田在別的評論中批評共產同「決定採取比國民會議或代代木『更朝左一步』的戰術，根本就是一種機會主義。」[115]比起實現政治目標，寧可採取比其他黨派更激進的戰術以凸顯自身，這種敵對競爭意識招致對自毀戰術的執著。

東大教養學部自治會委員長西部邁也有一段期間不滿共產同的無方針策略，因而返回故鄉北海道。之後他又回東京加入安保鬥爭，他回憶理由[116]：「老實說，我無法坐視史達林主義者〔共產同一方對共產黨的侮蔑用語〕的攻擊，不能忍受這種人生，所以選擇回到東京。之後雖然也把革命當作幻想來談，但在與共產黨駒場基層組織的黨派鬥爭中卻感受到了存在感。」

如前所述，聚集於共產同的青年們多數思想龐雜，也無法打造出統一的綱領。能使他們聚集並踏上行動的原因之一，可說就在於針對共產黨的對抗意識。根據西部的說法，「島對共產黨私鬥的產物就是共產同」，據說西部的熟人也提及「一九五五年的六全協上，聰明的同夥已認清共產主義的愚蠢，而島等人卻太慢逃離了。」[117]

四月二十六日，眾多幹部遭逮捕，共產同的力量減弱，藏田計成日後曾寫道，四月二十六日後「全學聯明顯敗局已定。這種情勢下，共產同把四．二六鬥爭當作一個契機，提拔勞對運動者，讓那些受共產同影響的青年勞工跟隨全學聯的示威遊行，藉此補足全學聯的頹勢。」[118]

原本對勞工影響力就不強的共產同，為了填補遭逮捕者遺留下來的空缺，提拔了勞對部門的運動者，導致對勞工的影響力更形薄弱。而根據藏田的說法，「即便如此，已經不可能挽回頹勢。已不具前景的共產同＝全學聯，其缺乏方針的程度，絕非從人事上補強就能支撐起來，況且共產同對情勢的判斷也太過樂觀。全學聯書記局欠缺明確行動方針一事，在此期間算是致命傷。」[119]

外部的學生也能看出這種狀況。當時是中央大學一年級、支持共產同的三上治，面對共產同領導的全學聯主流派除了激進的直接行動外看不出其他方針的狀況，表示「可以見到共產黨派在活動或行動上都有明確的組織性。」因此，「四月二十六日的鬥爭後，主流派流於弱勢。」實際上，自四月二十六日起至六月十五日為止，共產黨派反主流派一方動員的人數已超過主流派[120]。

敗北的感覺早已在共產同內部持續擴散。全學聯書記局中，有些看清共產同局勢的人開始退出自己大學的自治會。在此情況下，共產同於五月二十日再度打出包圍國會示威的方針，而藏田指出「只有『包圍國會示威』這個詞，根本沒有具體的戰術方針。」[121]共產同作為一個組織，已經走至幾近滅

iv　譯註：在日本國會，當參議院在眾議院做出決定後的一定期間內未就預算進行決議、批准條約或針對首相提名做出決定時，眾議院的決議即成為國會的決議。又稱自然承認、自然成立。

亡的地步，陷入黔驢技窮的狀態。

安保鬥爭的熱潮與「敗北」

然而，使安保鬥爭突然白熱化的事態，在這段期間偶然降臨。依日本憲法規定，眾議院決議批准條約後，即便參議院不加審議，一個月後仍會被當作整體國會的決議，獲得自動生效。岸信介看準六月十九日美國艾森豪（Dwight D. Eisenhower）總統訪日時程，打算在此之前讓新安保條約自動生效，遂於五月十九日夜間動用警隊和黑道驅離社會黨議員，採取強行通過條約的暴舉。

這樣的強行通過引發激烈的反彈。國民會議等收集的反對新安保條約批准的請願書，已達到一千三百五十萬份[122]。何況岸信介乃美日開戰時期東條英機內閣的閣僚，曾是甲級戰犯。岸信介為了討美國總統的歡心，竟採取藐視議會制民主主義的方式強行通過，大大地刺激了新聞界與公眾輿論。《朝日新聞》五月二十一日的社論主張，「現在是決定我們的議會民主主義生死的分水嶺」，並力主岸信介辭職與舉行國會大選。根據五月二十五日至二十六日的民意調查，岸內閣的支持率跌到二戰後最低的十二％[123]。在五月十九日強行通過條約後，原本與政黨、工會無緣的一般公民與學生，也加入連日的示威包圍國會。

但在熱潮掀起之前，共產同已經耗盡氣力，他們在偶然中決定的，在強行通過條約的隔天包圍國會示威，確實獲得了執行；但根據藏田的說法，共產同「為了表現組織的『有始有終』，二十日的示威算是最後的全力動員。」早大等大學生提出，在此示威中為了避免殘存的運動者皆被逮捕，「應當有一半的運動者不要出動」，然而強硬派主張「總之最重要的就是阻止此事。先考慮今天，明天的事等明天再說」，最終由強硬派獲勝，將剩下的運動者都投入示威遊行[124]。

當天在國會正門，警察出動三輛卡車，藉排出的廢氣驅離學生。全學聯書記長清水丈夫提議「前往首相官邸與自民黨，進行果斷的示威吧」，之後大約三百名學生衝入首相官邸，然而警方一一逮捕共產同幹部，共產同因而失去更多的幹部，當天被捕的清水也一直被拘留到八月才獲釋[125]。

共產同看準國民會議統籌行動的時機，也計畫在五月二十六日，以「安保鬥爭最後一天」為主旨發起示威。但根據島的說明，共產同東大基層組織也反對五月二十六日的動員，主張「安保已經在國會通過，所以事情已經結束了。我們應當在群眾運動掀起高潮的此刻，整備自己的組織，召開全學聯大會，讓事情落幕吧。」[126]

東大教養學部（東C）自治會委員長西部邁如此表示[127]：「在我看來，只要共產同中央一開口，就嚷嚷著『衝入國會』、『衝入首相官邸』的幹法，顯得相當愚蠢。」「當時的共產同，既沒有值得關注的思想也沒有理論，僅靠著激進的群眾運動向外界證明自身的存在，這是唯一也是僅存的出口。」但島書記長卻「震怒並恫嚇」東大基層組織的意見，強行推動二十六日的示威遊行[128]。

在島的回憶錄中記錄道，六〇年安保鬥爭時，「主力的東大基層組織總是很冥頑不靈。」[129]然而，身為前京大的共產黨基層組織者，後加入共產同的小川登則回憶道[130]：

「我之所以偶爾會反對全學聯中央的方針，是因為他們都從零開始進行班會討論，而且包含部分反對之字形遊行（集體在馬路上以之字形前進）的學生在內，都必須從根本做起投入群眾動員。全學聯書記局下達的激進鬥爭戰術，偶爾不放點水，在現場根本執行不了。島先生雖然批評『東大教養經常都是機會主義、倒退的』，但東C與京大教養、早稻田這三大學生運動的據點，實在有必要放鬆一點。」

此外，由共產同政治局單方面且秘密決定激進鬥爭方法，也讓普通學生持續感到反感。根據東大教養學部山下肇助教授的說法，一九六〇年一月羽田鬥爭之際，駒場的學生們未得知共產同政治局打算衝入羽田機場內部的方針，就遵從分班討論的決議，參加示威抗爭的動員。針對此說法，都立大學教授阿部行藏在當時的座談會上如此表示[131]：

所以像東大駒場那樣的團體，經過〔分班討論等〕民主過程組織學生大眾後，會覺得當日行動與當初的約定不同。我認為這次的全學聯大會（昭和三十五年〔一九六〇年〕三月的第十五屆大會）上，反主流的學生們發出「詐騙師唐牛」的責難，說來也是共產同參加者對反民主的秘密指揮表達自身的憤怒。此外，校園外的勞工與一般公民中也發出同樣的指責。

如後所述，對部分共產同幹部而言，「民主主義」之流不過是資產階級思想罷了。因此在他們看來，「反民主的秘密指揮」之類批評，簡直就是胡扯。只是普通學生之間終究抱持這種不滿，因此現場運動者接到來自共產同中央的動員指令時會面露難色，也是情有可原。

就這樣，五月二十六日的示威遊行，在壓抑第一線運動者的反彈後強制推動，適逢普通學生對岸政權五月十九日強行通過條約充滿反感，吸納這種反感情緒後成功動員了一萬三千人。這是全學聯主流派主辦的示威遊行中，參加人數的最高紀錄。

在東京指揮示威的藏田計成，如此談到這個除「包圍國會」以外全無方針的示威遊行[132]：「只是在已無立錐之地的國會周邊道路上，與勞工和市民不斷進行集會罷了。我只記得從頭到尾都與田中學在宣傳車上度過毫無意義的時間。」

之後共產同殘留的幹部也被逮捕，全學聯主流派的指揮部幾近全軍覆沒。根據藏田的說法，「五・二六鬥爭結束後的全學聯，這段期間直接指揮鬥爭的常任學聯書記局成員大多都被逮捕，書記局對鬥爭的實質性指揮，不得不至此告終。」[133]明治大學自治會副委員長篠田邦雄日後回憶道，「全學聯主流派的安保鬥爭，在五月時實質上已然終結。」[134]

六〇年代安保鬥爭正式掀起熱潮，一般認為是從五月十九日強行通過條約起，至六月十九日自動生效的這段期間。但共產同在此之前便已耗盡氣力，在這一個月的運動高峰期，陷入幾乎無法有效指揮運動的狀態。共產同與全學聯主流派，透過自身的直接行動刺激民眾，也有人評價，他們證實了他們的「先驅性論」，但若岸內閣未於五月十九日強行通過安保修訂，那麼六〇年安保鬥爭是否能如此擴大，仍是一個疑問。

因此，部分共產同的成員對五月十九日以後的運動熱潮，僅給予冷淡的評價。此時期中國文學研究家竹內好因拒絕在岸政權底下擔任公務員，因而辭去東京都立大學教授的職位，主張「要民主還是獨裁，這是唯一最大的爭議。」即便是贊成安保條約的人，也有人對岸信介破壞民主主義的行為提出抗議。

然而，對批評共產黨趨於穩健化、自身則追求革命的共產同而言，「守護民主主義」之類的想法，不過是半吊子的「資產階級思想」。藏田計成在日後的著作中引用竹內好「要民主還是獨裁」的說法並如此說明：「這種主張（在共產同看來不過是半吊子的「要民主還是獨裁」口號），只不過是在安保鬥爭迎來最終結局時主導運動的『思想』。」因此，藏田評價道「無論左翼、右翼皆擁護民主主義的大合唱的六月鬥爭」，「沒有什麼了不起之處。」[135]

多位共產同前成員都曾回憶內部存在的蔑視「民主主義」傾向，如共產同機關報《戰旗》總編輯大瀨振如此說明[136]，「共產同中經常使用『maneuver』這個詞彙，意思大致為『政治性策略』。他們為達目的不擇手段的想法，雖然沒表現在言語上，但心中卻認定此乃理所當然。例如，為了奪取乃至維持自治會權力，使用各式各樣的手法和骯髒手段，甚至竄改選票等，讓人覺得他們的思想根本不尊重民主主義的價值。」

西部邁當選東大教養學部的自治會委員長時，曾有竄改自治會選舉選票的行動，他在回憶錄中有所說明。根據該回憶錄，一九五九年十一月選舉之際曾出現如下行為[137]：

「偷走選票的專用紙張來增印，包含我在內的數人則在駒場校區後的某旅館等待，共產同的計票員避人耳目跑來旅館，在此處抽換選票。真實的票數，恐怕是共產黨候選人佔六成，第四國際候選人佔三成，而我們的票佔一成。」而經過此番操作後，達到了西部邁當選的結果。

根據西部的說法，「因為口中總說著革命這種非法行動，因此對自身行為也屬非法一事，完全不帶羞恥心或犯罪感。」而且，「共產黨立刻察覺事態發展的經過，不過大人們的想法大概是不願讓學生運動的信譽受到減損，因此並未出手追究真相。」

前文已說明，藏田批判竹內好「要民主還是獨裁」的發言，共產同裡對「進步的知識分子」抱持批判態度的人並不少，根據西部的說法，「共產同之所以會輕視所謂進步的文化人，既非因為他們疏遠共產主義，也非因為他們與激進行動保持距離。儘管表面上用這樣的理由輕蔑對方，但真正的緣由其實是進步的文化人推崇民主主義至上，而共產同對此相當反感。」[138]

島書記長也如此說明自身的思想。他的成長經歷了舊制中學二年級時日本戰敗，見到那些「原本謳歌軍國主義」的老師們立即變身「禮讚民主主義」，讓他產生「生理上的厭惡」。這種經歷在「日後繼續發酵為對所謂的言論家，特別是進步的文化人、學界人士的不信任感。」[138]

對於西部在回憶錄中提及自己非法當選，京大共產同同盟成員的小川登如此批判[140]：「東C或許幹了那種事情，但無論京大或其他地方，都不幹這樣的事。」「壓根沒想過抽換選票。……我們這些現場領導者，終究信奉素樸的民主主義，認定必須遵從學生大眾的最終選擇。」可說，地區之間有所差異，概出自共產同中央鮮少重視「民主主義」之故。

又，共產同認為，新安保條約在五月十九日強行通過後，已成既定事實。根據藏田計成的回憶，五月十九日強行通過之後，「所有的學聯書記員內心都認定『阻止安保修訂鬥爭的敗北＝結局宣言』。」[141]

如前所述，六〇年安保鬥爭的真正興盛，始於輿論認為岸政權在五月十九日的強行通過乃踐踏民主之後，但對於將議會制民主主義視為資產階級思想的共產同而言，岸政權的強行通過，在本質上不算什麼問題。藏田如此敘述五月十九日以後共產同的狀況[142]：

……為了「阻止自動生效」就只能「解散眾議院」，對站在否定議會主義立場的共產同而言，很諷刺地，根本不存在「眾議院解散↓展開追擊戰」的正當理由。

共產同全學聯的五月鬥爭完全在這種理論與認知下展開。亦即，五月十九日眾議院強行通過後，當天深夜的緊急動員在行動方針上已經出現一百八十度的轉變，將重點放在對反主流派（日本共產黨派）的「黨派鬥爭」上。「今晚的緊急動員做做樣子即可，戰勝代代木〔共產黨〕才是最重要的」（清水丈夫），因為書記局方針的大轉變，我時隔七個月再度回到母校。

也就是說，五月十九日以後的共產同，比起阻止安保修訂，更重視在集會動員上勝過共產黨。過往共產同的激進鬥爭方針，部分動機來自與共產黨的對抗意識，而五月十九日之後，這種對抗意識益發強烈。

自治會選舉中以非法行徑取勝的狡猾，反覆衝入國會與機場看似「純真」的愚直，這兩者的組合乍看之下相當奇妙。不過這種狀況肇因於共產同成員多數是學生，缺乏對國內政治的知識，而他們能感受到的真實「政治」，就是在學校內與共產黨的對抗關係。

亦即，他們算是學校內的政治家，在校內的選舉等政治活動上具有智慧與算計能力，但缺乏對國家層級決策過程的相關知識。這導致他們在校內政治上充滿狡獪心計，在街頭行動上卻顯得愚直，這種乍看之下矛盾的結果。日後的新左翼各黨派也繼承了這種傾向。

硬要說的話，共產同的「戰術」就是把被警隊毆打的畫面透過媒體傳播給社會，以博得關心與同情。然而前述的政治學者大嶽秀夫認為，先前在砂川鬥爭中曾以這種手段取勝，可能導致共產同對六〇年安保鬥爭也抱持同樣期待[143]，但與砂川鬥爭不同，六〇年安保鬥爭「無論怎麼把肉體暴露在危險中，無論如何對全國人民報導此事，岸內閣完全不動如山。面對這種情況，共產同領導層大概也被逼入不知如何是好的地步。」

撇開共產同的內情不論，五月十九日以後反對岸政權的情緒一口氣高漲，許多學生都前往參加示威，對共產同的直接行動感到共鳴的學生也不在少數。

根據《京都大學新聞》一九六〇年六月十三日刊登的意見調查，大學部學生中反對新安保條約者佔九十％，贊成者佔四％，而對「全學聯（主流派）的尖銳行動」感到「了不起」者佔六％，認為「不得不這麼做」者佔四十三％，認為「應該遵照國民會議定下的界線」者佔四十％[144]。從數據中可看出，雖非所有學生都支持全學聯主流派，但支持或接受主流派直接行動的人並不少。

因為參與學生人數眾多，所以加入全學聯主流派示威的學生不斷增加。他們對共產黨領導的全學聯反主流派之溫和示威感到厭煩，所以加入共產同指揮的主流派一方。

不過，來參加示威的學生們不見得對共產同的革命思想有所共鳴。久野收寫道，當時「新聞界並沒打算給他們取名，只稱他們主流派、反主流派等等，但其實他們屬於無流派的學生。他們只是為改變眼前的狀況挺身而出，與馬克思主義或革命運動幾乎沒有任何關係。」[145]日高六郎也提及，當時「自動自發前來參加的人數大增，而接受全學聯主流派領導方針的參與者，僅約二十分之一而已。」[146]

對普通學生而言，參加全學聯主流派示威遊行只是選項之一。當時東大生的信件中對普通學生的動向這麼寫道，「每天都反覆討論反主流派的和平示威與主流派的激進示威何者更具效果，班級中澈底分為兩派，參加雙方的示威。」[147]這裡的觀點並不是在比較共產同與共產黨的政治路線，而是考量何者對「擁護民主主義」更具效果。所以參加主流派示威遊行的學生，不必然支持共產同的革命思想，此點自不待言。

在這類學生由下向上的力量推動下，全學聯主流派領導層也重新整隊並繼續活動。六月三日，全學聯主流派領導層打出衝入首相官邸的方針。根據此方針，六月三日約六千名學生以極粗的繩索拉倒首相官邸正門的鐵門，推倒兩輛警方作為堡壘的裝甲車，約有五百人衝入首相官邸。但在這場衝突中，有十三人被逮捕，其之後的活動也全遭機動隊所壓制[148]。

然而，如同往例般，共產同對於衝入首相官邸後該做什麼，完全沒有計畫。當時身為中央大學學生並參與此示威的三上治回憶道，學生們彼此間「不知如何是好，難道示威就此結束的不安感四處蔓延。」[149]

六月四日，在國民會議的倡議下，以總評下屬的工會為首舉行了總罷工，大約有五百六十萬人參加。全學聯主流派則動員四千名學生，在國家鐵道的電車站進行靜坐等活動。

但此次遵循總評及國民會議穩健方針的總罷工，只是場維持到翌日早上七點為止的罷工。關於此鬥爭，全學聯主流派總結為「絕對遵守資產階級秩序的鬥爭」，並定位「總罷工的前夜的六月三日衝入官邸行動，形塑了破壞資產階級秩序的騷動氣氛，這種氣氛鼓舞了工人階級。」[150]這種自我定位究竟能否準確反映當時事態，仍是一個很大的疑問。

對於六月四日的總罷工，全學聯主流派反對設下時間限制，動員學生在車站前靜坐，藉此妨礙鐵道運行。但普通的學生不必然支持共產同方針，其中一名學生回應媒體訪問時提及，「國鐵的人們冒著被開除的危險罷工，我們應該只要提供支援即可，但領導者卻告訴我們，無需理會國鐵〔工會〕的意見」，流露出對共產同的抗議[151]。

隨著新安保條約自動生效的六月十九日不斷逼近，國民會議擬定方針，打算自六月十一日至六月十九日每天到國會示威遊行[152]。

不過，六月十日發生給共產同帶來衝擊的事件。這天美國總統的特使哈格提（James C. Hagerty）訪日，以共產黨派全學聯反主流派為主的示威隊伍包圍了哈格提的座車，最終他以搭乘直升機的方式逃離現場。此次「哈格提事件」中，原本應採穩健作風的共產黨派全學聯反主流派，做出了比共產同更為「激進」的鬥爭。

原應穩健的反主流派會做出如此行動，其中有一定的必然性。筆者前作《「民主」與「愛國」》中提及，共產黨認為自一九五〇年代起日本就是美國的從屬國，因此鼓吹將日本從美國獨立出來，驅離在日美軍基地的「愛國」鬥爭，以及「民主民族統一戰線」。此種行動師法自法國等反抗組織在反納粹號召下組織統一戰線的經驗，這也是共產國際（Communist International，又稱第三國際）要求各國共產黨學習的經驗，在此思想體系下將安保定位為強化日本從屬美國的條約，故六〇年安保鬥爭也是高舉「反美愛國」的口號。相對於此，共產同等新左翼則視日本為自主的帝國主義國家，見解與共產黨相異。

這種見解上的不同，便體現於哈格提事件上。根據某早大共產黨派運動者的說法，他們把安保鬥爭當作脫離從屬美國的狀態，乃是日本獨立鬥爭的一環，因此把重點放在阻止艾森豪總統訪日，「高喊阻止艾森豪訪日的我們，當然把哈格提鬥爭當作前哨戰，因此傾全力進行組織。這種反美鬥爭的定位，無需多言自然是基於『在美帝國主義統治下持續追求獨立的日本帝國主義』之日共定義，而全學聯主流派卻加以輕蔑與無視。」[153]換言之，對反主流派而言，阻止哈格提訪日具有戰鬥的必然性，但共產同卻輕蔑此事。

冷不防被對方拔得頭籌的共產同，認為得賭上面子做出更轟轟烈烈的鬥爭。藏田指出，「眼前看到此鬥爭〔哈格提事件〕造成衝擊性的激動場面，共產同的同盟成員比起任何人都更悚然感到黨派的危機感。全體學生同盟成員毫無疑問都願意拚死與日本共產黨鬥爭到底，打算幾天後做出能超越對方且名留史冊的激烈鬥爭。」[154]

藏田所謂「名留史冊的激烈鬥爭」，是打算在國民會議決議將於條約自動生效之前展開最後一次統一行動的六月十五日，再度衝入國會。哈格提事件隔天的六月十一日黎明，共產同全東京都基層組織代表會議上決定此一方針，因四月二十六日對國會正門發起正面攻擊行動失敗，所以透過社會黨的國會相關人士進行國會導覽，藉此製作建築平面圖。在行動前一天的十四日，決定從警備人手稀少的南通用門衝入國會[155]。

十五日當天，約十萬名的學生、勞工和國民包圍國會。受到全國連日報導示威遊行的刺激，千葉大學、埼玉大學、群馬大學、北海道大學、三重大學、京都大學、廣島大學等地方大學的學生們，也出現在國會前，在隊伍前頭舉起自治會旗。即便全學聯主流派的領導層早已幾近毀滅，但六月後參加主流派的各地大學自治會數量仍不斷增加。開始集會的下午三點，全學聯主流派的示威隊伍大約集結了一萬七千人，高舉超過兩百面的自治會旗。當然，這是安保鬥爭以來全學聯主流派最大規模的空前動員[156]。

在此狀況下，發生了右翼分子駕駛卡車衝撞國民會議的新劇人示威隊伍，並拿著帶釘子的棍棒胡亂毆打新劇人隊伍的事件。去年十一月衝入國會事件以來，在岸首相的暗示與默許下，來自全國右翼團體的數百人組成了「拔刀敢死隊」[157]。然而，此樁襲擊事件激起社會反感，學生們也受到相當的刺激。

失去大量老練幹部的共產同，讓全學聯代理委員長北小路敏與都學聯副委員長西部邁等二十歲上下的年輕運動者指揮示威隊伍。全學聯主流派反覆進行確實的之字形遊行，但此時共產黨方的示威隊領導者卻敦促說「請大家迅速前進。後方已經堵塞。來，不要受外界挑釁，朝預定解散地點行進吧。」[158]以社共為主的國民會議示威隊伍接連通過國會前方，朝解散地點邁進。

然而，全學聯主流派的示威隊伍卻停在國會前方，下午五時許抵達國會南通用門，位於隊伍最前方的「工兵隊」邊唱著《國際歌》邊用鉗子剪斷國會周邊的鐵絲，以粗繩拉倒鐵門，大約有三千人衝入國會建築內。詩人吉本隆明等「六月行動委員會」成員也陸續湧入國會裡。

就在群眾於國會建築內集會時，晚上七時許機動隊對學生展開襲擊，當時的學生們既沒戴頭盔也沒帶角材，只能大家手挽手肩靠肩加以抵抗。當機動隊的襲擊告一段落後，示威隊伍中傳出「有女學生死了」的聲音。共產同同盟成員的東大學生樺美智子死去了。

樺美智子是東京大學文學部四年級的學生，主修日本史。共產同組成時因書記局需要常任人員，她是最初前來的女性。不過為了寫出傑出的論文，除了主要的街頭鬥爭，「五月之後並不太參加鬥爭」。死亡當日也是先出席了第一節課後，才趕至國會[159]。關於東大鬥爭以後全共鬥時期對學問的看法，廣泛流通的論調是認為從事運動者應當否定既存的學問，但樺美智子的例子，顯然與這種論調有所不同。

此時幾乎所有學生都被押出國會外。根據藏田的紀錄，當聽聞樺美智子死亡的消息後，「許多學生胸中燃起怒火，瞬間想到發生大事了，又被恐懼侵襲而變得茫然。有人大吼『拿機關槍來殺了他們』，也有人太過震驚而說不出話，大致可以分為兩類。」接著「學生們在黑暗中低沉地吼叫『殺人犯！』、『幹掉警察！』。憤怒發狂的學生爬到牆上，更加激烈地投擲石塊。」

另方面，根據此時也參加示威，隸屬革共同的小野田襄二說法，當傳來「女學生死亡」消息後，「我凝神關注學生們的氣氛。死亡的消息究竟會激起大家的戰鬥欲望，還是出現相反的狀況。顯然大家都喪失了戰鬥的意志。」[160]此處藏田與小野田的印象有所出入，至於身為共產同成員的藏田是否意圖做出有利於共產同的描述，則無法判斷。

此外，根據小野田的回憶，共產同領導層搭乘的宣傳車曾對學生們下達前往國會正門前方廣場的指令。但許多學生們持續被警隊從南通用門趕出，小野田認為領導層要求前往國會正門前方的方針相當無謀，並為此感到憤怒，見到一邊命令學生前往國會正門一邊行駛的宣傳車，他甚至跳上車頂表達抗議。

有大量的示威隊伍被趕出南通用門，孤立的宣傳車被警隊包圍，小野田遭到逮捕。在那個時刻，小野田對坐在宣傳車內的共產同指揮者們感到憤慨，因為他們認為「只要待在學生的隊伍中，宣傳車就能保持安全，所以他們才下令『〔往正門前方〕移動！移動！』這實在相當卑劣。」[161]

當時駛出國會外的宣傳車上，全學聯主流派領導層正在討論策略[162]，得出「總之現在無法撤退，只能力圖再次衝入國會」的結論，此時社會黨書記長江田三郎方才趕來，告知在警察醫院已確認樺美智子死亡，並告訴全學聯指揮部『在國會建築物旁的區域內集會也無妨，但是，一個小時後就撤退。』」

全學聯主流派領導層起初同意這個方針，但激昂的主要大學自治會及基層組織員猛烈反對，因此再度改變方針為衝入國會建築內進行集會，以宣傳車為先鋒，大約有七千名學生衝入國會建築物內部，並進行一分鐘的默哀。

然而默哀之後，過了晚間十點，機動隊從前方與左右襲來，手無寸鐵的學生們全部被趕出門外。憤怒的學生們推倒二十七輛警方停於正門前代替街壘的裝甲車與卡車，並加以縱火焚燒。午夜零時，機動隊使用催淚瓦斯彈進行第三度的突襲，這次不僅學生遭襲，工人、一般市民，以及擔心學生而聚集在南通用門附近的一群東大教授也遭機動隊襲擊，造成大量的人受傷。機動隊再三的進襲造成了近六百名的傷者。

樺美智子的死亡引發人們強烈的同情。十九日舉行了樺美智子的「國民葬」，中國還傳來毛澤東的讚許：「樺美智子已成為全世界聞名的日本英雄。」[163]同時，岸政權在樺美智子死亡當晚，即六月十六日午夜零時召開了緊急閣議，岸、佐藤、池田等人主張應籌備最大限度的警力，強行迎接艾森豪總統訪日，但陸上自衛隊幕僚長對為維持治安出動自衛隊表示為難，警察廳長官也直言極諫，最終決定取消十六日艾森豪總統來訪東京。

樺美智子是共產同的同盟成員，因此六月二十二日共產黨機關報《赤旗》批判道「之所以會出現犧牲者，責任都在托洛斯基主義者的領導層。」[164]革共同的小野田襄二也在十六日的埼玉大學學生大會上演說表示，「如果全學聯不觸犯法律，不以暴力撬開大門衝入國會，樺美智子就不會被殺害。從這層意義來看，殺死樺美智子的，可說就是全學聯。」[165]自民黨與日經聯也主張樺美智子的死因出在全學聯的激進方針，各大主要報社亦於六月十七日發表「排除暴力，守護議會主義」的共同聲明。

樺美智子之死激起許多民眾與學生對岸政權的憤怒，參加示威遊行的學生與一般市民人數更為增加。當時尚是學生且參加全學聯主流派示威的電影評論家平岡正明如此回憶當時的狀況[166]。

平岡等人六月十五日因被警察追擊，最後在法政大學落腳，一夜酣睡如泥。到了翌日清晨，「隔了一夜，學生們的臉色都變了。」「我以為會大致分成三派出發。但當時根本不分主流派、反主流派。以社團為區別的小集團，三三兩兩的出發。在其他各大學也可見到類似的光景。」「所謂能讓新兵轉變成勇士的，就是戰友的死亡，確實如此。大家燃起熊熊的鬥志前往國會。」

全學聯主流派示威動員人數，從六月十五日起超過反主流派。但共產同已經沒有指揮學生的力量。聚集而來的學生、市民、勞工等，只是包圍國會進行示威。平岡也回憶道，「這是共產同的終結。共產同提不出方針，被大眾所吞沒。」[167]

從樺美智子死亡的六月十五日起，國會連日被龐大的示威隊伍所包圍，但無論共產同或國民會議都未提出方針。身處全學聯主流派示威隊伍中的三上治如此回憶[168]：「雖然在國會周邊靜坐，但當夜晚過去，天空泛起魚肚白時，內心卻無盡空虛。已經沒有六月十五日鬥爭時的緊張關係。就算有鬥爭也只宛如儀式般，令人生厭。」

共產同失去大半的領導層，剩餘成員都處於筋疲力竭狀態[169]。島如此回憶[170]：「作為鬥爭核心的學生共產同，狀態已到極限。六．一五中出現大量犧牲者。也缺乏示威的指揮者。」「最後的一週，全部僅睡十幾個小時，除了液體以外吃不下任何東西，一吃就嘔吐，但仍繼續不斷活動。」「打從內心羨慕在四月階段率先衝入國會而被關入監牢的唐牛等人。」「十八日早晨，即便召開共產同最後的會議也沒什麼人出席，見到此景，就在這個決定性的瞬間，切實感受到共產同與我自己的極限。」

全學聯主流派的領導層陷入功能停止的狀態。根據小野田的回憶，十七日午後「書記局接到電話，對方說『埼玉大學在學生大會上決議再次衝進國會，全學聯那邊如何？』」，但書記局「只給了一個語無倫次的回答。」[171]

十九日午夜零時，安保條約將自動生效，進入倒數計時的十八日晚間，許多學生、市民與勞工等包圍了國會。根據小野田的回憶，共產同的「東大領導者（其中一人是都學聯副委員長西部邁）呼籲『不要回應權力方的挑釁。大家要記得一九三三年德國的國會縱火事件，因為該次縱火，為希特勒掌權打開了一條道路』，埼玉大學的學生則以罵聲回應。」[172]

小野田寫道，這次呼籲自制的發言，「不知道是來自共產同政治局的指示，還是東大的領導者（共產同東大基層組織）自身所獨創。」[173]一直以來提倡保存組織的東大基層組織，確實有可能發表與中央態度相異的個別自制演說。

此時的首相官邸內，「岸首相臉色蒼白哆囉哆嗦」地發抖[174]。時間一過午夜零時，安保條約修訂獲得自動生效。島如此回憶這個時刻[175]：「一九六〇年六月十八日，美日新安保條約自動生效的時間不斷迫近的這個夜晚……我什麼也做不了，空無一物的胃卻忍不住乾嘔，身體撐不住而蹲下。在我身旁，就站在『共產主義者同盟』旗幟旁的生田（浩二共產同事務局長），臉上寫滿憤怒，揮舞著雙手吼著『該死！畜生！這股力量！這股力量卻什麼都做不了！共產同也不行了！』他並沒有對任何人發言，只是兀自吼出這段話。」

隔天的二十日，趁著在野黨處於空虛狀態，自民黨獨自召開參議院的安保特別委員會與參議院大會，一口氣通過安保關係法案。二十二日美國參議院通過新安保條約，二十三日岸首相在外相官邸交換批准書，之後宣布內閣總辭。

五月十九日之後一般國民的示威，大部分都是針對岸信介強行通過條約所爆發的不滿，而隨著岸信介的辭職，示威的浪潮也迅速消逝。九月十五日，全學聯揭起打倒接替岸政權的池田政權，發起行動，但京都只有約一百五十人、東京只有約三百五十人參加[176]。

十一月國會進行大選，結果以自民黨獲勝告終。

岸信介多年以後曾談起，當初想乘安保修訂的餘威導入小選區制，藉此強化自民黨在國會內的勢力以推動憲改，但未料六〇年安保鬥爭如此高漲，導致他不得不辭去首相職務[177]。之後他認為自己的親弟弟佐藤榮作應可實現憲改，但佐藤卻發表聲明表示會遵守憲法，導致岸盛怒不已，這點已在第一章說明。

在這層意義上，安保鬥爭保住了包含憲法在內的日本戰後民主化成果，可說獲得了一定的成功。如丸山真男、竹內好等進步派的知識分子皆對五月十九日以後持續約一個月的安保鬥爭給予相當高的評價，將安保鬥爭定位為「勝利」的人也不在少數。

然而，反日共派的左派知識分子等，卻大多把安保鬥爭定位成「失敗」。而他們的憤怒與憎惡，與其說針對自民黨或岸信介，不如說是針對共產黨，因為共產黨一貫把安保鬥爭導向穩健方向（至少這些左派知識分子如此看待）。一九六〇年十月，谷川雁、吉本隆明、埴谷雄高、森本和夫、梅本克己，以及革共同全國委員會的理論領袖黑田寬一等共同著作之《民主主義的神話——安保鬥爭的思想總結》出版。

書中吉本以〈擬制的終結〉，黑田以〈黨偶像崇拜的崩毀〉為題撰寫評論，認為共產黨的革命性先鋒形象，這種「擬制」在六〇年安保鬥爭中完全崩毀，主張共產黨或進步知識分子高舉的「和平與民主主義」不過是不慍不火、已然破產的口號。如本書第十四章所述，六〇年代末的全共鬥運動中，此書作為「戰後民主主義」批判的原典也被廣為閱讀，並因此為人所熟知。

六〇年安保鬥爭中死亡的樺美智子生於一九三七年，她出生年代宛如一個象徵，六〇年安保鬥爭是實際體驗過戰爭與剛戰敗那段時光的世代作為主力參與的最後一場鬥爭。當時明治大學自治會中央執行委員會的加藤龍一如此回憶[178]：「我生於昭和十三年（一九三八年），在物資最缺乏的年代成長，體驗過讓我感到厭惡的戰後飢餓。所以擔憂〔如果新安保條約成立〕將會再回到那種時代，在這種恐懼感中興起安保鬥爭。不願再經歷戰爭與飢餓的心情非常強烈。」

這種心情，亦即對戰爭與貧困的「近代的不幸」產生反動，明確成為六〇年安保鬥爭的基礎。當這些體驗過戰爭的世代出了社會，透過經濟高度成長克服「近代的不幸」後，繼而出現欲擺脫「現代的不幸」之六〇年代末青年的完全異質反叛。

對共產同而言，耗盡全力的安保鬥爭遭遇「失敗」，則意味著組織的危機。之後的共產同在總結安保鬥爭上出現分裂，作為一種原型，形塑出日後新左翼各派的潮流。

共產同的分裂

六月十九日新安保條約自動生效後，全學聯於七月四日召開了第十六屆大會。共產黨派與革共同關西派因認為共產同掌控的全學聯領導層不接納己方的主張，而拒絕參與大會。共產黨派召開另一個大會，決議「不退出全學聯，但以反主流派的立場組成全國自治會聯絡組織

（全自聯）。」未離開會場的共產同與革共同全國委自治會代表，勉強達到開會的人數門檻。革共同全國委主張「確認安保敗北也是重要的」，相對於此，共產同則把安保鬥爭定位為取得一定的勝利[179]。

然而，共產同對「安保鬥爭取得一定的勝利」的認知，七月三十日於栃木縣報德寺舉行共產同第五屆大會時崩毀。這場大會針對安保鬥爭的總結發生論爭，共產同從此一分為三。

大會上，預定由書記長島先進行報告。但有哮喘毛病的他因安保鬥爭而疲憊不堪，在報告中途因心臟感到不適，不得不離開議論的會場躺下。共產同東大基層組織則早已印好意見書在會場發放，內容指出安保鬥爭無法獲勝，錯在共產同政治局的領導出現錯誤。

東大基層組織基於此意見書批評共產同政治局，指責條約自動生效前一天的六月十八日竟不衝入國會，此乃「未把安保鬥爭視為階級決戰，而是根據姫岡玲治（青木昌彥）的國家壟斷資本主義論（自我金融論）定位成前哨戰，這是種搖擺的機會主義。」根據革共同的星宮煥生回憶，被讚譽為才子的青木昌彥「非常臭屁，給人一種十分瞧不起別人的態度與習氣」，而眾人對青木的這種反感，或許也成為意見書中批判青木的暗流[180]。

島雖躺下但仍聽見東大基層組織對政治局的批判，據說「怒火直衝腦門」。島表示[181]：「竟然由安保鬥爭期間每個階段都狀況外，不斷扯後腿的機會主義東大基層組織一夥成為核心批判者，讓人無語。而且批評的內容竟是六．一八活動高潮時共產同卻什麼都幹不了，原因出在共產同中央在第四屆大會上對情勢分析錯誤，所以才無法將政治上的危機轉化成革命情勢。瞎扯也要有個限度！」

接續東大基層組織，共產同中被視為旁支的工人同盟成員的一些成員也開始對中央展開批判。根據擔任京濱地區勞工招募者的多田靖說法，安保鬥爭之際中央的運動方針及討論「幾乎都未能傳達給京濱勞工（我自己沒接到通知）。這點導致日後共產同第五屆大會上，勞工爆發不滿。」[182]

如此一來，大會陷入混亂狀態。說是「共產同中央」，但大部分的幹部都在監獄裡，只有書記長的島及事務局長的生田屬於「中央」人物。島看不過生田一味保持沉默，強撐著不適的身體發言，但只引來更多的批評。

大會第二天，島打算「說些自己也不明就裡的抽象論述總結，暫且收拾混亂」，但議論終究中斷，會議陷入一片混亂。議長也失去指揮權，在出席者肆意發言之後，決議儘早召開下次臨時大會下散會[183]。然而，之後並未能召開臨時大會，此次成為共產同最後的大會。

九月一日，全學聯第二十五屆中央委員會認定「安保鬥爭還是未獲勝利，是一場政治上的挫敗」，並在第十六屆大會上修正結論[184]。之後九月十五日的「打倒池田內閣」示威中，僅能動員數百人的狀況也讓他們深感挫折。

之後，共產同分裂為三。大致為共產同中央派、東大基層組織派、勞對部門派。

其中的東大基層組織透過以下過程組成支派。八月的共產同全國大學基層組織代表會議上，共產同東大基層組織散發批判共產同政治局的傳單，八月中對全國大學基層組織送達批判政治局的意見書[185]。到了一九六〇年九月中旬，東大基層組織的成員與早大基層組織的藏田等人組成「革命通達派」（簡稱「革通派」）。

根據藏田的回憶，過往便與共產同中央意見多有相左的東大基層組織，對共產同中央抱持「不信任與輕蔑感」。且從全學聯書記局設在金助町的時期起，就稱呼共產同中央為「金助町官僚」，「有點看不起他們。」[186]

藏田在二〇〇二年的回憶中，提到對共產同中央的反感[187]：「共產同風格的粗糙幹法不符我的性格。比國民會議或代代木的戰術『更靠左一步』的戰術設定，根本就是機會主義。誇大其詞的宣傳手法根本不是『阿拉丁的神燈』而是『阿拉丁的喇叭』（清水創造的詞彙?），給人一種違和感。」「有些身處金助町讓人敬愛的摯友，從安保鬥爭參加到學生運動，卻完全喪失與生俱來的誠信，之後還學到官僚惡習且巧言如簧，每天都不斷往壞的方向轉變。」

另一方面，全學聯書記局的共產同中央在「革通派」成立的幾天前，組成「普羅通信派」（簡稱「普羅通派」）。這一派認為，安保鬥爭中共產同的方針基本正確，主要成員是獲釋的全學聯書記長清水丈夫、全學聯代理委員長北小路敏、在東大基層組織意見書中遭批評的理論家青木昌彥（筆名「姬岡玲治」）[188]。根據藏田的回憶，「普羅通派」是因「當時學聯書記局暗中流通的『反東大基層組織意識』」而集結，「理論上的立場，不過就是『不要因噎廢食』這種姬岡玲治痛哭般的嚎叫。」[189]

同時，勞工、勞對部門、地方大學、私立大學等共產同成員於八月成立「戰旗派」。出獄後的全學聯委員長唐牛健太郎（北海道大學出身）與篠原浩一郎（社學同委員長，九州大學出身）等人也加入這派，掌控了北海道學聯與九州學聯。他們認為，共產同的安保鬥爭戰術是以學生為主的「小資產階級激進主義」，輕視勞工，採取與「革命通達派」相反的論述，批評安保鬥爭中的中央領導。

這種支派的對立，在一九六一年十月的都學聯大會上發生革通派與普羅通派的激烈衝突，造成流會的結果[190]。此外，京都與大阪的共產同同盟成員於一九六二年四月組成「關西共產同」。在東京中央大學與明治大學的共產同則展開獨立行動[191]。根據藏田的說法，不在這場分裂劇核心的學生及勞工同盟成員們屢屢表示，面對四分五裂狀態，「根本搞不清楚發生什麼事情。」[192]

在此分裂中，「革通派」與「普羅通派」是起於東大基層組織與共產同中央的對立。但其餘剩下的分裂，則是對「革通派」與「普羅通派」皆以東大學生為主的狀況感到反感而集結，至少這種反感是理由之一。曾是京都大學共產同同盟成員的小川登，批評青木昌彥、西部邁等東大前共產同同盟成員日後金盆洗手離開運動，轉而擔任大學教師，小川於二〇〇二年如此敘述[193]：

美國經濟學聖地的史丹佛大學經濟學教授青木昌彥說，「〔共產同的實際狀況就只是〕二十二歲的小混混招募十八歲的嬰兒，一點責任感也沒有」，但事實是否真的如此？

今日也是一樣，東大學生享有豐富資源。所以能一直啃老當研究生到三十歲，之後成為大學的老師。如已故的陶山健一雖然與父親斷絕關係，但斷絕的條件就是在杉並區高級地段給他一幢美輪美奐的家宅，他父親是東海銀行的行長。此外，還有許多留學美國的人。如已過世的生田好二、中村光勇、青木昌彥、西部邁、已過世的鬼塚雄丞等等。至今仍無法進入研究所的私立大學人們，卻仍處於貧窮中。東大學生的變身實在很快。

即便這是切身的實際感受，但反東大的意識似乎異常強烈。

曾為埼玉大學學生的小野田襄二也如此回憶[194]：「共產同基本上就是東大黨。應該說，〔直到一九五〇年代末〕學生運動本身就是由共產黨東大集團在經營，早大則拚了命參一腳，可以說，除此之外都是糟糠。」「日本共產黨的東大基層組織，無論是好是壞，總之宿命式地背負著共產黨菁英幹部與馬克思主義論客的角色。──共產同就是箇中翹楚。」

島與生田並未參加任何支派。根據島的說法，「雖然覺悟到大會中會出現嚴厲批判，但批判內容太過離題，而且水準極低，這讓我更進一步陷入憂鬱的狀態」，故不再有意願阻止共產同崩毀[195]。之後島重新進入醫學部成為精神科醫師，生田則前往美國留學並客死異鄉。

根據清水丈夫的說法，一九六〇年八月獲釋後，他對共產同陷入分裂狀態感到吃驚，八月下旬極力說服島與生田「應該力圖重新統一。島、生田，請你們務必要再度挺身而出。」但島回答「現在我完全抽手，不管了。」生田同樣也只回答「我跟島一樣，抱歉了。」[196]之後清水加入認為共產同基本上正確的普羅通派。

也有一些對島等人的這種態度感到失望的人[197]。都學聯執行委員的林紘義表示，他過去尊敬的島「在『革通派』胡亂批評一通的會議後，島脫口說出『該死，如果我也學過經濟學就好了』」，帶著一股「近乎哀愁的輕蔑情感」。根據林的說法，「『革通派』那些奇葩且腦袋空洞的傢伙（只有嘴巴犀利狠毒）」所說的「『經濟學』，基本上也不過是『宇野理論』」，而「對這種無聊的理論不加以抵抗，打算屈服的共產同幹部」態度，「只讓人覺得『可悲』。」

不過，「革通派」、「普羅通派」、「戰旗派」等支派也旋即停頓。革通派的藏田在二〇〇二年如此說明[198]：「最終，學生基層組織內部的支派鬥爭並未帶來任何成果。……在革通派基層組織總會的席間，當被問及『將來的方針如何』時，卻一句話都說不上來，瞬間被挫折感擊倒。」原本就不成熟的共產同在分裂之後更形弱勢，力量更為弱小，也屬理所當然。

在這種情勢下，一九六一年四月，全學聯主流派召開第二十七屆中央委員會。趁此機會，全學聯委員長唐牛、中央執行委員北小路等加入了革共同全國委的學生組織「馬學同」。唐牛所屬的戰旗派，北小路參加的普羅通派，雙方都承認革共同全國委路線正確後解散。清水丈夫、北小路敏等日後多成為革共同全國委幹部的成員們，都改為加入馬學同[199]。

共產同同盟成員參加革共同全國委的理由似乎各式各樣。如革共同全國委領導者黑田寬一的「主體性哲學」，在理論上不成熟的共產同同盟成員看來充滿魅力。較諸學生運動，革共同全國委更把重點放在勞工運動上，在安保鬥爭熾烈的六月四日罷工中組織了部分勞工，共產同同盟成員見到這種狀況，特別讓組成戰旗派的勞對集團倍感衝擊，此事在各種回憶錄中皆有提及[200]。實際上，革共同全國委在國鐵工會之一的動勞（動力者工會）扎根，日後即便革共同分裂為中核派與革馬派後，動勞仍舊是革馬派的據點。然則，實際狀況恐怕是，共產同解體，分派活動遭遇困頓，又無法再回到共產黨的狀態下，只能選擇參加革共同全國委，才是實情。

即便如此，共產同同盟成員改加入革共同全國委卻感到苦惱的狀況不在少數。從普羅通派改加入革共同全國委的北小路敏，說自身在重新加入之前「完全沒有活著的感覺」[201]。而同樣從普羅通派轉往革共同全國委的前全學聯書記長清水丈夫，在二〇〇二年的回憶中如此敘述[202]：

> 自己原本組成「普羅通派」這個擁護共產同的急先鋒支派，與革共同及其同志的戰旗派發生尖銳衝突，此時態度卻必須做出一百八十度轉變，其激烈程度幾乎導致身心分解，讓我倍嚐苦頭，朋友及其他許多人對我投以強烈憤怒與批評。但，我身為共產主義者，唯一的生活方式，就是為解放工人階級而活。在此基礎上，只能根據真正的共產主義是什麼？共產主義者的生活方式

是什麼?循著自己認為正確的道路前進。

當然，回顧過往，為了拚命追求自己的存在方式、生存方式、自己的選擇，其實應該與一起戰鬥的「普羅通派」戰友及其他的人們進行充分討論，努力追求團結，但我卻未能辦到，心中充滿無地自容的慚愧。

有部分人拒絕轉往革共同全國委。林紘義如此說明[203]：「一部分的『戰旗派』與『普羅通派』讚美黑田寬一的『主體性哲學』，蜂擁地『改變跑道』至革共同，開始上演（在當時的我看來）令人無法理解的醜態。」「事到如今『主體性哲學』已不復存在。我只覺得：他們究竟在想什麼?」

對部分低階成員而言，這種分裂與轉換跑道都是在自己全然不知情的狀態下發生。當時的一位運動者回憶[204]：「安保之後共產同分裂，被告知『我們的基層組織變成普羅通派了。』當時只想，喔，是這樣子的嗎?接著就參加新島反對飛彈基地鬥爭的招募團。到了三月，突然以電報通知我們：『普羅通派解散了，進行自我批判吧』。我們這邊人可是在新島呢。說什麼自我批判，完全無法理解。回頭一看，說大家都加入了馬學同，真讓我驚訝不已啊。」也有人以此為契機，就此退出了運動。

學生運動的低迷與內鬥的開始

總之，革共同全國委組織擴張了。馬學同作為革共同全國委的學生組織，即便納入來自共產同的人員，也沒有成為龐大勢力，但全學聯書記局的主要成員因期待馬學同的表現且為了尋求發展而加入後，全學聯便能掌握主導權。

只是，革共同全國委並沒有比過往圍繞著黑田寬一的研究社團強出多少。黑田的理論是革命的主體是勞工，較諸學生的直接行動，應以勞工組織作為前鋒，身為共產主義者應當形成「主體性」。因此，革共同全國委對勞工等具備影響力，但幾乎沒有能指揮學生運動的人才。轉而加入的共產同同盟成員，因被要求比起運動更須學習黑田哲學及「形成主體性」，有不少人因此感到困擾。

原本就在革共同全國委的小野田襄二，針對當時來自共產同的移入組如此說明：「一路走在學生運動上的主流派之清水、根本、佐藤、高木四人，要麼直到六〇年秋天，才知道黑田的名號，要麼即便知道，也未閱讀過黑田的書籍。」「佐藤曾率直地對我說，他對被要求理解黑田理論一事感到非常困擾，他覺得那簡直是一種拷問。」[205]

在此局勢下，一九六一年五月，由政府、自民黨、民社黨聯手，在眾議院提出《政治暴力行為防止法案》（政防法）。日本政府因對六〇年安保鬥爭感到震驚，提出了這個鎮壓運動的法案。全學聯主流派則發表非常事態宣言，組織緊急抗議遊行。反主流的共黨系全自聯也呼籲一同罷課進行示威遊行。但已不見如六〇年安保鬥爭的盛況。時為明大社學同的成員在一九六八年回憶當時的狀況[206]：

一九六〇年我是高四生，隔年進入大學後並沒有任何像組織的東西。中執會也是零零落落，反對政防法示威遊行時也是，說了聲「大家集合！」結果也只是一台巴士，零散幾個人的程度。校園內，在春日燦爛陽光下，大家都一副享受學生生活的模樣。即便如此我們仍發起示威。上街頭示威的人數非常少。大家赤手空拳「哇」地大吼衝出，等機動隊把遊行隊伍排除後就算結束了，完全沒有任何重整能力，也沒有什麼來自中執會的命令。行動時自問該怎麼辦，該怎麼做才好，行動就像笨蛋般只會用激進的暴力，這種作法根本無法傳達訊息給其他學生，大眾傳媒也完全沒報導。總之就是衝撞警察，沒有計畫。

有點神奇的是，當時每週五都決定會舉行示威遊行。目的則隨情勢而變，如反對政防法、憲法不當修正、大學管理法等。只要是星期五就有示威。當時明治大學的社學同動員人數最多二十人，即便如此還是搞下去。運動者全部才十七、八人。參與的普通學生都是同情組的，向外招募只會被拒絕。那個時候，也不會說挫折這種話。當說出我們輸了，遭受挫折時，大約已過了一年。

即便如此，在反對政防法的鬥爭中，學生運動還是回復了一些活力。全學聯與國民會議在國會前連日舉行了遊行。全學聯主流派的示威隊伍有一段期間還多達二千人左右。此政防法在國會內由執政黨與在野黨繼續協商審議，反對運動也因此落幕，而舊共產同運動者則從此次活動中恢復自信。革共同全國委的學生組織馬學同因缺乏指揮示威的人才，因此由共產同移入組取得指揮權。馬學同也在七月的第二屆全國大會上承認，「同盟〔馬學同〕組織的弱點，在暴政法〔學生運動方對政防法的稱呼〕的鬥爭中暴露出來。」[207]

因為這樣，共產同移入組出現不滿革共同全國委的人。唐牛健太郎表示，「進入組織後，發現所謂的馬學同意外地缺乏戰鬥力，我們商量另外組成『共產主義學生同盟』，〔全學聯〕十七屆大會的前一晚有許多人贊成，但有兩到三名幹部仍有所遲疑，接著大會召開，結果從一大早就陷入混亂——。」[208]

「共產主義學生同盟」是馬學同與重建的社學同統一後的新組織名稱，似乎也有人提議更改革共同的黨名，不過卻在革共同全國委的壓力下遭到否決[209]。

而「從一大早就陷入混亂」的全學聯第十七屆大會，於一九六一年七月八日起召開，此次大會成為學生運動史上的一個劃時代標誌。學生在黨派紛爭中，首次組織性地使用木頭角材互相攻擊，成為「武裝內鬥」（左翼內部的暴力衝突）的開端[210]。

馬學同吸納普羅通派與戰旗派的運動者們，掌控了全學聯委員長唐牛健太郎出身母校的北海道學聯，以及社學同委員長篠原浩一郎出身母校的九州學聯。但東京都學聯與京都府學聯仍由舊共產同系的運動者所掌控。

在全學聯第十七屆大會前晚，為了推翻馬學同對全學聯的控制，在東京與關西重建社學同的舊共產同運動者們，與革共同全國委分裂出來的革共同關西派，加上在學生運動中新登場的社青同的部分人士，三派團結一致進行反馬學同作戰。社青同是一九六〇年十月作為社會黨的青年組織而成立的社會主義青年同盟，到了一九六五年，一些不滿社會黨領導的成員改成立了「社青同解放派」。

這三派因集會旅館的名字而被稱為「鶴屋聯合」。同時，共產黨派的全自聯也想打破馬學同的支配。

大會從些微的爭吵開始。東大教養學部的自治會選舉中已成立了全學聯系的執行部，但認為那是非法選舉而不願承認的舊共產同系運動者們，自行送來六名代議員。由馬學同掌控的全學聯中央執行部不承認這些代議員，與「鶴屋聯合」發生衝突。馬學同不讓全自聯進入會場，以「鶴屋聯合」未繳納自治會費為由要求削減他們的代議員人數，在此狀況下馬學同形成了多數派。
察覺這些動作的「鶴屋聯合」代議員及旁聽者約二百人，搭乘早班列車從第一天的清晨五點起佔據會場。之後前來的馬學同一度發出「警告」，並以拆下塑膠板的角材為武器，派「突擊隊」衝入會場。
這個「突擊隊」是由前共產同至學聯書記長清水丈夫所指揮。根據當天在現場的舊共產同系運動者中垣行博的說法，「在此之前，學生運動中是有小規模的競爭，不過也就是這樣而已。針對反對勢力正式動用暴力，此時算是第一次。」而「這場衝突有相當多人受傷，有一人還是顱底骨折的重傷。突擊隊多是東京私立大學體育部的學生，由我認識的人擔任領導者。」
屬於馬學同一方，當時也在現場的小野田襄二則如此回憶：「為何會分裂，至今我仍不明白。」「腦海中只留下如機器人般指令，一個接著一個除掉〔「鶴屋聯合」方的學生〕。只能想起沒有思考沒有意識的自己。」
共產黨派的全自聯代表約五百人要求出席而接近會場，不過遭到機動隊的阻止。亂鬥中的馬學同與「鶴屋聯合」聽聞「代代木〔共產黨派〕抵達會場周邊」後，便停止亂鬥開始組隊阻止全自聯，又再展開新的亂鬥。
會場內持續約五個小時的亂鬥對峙後，雙方的領導者展開交涉。「鶴屋聯合」主張，只要不承認東大教養學部的代議員就拒絕入場，就此返回旅館。馬學同方面認為，光是己方派系就已達開會名額，因此強制召開大會。
隔天九日，「鶴屋聯合」在會場入口靜坐，企圖阻止馬學同進場，但馬學同方面從其他入口進場。之後經過領導者交涉，雙方在不承認東大教養學部代議員一事上取得妥協，重新開放入場。

但入場之後，因為席位的入座順序對馬學同有利，兩派再度發生亂鬥。全自聯也打算進場，此時馬學同與「鶴屋聯合」又團結一致企圖阻止，在警方的斡旋下進行商談，但最終仍舊決裂。排除全自聯後，馬學同與「鶴屋聯合」達成協議，雙方進入會場，時間已經來到晚間七點。但會議開始不久就因中央執行部的發言引發大混亂，在提出大會不成立的動議後，兩派又陷入互毆的狀態。

接著議長選舉由馬學同一方獲勝，「鶴屋聯合」旋即妨礙議事並退出會場，返回旅館進行總結後解散。而明治大學及其他自治會代表因對事態感到厭煩，中途便離席歸去。結果，此次大會兩天皆成為馬學同的單獨集會，推選出北小路敏擔任全學聯委員長，根本仁與小野田襄二為副委員長。他們皆為馬學同的成員，北小路與根本也是來自共產同的移入組。

之所以如此詳細描寫內鬥過程，是因為這個模式將成為日後新左翼各黨派內鬥的原型。此後，新左翼各黨派也會因為入座與發言順序等瑣碎的理由爭奪主導權，或只是為了爭個面子，只有在對抗共產黨派時才會團結一致，這確實沿襲了前述的模式。

第十七屆大會也決定「反帝國主義、反史達林主義的學生運動」方針，這也是革共同全國委的口號。所謂的「反帝國主義」，是反對包含日本在內的資本主義諸國，而「反史達林主義」則是反對採取一國社會主義、放棄世界革命的蘇聯、中國及日本共產黨。

同時，被阻止入場的全自聯召開獨自會議，決定「從發展的角度重新命名全自聯，並籌組全學聯重建籌備協議會」。至此，全學聯完全分裂成各種不同的黨派。

一九六一年，京都府學聯召開第十八屆大會，九州學聯召開第十九屆大會，北海道學聯召開第十七屆大會，無論何者都反覆出現各派間的爭執。特別是北海道學聯大會上，全自聯方面搭起街壘佔據會場，馬學同發起亂鬥趕走全自聯，之後單獨舉行大會。到了一九六一年末，全學聯第十八屆臨時大會也以馬學同為核心召開，選出副委員長根本仁擔任全學聯委員長[211]。

如果觀察、對照六〇年代前半政防法與後述大學管理法（大管法）的反對運動等在一段期間內非常興盛的狀況，學生運動便呈現出抗爭、混亂與低迷的狀態。在許多大學，因學生大會未能達到開會員額而流會，某些大學甚至因為黨派區別而出現雙重的自治會。

例如早大第一文學部有共產黨派的全自聯副議長野口武彥（現為評論家）率領之自治會，屬於全自聯的據點之一，但一九六〇年十月的委員總會中反代代木派佔據多數，故決議退出全自聯並選出新的執行部。但舊的執行部不承認此委員總會，另外召開以自己派別為主的委員總會，之後又由主流派召開委員總會等等，呈現互揭瘡疤的鬧劇狀態。自一九六一年夏季起，雙重自治會執行部的狀況持續了一年有餘[212]。

一九六一年，這次換全自聯發生狀況[213]。原本全自聯在共產黨內部也算擁有眾多結構改革派的運動者。一九六一年夏季，八月舉行「禁止原子彈氫彈世界大會」（原水爆禁止世界大会）後，蘇聯旋即實施核爆試驗，高舉「反史達林主義」的馬學同系全學聯決議進行抗議。

但日本共產黨內認定蘇聯核試驗乃為了與資本主義陣營對戰，故社會主義陣營的核試驗具有正當性，因此傾向肯定蘇聯核試驗。許多黨員因對此不滿而爆發集體退黨，日本共產黨也趁此機會開除結構改革派學生黨員的黨籍，或者要求退黨。一九六三年針對「應贊成或批評中國核試驗」，禁止原子彈氫彈運動分裂成兩派，共產黨派的禁止原子彈氫彈日本協議會（日文簡稱「原水協」）對中國核試驗給予肯定，社會黨系的禁止原子彈氫彈國民會議（日文簡稱「原水禁」）則加以反對[214]。日後成為越平聯事務局長的吉川勇一此時是共產黨員，也是禁止原子彈氫彈運動的負責人，但因批評共產黨介入禁止原子彈氫彈運動而遭開除黨籍。

面對這些狀況，學生運動者們理所當然地質疑「邪惡的國家不可以持有核武，好的國家持有核武是為了維護和平，所以沒問題——這種論調，是頭腦正常的人會說出的東西嗎？」[215]全自聯核心的結構改革派學生為此退出共產黨，導致全自聯在這段期間暫時陷入崩毀狀態，從各處大學的自治會中失去身影。

共產黨派學生運動的崩解一直持續到一九六四年，等到由忠於共產黨的學生黨員為核心的民青（民主青年同盟）派全學聯成立為止，才有所恢復。民青的基本路線遵從六全協後共產黨對學生運動的定位，自治會活動的主軸在於實現普通學生的切身要求（增加椅子、書桌，常備衛生紙等），不從事戰鬥性的政治示威等運動。想當然爾，其他黨派指責他們是「不作戰的組織」、「什麼都不幹的民青」[216]。

民青派自治會忠於共產黨的方針，而且有排除異議者的傾向。當時的一名學生說到自己對民青派自治會的失望心情[217]：

在安保鬥爭中，我無法再信任既存的政黨。不，或許應該說，不再信任政治家。不過對共產黨仍有某種期待，那是沒有理由的信任。然而，同時期發生美蘇核彈試驗，原水協分裂等事件，我對黨開始抱持著茫然的疑問。自治會的執行部是其下屬組織，支持民青。我試著問執行部的人們，但我能知道的是，議論朝著蠻幹的方向前進，只有不容許異議的大會（支持大會）獲得成功，對執行部投以疑問的人就被認定是分裂主義者，盡是極端反民主式的幹法。

即便持續感受到這樣的失望，但有如反映學生的政治意識低迷，民青派自治會數量不斷增加。同時，遭共產黨開除或脫黨的結構改革派則創立統一社會主義同盟（統社同）、共產主義勞工黨（共勞黨）、「日本之聲」等新組織，並各自組織「FRONT」、「普羅學同」、「民學同」等學生組織。另一方面，舊共產同系分裂成「關西共產同」或Sect No.6、來自革通派系「馬克思主義戰線派」（馬戰派）及與其對抗的「馬克思列寧主義派」（ML派），加上明治大學及中央大學的獨立共產同等諸派。東京的舊共產同系運動者們者手重建學生組織社學同，但反覆分分合合，終究無法統一成一個整體[218]。

社青同則在一九六五年獨立出「社青同解放派」，又分裂出「社青同協會派」、「社青同國際主義派」等。其中「社青同國際主義派」第四國際派運動者們採取加入社青同的戰術，並從社青同中分裂出來，通稱「第四國際」[219]。

第四國際系的各派中，由太田龍指揮的第四國際日本支部與革共同關西派分裂已如前述，而革共同關西派也分裂成加入社青同派與非加入派。一九六七年，從第四國際日本支部分離出由太田龍等人領導的武裝起義準備委員會（學生組織為普羅軍團全國學生評議會）[220]。

接連不斷分裂的各派日後通稱為「五流十三派」，狀況混雜已然無法區分普通學生與一般公民。在這些黨派中，社學同馬戰派採取經濟學者岩田弘的世界經濟分析理論、社青同解放派採用羅莎・盧森堡的理論，總之還是有一些主張的理論。

但，各派這些二十出頭的成員究竟理解這些難懂的理論到什麼程度，仍須質疑。被社學同馬戰派採用成為理論基礎的岩田弘自身也評述道，「他們特殊的遣詞造句與不成熟的措辭，不過是對孤立他們的各既存革新政黨〔社會黨、共產黨〕之不作為與欠缺活力的一種抗議，以及一種自身團體與各黨派區分的記號。」[221]

比起充斥著晦澀的左翼用語的各機關報文章，或許一九六一年十二月「社學同全國支部代表會議」的主題報告更能表明他們真正的心思[222]：「社會主義學生同盟中不存在組織論。而且也完全不需要只為強化官僚組織的『組織方針』。與其說同盟成員自主行動，不如說我們別無他法。所謂的獨立團體之類，不過是方便的名稱。我們本身的獨立行動，是為了促成無數的獨立。」如此一來，各新左翼黨派遂四分五裂。

「中核派」與「革馬派」的誕生

到了一九六三年，革共同全國委分裂成了「中核派」與「革馬派」。從客觀的角度來看，分裂的原因僅是因為內部一些瑣碎的紛爭。

革共同全國委的學生組織馬學同遭其他黨派所厭惡，因馬學同屢屢採取俗稱「不請自來的統一行動」，這是指馬學同會蜂擁到其他派別召開集會處，主張必須「統一行動」，若對方不接受，馬學同便使用武鬥棒等武器妨礙該集會。這種行為也被稱為「為促成其他黨派解散的統一行動」，在學生運動內部可說聲名狼藉[223]。一九六二年七月，甚至發生東京社學同委員長佐竹茂遭馬學同處以私刑的事件[224]。

馬學同與革共同全國委的這種態度，也招來民眾的不滿。一九六二年七月的參議員選舉中，高舉「革命的議會主義」口號的黑田寬一成為全國不分區候選人，但得票數僅有二萬三千票，遠不及極右派赤尾敏的十二萬票[225]。

一九六二年，日本政府提出大學管理法（大管法），五月二日池田首相於《朝日新聞》發表談話，表示「今天的日本，教育恐被當作革命的手段。」「必須改革今天的大學管理制度。」[226]

此法案限制大學的自治，加強文部大臣對大學的管理權，作為鎮壓學生運動的法律，自然引來抗議運動[227]。十月，馬學同派全學聯發起總罷課，十一月社學同、社青同、構改派（結構改革派）三派也發起總罷課加以響應，以江田五月（日後成為政治家）擔任自治會委員長的東大教養學部為核心，組織了約二千五百人的示威遊行。這三派彼此談不上友好，七月的全國自治會代表會議上甚至發生過戴頭盔拿武鬥棒互毆的亂鬥事件，但此時暫且合作「共鬥」。

必須注意的是，頭盔與武鬥棒最初是被用於內鬥的。使用武鬥棒攻擊機動隊，始於一九六七年十月的第一次羽田事件，此事件將於第八章後述。不過在此之前，內鬥中使用頭盔與武鬥棒已然普及。

反對大管法鬥爭的最高潮，是一九六二年十一月三十日於東大本鄉校區召開的「東大銀杏行道樹六千人集會」。除了共產黨派，該集會出現全黨派共鬥的態勢，成為安保鬥爭以來最大規模的集會。加上全國大學校長的反對，政府放棄將大管法排入國會議程。曾是大管法鬥爭中東大中央委員會成員的山本義隆、最首悟、今井澄等人，日後成為一九六八年東大全共鬥的核心人物。

然而，一九六三年一月，馬學同掌控的全學聯第三十三屆中央委員會召開大會，認為「銀杏行道樹集會」未對他派進行充分批評，並把此次共同行動視為問題[228]。原本革共同全國委就採取重視勞工的路線，對學生運動的態度不但不積極，而且自認為是唯一路線正確的先鋒黨，並採取在理論上打倒其他黨派的方針。因此才提出：在對其他黨派批評不充分的狀況下參加統一行動是個問題。接著，一九六三年四月的全學聯第三十四屆中央委員會上，罷免了提倡與他派採取統一行動的六名執行委員，導致內部分裂。被選為全學聯委員長的根本仁批評，統一行動不過是同流合汙，分裂後這一派成為「革馬派」。

全學聯第十七屆大會上與根本仁同時被選為副委員長的小野田襄二對此持反對意見，批判此乃獨善其身的新左翼黨派主義，分裂後他這一派稱為「中核派」。一九六三年七月的全學聯第二十屆大會中，佔據會場的革馬派攆走中核派，打造出只有革馬派成員的全學聯執行部，惟代議員未滿定額，因此全學聯實際上已告毀滅。

與此同時，上層團體的革共同全國委也發生分裂，革共同全國委的理論導師黑田寬一與勞工運動領導者本多延嘉出現了矛盾[229]。

黑田主張，除了革共同全國委之外，其他人領導的勞工運動對革命並無幫助，應全數加以批判。黑田還認為，各職場的勞工基層組織的上層組織，也是與中央指揮部相連的地區黨委員會，應當以推進勞工運動為主。簡要而言，黑田要求應滲透到最末端的勞工。

與此相對，本多認為既然存在戰鬥性的工會，就應與對方合作推展行動，並主張革共同全國委的正確性以取得勞工的支持。他還主張，勞工運動須以產業別委員會為核心，因為這些委員會與勞工現場組織關係密切。

革共同全國委的機關報《前進》首先刊登黑田的論文，接著刊登本多批判黑田的論文，將兩人的矛盾公開化。然而，這種程度的內部論爭，應該不至於造成組織分裂。

小野田襄二如此回憶：「本多害怕若被黑田的邏輯束縛，將有脫離現實之虞，為了加以突破，所以才發表論文吧。」且「黑田論文與本多論文的意見相左之處，只要兩人開誠布公商量一番，根本就是能簡單解決的問題。」因此，「為何本多在發表〔論文〕前不與黑田溝通？或者，他們沒在政治局裡輕鬆討論嗎？」

然而，雙方的對立已經形成，此時加上馬學同的分裂，革共同全國委於一九六三年分裂。根據小野田的說法，「如此，即便在方針上並沒有特別的衝突，依舊朝『昨天的同志成了今天的敵人』演進，朝著不顧自身狀況的敵對局勢狂奔而去。」包含清水丈夫、北小路敏等許多共產同移入組運動者，以及擔任現場指揮的政治局多數派多站在本多一側。另方面，馬學同掌控的全學聯中央執行部多數派與動勞則站在黑田一側[230]。

此次分裂中，在政治局成少數派的黑田派出走，因此黑田派把「革共同全國委革馬派」及其下屬的馬學同皆稱為「革馬派」。另一方面，本多派繼承了「革共同全國委」之名，而全學聯內屬少數派的學生組織則稱為「中核派」。

但此次分裂並非基於在思想上選擇黑田或本多的主張。根據小野田的說法，從一直以來的思想傾向來說，「不可能出現早稻田大學前往革馬派，法政大學來參加中核派的分裂狀況。」「簡而言之，就是領導層出現分裂。對我而言，這實在讓人感到心情苦澀。」[231]儘管在此之後，如人們所周知，早大成為革馬派的據點、法政大則成為中核派的據點。

這次分裂中，共產同移入組與包含多數政治局成員的中核派，擁有領導層的實力。但因學生運動者多前往革馬派，導致分裂之初東京都內的中核派學生運動者減少至十八人。不過在領導層的力量加上與其他黨派的合作下，中核派恢復了自身勢力。另方面，雖然革馬派掌握著勞工運動部分，但在中央指揮部大半的學生運動家們年齡都在二十一到二十二歲，因此黑田寬一成為了傑出領袖[232]。

而因這次分裂騷動而感到失望，離開運動或轉向其他黨派者也不在少數。唐牛健太郎趁機抽身不再參與政治運動。小野田後輩的埼玉大學馬學同領導者見到革共同的狀況，轉而加入共產黨的民青，而埼玉大學自治會也成為民青派[233]。

此外，以往由馬學同掌控的北海道大學、名古屋大學、鹿兒島大學、金澤大學等自治會轉入民青，九州學聯則轉入社青同[234]，眾組織紛紛出走。一九六三年，東大教養學部自治會選舉中隸屬「坐禪之會」的無黨派學生揭起「追究囫圇嚥下既存意識形態的運動者」與「頹廢學生運動者責任」的口號，成為候選人，並獲得厭惡民青和新左翼各黨派的學生們支持，最終當選委員長[235]。

就在各黨派四分五裂之際，一九六三年五月，從共產同轉投革共同全國委，之後又轉入中核派的北小路敏，在日比谷的松本樓舉辦婚禮。關於這場象徵當時學生運動的婚禮，有如下描寫[236]：

> 聚集在日比谷松本樓的六十人，幾乎都是朋友。有隸屬敏君組織的人，有全學聯時期是好友但如今已絕交的人，現役的全學聯人員、支持者、思想前進的劇團成員、外國記者……當他上台開始講話，就出現令人震撼的場面。

「我也結婚了，不過沒有邀請任何人，也沒有舉辦婚宴之類的慶祝儀式。比起這個，我認為你現在的思想就是垃圾，趕緊停止那種愚蠢又錯誤的運動吧。反正你也聽不進去，不過作為老友還是給你個忠告。」

「吃裡扒外的傢伙，閉嘴，這裡可沒你的事。」

「像後頭那種湊熱鬧愛嚷嚷的蠢貨，就是你的同志。建議你趕緊重新思考一下。」

「結婚什麼的，是資本主義社會的古老幻想，所以希望兩位儘早離婚，恢復自由之身。」

一位帶著三歲女孩來參加婚宴，看來約莫三十多歲戴著眼鏡的男子要求起立發言。

「敏君，我是與坐在您旁邊的令尊隸屬同一組織的人。兒子的婚禮，大家都認為父親應當出席吧。然而，儘管是父親，如果在思想上分屬立場不同的組織，也不好出席。令尊按捺這種為難仍舊出席了，即便是基於人情義理……」（註：北小路君的父親是共產黨京都府議員）

流淚約五分鐘後，婚宴又繼續……。

只要有人發言就必定有人喝倒采。一秒鐘都沒消停過。但是，此處籠罩的異樣熱烈氣氛，倒是像從眾人互揭瘡疤的傷口中流淌出來一般。因為往昔的洶湧情勢，反覆激烈分裂之下而變得弱小的左翼陣營，此處所見景況，宛如左翼的縮影。

北小路之後也作為中核派領袖繼續從事運動，不過他的至交鶴見俊輔在二〇〇三年如此說明[237]：「去年還是前年，北小路寫來一封信。那是他太太過世的時候，他太太真的非常支持北小路，甚至去當女侍應。北小路照顧她直到她生命的盡頭，因為非常悲傷，給我寫了信。」「他是個能力極高的人，如果走入世俗社會，應該能獲得崇高的地位。即便如此他仍放棄這條道路，不斷從事運動。」

然而現實中的運動不僅持續低迷，而且內鬥不絕。掌控各地大學的自治會妨礙其他黨派的集會，動用暴力的案例不斷出現。

在運動方針方面，黨派對抗也不斷。雖然在大管法相關鬥爭上總算組成超黨派共鬥，但一九六一年起重啟的日韓會談、一九六二年起開始的政府自民黨憲法調查會、以一九六一年重開的蘇聯核試驗及一九六四年中國核試驗為開端造成禁止原子彈氫彈運動的分裂、一九六四年起搭載北極星彈道導彈的美軍核能潛艦停靠橫須賀等，需處理的課題眾多，但各議題上每個黨派的方針都呈現對立狀態。

例如一九六三年七月，全學聯第二十屆大會因由革馬派獨佔，中核派、社青同、社學同、構改派另外召開全國自治會代議員大會，集結全國四十八所大學約三百人。但社學同主張「只需對日韓對談進行鬥爭，搭載北極星導彈的潛艦就不會來」，中核派則主張「對搭載北極星導彈的潛艦停靠進行鬥爭，就能粉碎日韓會談」，彼此互不相讓[238]。

即便如此，聯合四派最終妥協，打出兩大口號：阻止日韓會談、阻止搭載北極星導彈的核潛艦入港停靠。一九六三年九月於清水谷公園展開集會，但在聯合四派大約二百五十人的集會上，卻衝入約一百五十人的革馬派，拿角材胡亂展開攻擊。最終當天兩派分別舉行自己的集會，同樣的路徑上舉行了兩次個別的抗議遊行。這段期間構改派還從聯合四派中脫隊，社學同則如前述不斷陷入內鬥與分裂[239]。

一九六四年七月，其他大學的中核派、結構改革派（FRONT）、社青同約一百五十人頭戴頭盔手持角材作為武器，襲擊了革馬派的據點早大第一文學部的自治會。遭革馬派逼迫的早大結構改革派拜託中核派支援。而中核派也是首次擔任其他大學內爭中的支援部隊。

七月二日夜間，結構改革派、社青同、中核派於鶴卷公園集合後，中核派部隊衝入革馬派聚集的早大法學部地下室展開亂鬥。許多革馬派同盟成員邊扔擲石塊邊逃亡，但仍有十人被抓住，遭對方以角材毒打。聽到騷動的附近居民與警察趕來制止，搬送負傷的革馬派同盟成員，在居民的謾罵聲中，中核派部隊撤回他們的據點法政大學。據說廣播新聞還報導「三名革馬派學生死亡」。

儘管這則新聞報導是誤報，但這是場激烈到即便有人死亡也不足為奇的亂鬥。根據現場指揮的中核派小野田襄二的說法，儘管記得對對方施加私刑的自責感，「為何不把對方當人來看待呢？我內心雖然如此吶喊，可是權力與反權力、革命與反革命、帝國主義與史達林主義、革命馬克思主義這些詞彙遮蓋了我的思考。」

中核派一方的學生則有他們自己的感受。當天，以中核派成員身分參加的橫濱市立大學的奧浩平，他的日記中如此記錄當天的心情與狀況[241]：

> 至今為止，日本的戰鬥型學生運動中，「早大一文」占有無可估量的重要意義。……但是，Y派（因黑田寬一的筆名是山本（Yamamoto），故革馬派亦被稱為「Y派」）佔據自治會執行部後，一文一舉凋零成今日的模樣。也不進行分班討論，其他黨派的看板被砸毀，以暴力阻止發放傳單。……
>
> 今年四月起的運動開展過程中，相較於一文學生委員，結構改革派諸君遠遠更加團結……。預定於六月三十日舉行的委員總會，也預測Y派會展開暴力式的篡奪。他們為了「澈底守護」一

文執行部，以S為首的選管會挑選學生委員時，特意不選各分班中打算投票給結構改革派諸君的人……。Y派面對透過主動佔領而當選的結構改革派諸君，說「必須只由合法的委員召開會議。要求進行自我批判」，遂打算以十五名的學生委員（Y派所屬！）召開委員總會。

……中核派與社青同諸君回應結構改革派諸君的要求，計畫重建一文自治會而派遣招募團。

六月二十九日深夜，對於不能澈底打倒Y派的二十人深深感到遺憾。可惜我們無法以棍棒澈底打垮因恐懼而對我們投擲牛奶瓶的S與H。（究竟，S與H在這一年之間全都做了什麼！拿棍棒敲碎SY〔社青同〕的K君，我們的同志手腕骨折，看板被搗毀，這樣，早大的學生運動究竟重生出什麼！）

三十日委員總會上他們的武鬥！我們潛入擔任間諜的理科大學生（他說，必須由我親手打倒！）雇用東C等外部部隊，企圖翻轉總會教室的狀況，在結構改革派底下聚集的二百五十個同學（除了我們之外其他還有六十人）愚弄了三十名的武鬥要員。

我們與結構改革派、社青同一起帶著全首都的憤怒，決意要在七月二日夜晚迫使Y派進行澈底的自我批判。七月三日絕對不許S與H帶著得意洋洋的表情在銅像前集會搞分裂行動。

七月二日晚間，我們的失敗就在於不能在五分鐘內解決這件事。我腦海中描繪在鶴卷公園戴頭盔提武鬥棒，日本的學生運動最終打倒Y派而獲得廣泛且長足的發展。經過三個小時的激烈戰鬥，我們全身被投石砸得鮮血淋漓時，不禁對我們的戰術不夠完備感到遺憾。

此處可以見到對革馬派經年的怨恨升級為暴力的模樣，以及意識到透過打倒其他派別可使「日本的學生運動獲得廣泛且長足的發展」，因此對自身的暴力全無反省之意。

這種抗爭持續到一九六四年左右，學生運動陷入最低迷的時期，據說一直處於「動員全首都也聚集不到兩百人」的狀況[242]。即便如此，一九六四年九月至十月，各地仍展開阻止搭載北極星導彈核潛艦停靠橫須賀港的集會，九月在橫須賀集會上，社青同國際主義派（第四國際）首次有組織地戴頭盔舉行示威遊行，獲得社會上的普遍關注[243]。過往在內鬥中便曾使用頭盔，但在校外有組織性地戴上頭盔，這則是頭一次。

在遊行中戴頭盔，經過一九六五年阻止日韓條約鬥爭後，逐漸擴散開來。一九六五年二月阻止外相訪韓鬥爭遊行中，戴頭盔的人數增加。同年十月二十九日的阻止日韓條約全國統一行動中，反代代木派各派大約聚集四百五十人，十一月五日，他們戴頭盔的遊行隊伍在安保鬥爭後首次抵達國會前廣場[244]。

戴頭盔的原因之一，在於安保鬥爭後警方機動隊的手段變得非常嚴酷。機動隊員用盾牌包圍數十人到數百人的學生遊行隊伍，從外頭只能看到機動隊員推進，這種手段成為常態。因遊行隊伍被機動隊所包抄，這種型態也被稱為「三明治遊行」。

次頁圖　根據每日新聞社編《安保與全學聯》（每日新聞社，1969 年）刊載圖，並參閱高澤皓司、佐長史朗、松村良一編著《戰後革命運動事典》（修訂新版，新泉社，1985 年）等資料修正製作。但細節部分仍有許多不明確處。反帝學評成立於社青同解放派組成後，而實際上，社學同雖然是第一次共產同的學生組織，但作為反戰學同的繼承者其存在則早於第一次共產同成立。1968 年 3 月，馬戰派從第二次共產同中重新分裂出來，共產同 ML 派在猶豫是否參與第二次共產同的統一中分裂，不加入統一的一派於 1968 年 10 月組成日本馬克思列寧主義者同盟（ML 同盟），其學生組織也從社學同 ML 派改名為學生解放戰線（SFL）。第四國際 BL 派與武裝起義準備委員會之間的關係並不明確，也有人認為兩者日後統合成普羅軍團。結構改革派各派間關係詳參本章註 218。另，本圖顯示的時間點為 1968 年年末（但普羅學同於 1969 年 3 月組成），之後反帝全學聯分裂成解放派系與共產同系，社青同解放派於 1969 年 9 月變更黨名為革命的勞動者協會（革勞協）。1969 年 9 月除革馬派，各派組成全國全共鬥並於 1971 年 6 月崩解，共勞黨在 1971 年 12 月一分為三。赤軍派自第二次共產同中分裂而出並四分五裂，該狀況請參照第十六章的〈聯合赤軍關係圖〉。如上所記，因為狀況極端複雜難以說盡數正確，刊登此圖僅作參考。

新左翼各黨派的系統圖

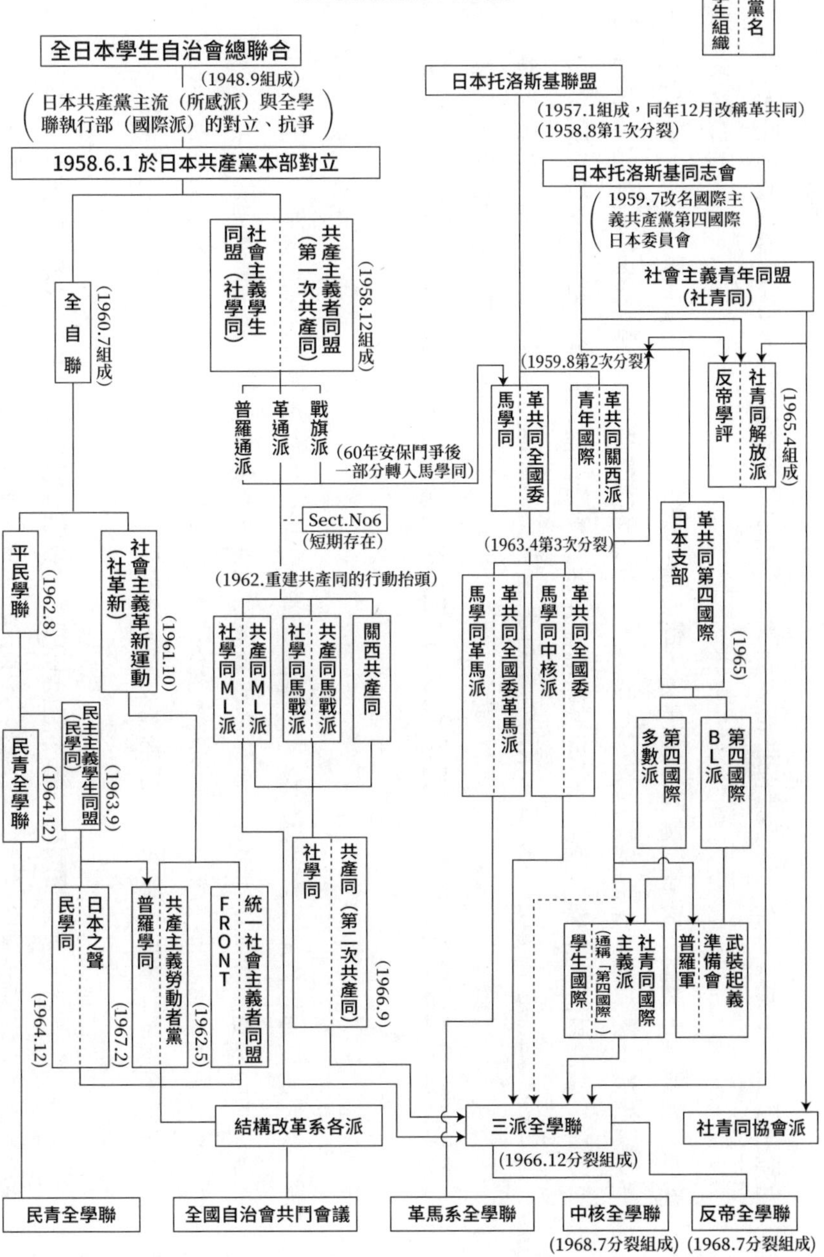
學生組織
黨名
全日本學生自治會總聯合
（1948.9組成）
日本共產黨主流（所感派）與全學聯執行部（國際派）的對立、抗爭
1958.6.1 於日本共產黨本部對立
全自聯
（1960.7組成）
社會主義學生同盟（社學同）
共產主義者同盟（第一次共產同）
（1958.12組成）
普羅通派
革通派
戰旗派
（60年安保鬥爭後一部分轉入馬學同）
Sect.No6
（短期存在）
（1962.重建共產同的行動抬頭）
社學同ML派
共產同ML派
社學同馬戰派
共產同馬戰派
關西共產同
社學同
共產同（第二次共產同）
（1966.9）
平民學聯
（1962.8）
社會主義革新運動（社革新）
（1961.10）
民主主義學生同盟（民學同）
（1963.9）
民青全學聯
（1964.12）
民學同
日本之聲
（1967.2）
普羅學同
共產主義勞動者黨
（1962.5）
FRONT
統一社會主義者同盟
（1964.12）
日本托洛斯基聯盟
（1957.1組成，同年12月改稱革共同）
（1958.8第1次分裂）
日本托洛斯基同志會
1959.7改名國際主義共產黨第四國際日本委員會
社會主義青年同盟（社青同）
（1959.8第2次分裂）
馬學同
革共同全國委
青年國際
革共同關西派
反帝學評
社青同解放派
（1965.4組成）
（1963.4第3次分裂）
馬學同革馬派
革共同全國委革馬派
馬學同中核派
革共同全國委
日本支部
革共同第四國際
（1965）
多數派
第四國際
BL派
第四國際
學生國際
社青同國際主義派（通稱「第四國際」）
普羅軍
武裝起義準備會
結構改革系各派
三派全學聯
（1966.12分裂組成）
社青同協會派
民青全學聯
全國自治會共鬥會議
革馬系全學聯
中核全學聯
（1968.7分裂組成）
反帝全學聯
（1968.7分裂組成）

因為外頭看不見機動隊員的行為，在三明治遊行的內側，警方往往對學生施加暴行。一九六七年六月十五日，參加樺美智子追悼集會後遊行的學生，記下三明治遊行的實際狀況[245]：

站在我列隊最旁邊的同學胸膛被機動隊踢中。前方列隊的女學生腹部遭擊打，光著腳奔跑。兩旁的學生被擒抱住，沒多久我們的梯隊約五十人變無處可去，大概兩百人的機動隊將我們包圍。我身旁的學生被踐踏，臉部遭毆打，我深陷混亂的隊伍中，右前方的國會議事堂看著彷彿在搖晃。夠了！讓我回家！不要逮捕我！……我想這樣喊叫。我們暫且就以這種三明治的狀態，被帶至清水谷公園。

據聞，會如此對學生暴力相向，是因機動隊員所受「教育」的結果。前述中核派學生奧浩平在一九六三年五月的日記中如此寫道[246]：「據說關於學生，機動隊被如此教育：『你們的頭腦非常好。但是，因為身為農村、漁村的二男、三男，所以無法上大學，為了減輕家中負擔而成為警官。可是，他們〔學生〕因為有錢，所以一邊啃老，一邊胡扯那些鬼理論，做一些任性的事情。』其餘的，就是只要說『三列縱隊！拔出警棒！衝！』就行了。」先不論這種「教育」是否實際被執行，學生受到的暴行事實上就讓人感覺到似乎就是這麼被教育的。

因為如此，戴頭盔是為了面對機動隊時防身，自然而然地出現與擴散。在遊行時也使用內鬥時的頭盔，也是理所當然的行為。

從大趨勢來看，一九六〇年到一九六七年為止的學生運動，經歷新左翼各黨派的分裂與運動的低潮，接著一九六四年重組的民青奪回各地大學自治會。大致就是沿著這樣的路徑發展。然而，高舉實現學生切身要求的民青穩健路線，偶爾也遭記者批評。立花隆於一九六九年如此說明[247]：「說起民青的活動，大學中的民青就是勸女大學生不要讓絲襪綻線，把椅子上突出的釘子敲回去，將這些等同於自治會活動的戰果，其實不過是愚蠢與平凡的積累而已。」

但當各新左翼黨派內鬥浮上檯面之際，民青的勢力急速擴張。在一九六四年七月，全國的大學自治會中，民青掌控了二百二十四所，馬學同旗下的中核派與革馬派合計掌控二十七所，社學同掌控二十二所，社青同掌控二十一所，構改派掌控三十八所。一九六四年十二月，民青派自治會集結佔壓倒性的多數，訴求重建全學聯[248]。

此外，共產黨的成長也很顯著，轉為穩健路線的共產黨以擴大黨的勢力為第一目標，要求地方運動者吸收一定額度的黨員，致力增加機關報《赤旗》的發刊數。其結果，一九六一年黨員大約四萬八千人，一九六六年約二十八萬三千人，至一九七〇年突破三十萬人。《赤旗》的發刊數，包含日報與週日版，一九五八年大約四萬六千份，至一九七〇年已突破三百萬份。黨員人數十年間增長六倍，機關報十二年間增加了七十倍[249]。

另方面，各新左翼黨派在反對日韓條約鬥爭時雖然暫時性地掀起熱潮，但一九六五年鬥爭結束後也發生嚴重的反動。根據社學同馬戰派的運動者，日後成為三派全學聯副委員長的成島忠夫回憶，日韓鬥爭結束後「強烈的〔反動〕襲來。除了成為黨派幹部的人以外，真的有許多運動者離開。」[250]

不過，在民青大為成長之前，四分五裂的新左翼各黨派已逐漸開始進行合縱連橫。一九六四年，中核派、社學同、社青同解放派三派合併重建都學聯，成為日韓鬥爭的核心。一九六六年九月，關西共產同、明治大學及中央大學共產同，再加上部分ML派與馬戰派成功統合，組成「第二次共產同」（之後一九六八年三月，馬戰派分裂離開）。一九六六年十二月以重建的都學聯為基礎，中核派、社學同、社青同解放派組成「三派全學聯」，社學同ML派與社青同國際主義派（第四國際）也隨之加入[251]。

此「三派全學聯」在一九六七年十月的第一次羽田鬥爭以後，以手持角材頭戴頭盔的姿態深植人心，此部分將於第八章後述。在此之前，將於下一章介紹反覆分裂至六〇年代中期的所有新左翼黨派的特徵，以及運動者們的心情。

第四章　新左翼的黨派（下）

——運動者的心理及各派的「特徵」

本章中將概述至六〇年代中期為止出現的所有新左翼黨派具備何種特徵、運動者的日常生活與心理狀態如何，以及新左翼各黨派在大學內佔據什麼樣的位置[231]。

運動者的心理狀態，與普通學生略有不同。為理解當時的學生如何加入學生運動，而加入後心中抱持何種糾葛，此部分將進行案例研究。關於新左翼各黨派的特徵（style），將把重點放在當時不懂困難理論的普通學生如何看待新左翼各黨派。至於釐清新左翼各黨派在大學中佔據的位置，可以理解為何新左翼各黨派會熱中於奪取自治會、消費合作社（譯註：日文為「生活協同組合」，簡稱「生協」）、學生會館，這也將成為閱讀之後章節的背景知識。

本章與前一章相同，即便跳過本章，直接閱讀第五章以後的內容，也不會造成閱讀上的障礙。不過本章的內容較前一章更能得知當時學生的心理狀態，對今天的讀者而言應該也饒富趣味。

成為最暢銷書籍的運動者日記

新左翼各黨派的運動者們究竟有著什麼樣的出身、家庭背景與心理狀態？當時對學生進行的大型調查將於後文再述，在此之前先以中核派運動者奧浩平的手記為例，進行概觀。

奧浩平於一九六五年二月參加反對《日韓基本條約》鬥爭時，遭機動隊毆打導致鼻骨粉碎性骨折，身負重傷後，吞下安眠藥自殺身亡。他的日記在一九六五年十月出版，書名為《年輕的墓碑——某學生運動者的愛與死》，在學生之間成為最佳暢銷書。他的日記充分顯示出六〇年代學生運動低潮期中運動者的心理狀態。這與一九六八年左右的運動者心理有若干不同，現說明如下。

如同當時許多學生運動者一樣，奧浩平也是性格認真的年輕人。高中即將畢業之際，他在自己擔任編輯的班級誌上寫下，自己拒絕「盡可能進入有名大學、盡可能進高薪公司、盡可能娶個漂亮太太、盡可能多領些退休金、盡可能活長些」的人生[232]。

在中學的學生會活動上也是，國三生因忙於準備考試，慣例上不擔任學生會長候選人，但他仍舊擔任了學生會的委員長。當時的教師評價他說，「如此充滿純真正義感的學生，之後再也沒見過。」此外，奧浩平的兄長也回憶道，他是「幽默風趣，爽朗受人歡迎的類型，果敢的決策能力與行動力令人讚嘆。」[233]形成奧浩平性格的背景要素之一，便是其家庭環境。他的母親在他九歲時離婚，離開了奧浩平，而他的父親則是對學生運動抱持好感的自由主義者。奧的哥哥回憶，在奧成為運動者之後，父親也是站在支持肯定的立場，只要求他不要受傷[234]。後文將詳述，根據當時社會學者的調查，學生運動者的雙親大多數在思想上都是進步的，但像奧父親對學生運動如此寬容的案例，仍屬少數。

另一個影響奧性格的，是公立中學的教師。奧參加的社團是新聞社，根據奧的兄長回憶，擔任顧問的教師「在充滿上班族老師的今天，算是個特別的人，對教育充滿熱情，教導學生在今日社會中生存的實際狀況，除此之外也針對教育問題不斷執筆寫作，還是日教組的運動者。」[235]據稱奧關心社會問題，多少也受到這位老師的影響。

奧之後進入號稱擁有「自由校風」的都立青山高中就讀，但並無幸再遇到中學時代般的好老師，歷經合唱團、落語等社團活動後，他開始傾心基督教。在他高中二年級的一九六〇年五月信件中寫道，「我下定決心了。將來要成為一個牧師。」「為了追求優美至善的生活，要麼自殺，要麼進入修道院，要麼成為牧師，我想只有這三個方法。」[236]

寫下此信後不久，岸內閣決定強行通過新安保條約，六月十五日樺美智子死亡後，奧參加了在國會周邊舉行的遊行。根據其兄回憶，「六月十六日，浩平變了臉色，前去參加那個抗議遊行。父親因怕會發生事故所以嚴格禁止浩平前去參加，但他不聽父親的勸說。那種頑強的態度，是父親與兩個哥哥前所未見的。當天夜裡浩平初次離家出走，隔天早上滿身泥濘地睡死在樓梯口。」[237]之後一直到安保獲得自動生效的十九日為止，奧每天都前去參加遊行。

安保鬥爭改變了奧的志向。他在一九六〇年七月的信件中寫道，「我們的牧師說『不要去參加安保鬥爭，讓我們為政局穩定祈禱』。」「祈禱了就能讓政局穩定嗎？」之後他便切斷與基督教的聯繫。根據他朋友的回憶，安保鬥爭後「他變得會大膽拒絕慣習性的、以友誼為名的布爾喬亞式人情交往。」他的教師也表示「他不容許把現代史，特別是關於社會主義與法西斯主義的部分講授得有如古代史的老師。」他進入大學後的筆記則寫道，「一九六〇年初夏，心中發誓『將為共產主義革命奉獻一生』。」

8

之後奧嘗試閱讀馬克思主義的文獻。根據後文說明的對學生運動者的調查，大部分學生皆回答上大學後才接觸到馬克思主義文獻，奧屬於例外個案。不過他也閱讀《蒂博一家》（*Les Thibault*）等人文主義文學，這類作品屬於學生運動者在中學、高中時代愛讀的一般讀物[9]。

如第一章所述，六〇年代後半的學生運動者們在六〇年安保鬥爭發生時，年齡大約介於小學高年級到高中之間，而根據教育學者鈴木博雄在一九六七年對學生運動者實施的調查，超過七十%的人回答「安保鬥爭直接或間接影響到自己的人生決定」[10]。

因此，奧從高中時代起即已政治覺醒，而且正如他拒絕「盡可能進入有名大學……」般，他哥哥表示「他也不專心做試題的練習簿，拿著岩波新書從頭讀到尾，這種學習方式讓一旁的人看了非常擔心。」[11]想當然爾，奧在大學考試中落榜，讀了一年高四班後，僅考上一所大學，自此進入橫濱市立大學。

但，分析奧手記的鈴木博雄如此說明[12]：「奧君選擇志願時，並非基於一般考生那種『哪所大學都好只求能夠入學』的選擇志願戰術，該注意的是，他一直希望能在大學學習史學，所以追隨這樣的觀念在選志願。」

奧在高四班時代寫的信件中，提及「會強烈認定非學習日本史不可，是因為日本的階級社會如何形成，國家又如何成立的問題」非常吸引他[13]。樺美智子的專業也是史學，或許也有些影響。

此外，奧從高四班時起，就與中原素子（假名）成為筆友。一九六二年五月寫給中原的信中，奧寫下「我們絕對不該有黨派傾向——我強烈這麼感覺。黨派——加入後便意味著切斷與更大範圍的人聯手，即便不加入黨派，歷史也必然會朝著我們的目標前進。」[14]但如後所述，奧上大學後加入中核派，中原則加入革馬派。

就讀橫濱市立大學後，奧認為「學問與鬥爭不可分離，將兩者分離本身就很奇怪」，因此選了許多課。奧寫道，這是效法樺美智子立志兼顧學問與運動[15]。一九六八年的東大鬥爭後，因學問的中立性受到質疑，學生運動者有明顯不再心向學問的傾向，從這層意義來看，奧屬於舊式的思考方式。

然而，奧對量產型授課的幻滅感立刻襲來。入學不久後的一九六三年四月十九日，他在筆記上寫下「明明就是無能（或者因為無能），卻在學生面前擺出一副了不起的臉孔，帶著第十年說著第十次笑話也不感到厭煩的熱情講課的傢伙〔指教授〕，讓人感到憤怒。」[16]

而在一九六三年九月奧寫給中原的信中，既批評「拿著『哲學概論』這種欺世盜名的名稱胡搞的課程」，又對「那個遠山茂樹的《日本史概論》的開展只會讓日本民主青年同盟開心拍手」感到不滿。「我盡可能大量逃課，但依舊持續學習。但與四月時的想法不同，採取別的方法——不去上哲學概論，改而研讀《黑格爾法哲學批判》；不交英文文法作業，改而閱讀《法蘭西內戰》的英文版。」[17]

奧很憧憬樺美智子，因此對共產黨與民青不澈底進行安保鬥爭抱持批判的態度。對課程失望後，他打算加入歷史研究會（史研）繼續學習，但當時社會科學類的社團多為各黨派的據點，所以他在四月二十七日的信中寫道「史研是民青的據點」，「不願繼續參加」[18]。

此時，奧對北小路敏在橫濱市立大學舉行的演講相當傾心。當時北小路是中核派與革馬派分裂前的革共同全國委幹部。奧於四月二十日的信中寫道，「北小路的演講是如此的明確清晰」，「與此相對，演講後的討論會上，那種採取共產黨與民青立場的人，完全是一派胡言。」[19]

這封信中亦寫有如下內容：「我在就讀市大（橫濱市立大學）前，並不理解學生運動的理念，在衝突的面前駐足不前，讓我深以為恥。我希望盡快理解明確的理念，加入組織（不進入組織，又能幹些什麼事呢！）或者組成新組織，參加運動。……作為曾踹下五人、十人或者二十人才得以進入這個學術場域的人，我認為這是一種理所當然的責任。」[20]

如第一章所述，當時認真的大學生懷著一股罪惡感，即自己之所以能升上大學，都是因為踢下同學或貧困者的結果。此種意識隨年歲增長而逐漸淡化，但此想法仍是他們投身學生運動的基礎原因。

入學後不久的一九六三年四月二十六日，奧很快參加了示威遊行。五月，他成為自治會選舉中副委員長的候選人，但因在組織中缺乏支持背景，慘敗給民青的候選人。他最初加入與民青對立的「平民會」（守護和平與民主主義的市大生之會），七月十七日起改加盟由北小路指導的馬學同中核派[21]。

但奧加入中核派的過程中也有一些糾葛。就在加入之前，奧在筆記本中如此寫道：「我認為馬學同根本就是胡鬧。理論上完全正確。……但這也不保證能將日本的革命運動導向正確方向。」「中學或高中畢業在工廠工作的人，無法為現在的革共同提供養分。」「我想加入革命組織，砥礪自己身為共產主義者的意識。……但在各種黨派胡亂林立的現在，我認為必須先對其進行正確的掌握，之後才能加入。」[22]

奧針對中核派也如此寫道，「『托洛斯基主義與虛無主義不是完全對立的嗎？』當以木頭質料的集團連結，去對抗由極度壟斷資本緊密組成的鋼質集團時，他們這個木質集團根本是耐不住艱苦而發生精神錯亂的團體。」[23]對於參加這樣的團體是否有意義，讓他相當苦惱。

如後所述，一九六八年社會學者的調查中，學生會加入新左翼黨派多因學長姐的勸誘或順勢加入，而如奧這般自己研究學習新左翼各黨派的理論，克服疑問後才選擇加入，屬於例外的個案。

此外，奧的筆友中原素子早已在早大加入革馬派，奧選擇加入中核派，意味著與她站在對立的立場。奧在六月底的筆記上如此寫道[24]：「中原成了馬學同山本派的同盟成員……我則加入了馬學同中核派。啊，活著就是要如此嚴酷戰鬥嗎？要如此劇烈的分裂嗎？」

奧也懷有一般十八歲青年的個人問題且為之煩惱。他在加入中核派前的筆記中提到[25]：「大四學生在社團活動教室中聊著就業話題。……我對他們絲毫未感到同情或憐憫，只有胸悶與欲嘔的感覺，所以又躲到後山去了。」「在電車上見到肉感女子時就會被撩起情慾。」「晃到逗子海岸。……見到努力包裹自己成熟體態的年輕女子，以及渙散眼神中充滿色欲的男子，只覺得這片沙灘是年輕人面對壟斷資本時無法加以妥善應對下的一種洩慾場所。」「啊！我質疑這本筆記的存在意義。撕碎扔了吧。……我活著根本沒有任何意義。」

讓奧決心加入中核派的，是與革馬派的內鬥。一九六三年七月五日，全學聯舉行第二十屆全國大會，但如前一章所述，革馬派佔據會場，僅由自己派別選出全學聯執行部。奧與中核派的學生們一同對革馬派發起長達三十分鐘的激烈衝突。奧在這天的筆記中寫著，「日本學生運動的危機。其他的事情已無需多言或紀錄。」之後他加入中核派，但加入翌日他寫道「我在不明就裡的情況下，流著眼淚，在七月十七日選擇了馬學同。」[26]

此後奧作為中核派的一員，每天埋首於製作傳單、參加集會與遊行，同時也在中核派的學習會中研讀馬克思的著作。跟隨當時的中核派路線，他學習到：在資本主義社會中遭異化的人，透過參與革命運動改變社會的同時，也能恢復自身主體性的思想。他的理論學習途徑，是從馬克思青年期在《一八四四年經濟學哲學手稿》發展出來的異化論起，接著是《僱傭勞動與資本》、《德意志意識形態》等馬克思著作中屬於較易理解的作品開始學習，最終來到《資本論》。

依循恢復人的主體性之思想閱讀馬克思著作，這是革共同系的中核派與革馬派的明顯特徵，不過六〇年代許多新左翼黨派亦是如此。奧將共產黨對馬克思的理解定位為與中核派對立，做出如下批判[27]：

但根據史達林主義運動（共產黨）的官方見解，正因為馬克思拋棄「人是什麼，以及人應該是什麼」的問題，所以才能展開正確的哲學。此說法完全忘卻馬克思的精神，把人從馬克思哲學中摘除。這種不存在人的「哲學」，無法掌握推動歷史的人之主體性本質，也無法處理相關的解放課題，僅靠「生產力與生產關係的變遷，制約了人的條件，推動歷史前進」產生片面敘述的史觀。從而，將「人的」或「異化」等觀念性詞彙的事情，讓渡給關在書房裡的學者或小資產階級，這是種令人驚懼的思考。

如後所述，依循恢復人的主體性之思想閱讀馬克思著作，乃是日本新左翼各黨派的特徵。同時代法國的阿圖塞認為，馬克思在《一八四四年經濟學哲學手稿》之前一直關注著異化論，但從《德意志意識形態》起即捨去觀念性的人論，提倡以科學社會主義來完成理論。

阿圖塞對馬克思的解釋，是對法國共產黨高唱「馬克思主義是人本主義」的一種抵抗。換言之，日本與法國的新左翼（雖然阿圖塞本身也是共產黨員）抵抗個別國家共產黨的馬克思主義解釋，最終採取了相反的形態。

無論如何，高度經濟成長下直接面對「現代的不幸」的當時日本年輕人，許多都把馬克思主義當作一種「主體性恢復論」來接受。奧遵循中核派的路線持續閱讀馬克思的著作，他在筆記中寫下「在當下，人的主體性究竟是什麼——我們有必要盡全力回答這個問題！」[28]

此外，一如高唱「反帝、反史達林」（反帝國主義、反史達林主義）的中核派同盟成員，奧對蘇聯與中國也持批判的態度。在一九六三年末寫的論文中，他如此寫道[29]，「在被稱為『社會主義國家』的蘇聯、中國，之所以會宣傳『勞動很快樂』，不過是因為在那些國家『勞動並不快樂』。原本在社會主義下應該會充滿勞動的欲望，沒必要由官僚進行大量的宣傳。」對蘇聯的批判態度幾乎是當時新左翼各黨派的共通之處。

奧在一九六四年埋頭參與阻止搭載北極星導彈核潛艦靠港鬥爭、反對《日韓基本條約》鬥爭，作為中核派的運動者而成長，獲得充實的存在感。在一九六四年十月寫給其兄的信中寫道，「九月的一個月之間終於只有四天回家睡覺，幾乎每天都過著參與鬥爭的日子，而唯有在這樣的生活中，原本的我方才存在。」[30]

一九六四年六月十六日寫給哥哥的信中，他批評「拋開一切雜事只對化學傾注學術熱情的同學、只享受唱歌跳舞連報紙都不閱讀的同學，或者在音樂、自家車中尋找存在價值各自隨意行動的同學」等不關心派的學生。一九六四年十二月，奧正式加入學生組織馬學同的上級組織——革共同全國委[31]。

雖說如此，奧原本立志兼顧學業與運動，此時卻因埋頭運動而疏於學業困惱。一九六四年七月十七日寫給中原素子的信中，他如此寫道[32]：

啊！我的人生宛如廢物。即便如此也能發光發熱嗎？在示威隊伍中與大家一起大聲叫喊，衝破警方街壘的時刻；在課堂上鼓動學生的時刻；在鎌倉與同志們一同舉辦MK〔馬克思主義學習會〕的時刻；閱讀印刷出來，由自己撰寫的傳單的時刻——這些都讓我感到自豪，清楚意識到自己為何而活。……

幸福的每一天，充滿光輝的自豪生活。然而，某時某刻，我瞬間被打回現實之中。當我察覺時，已經沒有錢買書；沒有錢吃飯；期末考的成績滿江紅。究竟能否從大學畢業呢？

我一路都在學習。絕對不輸任何人地學習。不過也確實沒學習保健衛生、地學概論、學校教科書的英語。不學習這些東西就算不上學問，是這樣的嗎？！

無法消除對自身將來的不安感。學過馬克思「異化勞動」概念的奧，在一九六三年十二月二十七日的筆記中，提及自己當時的打工狀況[33]：「源源不絕的紙箱生產作業，已經不想幹了，就到今天為止，厭煩了、去吃屎吧、資本貪得無厭者的從屬！人的自我喪失、內在的剝奪、空虛化、形骸化、白癡化！」但另一方面，一九六四年十月八日的筆記中他如此寫道[34]：

我覺得我想學習——盡可能多讀書，盡可能在書箱裡蒐羅需要的書籍。我想要愛女人——想盡全力去愛既有魅力又美麗又溫柔的女性。我想穿筆挺的西裝，吃著充滿滋味的美食——潔白的襯衫、特別是憑藉我的感性選出的領帶與長褲。豪飲啤酒大啖鹽燒香魚。把西洋梨的香氣嗅個滿鼻。可是，我們生活在資本主義社會中，我們的存在，在本質上是與資本主義敵對的，因此經常、總是被資本主義所窒息。……為了能暢飲啤酒，就必須投入大量被異化的勞動之中。

想沉溺於大眾消費社會這種經濟成長的果實，以及因這種欲望而必須投身「異化勞動」的兩難，讓他感到煩惱。

中核派以消除「異化勞動」使人獲得解放為目標，形成推動革命的主體的理論，應該可以解決這種兩難。一九六三年十二月十一日在寫給中原素子的信中，奧提及前往中央郵局散發傳單時，見到勞工毫無生氣的表情時的感想[35]：「頭腦好的人與不好的人，富人與窮人、學者與工人，從眼前的人們可以實際感受到各種不間斷的撕裂，好幾次忍不住眼眶中的淚水。」「我確實親身感受到，只要我們處於這種狀況，只要眼前還有這種醜態，就不得不戰鬥，所以我投身戰鬥。」

但奧也察覺自己無法真心喜歡那些勞工。寫於上述書信前後，但日期不明的筆記中，他如此記道[36]：「我無法與勞工的女兒、無知的女孩、略顯骯髒的女孩戀愛。」

然而，奧的一貫志向是拒絕「只有稍微漂亮也好，一定要娶個嬌妻……」的生活。在一九六四年二月左右的筆記中，他如此寫道[37]：「找個溫柔的女孩，醉心於這個女孩，最終跟她結婚，之後又為了什麼而活下去呢？我太太的溫柔聲音。溫暖棉被中的小睡。在這之後，我又該做什麼呢？……啊！實在讓人心中感到一股怒意。」

愈是埋首於運動，想兼顧學業便愈發不可能。被經濟高度成長的果實所吸引，對女性的欲望讓他渾身焦躁，卻又對小市民生活與投入異化勞動的將來不斷感到厭惡。在這種兩難中，奧心中充滿煩悶。一九六四年二月四日的筆記中他如此寫道[38]：「像這樣坐在桌前，淚水卻抑止不住地流下。覺得至今為止自己幹的事情很不可思議，今日的處境在所有的一切中該如何定位，這樣的事情又有什麼意義？我逐漸無法理解。」「啊，今後我打算如何賺錢謀生，如何進行階級鬥爭呢？」

在這種狀態下，與中原素子的交往在背後支持著奧。一九六三年九月與革馬派內鬥後寫給中原的信中，他寫道「我腦中感覺到那場亂鬥大概會徹底撕裂妳我，但知道妳並非強硬的山本派後，方能鬆口氣。」一九六四年五月十七日的筆記中寫道，「昨天手握著妳的信，首度去散步了。」[39]

然而，面對高唱要解散包含中核派在內各黨派的革馬派，奧心中充滿激烈的怨憤。如前述第三章所言，一九六三年九月十三日，發生革馬派闖入中核派、社青同、構改派在清水谷公園集會的事件，奧在三個月後的一九六三年十二月寫下的筆記中，如此提及中原[40]：「在早稻田銅像前的集會，心想『今年大概又會發生類似九．一三的狀況』，『把遊行標示牌看成棍棒』而滴滴答答落淚的我的好小姐，妳是如此溫柔，妳的內心如此溫暖，妳是傻瓜，妳是笨蛋！」

讓奧與中原的關係發生決定性決裂的，是前章提過的一九六四年七月二日早大事件。此時奧身為中核派的一員，帶著頭盔手持武鬥棒在夜晚的早大內胡亂痛毆革馬派的運動者。此事件後不久，日期不明的筆記中，奧如此寫道[41]：「七．二問題以後，中原素子開始變得冷淡。……七．二事件發生前的週六，當我在檢票口前握緊她的手想要說話時，也握緊我的手的她，並不是她自己啊！」

奧想要修復與中原的關係，在一九六四年七月十七日給中原的信中如此寫道[42]：「希望妳一直記住，有的是中核派與革馬派，而不是我和妳。從妳和我認識起，彼此就加入了不同的黨派。」然而與中原的分離，最終仍不可避免。一九六四年十二月十七日的筆記中，奧如此記錄與中原最後見面時的場景[43]：

在最後向她嘗試愛情的夜晚，她說「為何不去喜歡中核派的女孩？」我回答「因為喜歡妳呀。」……

除了她以外，我沒有愛上其他女性。

可那傢伙在我面前三十公分的距離這麼說。——我沒法愛你，討厭呀，最討厭了。

我愛她，可是對愛著她的我說出這種話的女人，揍她一頓也是理所當然。

可是，揍了她之後我後悔了。為什麼呢？因為分手後我還是想回到她身邊。

十二月八日，奧在給中原的信中如此寫道[44]：「妳是唯一能填滿我飢渴之心的女性。對於為何不去喜歡中核派的女孩？——這個問題，我再回答一次。因為我愛過妳。但是，在這個世界上，似乎仍有無論如何也無法相愛相親的男女。……別了。」

此時奧把中原寫來的信全燒了。大約一個月後的一九六五年一月二十六日，奧在同學的住處服用安眠藥企圖自殺[45]。此時因及早被發現，故以自殺未遂告終。

自殺未遂不久的一月二十八日，奧在筆記中激勵自己要重新站起[46]：「不行啊，不行啊。開學後只出了兩次看板。傳單只出了一次。我最喜歡的那個分班討論，在大教室的鼓動演講，一次也沒參加。昨天被民青的傢伙拍肩膀說『最近沒什麼活力啊』。……怎麼了？你可是〔革共同〕全國委員會呢！」但，這天的筆記中同時也如此寫道，「我無法離開她。無論她如何拒絕我，對我而言她都是唯一的一人，唯一的意中人。」

到了一九六五年二月，作為日韓鬥爭一環的阻止外相訪韓鬥爭，奧被機動隊的警棒敲碎鼻骨，成為粉碎性骨折的重傷。奧在醫院中還給中核派的友人寫信，拜託對方帶他招募的後輩去參加集訓。

「稻村只要再督促一下就會參加。拜託讓坂井、中島、山田、石原預約參加。」[47]

如此他依舊保持身為運動者的責任感，但二月二十六日的筆記中卻寫道「很遺憾我忘不了N。」[48]接著在三月六日他再次服用大量安眠藥，這次成功自殺。

根據奧的兄長所記，在奧的告別式上，聚集了中核派的同志們，大家「流著淚反覆高唱《國際歌》、《華沙工人進行曲》、俄羅斯革命葬禮進行曲《同志不倒》（同志は倒れぬ，英文曲名為You Fell Victim to a Fateful Struggle）。」出版奧的遺稿時，北小路敏針對中核派運動的正當性寫了一篇長文作為後記。但奧的兄長卻寫道，奧的煩惱「溢出了運動的理論，而這種溢出才是最重要的。」[49]

如前所述，此份遺稿從六〇年代到七〇年代前半被眾多學生廣泛閱讀。這是因為這位運動者的筆記與信件，喚起了同時代青年們的共鳴。如同以下說明，當時對運動者的社會調查可以見到，奧的個案雖有一些屬於例外的部分，但大半的煩惱仍與當時的學生運動者們共通。

運動者們的日常生活

此處將針對學生運動者們的日常生活與加入動機等，透過手記、調查、回憶錄等嘗試進行描繪。首先，一九六六年當時身為早大民青派運動者的宮崎學，在一九九六年的著作中如此回憶運動者的日常[50]：

運動者的工作很多。製作街頭散發的傳單，製作集會、研究會等資料，都很辛苦。要以數千件為單位製作好幾種傳單、資料，在那個沒有複印之類手段的時代，全部都通過謄寫版來印刷。字寫得好看的傢伙負責在謄寫版上蠟的紙張上刻字，每天從早到晚拿著鐵筆在置於雕刻版上的蠟紙上拚命刻字。

我負責的是招募活動。這是由運動者招募被稱為「普通學生」的無黨派學生參加示威遊行或集會，把有能力的傢伙拉入民青或共產黨之類的活動。

說是招募活動，其實也不可能做什麼特別的事情。理所當然地與大量的學生碰面，不過就是口頭說明參加示威的意義、成為同盟成員的意義等等。……說是碰面，也不是在咖啡館或酒館之類舒適的場所見面，當時的學生多數貧窮，許多人根本沒錢上咖啡館。所以，在空教室或校園長凳上拚命跟對方攀談。如果遇到對我的說明感興趣的人，就前往住處拜訪，進一步說服對方。

大部分的人都住在三張或四張半榻榻米大小的房間，當然沒有人擁有電視、電冰箱等電器產品。在那些漏風的房間中，一邊啜飲粗茶一邊不斷進行談話。

偶爾也會拿出三多利紅標（Suntory Whisky RED）或托利斯威士忌（Suntory TORYS Whisky）等，對當時學生而言最高級的酒類來招待對方，大家兩手緊緊捧著杯子，很仔細很慎重地品嚐。酒在當時就是如此貴重，不久前學生之間流行的「一口氣乾了」之類的作法，在當年根本不可能。

……帶這些學生去參加示威遊行也很麻煩。過程大概是先在車站之類的地方集合，接著帶他們前往示威會場，為了讓這些學生能一眼認出，得帶著學友會的大旗等他們。如果遇到沒來的傢伙，就得打電話到對方住處，要求對方參加。簡要來說，就是幹著類似團體旅行中陪同領隊的工作。……

所謂學生運動者的工作，大部分都是這種樸實又土氣的事情。……而且不只是在早大，也經常前往靜岡大學、信州大學、京都大學等地方大學進行招募。

當時的謄寫版印刷，是拿鐵筆在蠟紙上寫字，接著在謄寫版上做印刷。在雕刻版上放上厚蠟紙，再以鐵筆刻字的作業過程稱為「cutting」，之後拿厚蠟紙來印刷的作業過程則稱為「sting」。

這些運動者在繁忙的時期，許多時候一個月僅能回家幾次。一九六八年左右的學生運動者的一天，今日仍留有當時教育學者的調查紀錄[51]：

早上剛過八點就起床。八點半起在校門口發傳單大約一個小時。過了九點，用早飯。

十點開始參加學校內的同盟會議，檢討本週的活動方針，決定今日的計畫。

午休時間參加自己派別的學生集會，進行鼓動演說。之後立刻前往自治會室出席中執會議。在下午第二節的一年級語言教室，利用開始上課前的十分鐘左右，說明羽田鬥爭的意義，並鼓動演講呼籲參加二十一日反戰遊行。

放學後，對一年級K進行招募活動，大約花費一個小時。

晚上八點起再度於自治會室檢討反戰遊行的實施計畫。一直進行到晚上十一點左右。

深夜，在自治會室製作呼籲參加示威遊行的傳單草案，刻謄寫版，這段期間不斷有來自校外的電話。

凌晨三點半，在自治會室和衣而睡。

熟知當時學生運動狀況的評論家，五〇年代初期曾為東大教養學部自治會委員長的大野明男，如此描寫六〇年代學生運動家的生活[52]：

「成為學生運動者之後，忙碌程度超乎想像。有組織的會議，還得把結論寫至直立看板上直到深夜、靠謄寫版製作傳單。從早上開始發傳單，到各班級去呼籲『同學』們參與。在校園內的『群眾』集會必須一直坐在最前排。去參加遊行時，就算被驅散、遭踢打，也得堅持到最後。接著，結束後還得檢討成果，並開很長的會議準備下次的鬥爭。回到住處仍須學習『革命』理論。——當然，不太去上課，也無法打工。成績下滑，經濟上也發生困難。進食之類也不定時，所以營養不良。洗澡之類也是次數極少。睡眠不足。總之就是失去健康。……一直過著一點也不瀟灑的學生生活。」

條件比新左翼黨派學生好，住在自家的民青派前原水協運動者日記中，有如下紀錄[53]。順帶一提，共產黨認為民青同盟成員未來將成為幹部候補生，因此指導他們必須努力學習：

> 九月十六日，昨天太過忙碌，工作結束不了，最終只好睡在辦公室。早上九點到十一點，在辦公室辦公，從辦公室回來後去派送《平和新聞》。在家吃完午餐，下午一點到四點參加多摩原水協世界大會總結會議的前置會議。四點前往立川公民館，準備會場。五點半起開始總結會議，到晚上十點半結束。十一點吃晚餐，十一點半從立川站坐電車，到新宿的「曙印刷」送原稿。再從新宿坐往立川的末班電車回到國立市，在辦公室準備基地相關事宜。早上九點從國立站前出發，結束後回到辦公室是傍晚六點半。回到家中是晚上七點半，之後吃完晚餐，洗澡，現在是晚上九點半。實在是累壞了，沒辦法讀書。

一九六八年一月，一位記者問中核派運動者「有看電影之類的嗎？」回答則是「沒有空去看」，這在第一章已然提及。過著這種生活，理所當然無法看電影。何況是中層以上的運動者，自不待言幾乎沒有餘裕從事文化性的創造活動。

如第一章所述，運動者大多數不重視穿著，在時間和金錢上都缺乏餘裕也是原因之一。住處的房租、給所屬新左翼黨派的捐款、前往鬥爭現場的車資、思想學習的書籍費等，只會讓活動費不斷上升。如果參與活動被雙親得知，從而切斷經濟支援，那麼經濟上的餘裕就幾乎等於零。

一九六八年奈良女子大學四年級生的革馬派女學生，接受當時雜誌採訪時表示[54]：她父親是前縣議員、前商工會議所會長，「以前我是優等生型的女學生」，參與活動被父親知道後，「雖然逃過斷絕父女關係，但因違背父親的意思，所以每個月不再給生活費。」之後她過的生活就是「與朋友兩個人在六張榻榻米大小的房間共同生活，房租四千日圓每人各付一半。一天的餐費只有兩百日圓，化妝品只有用一百日圓的化妝水，一瓶用三個月。從事英文翻譯賺到一萬五千日圓，扣除生活費後，剩下的全部都充作書籍費。」

運動者的出身階層與家庭環境

學生運動者一般都很貧窮一事，也在社會學者高橋徹一九六八年發表的調查中獲得證實。高橋的調查是針對東京與關西的大學自治會幹部等級學生運動者，及各自所屬新左翼黨派實施訪談，試圖按黨派釐清他們的出身階層、出身地、參加運動的原委、與家人的關係、現在的煩惱、經濟狀況、對自己派系的批判意識、在大學的出席程度等特徵。因為是一九六七年至六八年初的調查，所以中核派、社學同、社青同解放派統整為「三派」，在此時期的調查中甚為珍貴。

首先是經濟狀況，學生運動者的平均生活費每個月約一萬九千日圓，較一九六六年度的東大本鄉校區學生平均二萬一千日圓為低。且他們住在自家的比例約佔兩成，約八成都是從地方縣市前往東京求學，住在宿舍或租屋的學生。高橋最初考量到一九六六年至六八年的物價上漲、許多學生運動者得支付房租，以及許多人需支付私立大學學費，預估他們「『一天吃兩餐，而且只能吃長型軟麵包與拉麵，並兼任多份打工』，但事實卻非如此陰暗，為此感到氣悶。」[55]

這意味著學生運動者不見得出身於低階層。一九六七年，教育學者鈴木博雄也對學生運動者進行調查，儘管沒有像高橋的調查那麼有組織性。

根據其調查，「學生運動者屬於較全體學生平均更高的『中上』與『中』階層，『下』階層學生在全體學生平均中比例極少。」根據鈴木的說法，學生運動者為「中上」與「中」階層出身者佔七成以上，「上」出身者也有三至四%，他認為「此前認為都是窮人子弟在搞學生運動的常識，必須做出重大改變」，「不少都是一流大企業社長的孫子、教育委員會的兒子、大學教授的孩子、一流公司董事的孩子。」[56]

然而高橋徹主張，「學生運動者大約七成屬於中或中下所得階層的出身者」，「較鈴木調查更屬低所得階層」。這可能是基於高橋比鈴木還要晚一點進行調查，反映出大學生普遍化的結果，不過高橋指出「中」層佔多數則與「〔鈴木調查〕並無太大差別」[57]。

此外，鈴木與高橋也都認為，出身「下」階層的學生運動者很少。根據高橋的調查，出身勞工階層的運動者僅佔調查對象中的三％。高橋如此談到勞工階層出身的學生[58]：「比起學費更苦於生活費，不得不努力打工；比起去更好的處所就業，內心總抱著只要有工作就好，因此在物理上或精神上都難以從事學生運動。」

但須注意，這個狀況並不意味當時的學生運動就是「中層以上學生的遊戲」。高橋以美國社會學者針對美國新左派學生運動者調查作為參考，美國調查指出，學生運動家多出身「中上」到「上」層，屬於「富裕社會的天之驕子」，但日本的學生運動者則出身「中」或「中下」階層，故高橋認為「與美國新左派有著決定性的不同」。根據高橋的說法，日本的學生運動者「外貌平凡，屬於今日學生全體的平均長相」，「他們就是長相『普通』的人，不像美國學生運動中可見相貌出眾的豪快人們。」[59]

此事也可套用第一章提及的運動與文化間的關係。在美國的狀況是，出身上流階級的新左派運動者是「社會波希米亞主義與政治激進主義的混合產物」，被評為「富裕社會的天之驕子」，與嬉皮文化等具有親和性。

然而，日本的學生運動家來自大學普遍化的結果，屬於「中」乃至「中下」階層，而且多為來自地方縣市的租屋、住宿生。大多數的學生原本是階層低的地方出身者，沒有時間、經濟上的餘裕，所以他們與美國的新左派不同，對文化活動並不熱中，此歸納也能讓人認同。

不過高橋的調查還根據新左翼黨派、出身家庭的職業及就讀高中進行區別。根據高橋的說法，即便出身中間階層，也分為白領階級的都會區新中間階層與經營自營業和農業等的舊中間階層，並「得出『構革派』（五十七％）來自舊中間階層，『三派系』（七十％）與『民青派』（五十％）來自新中間階層等別具深意的結果。」[60]

而在就讀高中方面，租屋、宿舍生佔八成的事實反映出「學生運動者多來自六大都市之外的高中」，但這也依各新左翼黨派而有所不同，「『民青派』與『革馬派』多出身大都市的高中，『三派系』多出身地方都市的高中，『構革派』多來自鄉下或小都市的高中，這些高中成為領導幹部的供給源頭。」從附屬的調查問卷也可清楚看出，革馬派中多出身大都市者，構改派多出身鄉鎮郡部者[61]。

關於就讀的大學學部，鈴木的調查指出法學部、經濟學部約佔全體的三分之一，接著是文學部、教育學部，理工學部則屬少數。高橋的調查也顯示，社會科學類佔四十％，人文科學類佔三十九％，自然科學類佔二十一％[62]。

但這同樣依各新左翼黨派而有所不同。根據高橋的調查，民青滲透到所有的學部，三派系則多經濟學部與醫學部，革馬派多關東的文學部，構改派多關西的文學部，特別是革馬派明顯集中在文學部[63]。如後所述，當時都說革馬派多是都會派與文學部，上述的調查也證實此觀察。

關於家庭的文化背景環境，鈴木認為「家庭過於嚴格或採取放任主義，無論何者都屬於非教育式的家庭」，他用了比較粗糙的定義方式，而高橋的分析則稍微細緻些。根據高橋的說法，「運動者自身認定的家庭形象」中，「自由放任型佔半數以上（六十二％），權威主義式父權中心型佔第二位（二十六％），包含過度保護在內以母親中心主義型則較少（十％）。」高橋如此說明[64]：

> 然而，若仔細檢討這種自由放任型，大致可從中發現兩種亞型。一種是確立自由主義價值觀與家族規範，家長一直相當有自覺地尊重孩子個性與發展其自發性，從而雙親與孩子之間不太有衝突的家庭。我們〔的調查報告〕中，這類較多是出身相對富裕階層的「民青派」。與此相對，

另一個亞型是無論在經濟或精神上皆無餘裕關心孩子的教育，自然而然、不得不變成自由放任型，這是「革馬派」與「社學同派」的特色。

作為對照，父權中心型在「構革派」中非常突出（五十％）。如前所述，原因出在他們原生家庭多隸屬農村或小都市的舊中間階層，因此他們與雙親發生衝突的時期，也早於「民青派」與「三派系」的高中時期，大約從小學或中學時代便已開始（五十七％）。……對這一派的運動者而言，在與社會進行鬥爭前，首先得反抗家庭內部父親的權威主義，而且是「有理由的反抗」。相較於其他派系，他們更重視組織內部的民主主義，這或許與他們少年時代經歷過的創傷經驗有關。

在家庭的文化背景的影響上，高橋指出「他們的雙親比同世代的人具備高得多的政治進步性」，「除了『構革派』以外，面對雙親的政治意識形態，孩子的態度並非反抗，而是更趨近一致。」高橋參考的美國調查指出，即便雙親的立場大致上屬於自由主義，運動者們「仍離開父母那進步但空洞的言論世界，誠實面對內心，賭在『現在立刻實踐』的選項上」。高橋下結論道，「這點日本與美國運動者的狀況是相同的。」[65]

奧浩平的例子中，其父亦屬自由主義者。而作為當時受到雙親影響的學生案例，東大全共鬥運動者的大原紀美子於一九六九年出版的手記中寫下如下文字[66]：

「自我懂事後，一直努力成為堂堂正正的人，成為替他人著想的人。……小時候的貧窮給我內心造成相當大的傷害。我的父母教導我是這個社會有問題。誰都沒有錯，我也沒有錯，但我卻背負著煩惱。這肯定是這個資本主義社會出了問題。我們必須打造一個人們至少不受貧困所苦的社會主義社會。」

這段文字中可以看出在經濟高度成長期度過童年的世代，多數都有被「貧窮」傷害的經驗，或者親眼見過貧困人們，在此背景下又受到雙親的影響，因而對資本主義產生質疑。有別於五〇年代起進入富裕社會的美國，反叛的運動者來自於厭煩這種富裕生活的上層階級子弟，日本的學生運動家並沒有表現出明顯的階層特性，而是基於下層出身者沒有搞運動的餘裕，由他們之外的人來擔任運動者。

但大原的雙親反對女兒加入新左翼黨派。在這層意義上，學生運動者即便與雙親的政治傾向「並非反抗而是更趨近一致」，但在是否採取直接行動上，則與雙親衝突，此處則與美國類似。

高橋接著說明，「他們不單斥責父母的行徑偽善，更對父母口中的『和平與民主主義』存疑」，高橋將其行為定義為，「自己選擇走上不妥協的道路，透過這樣毅然決然的行動，使他們不斷擺盪或漂流的自我存在感（self-identity）大致獲得安定。」[67]英文的「identity」在當時的日本尚未普及，高橋卻特意使用這個詞彙。高橋認為，學生運動者們根據「不妥協」的「毅然行動」以探尋自我的認同（identity）。

此外，當雙親屬於保守立場，自然會反對持武鬥棒戴頭盔的直接行動，而即便雙親擁有進步思想，大致上也不贊成，但是激烈反對的並不多。根據高橋的調查，採取「武裝」示威的反日共派學生中，獲得雙親支持者佔十二％，遭強烈反對者佔十九％，六十六％的雙親則是「抱著『悲傷放棄』的念頭默許」。而不從事暴力示威的民青派，獲雙親支持者甚多，達到三十六％[68]。

鈴木調查的問題之一是「你如何看待自己的子女參加學生運動？」四十四％回答「不允許」，三十一%回答「不得不認可」，八%回答「認可」，十七%回答「不知道」。鈴木評論道，回答「不得不認可」的比例意外地高[69]。

高橋將這種「默認」分為兩類。一類是雙親本身即具備自由主義的思想，雖然理解孩子的政治志向，但反對暴力示威，也希望孩子「千萬別受傷」的類型。另一類是，對「啃老」的學生「為了逃避學習」而參加運動一事覺得反感，但已然放棄這些走上「自己力所不及的世界」的孩子們，只希望日後「能夠順利就業」的類型[70]。

鈴木介紹這些採取「默認」態度的雙親想法：「現在才被說我們偏保守右派，我們也無力反駁。」「我們既沒有學歷，又不研究深奧的理論，兒子提起這樣的話題，我們根本無法應對，最終只能逃避或放棄。即便聆聽孩子的說法，用語也太過艱澀，難以理解。」其中雖也有一些家長給予肯定的回答，如「感覺現代社會中採取行動的只有學生」，但如上述採「默認」態度者並不少[71]。

高橋與鈴木另外舉出運動者也煩惱與父母關係的例子。他們介紹的學生運動者發言如下[72]：

「只有小學畢業的父親如此自我犧牲才讓我進入大學，但我選擇的生活方式卻無法讓父親感到滿足，這給我很大的心理負擔。不過，老爹的期待當然是種錯誤的幻想啊。」（中核派學生）

「一想到那種事，就覺得回家痛苦得要死，最後為了自我逃避就躲到街上去度過時間。」（構改派學生）

「捲入親情的話，一切都變得讓人困擾。親子針鋒相對的結果早可預測……。不知道哪個時候，一定會面臨破裂。可是，家庭的問題最終還是不能解決啊。」（社學同學生）

「為何不能認同我，這件事讓人覺得很苦惱吶。這不是自己的意識形態被反對而感到煩惱，而是父母不願理解我而產生類似絕望的感覺。」（民青學生）

「在許多學生都不願意挺身而出的現在，會從事革命運動的學生都是原本感受性就很強的人。所以，這樣的人與家人出現對立時，當然苦惱也比常人更加劇烈。」（中核派學生）

「父母應該依照他們的生活方式過活，我也只能依照自己的生活方式而活。」（革馬派學生）

「被叫回鄉下老家而與父親吵架。單方面地被威脅『如果幹那個就讓你退學。明天就去學校辦手續』。對此，我把自己為何這麼做全盤告訴父親。父親回應，站在父親的心情，至少希望我能大學畢業，而你現在的行為絕不能容許。最後父子落得一種無可奈何的，既非妥協也非對立的狀態。所以，對於學費被斷絕一事讓我倍感擔心。」（三派系學生）

針對家庭關係，奧浩平也如此寫道[73]：「類似『也不去打工，每天都晚歸，盡說些大話自吹自擂，利己主義的行徑』等責罵不絕於耳……對他們這些遭資產階級倫理觀毒害的人而言，毫不遮掩地選擇明哲保身，遵從『學生→不知世事→快變成大人』的模式，如果反抗反而就會被說教。」這種與家長之間發生的糾葛，當時的學生們稱為「家庭帝國主義」。一九六九年的週刊雜誌上，如此描寫某社學同的女性運動者的狀況[74]：

她以認真的表情說，「家長的監視最讓人感到痛苦。」學生運動者之間存在著最必須排除的「帝國主義」。……帝國主義，至今為止有日帝（日本帝國主義）與美帝（美國帝國主義）兩者。

可是最近加入了第三個，那就是「家庭帝國主義」。所謂的家庭帝國主義，就是雙親流淚懇求「怎麼樣，你就別再幹了吧。」M子說，與「日帝、美帝同樣可怕。」

一九六九年佔據街壘的東京女子大學全共鬥學生，也提及與「家庭帝國主義」抗爭的困難[75]：「將街壘生活擺在首位，也就意味著選擇了『鬥爭』，同時在許多場合中，也有和家人對抗到底的態勢。」

六〇年代末除了運動者以外，也有大量學生參加示威遊行，所以也總是能看見擔心學生安危的家長身影。如第十三章後述，一九六九年四月二十八日的沖繩日鬥爭中，有九百六十三人被逮捕，當時的週刊雜誌如此記載[76]：

「事件的翌日以來，搜查本部頻頻接到詢問電話，『我家的孩子有沒有被逮捕？』『我家的孩子被哪裡的警察拘留了嗎？』……在嫌疑者的照片中見到兒子臉龐的母親哇地哭出來。束手無策的父親說著『完全不關心政治，應該也沒參加過示威遊行的女兒怎麼會』……。聲音哽咽的姊姊說『擔心弟弟的狀況而無法成眠。對不起過世的母親。』還有從關西趕來的大學教授。」

因為如此，一九六八年十月二十一日的新宿事件中被逮捕的女學生說，「最恐懼的是，被家人知道會非常困擾，還有被校方知道也會非常困擾。」[77]其中還有一位女學生在一九六九年四月的沖繩日被逮捕後，於十五分鐘的會面時間內對雙親說：「如果覺得我是你們心愛的女兒，就連同我從事的運動一起愛吧。」據說「父母對刑警低頭道歉說：『家長的力量根本起不了任何作用』，接著便回去了。」[78]

極少有學生能說服雙親，多數的人都表示「實在不太想說，不過〔鬥爭的時候〕腦海中首先浮現的是父母的臉龐。心想他們肯定很擔心吧。」[79]有些案例中家長則說：「如果不停止搞運動，四年級之後就不幫你出學費。」

即便家長對孩子參加運動表示理解，也不能消除他們的煩惱。法政大學文學部三年級的中核派女學生，如此談到母親的事情[80]：「明明不理解卻仍要接近我，光是看那樣子就覺得可憐。她說，因為是我選擇要做的事情，大概不會有錯吧。我的母親只透過我來理解鬥爭。」

報導中還介紹學生的意見如下：「出身地方縣市的人最難說服自己的雙親。……每個人最初都會碰到這堵高牆」（社學同學生）；「〔從山形來到東京的父親〕流著淚求我『拜託你別再搞運動了』」（革馬派學生）；「如果不把家人全部招募參與進來，根本無法跨越家庭帝國主義，不是嗎？」（社學同學生）。還發生過：一個家庭中長女加入民青，次女加入社學同，雙方都想招募剛考上大學的三女，最後遭母親制止的例子[81]。

認知現實社會與理解馬克思主義

參加運動的契機，每個學生各有不同。不過，鈴木與高橋的調查也指出，這些學生大多是進入大學後才接觸到馬克思主義，在此之前，他們的閱讀傾向皆偏向人文主義文學與存在主義，這點雙方報告的內容一致。

高橋指出，他們到高中為止愛讀的有《悲慘世界》（*Les Misérables*）、《居里夫人》、《蒂博一家》

或托爾斯泰等作品，並如此說明：「他們注意到自己與無論哪個時代都有的『正義派』反抗者幾乎沒有什麼不同。就是如此。雖說多少有些早熟，他們的本質是人文主義者，而不是主動的虛無主義者。」[82]奧浩平也有相同的閱讀傾向。

關於是否受正規教育的影響，根據高橋的調查回答「不受影響」者有四十％，受到「來自教師的人格影響」者有三十一％，「枯燥無味的中學、高中教育內容反而植入了反抗心理」者有十一％[83]。雖然回答如奧一般受中學教師影響的比例僅止於三成，但恐怕他們自覺記憶的中學、高中教育，也在潛意識層次內化了初等教育時接受的民主教育影響。

高橋調查了他們首次感到社會矛盾的經驗[84]，並區分、舉出了三大類：「（一）親眼見到貧困與歧視（四十二％）；（二）來自文學或思想世界的感召與影響（二十一％）；（三）自身生活的貧困與不得志（十九％）」。第二類關於喜歡閱讀的書籍已如前所述，而關於第一類的學生，高橋舉出如下事例：

「在小學的學生會幫忙朋友時，得知有繳不出家長教師聯誼會（ＰＴＡ）費的朋友，不過當時只覺得對方的爸媽真沒用，大概就這種程度的同情而已。關於這點，隨著由小學六年級升上中學，逐漸意識到現實中圍繞我們的社會有所異常。直接的原因是看見正參加勤評鬥爭的老師。」（構改派學生）

「在高二左右，見到過乞丐。見到成人的乞丐只覺得對方應該有什麼苦衷，但見到孩童乞丐卻很於心不忍啊。親身感受到社會哪裡出錯了。」（社學同學生）

另外，高橋針對第三類也舉出學生如下發言：

「我家是做買賣的，所以從中學一年級起就被叫去幫著工作。其他的同學啥都不用做也有飯吃。這麼一想，就對有錢的傢伙感到一股怒火……大概從那個時候起就對社會充滿反抗意識吧。」（革馬派學生）

「那是我小時候的事情，雙親是中產階級的下層，而我們卻居住在高級住宅區。所以，或許是我自己有點被害妄想症吧，總覺得抬不起頭來。這種情感與社會整體問題連結起來，大概是高一左右。」（民青學生）

如第一章所述，雖說正值經濟高度成長期，但仍有許多繳不出營養午餐費的貧苦家庭孩童。從這些敘述中可以得知，類似重信房子般貧苦孩子出身之後成為運動者，或者如永田洋子般因同情同學而重新審視社會者，都以此為契機接觸社會運動。

這些學生感受到社會的矛盾，到高中為止閱讀過人文主義文學，進入大學後加入高舉馬克思主義的新左翼黨派。高橋舉出日本新左翼黨派的特徵是：即便不斷批評共產黨與蘇聯，仍視馬克思主義為唯一的革命思想。他如此說明[85]：

「歐美幾個戰鬥性質的學生運動，或公然或隱密地脫離該思想（馬克思主義），並主張該思想已不適合今日（已開發國家社會），這種（日本新左翼黨派的）不退讓反而讓人感到了不起。此外，當許多學生受到『意識形態終結』思想的影響，或者傾心科學主義，或者傾向現實主義時，我國的這種思想上不轉向的狀況，反而給人一種回歸古典的感覺。」

這種馬克思主義根深柢固的理由之一，在於日本與法國、美國之類先進諸國相異，到五〇年代為止仍等同於發展中國家，在六〇年代則變成經濟快速成長國家，因此一部分仍保留著五〇年代發展中國家型的思想典範。到五〇年代為止的貧困年代中，馬克思主義在日本社會具有一定的說服力，可以說，其中的一部分也被帶進了六〇年代。

此外，如第一章也說明過般，他們在經濟高度成長下漠然抱持的「現代的不幸」，此前在日本並無普遍流通的語彙可以表現，而他們選擇的詞彙，便是馬克思主義。如此一來，馬克思思想中以「異化」論為核心的人的面向，理所當然地也備受他們青睞。關於這個問題將於結論中再次討論。

更進一步而言，馬克思主義會在新左翼各黨派中深入扎根的另一理由，在於運動者往往在理論學習上不夠充分。當時的日本包含翻譯在內的出版品、書店尚不充足，書本價格亦高。許多黨派運動者只能抽出活動之間的時段閱讀些許的原典，或者閱讀黨派機關報刊登的自家黨派論文，僅僅如此就已耗盡他們心神。

曾為共產同同盟成員的府川充男在二〇〇四年的座談與二〇〇二年的回憶錄中如此敘述[86]：「當時的運動者沒有人具備充分的基礎素養。」「當時運動者眼前可見的文獻量，在今日看來簡直是令人無法置信的稀少。」「『六八年革命』當時，原本資料就缺乏，而那些帶資料來、被稱為〔幹部〕黨派運動者的人又極其忙碌，大家多少都得採取『單鬥』（「單純武鬥」的簡稱，指不管理論只進行鬥爭）的幹法。大概就是擷取一些馬克思、恩格斯、列寧、托洛斯基、宇野經濟學，看狀況再納入些主體性相關理論，之外就是依靠黨派文件之類的東西了。」

府川也如此回憶[87]：「例如，〔現在〕研究伊斯蘭歷史的東大教授山內昌之，在北大社學同時以渡邊數馬為筆名在《理論戰線》上撰寫對社青同解放派的批評，僅是完全照抄門松曉鐘〔廣松涉〕刊登於《共產主義》第九號中的〈異化革命批判序說〉。」「如此，無論對身為行動者的領導層或幹部而言，都只能身陷承繼自五〇年代的『俄國馬克思主義』泥淖中無法自拔。這種狀況下，無論是馬克思或列寧，都不被定位成各特定時代、社會脈絡下的『古典』，進而與當今進行對比與相對化，做出多樣的解讀或解釋，而是將其當作『聖典』乃至『經文』來祭祀崇拜。」

日本的新左翼各黨派與其他先進諸國相較，之所以如此執著於馬克思主義，其背景原因也與上述情狀有關。簡要而言，即便日本正因經濟高度成長從發展中國家蛻變為已開發國家，但當時日本國內流通書籍甚少，運動者也普遍貧窮。

而經濟高度成長與越戰等前所未有的事態，也讓各新左翼黨派在理論上追趕不及。加入共產同的三上治在二〇〇二年如此敘述[88]：「當時的新左翼真的相當混亂，我覺得他們不可能具備明確主張之類的東西。如果不是這樣，那他們就是在不相干的地方拿著可以說是空談的理念戲耍著做文章而已。」

那麼，當時的運動者將馬克思主義視為何種思想？高橋引用了三派全學聯委員長、中核派秋山勝行的著作《全學聯思考什麼》[89]：「打破既定的權威，追求真正的馬克思主義，甚至在無政府主義與存在主義中拚命找出對革命思想有幫助的東西。」「部分最進步的學生所抱持的思想，並非以日本共產黨為代表的、枯燥無味的偽馬克思列寧主義（被稱為史達林主義），而是革命性的馬克思主義。」

換言之，學生追求的並非以日本共產黨為代表的、既存的「枯燥無味」馬克思主義（史達林主義），而是納入無政府主義與存在主義等要素的「真正的馬克思主義」，他們相信這才是「真正的馬克思主義」。

高橋針對各新左翼黨派如何認知馬克思主義，將其分為三類[90]。第一類認為，馬克思主義是基於歷史唯物論的科學認知，將其視為追求社會變革的思想，某種意義上這屬於正統的馬克思主義觀，根據高橋的說法，「這種常識性的概念化，多見於『民青派』的運動者。」

第二類，把馬克思主義視為科學性的現狀分析理論，也同時參照列寧或葛蘭西的思想。高橋指出，「這類型的主要推手是『構革派』，從該新左翼黨派也被稱為『現狀分析派』即可輕易推知。」

第三類，將馬克思主義視為可讓遭資本主義社會異化的人恢復主體性的思想，高橋說明「平時就嚴厲批評史達林主義欠缺存在主義契機的『三派系』與『革馬派』多屬之。」特別是革共同系的中核派與革馬派非常重視「主體性的形成」，這點已於第三章說明。

據高橋的說法，只要是從主體性理論出發閱讀馬克思，「理所當然會喜歡閱讀馬克思青年期」重視異化論的「《一八四四年經濟學哲學手稿》」。而馬克思早期和晚期的「『認識論上的斷裂』（路易・阿圖塞語）期間的《德意志意識形態》，他們則帶著哲學人類學的觀點來加以閱讀，此點饒富深意。」

如前所述，法國的阿圖塞認為，馬克思以《德意志意識形態》為分界，之後拋棄了異化論，改走上科學式的馬克思主義，這樣的論述是為了對抗法國共產黨的官方見解。然而在日本，如筆者前作《「民主」與「愛國」》所述，自二戰戰敗後起，日本共產黨與主體性理論（與六〇年代性質不同）之間存在著對抗關係，因此強調馬克思是科學式的社會主義。而日本大部分的新左翼黨派都與共產黨處於對抗關係，故以異化論與主體性理論為主軸來閱讀馬克思。

順帶一提，在日本解讀馬克思時，被評為從異化論轉換至物象化論的廣松涉研究，因可從異化論駁倒重視「主體性形成」的革共同（中核、革馬派），所以成為共產同的理論支柱，而廣松也支持共產同。

但根據共產同同盟成員府川充男的說法，共產同機關雜誌《共產主義》在一九六六年刊登廣松的〈異化革命論批判序說〉時，「共產同內部完全沒因該論文的出現而歡欣沸騰」，「簡單來說，就是完全不知道究竟寫了什麼。」[91]這是一段可反映出當時運動者理論程度低落的軼事，而廣松的馬克思解讀是從七〇年代起才廣被熟知，因此可說六〇年代的新左翼各黨派仍以異化論、主體性理論為主流在解讀馬克思。

透過這樣的分析，高橋指出「他們心中描繪的馬克思主義，多少是投射各自理想與價值觀的一種理想型」，對他們各自而言「應有的馬克思主義」皆因人而異。因此，無論是否為日本或蘇聯共產黨認定的「正統馬克思主義」，運動者們仍各自摸索著「應有的馬克思主義」、「真正的馬克思主義」。

作為表現不滿與認知的語言，他們只能挪用馬克思主義的用語，這點當時的運動者也說明過。前述府川提及因「『六八年』當時左翼的論述匱乏」，「即便現實中持續出現變化，但左翼在理論語言的層次上一點也無法加以表達。」[92]

共產同是各種理論混雜的組織，其中「馬戰派」依據的是岩田弘的經濟學說。結構改革派重視葛蘭西等、社青同解放派重視羅莎．盧森堡並以其作為理論根據。

然而，他們對馬克思主義的理解程度，連當時的知識分子也感到懷疑。經濟學者岩田弘把日本定位成「世界資本主義」中「最弱的一環」，因為他提倡日本革命將連結到世界資本主義的革命，因此在共產同與馬戰派中大受歡迎。然而，岩田面對新左翼各黨派的「特殊的遣詞造句與不成熟的措辭」時，也認為那只是種為了對現有革新組織表達「我們與你們有所區別的記號罷了」，這點已於前章提及。

奧浩平是在充分理解某個新左翼黨派的理論後才選擇加入，但比起奧浩平的這種方法，恐怕大多數的運動者只是依靠各派的風格是否與自己「合得來」，來決定是否加入該黨派。比如，喜歡街頭鬥爭的人選擇中核派，喜歡人生論或抽象議論的人選擇革馬派，大致呈現這種傾向。關於這點將於本章稍後說明。

此外，根據高橋的說法，學生接觸馬克思主義大多是進入大學後的事情，但四十五％的調查對象「自白道，首次接觸後便完全沉迷於其魅力，之後貪婪地閱讀馬克思主義相關書籍。」高橋舉出構改派學生的例子如下[93]：

> 從高中時代起便對人性、社會矛盾等問題抱持強烈關心。而且也有潛在的反叛心理。然而，人性也好，社會矛盾也罷，因為都無法以科學的方式加以掌握，因此反叛心理也總處於混沌狀態。不過，進入大學後，當初黑白色調的升學考試經驗也起到幫助，帶著一種不服輸的氣勢閱讀《費爾巴哈和德國古典哲學的終結》（*Ludwig Feuerbach and the End of Classical German Philosophy*），結果感覺一舉眼界大開。原本我心中的人文主義式樸素情感，終於找到了跨入科學認知的途徑。

雖然如此，運動者們對馬克思主義並非全無批判。高橋也將其分為三類[94]。

第一類，由於自己學習尚不充分，因此節制自身的批判。據高橋稱，此類型多屬於順從中央的下層黨員，而且以民青派運動者居多（五十％），不過應該與民青站在相對立場的三派系中也有不少（三十％）。然而，兩者的動機卻截然不同。高橋舉出民青與社學同運動者的言論如下：

「見到賣弄一、二年級學到的一知半解知識，吵吵鬧鬧發表意見的托洛斯基分子，特別讓人感到可憐。為批評馬克思主義而欲提出一種總結式、統一式的理論，我們學生根本辦不到。」（民青學生）

「運動忙到不可開交，完全沒時間做批判之類的事情。誰能幫我們做做這種事情呢？」（社學同學生）

換言之，民青「想節制批判」，起因於認知到自身的知識不足。與此相對，三派系的「想節制批判」，則來自比起理論更關心直接行動。

第二類，認為自家派系的馬克思主義解釋才是正統，對他派不同的馬克思主義解釋進行批判。在各派中都有不少這種類型的人，其中公開宣稱要以自身優越理論解體其他派系的革馬派尤為眾多。高橋調查的學生運動者中，採取這種立場的民青佔二十一％，三派系佔十二％，構改派佔三十六％，革馬派佔六十四％。

第三類，對馬克思主義的體系本身抱持懷疑，欲對其進行總體性重構，或對馬克思主義抱持不信任感者。據高橋稱，民青或構改派中此類約佔二成，革馬派約佔一成，三派系人數尤多，佔三十九％。

高橋上述的調查結果顯示了兩點見解。其一，類似存在主義般，三派系有把馬克思主義視為一種哲學人類學的傾向，其看法是「他們的馬克思主義一直與既存的馬克思主義有著決定性的相異結構。」

不過高橋的另一點見解認為，因三派系許多人較諸理論更關心直接行動，故他們「基於存在式的籌畫（entwerfen）進行活動，當直接面對權力高牆與大眾的漠不關心而失去初衷時，遂切斷認知活動採取直接行動，產生倒果為因的狀況。這已經不屬於批判而是虛無主義。」換言之，他們不相信包含馬克思主義在內的任何理論，只採取直接行動來尋找「存在意義」。

參加運動的契機與對運動的看法

人們加入黨派成為運動者，大多始於參加示威遊行或集會。各大學的新左翼黨派和其掌控的自治會，在大學報等媒體上敦促新生在政治上產生自覺與參與行動。一九六六年四月十五日的《橫濱國大新聞》，如此對新生發出呼籲[95]：

> 政治全是惡的。我們已經澈底失望。……但只是單純失望好嗎？無論個人的主觀意圖為何，在現實的過程中做出的選擇都必然脫離不了政治。唯一的區別在於處理問題的方式是否積極。可以說，不關心政治也是一種政治參與的取向。……
>
> 有人藉著「我不懂政治」把自己不參加鬥爭正當化。請別開這種玩笑。所謂的不懂，是一個

努力去理解和思考的人的最後一句話。……只要感覺不對，首先就應該採取行動。如此才能逐漸搞懂。如果一直甘於一無所知，就不會生出新的結果。不可一味畏懼行動的結果。應當懼怕的，是拒絕行動的怯懦。

對新生這樣呼籲後，接著勸說他們參加集會或遊行。高橋針對運動者們最初參加示威活動的動機進行了調查[96]。

調查的結果是：「（一）對政治狀況具備科學性的認知，把握理論與實踐的關係後，當作自我主體性的責任而參加者（三十四％）；（二）雖說有參加意願，不過其動機乃基於感覺、衝動的『過往經驗者（二十六％）；（三）與其說是自願參加，不如說受他人邀約，在社團或班級的決定下參加者（三十四％）』。高橋的調查對象是幹部等級的運動者，因此可以推估（一）的比率高於平均，這些人最初還是普通學生時，參加動機應仍以（二）與（三）居多。

高橋在（一）中舉出的例子如下，「進入大學後，在中國進行核試驗上，日共拚命加以美化，因為反對他們的理論，所以前往橫須賀參加反對核潛艦靠港的示威遊行」（革馬派學生）、「在宿舍裡與大家討論，經過半年後自己也終於搞清楚，抱著必須做點什麼的心情而加入」（民青學生）。而（二）與（三）的發言案例則更饒富深意：

「上大學那年，心中總有一股煩悶不痛快的心情，大概是為了消除那種感覺吧。……總之，我參加遊行是很觀念性的，是要填補心中空白的心情啦。」（革馬派學生）

「在租屋處感到鬱悶時，聽到了反越戰的新聞，突然一股強烈的情緒襲來，心想，就是這個了！」（構改派學生）

「我經歷過學館鬥爭，對革命產生憧憬。但在眼下的學生生活中，感覺那種憧憬就是被壓抑著。所以說，可能是在潛意識中想要脫離這種壓抑吧。」（社學同學生）

「一開始只是抱著去看看的心情。不過，不是有些看遊行的最後也會加入遊行嗎？就這樣跟著，刷地一聲也進到隊伍裡啦。加入之後，也沒感到之前的那種恐懼感，就這樣一直待下來。之後就覺得非常的有趣。」（革馬派學生）

其中也有人回答「在學生大會上做出決議，大家一起前往參加」（社學同學生），但仍以心中感到茫然，因「壓抑」與「鬱悶」為動機的回答最多。高橋也評價說：「大多數的情況之所以參加遊行，特別是第一次參加，多是為了在空洞化、儀式化的日常生活中恢復似乎在逐漸退化的自我，將運動視為一種對現實狀況進行『自身籌畫』（sich entwerfen）的場域。」[97]

關於首次參加遊行的感想，高橋的調查中一樣分為幾類[98]：「機動隊不分緣由把我踢飛，我想，這就是權力的本質吧」（中核派學生）；「此前我對警察的概念，只有管區服務大家的巡警，但參加遊行之後，卻不得不思考為何那些巡警要這麼幹，這給我帶來重大影響啊」（社學同學生）等，將遊行視為喚醒自己對「權力」自覺的契機者。抑或，表示「人民，或者該說國民的那種來自底層的反彈和反抗，其能量之強大，讓我深感震撼」（構改派學生）；「大規模的人們，特別是大量的勞工聚集時，內心感到一陣震撼與感動」（民青學生）等，感動於與民眾產生連帶感的人。

此外，也有「就像忍耐著慢跑一樣，也從日常性中跨出一步的感覺」（革馬派學生）；「這是切斷自己小市民日常意識的好機會」（中核派學生）；「同時感到肉體的爽快感與感情上的解放」（社學同學生）等，藉此能擺脫「日常」的人。但也有回答「感覺在團體中失去自我」（社學同學生）；「無法清爽感受到連帶感的空虛心情」（中核派學生）的人。

根據高橋的研究，進一步還有在經歷最初遊行後決定自己的方向的人，佔五十二%，特別還有回答「甚至給人生方向帶來衝擊」的人，高達二十%。相反地，回答「沒有影響」的人也佔了約三分之一，特別是對「把街頭抗爭變成目的」抱持警戒心的革馬派與民青，大約有半數人如此回答。另外，回答經歷過最初遊行後便不再參加街頭抗爭的人，在運動者幹部層級中約佔一成[99]。

在與機動隊發生衝突方面，根據不同的新左翼黨派則有不同反應。高橋的調查中，民青派「全面否定」或「大體否定」與機動隊發生衝突者合計佔九十三%。革馬派與三派系中「全面肯定」與認為「作為一種大趨勢不得不為」者佔九十一%，三派系佔八十二%。構改派被認為處於兩者之間，回答「作為一種大趨勢加以肯定，但仍抱持批判態度」者佔五十%，其餘則分散在「全面否定」到「全面肯定」之間[100]。

與機動隊首次發生衝突時的反應，也因新左翼黨派的不同而有所差異[101]。回答「抱持與權力實體進行衝突的認知」者，在重視街頭抗爭的三派系多達三十五%。某中核派運動者如此說明：「面對眼前的機動隊，即想像其背後代表國家權力的人，原本國家權力就是他們的暴力機器，因此藍鎧甲（機動隊）攻過來時，與其說是恐怖，不如說感受到這就是國家權力的真實體現，心中反而感到一陣平靜。」

雖說如此，據高橋的研究指出，「從最初的遊行就能以剛直與冷靜態度面對機動隊者，毋寧說是特例。」根據高橋的調查，不把重點放在街頭抗爭上的革馬派與構改派中，回答「感到恐怖、不安等心理震撼」者各有七十三%與八十五%，三派系中也有五十二%。高橋對如此回答的學生運動者舉例如下：

「當站在隊伍外側時，彷佛感受到一旁井然行進的機動隊傳來一陣風壓，覺得自己好像要半身不遂。進行之字形（遊行）時，不知何時棍棒會揮來，何時腦後根頭髮會被抓住。而且幾乎是抱著痛苦的心情在進行肩並肩的抵抗陣形。」（構改派學生）

「生理上充滿恐懼感，連自己都覺得可恥啊。感覺甚至都可以聽到隔壁傢伙心臟鼓動的聲音。所以之後心中的那股怨氣，其實是針對當場瞬間就洩了氣的自己而來。」（革馬派學生）

但在重視理論的革馬派與構改派，大概有五成左右的人回答自己之後透過理論克服了恐懼。某革馬派的學生回答：「思考我自身的階級規制與機動隊的意識形態時，便覺得可以掌握我為何非得拿起武鬥棒不可的主體性意義。所以呢，現在一點也不感到恐懼了。不過，這可不像中核派或共產同那些傢伙唷，他們習慣依賴感性去認知，我則是理性理解。」

另一方面，抱持不與機動隊發生暴力衝突理念的民青運動者，除了在是否與機動隊發生衝突上回答「未曾發生」的十四%之外（其他派系未與機動隊發生衝突者為零），感到恐懼與不安者僅止於二十一%，而感到「憤怒」者則高達五十%（其他派系在十%左右）。某民青派的運動者如此回答高橋：

「見到非人的黑壓壓的群體，還是懷著一股強烈的憤怒。如果是一對一的狀況，可能還會覺得『他們也是人』。」這應該是基於民青派不採取暴力的示威手段，經過一段時間後，他們比起恐懼，更感到憤怒。

在高橋的調查中，有一則問題是「你認為日本何時可以實現社會主義社會？」[102]此回答也因新左翼黨派不同而有分歧，三派系除了三十五%的人回答「無法預測」之外，回答「一九七〇年至八〇年之間」者高達四十四%，遠高於其他派系（其他派系大約有一成左右如此認為）。

根據高橋的說法，三派系（特別是中核派）「不只把七〇年的反對安保鬥爭當作『階級決戰』，更把其中出現的『體制危機』視為社會主義發生的基礎，藉此展望勝利。」因此他們基於革命前夕的認知，作為果敢執行戰鬥的先鋒黨派，將重點放在街頭武裝鬥爭上。

同時，革馬派除三十六%回答「無法預測」者之外，多達四十六%的人回答「客觀預測根本是瞎扯」，此為該派特徵（其他派系為零，或百分比至多只達個位數）。革馬派重視形塑在革命時期肩負先鋒任務的革命主體，因此自身能如何作為革命主體進行自我形塑，便成為主要課題。所以，回答「客觀預測根本是瞎扯」者才會佔據多數。

此外，民青派運動者回答「無法預測」者達七十一%，與其他派系相較人數最多。構改派運動者回答「無法預測」者有五十%，而回答「二十一世紀」者有三十六%，這個回答可稱該派系的一個特徵（其他派系無人如此回答）。這兩個派系之所以會出現上述回答，理由在於，民青派運動者自認為共產黨的底層運動者，因此具備「謙遜特質」，認為自己無法預測革命的時機；構改派則採取對社會結構進行長期改造的路線，所以才有上述的回答。

高橋調查中也問及「先驅性論將學生運動視為引爆革命的契機，你是否認同此論述？」[103]理所當然地，三派系出現最多肯定的回答，高達四十八%。一九六〇年共產同解體之後，他們官方上採取否定先驅性論的態度，但此論終究在三派系中根深柢固。

高橋如此說明：「他們雖然表面上否定先驅性論或引爆論，但我們的調查中，似乎『三派系』約有一半的人仍在意識深處認可此論述。」不過，社青同解放派則全員否定先驅性論。

而最反對學生運動先驅性論的則是民青與革馬派，他們認為工人才是革命的中心，把學生運動定位為一種輔助，或者不過是形成革命主體前的準備階段而已。革馬派百分之百否定先驅性論，民青則有七十九%否定先驅性論，二十一%回答「基本否定但部分認同」。構改派被認為處於三派系與革馬派之間，「肯定」佔三十六%，「部分認同」佔五十七%。

高橋的調查也提出「校園鬥爭與校外鬥爭的關係如何」的問題[104]。據其調查，認為「街頭行動占有更重要地位」者以三派系居多，達二十六%（其他派系為零）；立場相對的革馬派回答「兩者之間無直接相關」者則有六十四%。

而回答「以校園為主將兩者統合為一」者以民青最多，達五十七%，構改派以回答「站在政治狀況的立場將兩者統一」者最多，佔六十四%。這是因民青的定位是持續以校內的改善鬥爭為主軸進行學生運動，在某些狀況下發展成政治鬥爭，與此相對，構改派採取的路線則把大學當作直接民主主義的基層單位（公社，commune），作為擴散至整體社會的據點，因而有上述的回答。

大學新鮮人則多參與包含各新左翼黨派在內的各派系招募活動。他們勸誘學生們參加集會、演講、遊行等，對給予回應者進行集中招募，又或者接觸高中校友，對入學的學弟妹進行招募，方法相當多樣。

然而，鈴木博雄認為，除去從高中時代起即參與活動的學生，「一般的學生最快約在一年級的下學期或二年級參加組織。」[105]根據鈴木的說法，「大學一年級是接受各派招募活動集中攻勢的學年。但在一年級上學期還無法正確地掌握大學的狀況，並抱持著研究學問的夢想，因此實際參加者仍屬少數。」不過在理解包括量產型授課在內的大學實際狀況後，隨著失望的學生人數的增加，「（一年級生）到了下學期，招募活動獲得相當成果，參加人數明顯較上學期增加許多。大學二年級上下學期合計，為五十五％活動參與者加入的時期。」

根據鈴木的說法，「調查參加學生運動的動機時，發現有意外多的人是『不滿同學們認為當今乃太平盛世的想法』」，「到了三年級，明顯穩定下來，分成參與學生運動、致力研究學問、專心休閒玩樂三種類型。一年級時未加思索加入學生運動者，從此時起也出現相當多的脫隊者。」這類退出運動是以「意識到必須就業作為主要的轉向理由」，如後所述乃以四年級生居多，俗稱「就業轉向」。

另外，根據高橋的調查，加入新左翼黨派有幾個階段[106]。各新左翼黨派有長處也有短處，即便政治意識較高的學生，也有不滿足於既存新左翼黨派的人。據高橋稱，「考量來自家庭的反對、畏懼失去個人的自由、擔心跟不上學業、對將來就業可能造成影響、機動隊的可怕等等因素，最終內心感到疲憊，因而對運動駐足不前。但當他們見到那些仍苦著臉咬牙朝實現自我理想邁進的新左翼黨派人們，又對畏畏縮縮的自己感到厭惡」，這種複雜的心境在加入新左翼黨派之前，每個人都經歷過。

帶著政治參與意識，但猶豫要不要加入新左翼黨派的學生，會先成為「外圍支持者（同情者）」或「臨時性參加者」，參加集會或遊行，負責刻印謄寫版或散發傳單等「肌肉型」（體力勞動）任務。

但根據高橋的說法，「雖然透過這樣的奉獻大致可以獲得獻身式的滿足感，但從這種隨時可以轉身離去的行動來得到救贖，又讓他們在意識中自我批判。」

據高橋的調查，約有三分之一的人在這種狀態中選擇加入新左翼黨派。高橋稱，與其說他們在想法上一致，不如說他們「基於共同的行動決定加入，屬於身處新左翼黨派的周邊，『不知不覺、拖拖拉拉』地參加的類型。」此類型在民青派（四十三％）與三派系（五十二％）居多，「即便兩者在方向上有所差異，但皆重視情感性的訴求，卻是必然的結果。」

對那些即便到這個階段仍不加入新左翼黨派的人，則採取通稱「一本釣」的各個擊破招募方式。這是由學長姐的運動者，要麼在咖啡館，要麼前往住宿處訪問，勸誘對方加入。根據高橋的調查顯示，透過這種方法「比起新左翼各黨派的理論或性質，毋寧是被說服者的人格吸引而成為同盟成員」，這種人佔十九％。

高橋如此記錄一則招募的例子：「原本有一些潛在的原因，以及無法擺脫的心中疙瘩，我一直停留在同情者的階段。但有天晚上，接受了一位運動者的造訪，對方實在高明啊。一點都沒覺得對方在進行招募，但最終還是接受了招募。當想到我自已成為被招募對象時渾身似乎感到一股悸動，大概多少有點關聯吧。」（社學同學生）

雖說如此，不同的運動者也有各種不同的招募方法，並非每個人都很巧妙。例如，根據社學同運動者荒岱介的說法，他還在早大的一九六六年時，發生了第六章將說明的反對學費調漲鬥爭，荒加入罷課實行委員會後，早大內的各新左翼黨派便來招募[107]。其中也有人採取「毫無底線不斷糾纏的招募」，那人就是日後成為赤軍派議長，共產同的鹽見孝也。

根據荒的說法，鹽見不僅到荒的住處，還跟到打工處，甚至旅行地，不斷訴說難以理解的共產同帝國主義論。在旅行地的洗手間內仍舊持續議論與勸誘，最終受不了的荒脫口說出：「知道了啦！真是夠了……。我加入就行了吧。」之後便加入了共產同。荒回憶說，「當時想，女性在男性的冥頑勸說下點頭答應，大概就是這麼回事，但今天回頭想想，這根本宛如被跟蹤狂強暴一樣。」

即便到了這個階段仍舊不加入者，被歸類到最後一型，也就是充分理解各新左翼黨派的主張與理論，在堅信之下自己選擇加入某個新左翼黨派。根據高橋的調查，此類型的加入者約占三分之一，以重視理論的革馬派（五十五％）與構改派（四十三％）居多。高橋稱，即便一度參加過三派系開展的激烈街頭抗爭並深感其魅力而加入的人，也「因其理論上的幼稚而感到不滿，轉往其他派系如『革馬派』或『構革派』並安定下來。」

此外高橋亦稱，一度加入新左翼黨派的人之中，八十四％會繼續留在該新左翼黨派，不過仍有十六％的人會在新左翼黨派之間轉換。如上所述也有人從三派系轉往革馬派，不過絕大多數都是從民青轉往反日共派的新左翼黨派（十三％）。

不過，與調查幹部運動者的高橋不同，接觸底層運動者的某評論家於一九六八年的著作中如此敘述[108]：「運動要選擇哪個新左翼黨派完全是個人的自由，自己的判斷相當受到當場的狀況與政治現象所左右。他們首先選擇參加學生運動的行動，加入能最有效實踐該行動的，甚至只是偶然接觸到自己進入的大學自治會的勢力流派，選擇認為貼近自身的支派。從而，從一個新左翼黨派跳槽到另一個新左翼黨派，他們既不會感到奇怪，也沒有挫折感或轉向的問題。」

像是從櫥窗選擇喜歡的商品般，選擇參加新左翼各黨派者也甚多。如後所述，也有人在不同的日子選擇當天可能會做出最轟動行動的新左翼黨派參加，類似這樣的浮動層人數也不少。在這層意義上，包含下層運動者與附和立場雷同的「起鬨」者在內，推估在新左翼黨派間轉移的人數應比高橋調查來的多。

此外高橋也認為，對於所屬新左翼黨派的態度，也因黨派不同而各具特色。首先在民青的場合，沒有人會對自家派系有理論性的批判意識，而僅止於運動方法等實踐層面的批評。反之在構改派的場合，對自家派系理論抱持批判者高達半數，實踐層面則有三成以上抱持批評態度。革馬派方面，約有三成左右成員對理論與實踐層面皆抱持批判態度。三派系的狀況又與民青相同，對自家派系理論有所批判者不到一成，僅對實踐層面抱持意見者超過四成[109]。

立場相異的民青與三派系，兩者皆不做理論批評而只在實踐層面上批判，乍看之下似乎具備共通點，但其實內情並不同。亦即，民青是因「學習得不夠故壓抑對理論的批評」，相對地，三派系則是完全不關心理論，許多人只對實踐活動抱持熱情。

關於對屬於同一新左翼黨派的人，在何種場合會感到連帶感？高橋也做了調查[110]。各派的特徵是：民青在「日常活動」或「共同行動」上（七十二%）；構改派在「活動、企畫的成功」上佔多數（七十九%）。與此相對，三派系舉「街頭示威」者最多（四十八%）（革馬派並無特別顯著的特徵）。此部分如後所述，民青追求提升學生生活，重視實現這種日常要求與大學內的統一行動；構改派組織校內討論集會（teach-in）或研討會等，共同討論企畫。與此相對，三派系則以激烈的街頭示威而聞名，這些形態確實符合上述調查數據。

然而三派系的另一個特徵是，在新左翼黨派內「沒有」感受過有連帶感的場合，相較與他派「幾近於無」，三派系則高達二十六％，數據相當突出。對此高橋記道，「因為對他們而言，要把自己從新左翼黨派這個心情共同體中剝離，不願在『集團心』這種來路不明的乙太狀氣體中喪失主體性，大概是這種覺醒的精神已然內化，所以沒有連帶感吧。又或者，他們是連朋友都不交，心中暗藏對人類澈底不信任的虛無主義者。我們的調查並未反映如此深度的訊息。」不過，他在調查中引用了社學同學生令人印象深刻的發言：

我從與機動隊激烈衝突的現場逃脫出來。這種狀況嘛，肯定有跟我一樣膽小的人。我們盡可能不要對上彼此的視線，但仍會偶然相遇。這種時候就會湧現一股與勇猛果敢同伴間不曾有過的情感。或許可以說是共犯間的同情心吧。不過，只消一下子，就會被對方激發揮舞武鬥棒的衝動。這該說是什麼心情呢？大概是想要抹除對方形象中的我吧。

在新左翼各黨派中，於何種場面可以感受到「存在價值」？關於這個問題，根據高橋的調查，無論在哪個新左翼黨派中，選擇「活動整體的成功」或「在活動內的自我充實」者最多。高橋列出數個做出如此回答的運動者發言：

「從公民社會的意義上而言，我們沒有私生活，所以，說存在價值，那只是個人層次的東西，是指全部人民在什麼時候感覺是『人』。若是如此，大概就是社會運動大為發展的時候能感受到存在價值吧。」（構改派學生）

「除了革命運動之外，沒有其他存在價值吧。如果實現了無產階級專政，大概就是最棒的存在價值了。」（革馬派學生）

「是在運動之中，感受到把過往纖弱的自己鍛鍊得更為堅實的時候吧。」（民青學生）

「我是工科的學生，所以過往淪為不關心政治，對社會缺乏感受的狀況。當從事社會運動後就變得不再是那種有所欠缺的人了。」（構改派學生）

而調查中，只有三派系的學生運動者回答「未曾」感受過有存在價值的場面，佔九%，回答「不明」的人佔十三%（其他派系兩者皆為零）。高橋引用回答「未曾」感受過的中核派學生說法，即「存在價值是什麼呢？想到這裡，我似乎是為了追求答案而參加運動的。」可以見到，三派系中有許多類似這樣的學生，更願意在直接行動裡而非理論中尋找存在價值。

對運動的迷惘與對內鬥的見解

根據高橋的調查，當問及學生運動者們有何煩惱時，得到如下的回答[111]：（一）經濟問題（十六%）；（二）沒有自由的時間（八%）；（三）身為領導者的各種問題（十六%）；（四）人類主義的各種問題（十%）；（五）自己的將來（十六%）；（六）與家人的關係（十一%）；（七）其他（十六%）；（八）無（六%）。

回答抱持對人的煩惱者，三派系（五十二%）與構改派（四十三%）居多，革馬派或民青則很少，高橋舉出，這是因為每個新左翼黨派都對自身未來有不同的想像。

針對自己的未來一事，在高橋的調查中，民青派運動者回答「進入研究所或知識性職業」者達三十六％，與其他派系相較高出許多，其中回答「即便就業後仍舊持續社會運動」者達四十三％，這兩個回答加起來佔了近八成。這是忠於共產黨指導的未來想像，即學生是進步知識分子的儲備軍，身為此等身分當勉勵向學，就業後肩負勞工運動的重責。總而言之，民青派的運動者無論是想從事知識性職業，或繼續勞工運動，皆以在當前社會體制下持續進行活動為前提。

相對於此，革馬派回答「未曾考慮就業」者佔三十六％，回答「不就業繼續做社會運動」者也有二十七％。其他派系中，這種回答若不是零就是僅有個位數的百分比。革馬派回答拒絕加入當前社會體制者，合計達六十三％，許多人發言表示「不參加就業什麼的，要在打造先鋒黨的過程中找出自我」；「一直當學生，留下來在學生運動領域中再搞個六、七年。」

革馬派雖然重視勞工，但學生運動者比起加入勞工運動，對自我的「主體性形成」更具熱誠。高橋形容革馬派「都信奉著這樣的教義，即人生不是為了找工作，而是為了將自己鍛鍊成革命的共產主義者」，「基於此等決心做出的自我將來想像，給人一種他們抹除『小市民式的』各種感情之剛直形象。」

如此，民青是在現存社會中持續進行踏實的活動，革馬派則切斷與現存社會的關聯澈底專注於形塑自身主體性。與此相對，三派系或構改派的運動者們並未達到拒絕就業這種程度的覺悟，許多人都抱持著不知何時得放棄社會運動參與就業的煩惱。但高橋追加指出，他們還抱有「一直以來進行激進社會運動的自己，能夠獲得正常的就業機會嗎？就算給自己這樣的機會，自己能追上一直專注於學習的人，突破難關嗎？」的不安。

一九六八年初，採訪中大社學同運動者的評論家如此記錄他們的發言[112]：「加入社學同搞自治會活動的人，即便畢業仍是加入工會運動。社學同的基本組織是出版《戰旗》的共產主義者同盟（共產同），因為身為同盟成員、運動者大致都被校方記錄在冊，所以只能進入中小企業，至多在東京都廳或各地方縣廳供職。」即便如此，先不論中核派的運動者，位於底層的運動者或運動同情者仍可能進入因經濟高度成長導致人手不足的人企業。

對於抱持此類煩惱的中核派與構改派的學生發言，高橋舉例如下：

「大家口中罵著『為了求職而偽裝轉向』，但一到大四就突然戴起了面具。我不是不能理解這樣的心情，但不知何時面具將嵌入肉裡，成為《假面的告白》的狀態，對此感到相當恐懼。這是對自身的恐懼。懷疑自己能否適應社會。」（中核派學生）

「老實說，每個運動者都會冒出想隨波逐流的想法，不是嗎？雖然有點自我辯解，對我而言『冷靜透澈的革命家』什麼的，令我感到恐懼。偶爾也會思考，拿這種標準來嚴格自我要求，究竟為的是什麼？」（構改派學生）

高橋表示這「完全不是『革命家』的倫理，而是一般『公民』」，並附帶評價道：「我對他們的精神結構中，『革命家』與『公民』持續保持平行，彼此間既無對話也無相互作用感到遺憾。」

換言之，他們到大三為止雖然身為「革命家」，但一到大四就趁求職的機會變為穩健的「公民」，但對內心的「公民」與「革命家」如何相互作用卻欠缺意識。因此他們的「革命行為」僅爆發至三年級，這大概是因為他們尚未被接受為「公民」之故。

根據高橋的說法，他調查的東京與關西自治會幹部，半數以上是二十一歲的三年級生，四年級屬於少數，超過二十四歲的僅有三%。針對此結果，高橋記道「這證明面對就業和畢業論文，存在著『四年級就引退』的慣習。」[113]鈴木博雄也說明「就我所知有些學生的案例是這樣的：大二、大三、大四（上學期）都在從事學生運動，而且在這方面佔據著一定的地位，但大學學分卻不太夠，因此到了大四下學期，某天便突然開始出席課堂、進出圖書館。」[114]

鈴木繼續說明，中核派的運動者幾乎沒空出席課堂，因此學分的修習狀況普遍不佳。據鈴木稱，他所調查的學生運動者修得的學分「大部分只有同年級普通學生的一半甚至三分之一，而且許多都是在積極參與學生運動之前取得的。」考試的部分，許多人「靠著同情者或朋友的幫助，借來筆記，總之想辦法度過考試。」[115]

不過從素質上而言，他們大多是優秀分子，根據鈴木的調查「高達三十%的學生運動者錄取成績為前一百人，如僅從錄取成績來看，可說是優秀的學生。」高橋雖未觸及成績，但也承認一般而言「運動者的感受性很強」。鈴木又提及，「屬於錄取成績前一百名等級的學生運動者，往往成為理論的領導者」，「一百名以外的學生運動者則成為行動的領導者」，但此調查並無實證背書，因此難以定論[116]。

高橋也針對運動者如何看待大學課程進行調查，結果是「沒有任何一個學生運動者對今天的大學授課內容感到滿意。」但高橋與鈴木不同，他不認為運動者都放棄學業，而是因不同的新左翼黨派而有不同的對應狀況[117]。

首先是民青的運動者，他們經常出席課堂。一九六八年三月的共產黨機關報《赤旗》中刊登了〈民青同盟成員要更勤於學業〉的文章，指出學生民青同盟成員將來要成為率先領導人民的進步知識分子，故不該放棄學業。即便現存大學的授課內容是「布爾喬亞式的學問」，也必須從批判性的角度吸收，成為形塑自身理論的精神食糧。高橋的調查指出，八十六％的民青運動者回答「雖〔對授課內容〕感到不滿，但仍積極吸收。」

構改派的運動者雖較民青少一些，但仍有五十七％回答「雖感到不滿，但仍積極吸收」。這展現出此派重視理論的態度。

而同樣重視理論，但大部分成員只信奉自家派系黑田哲學的革馬派，面對授課回答「作為批判對象吸收」者遠超其他派系（四十七％）。亦即，透過自家的理論澈底批評教授的授課，藉此鍛鍊、形成自己的理論。高橋的調查中，某革馬派的運動者回答道：「對現在的大學教育抱有期待，那根本是種幻想。形式上只將其當成反面教材和自身學習的契機。簡而言之，就是當作意識形態的批判對象。」

根據高橋調查的結果，上述三個新左翼黨派的運動者雖對課程有所不滿，仍舊出席課堂。而如鈴木所言，熱中活動而幾乎不去上課的運動者，以重視街頭行動的中核派、社學同、社青同解放派三派居多。根據高橋的說法，此三派運動者回答課程「沒有意義所以拒絕參加」者達五十七％。在高橋的訪談中，這些派別的學生有如下回答：

「大學中可學到的東西，不過都是抽象論式的羅列知識，或者缺乏關聯性的片段知識的大雜燴。這樣的東西究竟有什麼意義呢？實施這種教育的教師雖然還是被稱為老師，但即便是不加批判地接受，一直把上課當作賺取就業用成績的學生，也會對這種老師感到反感吧。因此，我覺得現在不去上課代表著我們的存在意義。大學生應該主動持續學習，而不是等待被教導的被動者啊。」（社學同學生）

「現在的大學教育就是培養上班族的工具，沒辦法給我的生存方式帶來指導和刺激。完全就是知識的專門奴隸，如果不能給我全盤的認知，就毫無意義呀。」（社青同解放派學生）

這三派中，特別是社青同解放派把大學定位成「透過產學合作，成為專為壟斷資本培訓人才的機構」，上述解放派的學生發言，便是這個新左翼黨派學生的典型回答。上述的社學同學生發言，則直白表達出當時強忍升學考試的學生們心中的反抗心理與自我厭惡。

而上述的社學同學生也表示「大學生應該主動持續學習」。這點如第七章後述，自一九六六年橫濱國立大學鬥爭起開展的自主講座活動，之後在全共鬥運動時在各街壘中散播。但後文也會提到，二十歲前後的學生並不具系統性組織課程的能力，高橋評價許多自主講座「事實上僅停在罷課時吸引學生大眾的『暫時性集會』程度罷了。」

因此，高橋在一定程度上承認上述社青同解放派學生發言為真，但仍指出：「他們雖然振振有詞……但我們仍不可看漏其中帶有藉口的成分，亦即他們在合理化自己放棄專門教育中不可或缺的系統性、持續性學習。在這層意義上來看，他們所謂的利用『自由時間』，並非花在學習上，而傾向單純的休閒娛樂，便可佐證這不過是種藉口。」當然也有如奧浩平般，即便身為中核派仍拚命學習的學生，但並不能一概而論，因此高橋的指摘大致也呈現出部分事實。

如前所述，不參加大學授課的三派，也是進入大四後最多人退出活動並進入企業工作的新左翼黨派。此外，重視街頭活動的三派運動者有較其他派系更輕視理論的傾向，而且如前述，他們即便為了追求「存在價值」而加入，卻仍有感受不到團體中連帶感的傾向。所謂的三派系，可以描述成為了突破「現代的不幸」而訴求直接行動，並成為大量學生聚集的場所。

另外，高橋也提出「是否認同新左翼各黨派間施行武鬥？」的問題[118]。最否定武裝內鬥的是重視直接民主主義的構改派，七十九％的運動者回答「應加以避免」。民青的運動者回答，作為「『自我防衛』而不得不為」，當「被托洛斯基分子」攻擊時則加以應戰者，達到四十三％，其他回答「應加以避免」者占二十一％，「不得不為者」佔二十一％，「應當為之」佔七％。

同時，三派系運動者回答「應當為之」者佔二十二％，與其他派系相較最多，回答「不得不為」佔十七％，「為了『大義』不可避免」佔三十％，「應加以迴避」則止於二十二％。革馬派主張應根據理論優勢使他派解體，其回答也恰如其主張，「為了『大義』不可避免」佔四十六％，遠高於其他派系，「應加以避免」僅有九％，為各派系中最少者。

整體而言，除去構改派，各派中八成左右的運動者，無論對武裝內鬥採取積極或消極態度，都肯定此舉。高橋特別指出，比起幹部層級，「下層學生運動者之間呈現出特別熾烈的樣貌，這與（美國）『街角幫派』（street corner gang）的社會學研究調查相一致」，嚴厲批評「一如他們自己所言，這就是『幫派特有』的行動。」

這類武裝內鬥或批評他派，許多時候都是對他派缺乏理解，僅以自身單方面的想法強加於對方。一九六七年擔任民青中央常任委員的川上徹，在二〇〇七年的回憶錄中如此描述[119]：「一九六七年我成為傳單的執筆人，以『托洛斯基分子』為題撰文。內容意在對抗『三派系』、革馬派的學生運動，並暴露、糾舉他們的罪狀。今日回頭想想，當時對托洛斯基主義並不具備正確的理解，主要目的只是追求當下己方運動與組織的推進。」

在各黨派中應屬熱心學習的民青中央常任委員已是此等狀況，其餘比起理論更重視武鬥的他派底層運動者會如何行動，多少也可推知。

在本書中，如後所述，新左翼各黨派間的謾罵與武裝內鬥只有不斷升級。特別是民青，屢遭其他新左翼黨派輕視排斥。一九六〇年代中期身為早大學生的鈴木邦男，日後如此回憶[120]：「坐在校園內時，經常被全共鬥的人說『喂！鈴木，要不要去痛扁民奴（對民青的蔑稱）』。……『民奴根本不是人，只是日共的遙控人偶。愛怎麼揍就怎麼揍啦。不然，跟民奴的女人幹一炮吧。民奴啥的，就是痛扁！幹死！然後殲滅他們啦。』」

這種肯定武裝內鬥的理論，到了一九六九年甚至蔓延到高中生。一九六九年以街壘封鎖日比谷高中的高中生，在當時的座談會上如此說[121]：「要對民青進行恐怖攻擊，這是絕對正確的鬥爭原則啊。」「東大鬥爭也是這樣，那裡的全共鬥會支離破碎，就是因為最初沒對民青採取恐怖行動啊。……別說什麼僅靠對談想改變民青意識結構的蠢話，還是要揍他們兩、三拳，不讓他們吐血不行。」他們這樣的說法，應當無需再多做評論了吧。

自不待言，社會一般大眾中，即便有同情學生運動的人，也是討厭武裝內鬥的。作家司馬遼太郎一九六九年接受新聞記者採訪時如此表示[122]：「我對今日的學生運動是心懷善意來看待的。」「枝微末節的問題，例如光是發音腔調不同就吵成一團，這就是他們並未真心考慮要革命的證據，與其說是革命勢力，不如說是反對現有秩序的虛無主義現象吧。」「無法捨棄小處，又無法形塑統一的根本戰略，這種學生運動，不就是滿足每天日常興奮的程度罷了。」

不關心派的學生們

不過，許多的學生運動者雖然抱持使命感與菁英意識，但卻討厭受到特別關注。鈴木博雄在一九六七年訪談的學生運動者們這樣說道[123]：「為了求學而來到大學，但現在的大學只不過單純把學生當作產業後備軍來處理。最初也參加過社團活動，但因內心感到衝突，所以走上了社會運動這條道路。從高中時期起就對社會問題感到興趣，但與自治會產生關係，則是上大學之後的事情。」「我們不願意被人們套上運動者的有色眼鏡。我們只是比一般人多了一些權利意識，閒暇的時候也是會打打麻將和小鋼珠，也會吃串燒。沒打算與普通學生有所不同。」

這類型的運動者人數究竟有多少？大野明男在一九六八年初推測，「學生運動者的人數，包含拚上性命幾乎是『職業革命家』等級的運動者，全國約有一萬至一萬五千人」，「其中積極肯定武裝內鬥，也就是暴力鬥爭的集團，從參加行動數來說約二千五百人，若加上雖不參加行動但在心裡支持的人則大約是四千人。不過，談到消極的支持者，如包含在校園鬥爭中支持打造街壘的『普通學生』，則推估有相當多的人數。」[124]一九六八年初還處在全共鬥運動開始之前，因此進入全共鬥運動期後，

「相當多的人數」這個部分理當更為增加。

然而根據鈴木的調查，運動者與普通學生之間果然還是存在著隔閡。根據鈴木的分類，普通學生可分為「支持者」、「不關心者」、「批判者」三群[125]。

上述中的「支持者」是指平常不參加自治會活動或新左翼各黨派集會等，有時也會對過於激進的鬥爭方針提出異議，但仍支持學生運動的人。鈴木認為，這群人「認真接受大學授課，雖覺得學生運動也很重要，但認為學生的第一要務就是研究學問，對這點並不感到懷疑。只是，與全體學生直接相關的問題〔如調漲學費〕或反越戰等憑公民意識也覺得該反對的事物，他們會抱持關心，在某些場合也會參加行動。」

鈴木調查一九六五年慶應大學反對學費調漲鬥爭時，廣義積極參與鬥爭的學生（不必然屬於新左翼黨派運動者），在全部年級中約佔百分之十幾至二十％。相對於此，「支持者」在大一生中佔四十％，二到三年級中佔二十多％，四年級中佔十四％。這些數據展現出：對大學懷抱期待的大一新生因為對量產型教育的實際狀況感到失望，所以「支持者」較多；與大一生的意識不同，大四生考量到對求職活動等不利而遠離學生運動。如第五章後述，實際上一九六五年的慶大鬥爭中，可以清楚看出以大一、大二的學生為主力，大四生則相對消極的傾向。根據鈴木的說法，僅靠運動者無法推廣大學鬥爭，要等「支持者」加入運動後才正式轉為熱烈。

第二種的「不關心者」，根據鈴木說法大致可區別為「（一）利己心強，對大學全體、社會、國家不表關心者。（二）因學生運動與罷課無法解決問題而感到絕望者。（三）對運動或娛樂展現更強興趣者。」鈴木在一九六五年的慶大鬥爭調查中指出，與「支持者」相反，「不關心者」從大一到大三不滿五%，大四則驟增至二十一%。而「這些學生在罷課中大多不去大學，即便去了大學也不參與罷課，前往圖書館讀書，或者在操場、社團活動室度過時間。」

鈴木也針對發生鬥爭的各大學中不關心者的學生進行訪談調查，他舉出這類學生的發言如下：

「罷課什麼的，幹了也不可能有效果，最後只是無益地浪費能量。最主要的是，自治會的學生只是玩興趣的，給普通學生造成很大的困擾。」（國立大學的大四生）

「隨他們去吧，愛怎麼搞就怎麼搞。我就學習我的，玩我的，然後畢業。我對那種事情沒興趣啊。」（私立大學大二生）

「就快畢業了，竟然搞罷課，不會影響到就業吧！讓人感到困擾啊。搞罷課也行，不過希望不要影響到別人。」（私立大學大四生）

第三種是「批判者」，根據鈴木的分類法是指「不否定學生運動，但反對學生自治會的鬥爭方針，或者對學生自治會領導層獨善其身的做法有所反彈的學生們，便形成批判者。這群人佔全部年級的四十三到五十%，他們屬於總是到大學上課的學生。」

但鈴木指出，這群人並沒有實際力量。主要原因大致是，「這群人鮮少採取積極形式去反對學生運動，大多僅是以不參加學生大會，不參加學生投票等形式表達對執行部的批判之意。這類學生們（一）沒有組織，所以在自治會委員的選舉上面臨許多不利；（二）在討論與運動理論等部分，他們輸學生運動家一截；（三）雖然肯定學生運動，但其弱點在於並不實際參加。基於這些原因，他們不積極批判自治會執行部，也放棄抑制自治會的行動。」

鈴木從當時的學生報中引用這類「批判者」的說詞：

「學生運動脫離了普通學生。遊行的場合也非真的以自身意志，而傾向以感覺、心情來進行。……應該有很多學生不贊成偏激的行動，或者感覺學生運動不貼近自己。希望那些人認清這樣的事實並充分檢討。」（明治大學學生）

「原本以批判當前體制的形式而產生之反體制運動，卻因權威主義或理論信仰而腐化、保守化。早先進步的變革運動，在內部老化、保守化。僅罩著理論的外衣卻拒絕來自現實中的實際批判，這種態度不啻於信仰同一宗教的教徒間，對自家信仰的自戀。那些左派鸚鵡學舌般不斷重複僅能在同一集團中流通的難懂詞彙，搞得有如宗教上的觀念。……反而是那些學生時代因意識覺醒較遲而遭到輕蔑，但仍企圖自行掌握、處理問題卻不得不左顧右盼、猶豫不決，歷經勞苦而內心抱持懷疑的學生，才具備大眾領導者的條件。」（慶應大學學生）

「對那些掌控集會的左派集團而言，並不把討論當作學生之間對等的一個人格和另一個人格的意見溝通，總是自恃為認知進步的自己與認知遲緩的他人之間有所落差的討論。從而，對社會問題、政治問題的認知把握就在信仰左派的單行道式操作中結束。這種集會往往變成他們自我滿足的手段。」（慶應大學學生）

鈴木如此評論這些「批判者」的學生：「即便是他們，也不是不關心大學內甚至政治上的問題。

只是，與支持者不同，他們對自治會領導的解釋抱持疑問，並以自己的方法去理解，這樣的態度相當強烈。此外，他們也對自治會形式上的『民主式』管理有諸多不滿。在班級中，個別學生的意見可以充分獲得反映，但到了學生大會的階段後，這些個別學生的意見不知不覺中消失，在少數『運動者的煽動』中，被分化成『這邊是關心政治派』，『另一邊是不關心派』兩極。換言之，自治會並非由學生的直接民主主義來管理。」

也有不少人對理論素養不足的運動者表達不信任感。法政大學的某學生如此提及[126]：「因為對方說針對社會主義寫了一篇大論文，所以拿原稿來一讀，卻發現把社會主義的『義』全都寫成了議會的『議』。這種『運動者』根本不能信任。」

在普通學生中，也對反覆使用艱澀左派用語的鼓動演說非常敬而遠之。如後所述，六〇年代末的年輕人反叛，雖以一九六七年十月的第一次羽田鬥爭為契機而啟動，但一部分因為此前大多數學生已受經濟高度成長之惠，被「My Home主義」所影響，所以學生運動進入停滯期。關於這種狀況，一九五七年砂川鬥爭期間的運動者森田實於一九六七年十月如此說明[127]：

「此時期的學生運動領導者諸君經常被指責的是，發言重複甚多，陳述內容並不明確。想起來，他們很少有對大量學生發言、一口氣振奮對方的機會，有的盡是『五流十三派』的運動同志埋首於艱澀的用語進行理論鬥爭。特別是，許多學生因受『My Home主義』影響，即便舉行學生集會也完全召集不到人。與教授之間又無法建立連結。再加上運動者自身也被升學考試所壓迫，根本沒有做真正的學習。」

如此對新左翼各黨派運動者表示拒絕的學生，不難推測他們會成為「批判者」的一員。鈴木的調查出版於一九六八年初，故並未記述之後全共鬥運動期「批判者」如何變化。本書之後將於各章說明具體狀況，此處先舉「批判者」大致可以分為三種類型。

第一種類型，是對全共鬥不再有耐心而成為「不關心者」。特別如一九六八年東大鬥爭般，當鬥爭超過半年進入長期化的狀態，原本就是「不關心者」與從批判者變成「不關心者」的學生共佔了六成以上。長期罷課之下，學生大會也無法達到出席的定額，此外也出現許多因鬥爭罷課而暫返故鄉的學生。

第二種類型，是即便批判全共鬥，但也不到「不關心者」的程度，而是嘗試打造自己組織的人們。這種狀況中，許多都是透過與大學當局商量，力圖採取穩健態度解決問題的人。如第十一章所述，東大鬥爭中出現的「班級聯合」、「同志聯合」等即屬於此類。

第三種類型，即便對新左翼各黨派抱持違和感，但仍站在肯定全共鬥的立場，成為不加入新左翼各黨派的「無黨派激進派」（Non-sect Radical）運動者。這群人拒絕那些在形式上採取包含多數決在內的「民主式」自治會管理，企圖通過澈底討論，在全共鬥內部實現直接民主主義。包含東大鬥爭在內的全共鬥運動中，上述三種類型分別出現，詳細狀況將於第III部後述。

新左翼各黨派的「外型風格」

前文所述的新左翼各黨派，當時的大眾媒體或普通學生如何看待他們？在一九六八年至六九年出版的學生運動報導中，帶著興趣地將各新左翼黨派做了特徵分類，其描寫如下。

首先是中核派，一九六九年的每日新聞社報導中寫道，「雖然有眾多粉絲，但在學生戰線中卻顯得相當孤立」。這一派由北小路敏、清水丈夫等六〇年安保共產同的老練運動者佔據高層，特徵在於「其澈底的闖入主義，不屑當牆頭草的暴力示威，以及被批評是『玉碎』戰法的不妥協主義」等，「比起被稱為『陣地戰』的校園鬥爭，更擅長被稱為城鎮戰的校外政治鬥爭，其行動的激烈程度，貫徹激進主義的特點，在各派之中算首屈一指。」因此，他們手持角材頭戴鋼盔與機動隊正面衝突的模樣吸引了許多支持者，但其可說是專斷獨行的不妥協態度，又讓其他新左翼黨派敬而遠之[128]。

不過部分報導指出，即便中核派重視街頭鬥爭，但在一九六七年五月砂川鬥爭之前，他們仍「對暴力採否定態度，從未想過使用棍棒、石塊等武器。」[129]而以警察為對手，使用武鬥棒是始於一九六七年十月的第一次羽田鬥爭，而且不只中核派這麼做，因此不能說這是中核派專屬的特色。

同時如第三章所述，中核派因經歷與革馬派分裂而對與他派合作共鬥有過討論，故可見到與其他黨派合作共鬥，對三里塚與水俣等發生問題的區域也積極「支援」。不過即便在這類場合，他們仍有堅持自家派系路線的傾向。根據社學同運動者的說法，自一九六七年十月的第一次羽田鬥爭起，「中核派把三派全學聯宣傳得好像只有他們這派一樣，所以各派的運動者也有反彈的聲音，例如『說什麼他們是全學聯的主流派』、『為什麼一副那麼黨派式的作風？』」[130]

當時的評論家在一九六八年詢問中央大學社學同的學生，對中核派得到如下的評述[131]：中核派擅長在校外的激烈街頭抗爭，但「完全不做分班討論。總之，他們以法政大學作為據點學校，但在校園鬥爭的範疇卻非常無力。運動者從各大學聚集一處、團結一氣時〔在街頭鬥爭中〕很強大，但只在一個大學進行鬥爭時，就突然施不上力。在法政大學，中核派根本幹不了群眾鬥爭。」

東大學友會的學生也表示，「中核派在大學內也不參與自治會活動，自己派內也不太做招募，也幾乎不舉行鼓動演說。要說他們怎麼獲得運動者，就是使用我們稱為『一本釣』的方法。在抗爭現場找學生，說服對方加入自己組織。另外就是依靠現在中核派運動者的熟人、朋友的人際關係進行招募。」慶應大學的普通學生則評論道「所謂的中核派，大體上有很多好人，而且橫衝直撞。也若無其事地對人發號施令。法政大學的自治會等，已經三年沒召開學生大會，原本他們的執行部絕對不會被人承認，但他們也無所謂，把自治會活動當作中核派的活動來鼓動，不斷帶人參加抗爭。」[132]

其他的前學生運動者也在一九六八年初如此評價中核派[133]：「〔中核派的〕秋山全學聯委員長說，我們總是往權力最集中的地方做衝撞。……新加入他們陣營的學生、大一新生之類的，立刻就被帶入那種抗爭現場，透過與機動隊的衝突、被打等進行實地訓練，提高他們的思想覺悟。所以，特別是在中核派，主要就是在實戰現場招募成員，透過把他們編入運動部隊來培育運動者。從而，他們不太把重點放在對普通學生的鼓動演說或動員大眾。」「中核派的情況是，把散布在全國各大學的三、四個運動者全數吸引帶來，讓他們集結七、八百人。畢竟不可能從單一大學中聚集數百人。」

而出身新潟的高中，之後成為早大運動者的學生，於一九九二年如此說道[134]：「我呢，具有體育社團的體質……很能理解六〇年代中核派的心理。」「我這個人，因為很討厭那種長頭髮的高中生，所以看見他們都有股『搞什麼鬼，這種傢伙』的感覺。所以，鑽牛角尖想太多的鄉下青年會加入中核派，那種心情我非常能理解。」

前述高橋徹的調查中，也舉出中核派、社學同、社青同解放派三派的自治會幹部多出身地方城市的新中產階級。其中中核派的底層運動者，出於對經濟高度成長下的大都會文化與大眾消費社會、資本主義文化的反感，因此許多人都加入「有很多好人」、「橫衝直撞型」的中核派。

中核派的守規矩行徑也反映了「有很多好人」這句話。第八章後述的第一次、第二次羽田鬥爭中，社學同與社青同解放派集體闖過車站檢票口，不付錢坐車，與此相對，中核派主張「背離社會規則對運動不利」，因此仍買票坐車。此外，「如社學同或革馬派的許多學生認為選舉〔議會制民主主義〕純粹是瞎扯，在這種狀況下中核派積極投票的」運動者仍舊很多[135]。只是他們有以此「自豪」的傾向，這也是他們被人們說成自我中心的原因之一。

但，自一九六八年至六九年，中核派因傾注力量在街頭抗爭，疏於自治會活動，導致東京都內的據點學校自治會逐一被其他派系佔據。此外，中核派較他派採取更激烈的抗爭方式，也引起警方的強力戒備，有一段期間集中逮捕中核派的抗爭隊伍，所以一九六九年的《每日新聞》也報導「普通學生與中核派的學生粉絲也因為『參加中核派的抗爭就等於被逮捕』，而遠離他們的抗爭活動。」[136]

與此相對，革馬派呈現出與「硬派」中核派相反的形象。

一九六九年的《每日新聞》如此形容：「如果說中核派是鑽牛角尖的鄉下青年集團，是一看到目標就魯莽地以身體去衝撞的激進派團體，那麼革馬派就是專心致志於新事物，時髦的都會之子的團體，見到目標碰壁會立刻抽身，可說是現代之子的集團。」「在各大學，為何他們在文學部有最多的支持者？包括〔革馬派全學聯〕委員長成岡〔庸治〕在內，都是時髦的文學青年，或者是整個下巴都留著披頭四風格鬍子的醒目青年。」東大的某革馬派運動者也形容說，「髮型是披頭四的樣式，穿著帥氣的綠色、深橘色或原色的毛衣」，「高中時代是披頭四的粉絲，披頭四早期的唱盤，無一不蒐羅囊中。」[137]

這個形容有稍嫌誇張之感，革馬派成員並非全數皆「時髦的文學青年」與「都會之子」，此於前述高橋徹的調查已經闡明。儘管如此，高橋的調查中也指出革馬派大多是出身都會者，特別是在關東圈，文學部的勢力強大。

革馬派認為，革命是遙遠的未來之事，此前必須將勞工組織化，並批評類似中核派那類街頭鬥爭是「小資產階級激進主義」。而學生同盟成員是日後擔任先鋒的人，應當下苦工鑽研理論，藉此養成主體性。因此一九六八年時的革馬派被形容為「思想沙龍風」，報導指出他們「在鼓動傳單上屢屢使用難懂的藝術用語，大學教授也說『那是前衛的藝術運動，是為了研究人的運動』云云。」[138]

因此，與中核派運動者給人跳過理論奔走於武鬥的印象相反，革馬派的運動者似乎給人「理論派、頭腦敏銳」的印象。某東大教養學部大二生的手記在一九六七年二月如此寫道[139]：「與革馬派的山本氏對話相當耗神，他是個了不起的傢伙，頭腦如此敏銳明晰。完全輸給對方了。」這種思辨性的傾向，是革馬派在文學部學生中備受歡迎的主要原因。

某前運動者在一九六八年初如此評價革馬派[140]：「所謂的革馬派，〔與中核派相較〕更叨叨絮絮地招募人。在這個緊迫的時代、激盪的轉換期，不斷追尋身為學生該做些什麼的問題。關於個人自我變革的理論，持續透過徹底自我否定以創造新的自我主體。因此革馬派相當重視班級討論。當然，這不是民青那種從班級討論接收命令，自己代為執行並取得成果的風格，而是班上的每一個人、小團體的好友間花費大把時間對話。因為以『你的主體性』作為問題，稍微帶有一種文學青年的發想。」

重視「主體性」的形成，是以革共同全國委黑田寬一的理論為核心。只不過，革馬派認為革命的主體在於無產階級，學生應致力於形成主體性的理論與掌控自治會等目標；中核派則認為學生應作為革命的先鋒立於陣前，在武力鬥爭中創造「主體性」。若要大致歸納，便是如此。

一九六九年每日新聞社的書中如此描述[141]：「革馬派重視組織，在班級社團中反覆大規模的宣傳，以此為基礎發動戰鬥式的街頭行動。與此相對，中核派認為如果激化群眾鬥爭，就能造成社會主義革命。革馬派在被輕視為思想沙龍的同時，也因『明晰的理論』而獲得女學生的粉絲，即便中核派詆毀他們是譁眾取寵，但他們仍被高中生與趕流行的學生認為『帥氣』，深受歡迎，這大概就是他們採取的戰術與性質的關係吧。」

每日新聞社也評價革馬派「以『唯我獨尊』的行動引人注目」，「特徵是總是採取特立獨行的行動」，「辯論各派的共鬥時最難纏的也是革馬派。當新左翼黨派在爭權奪利時，不惜用武力也要擊敗其他派系的戰術也相當突出。」[142]為了打造組織與掌控自治會，不惜採取武裝內鬥的暴力排除他派或解體對方，這也是革馬派的特徵。在這層意義上，將重點放在街頭鬥爭而不熱中校內鬥爭的中核派，等於是革馬派的對照。

革馬派的這種作風遭到其他黨派的眾多批評。如第十三章所述，隸屬社學同ＭＬ派的柏崎千枝子，當她對一九六八年六月十五日夜晚的中核派與革馬派武裝內鬥感到厭煩之後，如此寫道[143]：「對革馬派特別感到憤怒。因為他們面對機動隊時不太揮舞武鬥棒，卻用在這種時候〔內鬥〕。」「幾乎沒有參加三里塚與王子的鬥爭，而埋首於觀念性的『意識形態鬥爭』，嘲笑其他黨派是『小資產階級激進主義』就了事，這也太輕鬆了吧。」

如第十一章將提到，在一九六九年一月的東大安田講堂攻防戰中，革馬派避開與機動隊衝突，無預警撤退，因此遭到其他黨派與東大全共鬥大力批鬥為「陣前逃亡」。一九六九年九月的全國全共鬥成立時，只有革馬派遭其他黨派排除。但在武裝內鬥上，革馬派比他派更具戰鬥性，因此更加招致他派的反彈，甚至到被蔑稱為「第二民青」的程度。

此外，共產同與其學生組織社學同，在每日新聞社的書中被評為「其特徵在於把中核派用於城鎮戰的激進主義，原封不動地搬入校園中。」[144]

但六〇年代後半的共產同，是六〇年安保後四分五裂的「第一次共產同」的繼承者，馬戰派採用岩田弘的世界經濟分析、ＭＬ派採用毛澤東路線、關西共產同集結京都與大阪殘黨，加上中央大學共產同、明治大學共產同，都採取各自的行動。其中的關西共產同、中央大學共產同、明治大學共產同、馬戰派、ＭＬ派的一部分，於一九六六年組成「第二次共產同」，但一九六八年三月馬戰派分裂，「大共產同構想」的美夢也告終。

原本馬戰派與共產同的其他派系在性格上就有所差異。他們是被描述為「在六〇年代還使用國際收支表並進行分析的只有馬戰派」的理論派[145]。根據荒岱介的回憶，一九六六年左右，為了共產同的統一，馬戰派與共產同其他派系代表舉行會談，馬戰派一方不斷提出基於岩田理論與宇野經濟學的經濟分析理論，詢問統一後的共產同將採取何種方針。偏好直接行動的其他派系在理論上辯不過馬戰派，結果淨嗆聲「有沒有種拿起武鬥棒？別說些五四三的，直接說清楚！」「你們這些傢伙，一副踐樣，盡是自我吹噓，直接去衝撞權力看看啊！」「經濟分析啥的，那是用來搭訕的東西吧」[146]。

社學同有《世界同時革命》、《武裝》等機關報，高橋對其評價[147]：「這個運動團體使用的詞彙，例如『組織的武裝權力化』、『在校園組織武裝行動隊』等等表現，可以看出濃厚的極左激進主義的色彩，組織內部的實際狀況卻類似批判極左激進主義的同好俱樂部。我們應避免愚昧地從字面上解釋他們的用語。」

實際上，社學同並非如中核派或革馬派般是個統籌性的組織。如前所述，第二次共產同是由各種支派聚集而成，當時的運動者荒岱介在二〇〇一年回憶道[148]：「以各大學獨立的社學同或派閥為基礎而組成的共產同，黨組織並非一塊磐石……面對革馬派或中核派這類有政治局行使直轄領導的黨派，共產同的結構處於無法與其競爭的狀態。」

如第八章後述，一九六八年前半，三派全學聯活動獲得注目之際，社學同也聚集了許多學生。但根據荒的說法，「學生們源源不絕地參加固然是好，但共產同卻不像中核派、社青同解放派般那麼組織化。」因此，無論從好的或壞的方面來說，社學同一直無法脫離組織體質鬆散的狀態。

此外，在一九六九年每日新聞社的書中，形容社青同解放派「特別呈現出強烈的之字形擺盪，外部很難掌握其『路線』。」[149]

如前所述，社青同解放派初期以羅莎・盧森堡的理論為核心，第六章也會說明，一九六六年反對早大學費調漲鬥爭中，社青同解放派比其他新左翼黨派率先打出「反對產學合作」的口號。他們雖在一九六六年與中核派、社學同共同組成三派全學聯，但如第十三章後述，一九六八年七月他們與中核派產生對立，與社學同共組「反帝全學聯」。不過在成立大會的會場又與社學同亂鬥，一段時期甚至打算改與革馬派合作共鬥，不過一九六八年底為了爭奪早大內的地位，又與革馬派展開激烈武裝內鬥，大概因為這些脈絡才被評價為「強烈擺盪的之字形路線」。

此外，社青同解放派原本是來自社會黨青年組織社青同的左派集團，根據一九六九年的報導，「該派運動者厭惡人們關注他們與社會黨之間的關係，所以與其被稱為社青同解放派，他們更偏好用

『反帝學評』（社青同解放派的學生組織名）這個名稱。」此後，一九六九年九月他們放棄社青同名稱，改名為「革命的勞工協會」（革勞協）。

除此之外，在結構改革派的各派中，FRONT與民學同等合作打造的自治會共鬥，擁有最大勢力。一九六九年的每日新聞社報導評價他們「雖然走的是少爺路線，但最近戰鬥性逐漸增強。」[150]如高橋調查中也可見到的，構改派是最批判內鬥的黨派，初期並不發起暴力性的示威遊行，而更擅長聚集知識分子舉辦校內討論集會等活動。

根據每日新聞社的說法，「他們從各領域匯集了大量既『討厭參加日共派的示威遊行』，『但又跟不上三派系那種激烈的示威方式』，『不過仍想參加示威，偶爾還想試試華麗的法國式示威遊行（指手牽手在路上排成長橫列的遊行）』的學生。」只是這一派的運動者人數少，有遭他派更激進運動者揶揄為參加這派讓人「悔不當初」的狀況。

不過這樣的構改派，從六〇年代末起，終於也拿起武鬥棒與汽油彈走向武裝鬥爭路線。究其原因，除了受到其他新左翼黨派過激行動的影響外，其中一種說法是「一九六七年以降，學生運動出現各種集團武裝化的競爭，其根本原因在於如果停留在穩健派作風，則成員將被吸引至『帥氣』的武鬥派，自身組織也將不復存在，這實在是一種無情的競爭狀態。」[151]

除此之外，當時尚有前述第四國際、提倡武裝起義的「無產階級軍團（普羅軍團）」等組織，以及其他數不盡的弱小組織。而且他們在鼓動演說上大量使用難以理解的新左翼黨派用語，讓外行人聽了只覺得不明所以。

在這種情況下，比起提倡理論，不如經由外在形式或行動樣式更容易區別他們。一九六七年十月第一次羽田鬥爭後不久，週刊雜誌報導中如此陳述[152]：「那些年輕的勞工運動者對此露出苦笑。『想要區別反日共派學生，最好的辦法就是看他們的外表風格。他們之中有許多人蓄長髮，其中最醒目的長髮族是中核派，穿大學生制服的是社青同解放派，上身穿著外套、腳上穿著軟牛仔布或絨氈鞋子且不穿襪子的是革馬派……。』他們的複雜派系被稱為『五流十三派』。各派系領導者進行的演說，有如古蘭經般繁複難以理解，如果不藉由髮型加以區別，旁觀者根本無從理解和區分。」

此處革馬派的服裝被形容得相當時髦。不過，在當時的脈絡下中核派的「長髮」，與其說是「時髦」，不如說更接近粗野不拘的「蓬髮」之流。

比起理論，學生也同樣傾向從外型風格來區別各派。一九六八年當時還是東大學生的小阪修平於二〇〇六年的著作中寫道[153]：

當然各黨派在不同的革命思想與戰略上相互對立，但這種戰略上的不同，也帶有面對敵對黨派時為了將自身正當化而刻意打造的層面。學生在思考要加入什麼黨派時，也有許多偶然被前輩勸誘遂趁此契機加入的人，我則是從感性上區分各派。首先，日共派與反日共派之間有明確的分界線。將反日共派貼上托洛斯基分子的標籤，藉此主張自我正當性且不參與鬥爭的民青派，給我風格陰險的感覺，所以應該不會選擇加入他們。

接下來大致的分類還有都會風或土俗風（必要的話也可改說成人民風）；觀念性或感性的不同。例如，最都會風、最觀念性的是革馬派，雖是都會風但也是行動派的則是共產同，彼此間有所不同。而具有都會風元素且重視感性解放的（實際上他們是否為重視感性的人，則完全是另一回事）是解放派，反之，殘留最多戰後民主主義氣息，具有認真獻身於大眾的強大感性者，便是中核派。

中核派的據點大多在地方的國立大學，這與他們注重感性有關。但我覺得東京的中核派有些許不同，若更強調「認真」與「對大眾獻身」，就會變成ＭＬ派（原本是共產同的支派，派名是馬克思列寧主義派之意，一九六五年以後迅速傾向毛澤東主義）或京濱安保共鬥（這也是重視毛澤東思想的一派）式的感性。

當然，這是我個人所見的派系區別，區分的方式或許會因人、因地而異。在多數場合，學生們是根據鬥爭處於什麼局面、黨派採取什麼戰術來選擇黨派的。

自不待言，這是小阪的看法。且恐怕引文中小阪所謂的「戰後民主主義」乃指「認真」、「士氣」之意。此外，掌控地方國立大學方面，民青具有壓倒性的優勢，中核派力量並不強。不過，當時的普通學生也普遍像小阪這樣，依據感性而非思想來區別各派系。從一九六八年東大鬥爭中的塗鴉即可看出這種傾向[154]：

如何帥氣地失敗才是重點！（中核派）
如何帥氣地逃跑才是重點！（革馬）
如何能像樣地投機觀望才是重點！（構改、青解）

此外，據說東大鬥爭末期也有如下塗鴉[155]：

●某天早晨突然發生革命時的各派對照表

民青　感到驚天動地，倉皇打電話給代代木〔共產黨本部〕，但對方什麼狀況都搞不清楚，所以趕緊把生財工具財產等都鎖進家中櫃子裡。

共產同　不願相信事實，因為「還沒幹掉機動隊，怎麼可能發生革命？」

革馬　邊說：「不是我們幹的，因此革命是不存在的，不可能把人們從異化中解放出來」邊帥氣地抬頭看天空。

中核　〔對合作共鬥〕喊著「讓我們也加入吧」卻遭拒絕，所以嚎啕說「他們都是史達林主義的官僚」，並且不把對方當一回事。

FRONT　為了舉辦「有關革命的校內討論集會」而忙著打電話邀請講師。

解放　只會一直反覆說「反對革命政權合理化」而被人輕易看穿。

ML　慌忙打電話給北京但卻無法接通，煩惱至極擺出「竟然沒有人民戰爭就發生革命」的深沉臉龐，然後回鄉下老家。

普羅軍　邊說著「搞什麼，這實在太有趣了」，一邊為了準備反革命，往可樂瓶中裝硫酸。

從這些塗鴉中可以看出，當時學生們比起各新左翼黨派的理論，更慣以風格或慣習來區別各派。例如，一九六七年進入中央大學（社學同的據點校）的女學生最初覺得「共產同傻呼呼的」、「不陰險」

新左翼各黨派與頭盔

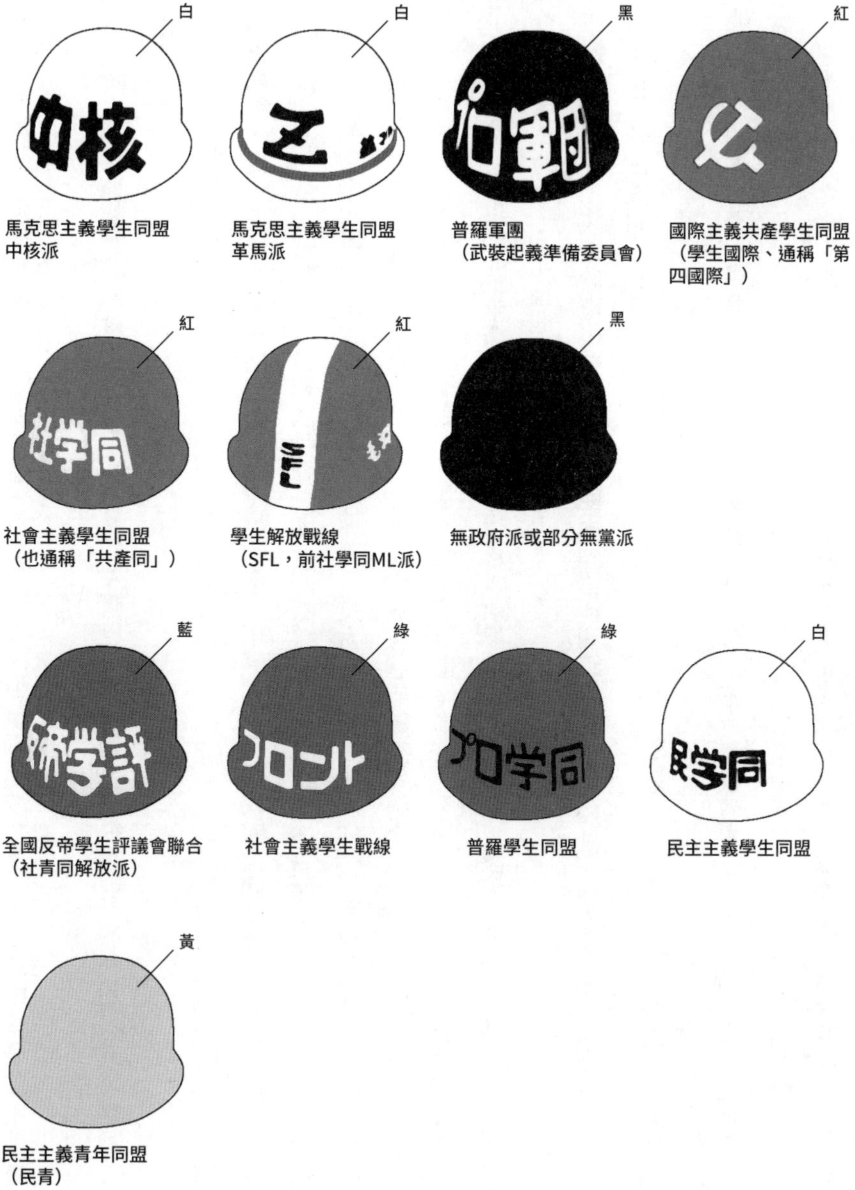

根據高澤皓司編著《全共鬥graffiti》（新泉社，1984年）中刊登的圖案製作。

而抱持好感，最終又覺得「共產同不負責任又隨意行事，中核派比較認真」，成為中核派的同情者[156]。

而對前述的「帥氣度」，新左翼黨派的成員們大概也有所意識，這也體現在他們面對大眾媒體時的矛盾態度。

當時各新左翼黨派把各報社蔑稱為「布爾新」（布爾喬亞新聞），批評報導扭曲他們的鬥爭。例如一九六六年四月十五日的《橫濱國大新聞》寫道，「相信大眾媒體或成人們並據此生存下去，將會在悄然而來的壓力下被壓制得全身無法動彈。即便屆時覺醒，也早就來不及了。」一九六七年十月二十七日的《日本女子大新聞》提及，「拚了命將你養育長大的母親，懇求你『只有學生運動不能參加』的情況，並指出「會出現這種狀況，原因之一就在大眾媒體的錯誤報導上。」[157]

當時大眾媒體上確實有不少錯誤報導，某方面而言這是個事實。不過一九六八年某資深記者如此陳述[158]：「因為〔學生們〕說大眾媒體未傳達事實，所以反過來問他們，該怎麼寫好？他們竟回答，寫『就快發生革命了』。而且他們是認真的……。」

不過另一方面，成長於電視普及時代的嬰兒潮世代運動者，也樂於被大眾媒體報導為「帥氣」。當時的新聞記者日後如此寫道[159]：

> ……過激派最初性格也是開朗的。有點戰爭遊戲、革命遊戲的感覺。學生們過去也是很天真的。非常喜歡自己「活躍的模樣」受到報導。
>
> 革馬派曾對自衛隊設施投擲汽油彈。當報導結束後，他們還打電話給〔記者〕俱樂部。

「那個……我們是革馬派，你知道我們的事件吧？」

投擲汽油彈的事情嗎？知道啊。

「會做成報導嗎？」

沒問題，我們會放在二版喔。

「那個……」他終究開始有點吞吞吐吐。「大概會怎麼處理呢？」大概在意報導所佔版面的大小。這個嘛，大概是晚報左側三個區塊的分量吧。因為今天早上沒發生什麼重大事件。

「原來如此。謝謝你了」……

最喜歡新聞機構的，莫過於中核派了。中核派全學聯委員長（當時各派大家都使用全學聯名義，想當然爾委員長也很多）的M君，每次有什麼事都會舉行「記者招待會」，想跟我們談話。

這些「現代之子」都渴望在電視報導曝光，並追求帥氣。一九六六年十二月，對於中央大學社學同學生將頭盔塗成紅色一事，共產同運動者三上治如此回憶道[160]：「要說為啥這麼幹，就是有人提意見說，反正都要戴上頭盔，所以選擇電視上看起來好看的紅色更好。從事鬥爭還在意在電視上的賣相如何，或許有點奇怪，不過當時對這種事情還挺敏感的。」

可以說，當時的學生就是透過這種外表風格在認識新左翼各黨派。

加入新左翼各黨派的模式

幹部運動者加入新左翼黨派的過程，根據前述高橋徹等人的調查可以做出大致的推測。但底層運動者加入新左翼黨派的動機則更多元。例如東大鬥爭中理科學部的全共鬥運動者大原紀美子在一九六九年的手記中，如此記錄一九六七年十月二十一日國際反戰日前，自己加入新左翼黨派的動機[161]。

當越戰日益激化之際，大原參加了幾個示威遊行，但終究感到侷限，因此決心加入新左翼黨派。理由是因為，「不加入新左翼黨派，我無法進行更深入的戰鬥」，「如果不能意識到這並非只是當場一時衝動，而是具有戰略、彼此間有連帶感支持、分享責任的組織中一員，那如何能進行包含武力鬥爭在內的長期鬥爭？」

大原的雙親欲制止女兒加入新左翼黨派，表示「妳得考量一下自己的能力，妳究竟是不是能搞運動的人。所謂的社會運動就是政治啊，有各式各樣的人，也有許多不愉快的事情。妳覺得自己是能幹這種事情的人嗎？」但大原則認為，「即使被說缺乏政治能力，但如何能拒絕自己想要戰鬥的意志呢？」「選擇一個黨派並參與其中是危險的。但如果這是能積極參與歷史的事情，還是要做！」但大原因為難以選出自己信任的新左翼黨派，而在東大鬥爭中成為無黨派的運動者。不過當時加入新左翼黨派的青年中，許多都跟大原抱持同樣的動機。

當時產生一種氛圍，即想要認真參與政治活動就要加入新左翼黨派，熟習理論並採取組織性行動。一九七九年的對談中，前早大學生津村喬與前明治大學學生和田曾有如下對話[162]：「因為，說起新左翼黨派的人就是菁英。」「是啊，不加入就會略遜一籌，所以舉行集會時也是，成為新左翼黨派的人後就能大談特談，新左翼黨派以外的人便難以開口。」

根據一九四七年生，一九六六年四月進入東大的小阪修平說法，大一前半時他身為「不那麼認真的，同情結構改革派的班級運動者」，與好友成立了「東C越平聯」、「班級運動者聯絡會議」。但等暑假過後，班級運動者聯絡會議的好友大多都加入了新左翼黨派。他問某個友人「為何加入黨派？」「他只回答了一句『主體性』的問題。」[163]他這位友人所說的，大概是透過加入黨派，決心今後將在政治上採取「主體性」的活動。

那麼，他們如何選擇要加入的新左翼黨派？做選擇時，有些情況是自覺性的，但絕大多數都是基於偶然。

例如，一九六九年被逮捕的明治學院大學全共鬥女大學生，出身秋田縣，她父親支持自民黨，是位旗下擁有二百五十名員工的電力公司社長，她姊姊也擔任自民黨國會議員的秘書[164]。她一開始當選明治學院大學文學部代議員副議長並加入民青，不過一九六七年十月，當三派全學聯為反對佐藤首相訪問越南而在羽田機場進行抗爭時，民青卻到多摩湖畔舉行「赤旗祭」，她對此感到反感而退出民青。

之後，她判斷「中核派重視行動，理論卻跟不上。我又快畢業了」，故跳過此選項，而「青（社青同解放派）明明自己也是大眾的一員，其想法卻輕視大眾」，故也否定此派。接著她「找到『不是發起單一國家革命，而必須是全世界同時革命，目標在打造世界蘇維埃軍隊，發動全世界同時革命』的社學同理論，覺得最符合自己取向」，在一九六八年三月加入社學同。

而一位同樣在一九六九年被逮捕的大二女生，認為中核派「就算在階級鬥爭中也是跟權力方進行最熾烈的鬥爭，而且在此過程中沒有喪失大眾性」，故選擇加入此派[165]。另有某位東京女子大學的學生，一九六七年為了立川市的反對美軍基地擴張鬥爭而前往砂川，她說道：「到現場不由分說就被要求戴上頭盔扔擲石子。當時心中充滿疑問，現場還有一群稱為結構改革派的學生，在大門前做統一集會，進行〔非暴力〕靜坐，我感覺他們如此強而有力。之後我也加入了結構改革派。」[166]

此外，東大鬥爭時的醫學部民青運動者如此說道[167]：「我與社學同、中核、社青同的人們有所接觸，但總之他們不夠認真。他們帶有一種只要是為了革命運動，無論幹什麼都無妨的傾向……例如在三里塚就發生過吃關東煮卻不付錢的霸王餐惡行〔此事被當作反日共派新左翼黨派品行不端的例子，在當時廣為人知〕。我對該事感到非常不滿。實在是無法忍受這樣的事情。大約此時我認識了幾位民青派的學長姐，與他們談話後覺得他們很認真，嚴肅看待自己的人生，逐漸地被他們所吸引。」

上述的例子中對新左翼黨派做了一定程度的比較與考量，不過這種類型的學生毋寧是少數派。曾任越平聯事務局長的吉川勇一於二〇〇七年如此敘述[168]：「應該沒有人會比較、檢討各黨派的主張後才選擇加入。多是前輩是哪一派的人，或者自己的大學由哪派勢力掌控，受這些偶然的條件所左右。」

例如某中央大學社學同的運動者就曾如此說明[169]：「以前中央大學共產同的勢力就很強大，入學後只要參加自治會活動，自然而然就會進到共產同的行列。我也是，偶然的機會下去示威遊行，之後尋思要參加自治會活動，成為班級委員後進入共產同，沒有什麼特別重大的契機。我並不是在大量的新左翼黨派中做選擇，只因全然不知有其他派系，所以加入了共產同。」

此外，某位高中畢業後在東京都練馬區當派報人員的少年，不知道與他交往的一些練馬區共產黨員是被黨除名的結構改革派，而受他們招募加入共勞黨的學生組織普羅學同。根據他日後的回憶，「我想加入的是民青，但在不知道兩者有何差異的狀態下加入了他們。」這位男生的情況是，中途發現「好像不太對呀，這邊好像是過激派啊」，不過他「又想，唉，哪一派都好。如果當初被中核派招募，大概就加入中核派了吧。」[170]

還有人表示，「會出席民青的集會，也是因為去那裡就有可愛的女生。」[171]如第十六章所述，赤軍派中因為有一位行動派美女重信房子，許多該派參與者的加入動機，都是「受到重信的吸引」。在另一個例子中，則是從地方高中進入東京的大學後，在莫名其妙的狀況下與新左翼黨派搭上關係。以下的文字是出身都立高中，進入社學同的據點校中央大學的人，於一九六九年寫下的內容[172]：

> 結束一年的高四生活後，我終於成了大學生。可是，一鑽入校門後映入眼簾的就是「反對學費上漲！」的立牌與如此嚷嚷的人，頭戴紅頭盔〔共產同的顏色〕的人拗口地說著不明所以的成串漢字，彷彿怎樣都無所謂只要念對音就好，那是種極其令人不快的發音法，迎面而來的這種叨絮光景，讓人胸口一緊，原來這就是大學啊！心想真是個驚人的地方。但是，我才剛從沒有餘裕的升學考試生活中解放出來，身心皆很放鬆，即便集中精神拚命去理解，還是完全不明所以。這一連串的動作重複幾次後，最終口中只吐出一句：「嗯，不懂！」
>
> 在找尋要加入什麼俱樂部時，偶然遇到的前輩告知「去參加學生民事法研究會吧，那邊不錯。」
>
> 我心想，「喔，是嗎？聽起來像司法考試補習班啊」，不過迅速加入了該會。而那個偶然遇

到的前輩，我完全不知道他在共產同裡是個名號響噹噹的人物。至於「學生民事法研究會」是共產同的秘密基地，那就更不可能知道了。

如這個例子般，也有受高中學長姐的勸誘而加入社團，之後才發現是新左翼黨派據點，因而加入該黨派或成為該黨派同情者。

「學長姊的招攬」是數量最多的模式。一九六〇年代民青運動者大窪一志於二〇〇七年回憶道[173]：

「一九六〇年代有許多人以各種黨派運動者的身分投入學生運動，我逐一詢問他們之前為何會加入黨派，得到的答案是：大多數的情況都是因為自己信任的前輩或朋友就是該黨派的運動者。大致就是『名為〇〇的那個了不起的人，是我高中的前輩啊……』，『名為XX君的同學拉我加入……』這樣的模式。簡要而言，就是比起黨派，更受人的吸引吧。最初只是在一個契機下加入活動，結果因為黨派間的對立或抗爭，而不得不站在自家派系的立場，在這樣的過程中逐漸深化對黨派的歸屬感，大概就是這類的狀況。」

大窪的狀況是，「進了大學，在駒場校區排隊辦理入學手續時，一位整齊穿著立領學生制服，外表看來誠實的學生，臉上露出微笑朝我走來並開口搭話，他對我說：『我是教育研究會的人，要不要來學生會館的社團辦公室看看？』」教育研究會是民青的據點社團，在短期臨時工聚居的某山谷小鎮進行睦鄰運動。

大窪首先對向他搭話的民青同盟成員「U同學的人格抱持好感」，接著在睦鄰活動中，聽到一位在山谷踏實推動勞工運動的共產黨員「S先生」對他說，「像新左翼各黨派那般煽動街頭運動，『那種只在表面上進行鬥爭，什麼也改變不了』」，因為這句話，讓他加入了民青。

只是，覺得哪樣的前輩有魅力，應與新左翼各黨派風格及自己偏好有關。如大窪的例子，對「整齊穿著立領學生制服，外表看來誠實的學生」帶有好感，那麼大概就會加入民青，如果憧憬「留著披頭四風鬍子的青年」，就會加入革馬派，這就是兩者的區別。

而新左翼各黨派一方則較少一開始就讓新生加入，更多的是先讓他們參加研究會或社團，以及屢屢勸誘他們參加遊行。據說他們專門瞄準新生開始對大學感到幻滅，患上「五月病」的時期。一九六八年四月，《朝日新聞》的社會部長如此寫道[174]：

> 參加示威遊行的學生以大一新生居多。大部分的讀者心中大概都會質疑，他們有什麼理論嗎？我們最初也有同樣的困惑。……
>
> 東大教養學部三鷹宿舍委員長H君是社學同ML派的運動者。於去年十一月舉行的宿舍委員長選舉中，H君以一票之差勝過民青派的S君。在宿舍管理上，光是委員長得以任命十二個宿舍委員一項，就可看出這一票之差具有多重大的意義。
>
> H委員長選擇的其中一位委員是K君（十八歲）。這個學生雖然偶爾也參加遊行，但距離成為戰士還有很長的路要走，H委員長對這位K君「有某種期待」，所以才叫上他。
>
> 宿舍委員都在同一房間起居。對K君而言，有更多機會可聽到此前未曾聽過的熱烈議論。他

也經常被邀去三鷹站附近運動者最愛的壽司店，身為宿舍委員也能出席「團體交涉」[i]。如此，他也察覺到比起剛入學時，自己逐漸發生了「質變」……

之後到了三月中旬，H宿舍委員長邀K君參加在千葉縣內某旅館舉行的社學同ML派全國理論合宿（集訓）。K君表示，「雖然不太清楚，但知道為了革命有此必要，所以前往學習」，H委員長給他打氣說「接下來的行動很重要。」K君當上了宿舍入住教育實行委員長，為新入住學生講解住宿規則與該有何種心理準備。不到半年的時間，K君也成為初入門的運動者。

運動者們有句話說「瞄準五月病」。約莫就是在五月這個時期，滿載期待擠入大學窄門的新鮮人們，嚐到了離鄉背井的孤獨感、對量產型授課的失望、脫離現實的違和感、疏離感等心情。運動者就在此時努力與學生們搭話。

「戰爭？」「我反對。」「何不參加示威遊行……」。反戰遊行。那是「通往戰士的大門」。那也是一處訓練道場，讓人理解用身體戰鬥的必要性，他們說，看到機動隊，幾乎所有的菜鳥都會感到害怕。……

經歷激烈衝撞，許多學生受到震撼，感到迷惘。其中一種有效的康復訓練，就是〔在街頭〕募款。即便是新鮮人戰士，也得接受市民以個人身分提問〔戰士所屬新左翼黨派募款的意義〕，即便不知道也必須回答。將腦海中裝入的〔該新左翼黨派的〕鼓動傳單、機關報、前輩說過的話全數動員，主張自身的正當性。不過，藉此也會深切理解自己的學習不足。如此一來將會更努力接觸〔馬克思主義相關〕書籍與〔同一新左翼黨派的前輩〕運動者。

「比起高中時代起就啃共產主義理論的學生，在什麼都不知道的狀態下就投身運動的學生更強大。」明治大學學生會的幹部之一，N君如此說道。

有時，新左翼黨派會把連左右都還分不清的低年級學生一口氣帶去示威遊行，讓他們與機動隊發生衝突，將此當作讓學生「覺醒」的手法。六〇年代前半是東大學生（一九五九年入學）、一九六八年在東大鬥爭中成為助教共鬥核心成員的最首悟，如此回憶自己還是低年級生的時期[175]：

「我受到的教育是，第一步就從參與示威遊行做起，第二步是經由宿舍的好友，第三步就是透過自然辯證法研究會。我不明白馬克思主義，也不懂唯物辯證法，更不清楚安保條約的內容，不過我非常非常贊成運動者的這個說法：『被機動隊毆打一頓，世界就會改變。』我因為去參加示威遊行，第一次感覺接觸到現實世界。」

只要加入一次新左翼黨派，就能實際感受到如何與思想和志向相投的「同志」或「好友」，攜手合作改革社會。這對出身地方縣市，突然來到都會而苦於認同危機或「現代的不幸」的學生們而言，充滿莫大的吸引力。六〇年代末成為警視廳第一課課長，指揮過安田講堂攻防戰與淺間山莊槍擊戰指揮的佐佐淳行在一九九三年的著作中如此寫道[176]：

我認為全共鬥世代的年輕人們「對連帶的憧憬」，起因於當時東京與地方縣市之間的落差太大。從地方負笈上京，被迫在水泥叢林東京的租屋處或宿舍中過著孤獨生活的學生們，或許可從

i 譯註：日文為「団交」，亦即「團體交涉」的簡稱「團交」。

新左翼各黨派活動中求得憧憬的「連帶」感受。

舊制高中時代中，讚美「狂飆突進」（Sturm und Drang）的宿舍歌祭、酒醉後信步調換街上的看板等，有許多機會抒發青春的鬱悶。與此相對，被戰後升學競爭追趕，沒有機會充分感受同世代間連帶感，就此度過青春期的全共鬥世代，他們完成升學考試後的解放感，似乎旋即以武裝鬥爭的形式爆發。……

全共鬥世代在成長過程中被過度保護，禁止打架與玩戰爭遊戲，面對升學壓力又無法體驗格鬥技或橄欖球般講求團隊精神的運動，更因憲法規定而根本無從體驗軍隊的經驗，對他們而言，武裝鬥爭作為發洩潛藏在全人類深層心理的鬥爭本能，不啻為一種體育感受的代償行為。……

武鬥的學生如同在打橄欖球比賽的運動感覺，在昭和四十五（一九七〇）年元旦，某黨派給各機動隊寄發賀年卡時，給人留下深刻的印象。賀年卡上印著膠版刻畫的，戴著頭盔、手持武鬥棒與汽油彈的狼，寫著「終於來到決戰之年了。彼此加油吧。」我們不禁面面相覷。

這段觀察雖然略顯片面，但在理解警方的學生觀上，則饒富深意。實際上，當時報導上可見加入新左翼黨派與機動隊發生衝突的學生心聲，不少都說「進入大學實在太好了。認識了值得信賴的友人，切實體驗到身為大學生做出行動的感受，能如此強烈品嚐這些體驗的社團，別無分號啊。」「我很年輕！燃燒著青春。藉由自己的身體，展現自己的信念與正義。」[177]

作家鴻上尚史在二〇〇六年以訪談當時擔任早大學生事務委員的教授為設定的小說中，舉出如下四種參加學生運動的理由[178]：

第一種：來自地方縣市展開租屋生活的素樸學生。受東京影響、受前輩影響、受運動影響的類型。因為素樸，所以認真接受，開始參加運動。

第二種：沒什麼緣由順勢加入的類型。該說是欠思考還是說輕率，被人鼓動而加入的類型。

第三種：受到雙親的影響。雙親是共產黨員或戰鬥性的工會成員。從孩提時代起就習於社會主義式的觀點，在此狀態下加入的類型。

第四種：優秀類型。認真思考在這個時代應該做什麼，應當選擇何種道路，伴隨著聰慧的結論而加入的類型。

前述奧浩平等人便屬於「第四種」類型。而高橋徹調查的幹部級運動者多屬「第三種」與「第四種」。不過這些仍略屬少數派，前述的底層運動者不少都是「第一種」和「第二種」。不過，想透過這些活動獲得「活著的切實感受」與脫離「現代的不幸」的特點，則是不論加入動機為何，眾人共通的部分。

「帥氣」與「時髦」

另方面，也有隨著不同行動而選擇不同新左翼黨派的人。東京女子大學的某學生，如此回憶全共鬥運動中一九六九年的狀況[179]：「東京女子大學有ＦＲＯＮＴ、社青同解放派兩個新左翼黨派，還有以哲學部四年級生為主的黑頭盔（無黨派），但無論在人數上或在全學鬥的執行部中，都由

FRONT掌握優勢。我是以全學鬥成員的身分在活動，某次參加中央集會時被告知，狀況很危險，所以無論哪種都行，總之要戴上頭盔。所以先弄來了一個綠色頭盔（FRONT）。下次集會時又拿了個藍色的（社青同解放派）。當時對我而言，新左翼黨派就是這麼回事。」

也有學生特意選擇在抗爭中最出彩的新左翼黨派，戴上他們頭盔去參加。日大全共鬥的某學生，說直到一九六八年五月日大鬥爭開始前，他都「看準在街頭能把場面搞得最大的新左翼黨派，混入其中一起奔跑」，口中並唱著由當時流行歌《日本武士》（SAMURAI NIPPON）改編來的歌詞[180]：

昨天革馬
明天三派
每一天　看那天的心情
手上的武鬥棒　悲傷折斷
日本革命　行將何方

借用小阪的表現，就是「在多數的場合，學生是根據鬥爭會呈現什麼局面、黨派會選擇何種戰術來選擇黨派。」這種遊走式的學生，在一九六八年至六九年街頭鬥爭激烈的時期，人數似乎並不少。

參加一九六九年高中封鎖的麻布高中生們，說明他們如何參加街頭鬥爭[181]：「沒有特別選擇什麼派系啊。因為大學鬥爭與我們的角度完全不同。所以我們參與的單純就是武鬥。選擇新左翼黨派時，就看今天哪一派比較強，或者哪一派比較有趣。」「我既沒有頭盔也沒有角材呀。反正害怕的傢伙總會掉下頭盔，我撿起來戴上就衝到前頭去。如果加入的新左翼黨派太過軟弱，就轉移陣地去其他更有衝勁的新左翼黨派。」此處也請留意，本書後述章節中提及「中核派的示威隊伍約ＸＸ人」時，也包含了這類遊走式參加者。

如第二章所述，一九六〇年代中期，被稱為「三無主義」的不關心政治學生佔大多數，即便是六〇年代末，也沒多少學生真心認為日本將發生革命。在一九九四年發行的《全共鬥白皮書》中，對前全共鬥運動者進行了問卷調查，在「你過去相信全共鬥運動（學生運動）會引發革命（或者重大社會變革）嗎？」這個問題上，「曾經相信」佔三十五．七％，「不曾相信」佔四十一．四％，「其他、沒答案」佔二十二．八[182]。

針對這個結果，小阪修平如此說明[183]：「看問卷結果，相信〔革命可能性〕的學生意外地多（即便如此也未達半數）。從整體運動看來，所佔比例應當比此問卷更低（我判斷問卷更多是給深入全共鬥或黨派的人而非普通學生）。不過，即便說相信革命會發生，也不是指將真實發生那種過程，而幾乎都是指在持續的時代轉變之中，不知何時會引發革命的感覺。」

《全共鬥白皮書》確實以積極參與全共鬥運動的學生為對象進行問卷調查。如第一章所述，積極參與全共鬥的學生，在爆發鬥爭的大學中，只佔全體學生的一到二成。若說其中相信會發生革命者佔三十五％，那麼當時全體學生中相信將發生革命者，理當只有五％左右。如果進一步考量大學升學率在兩成前後，則可推算相信會發生革命的學生僅佔此世代的一％。或許他們身處志趣相投的同伴之間，有時會感覺自己是多數派吧。

如此推論下來可知，相信真的會發生革命者，屬於少數派。如此一來，每天觀察哪一派能把場面搞得最轟動，進而選擇參加該黨派，帶著宛如遊戲般感覺的遊走派會有不少人數，也就不足為奇了。

不過這種遊走式的參加者中，也有些當事者感到後悔的例子。一九六八年十月二十一日的國際反戰日中，在日本防衛廳前頭戴社學同紅頭盔投擲石塊進而被逮捕的青山學院大學女大學生，於獲釋後如此陳述[184]：「我呢，是被捲入的。我在青山租屋，就在防衛廳旁邊，我去湊熱鬧看那場抗爭，突然就被捲入，接著被逮捕。即便我向機動隊解釋，我不是參與學生，只是來旁觀的，他們也不聽。很可怕，不過事情已經過去了。實在是胡搞瞎搞。我決定忘掉這件事情。」

不過，也有許多人把示威遊行當成一種娛樂前去參加。日後成為著名音樂家的坂本龍一也是其中一人。他在高二時參加了一九六九年新宿高中的街壘封鎖，並於一九八九年的隨筆集中回憶當時的狀況[185]：

上了高中後很快就去拜訪各大學的新左翼黨派。例如法政大學、明治大學、中央大學等，去學生會館或自治會室造訪。嘎啦嘎啦地開門進入自治會室，跟對方說：我來問問題了。詭異的高中生（笑）。然後我就問了各式各樣的問題：革命怎麼搞？果然還是需要武器吧？在某些局勢下，是否有可能與民青之類的合作共鬥？之類的（笑）。到了高二我已經走上街頭了。……因為我沒加入任何一個新左翼黨派。升上高二、高三後，便到處晃蕩接近各團體。今天去中核，明天去共產同。……

至於頭盔與服裝，我也下了一番苦心呢。服裝大致是黑色牛仔褲搭配外套。鞋子是籃球鞋唷。接著帶上毛巾與小背包。背上小背包後，沒來由就給人一種從鄉下出來尋死般意志堅定的感覺（笑）。你看，從地方來東京，例如去新橋之類的地方時，每個人都背著小背包，裡面塞入一套討生活的工具，真的是抱著必死的決心來的，是吧。那時候抱著就算被逮捕也沒關係的心情去參加喔。小背包裡塞入最低需求的換洗衣物。那副模樣，總感覺很帥啊。

如第十三章後述，當遇到東京舉行大型鬥爭的場合，許多地方大學的新左翼黨派成員會被叫來東京集合。坂本說的「從鄉下出來尋死」的學生，指的就是這種學生。當時風潮是，似乎能充分討論政治議題或馬克思主義就意味著「帥氣」，也獲得女性的青睞。高中畢業後歷經越平聯、社學同與赤軍派的中野正夫，在二〇〇八年如此回憶道[186]：

「為何理論會受到歡迎？這是因為當時運動的內部，作為一種自我表現，能充分解說理論的傢伙就會被視為有能力的運動者或領導者。能進行論爭的傢伙就是帥氣，因為能流暢寫出傳單或簡易論文，所以被高看一眼。」「對抽象能力弱，多依靠感覺和心情生存的女孩而言，這種『理論家』們更是熱門。如果能提出『革命理論』，身旁就會圍來一群女性。要說是種『說服』的武器吧，專精『理論』的運動者周圍，總呈現一種後宮的狀態。許多男女運動者都藉由這種人際關係來確認自我的存在，並透過這樣的體驗獲得滿足。」

此說明雖有誇張的部分，不過當時的運動中具備「自我表現」、「確認自我價值」的傾向，此方面將於後文繼續說明。在此狀況下，能以「理論」形式巧妙達成「自我表現」的人會受到異性歡迎，也屬自然。

善於「理論」與議論的人被高看一眼，這與前述當時運動者的理論層次很低，兩者乍看之下似乎有所矛盾。然而議論的高明與否，比起知識量的多寡，往往更受是否伶牙俐齒所左右。曾為共產同系運動者的府川充男如此回憶道[187]：「〔運動中〕被人高看一眼的，能言善辯是個前提，接著就屬在武裝鬥爭中強大勇敢，或者擅長鼓動演說的傢伙吧。……可是，即便被人介紹說他正在閱讀列斐伏爾（Henri Lefebvre），其他人的反應也只是：那又如何？」可說，比起知識量，「能言善辯」、「擅長鼓動演說」才是獲得高度評價的基準。

而這類型的男性有更受女性歡迎的傾向一事，當時不關心政治的學生曾於二〇〇四年的著作中如此回憶[188]：

全共鬥時代的我，一直走在體制內，不關心政治。努力玩耍，課業維持在學分不被當掉的程度，不過很喜歡讀書，讀了不少，牢牢記住流行歌曲，心中想著進入堅實的好公司工作。這種非常平凡的想法，在當時的學生之間卻飄蕩著一股不被允許的氛圍。這種想法會遭批判：那種傢伙，實在是很小市民。當時的我並沒有勇氣反彈，反問他們「小市民有什麼不好？」

當女朋友拜託我去新宿站前幫忙派發傳單時，我說不出清楚的理由，但加以拒絕了。結果她說「我不想繼續跟沒有意識的人交往」，之後就再也不跟我見面。……

當時從事學生運動的學生被認為是帥氣的。受到女生歡迎。大家認為，即便不搞學生運動，也該抱持相應的意識。……

被女朋友甩了之後，我開始重新思考。首先想做強化意識的學習，打算讀馬克思的《資本論》。去書店後見到資本論的厚度而感到驚懼，改買了旁邊最薄的一冊《共產黨宣言》（馬克思、

> 恩格斯合著）。雖然讀完了，但內容完全引發不了興趣，絲毫未能進入我的腦袋。
>
> 作為嘗試，我參加了示威遊行。其實參加的真正理由是，聽到了隔壁女子大學的學生也會參加的情報，才被吸引而去。女子大學的學生也會參加，這是赤裸裸的謊言。只有渾身汗臭的男學生肩並肩排隊，進行長距離的蛇行示威遊行。抵達國會議事堂前已經疲憊至極。又加上被機動隊踹飛讓我更加皮皮挫。……示威到底訴求什麼，今天完全想不起來。從結果而言，簡單來說就是完全沒有改變我對運動的低迷意識。我已經吃夠示威遊行的苦頭了。

如第一章已然敘述過的一般，這種不關心政治的學生即便在全共鬥運動最興盛的大學中，也佔了六至七成左右。從而，這些不關心政治的學生面臨所謂「學生間飄蕩著一股不被允許的氛圍」的說法，就中野的敘述來看或許帶有另一種意義的誇張。不過當時的學生運動者代表著「帥氣」、「受到女孩歡迎」，讓這些不關心政治的學生也閱讀馬克思、參加抗爭遊行，在那個時代可說一定程度上也是事實。

如此一般，「受女孩歡迎」、「帥氣」等印象，或者憧憬坂本所言時尚中的「帥」而加入新左翼黨派者，似乎並不少。一九四八年生、加入中核派據點的法政大學全共鬥，日後成為知名廣告文案作家的糸井重里於一九八四年的訪談中如此敘述[189]：

> 原本想搞學生運動而前去參加啊，在大學的時候。
>
> 這麼說可能有點奇怪，我高中的時候經常被抓去做行為輔導，其實也沒幹什麼特別大的壞

事，不過那個時候總覺得警察很可怕。可是呢，當時（一九六六年）見到早稻田的學費鬥爭新聞，與那些可怕的警察對等交手的，竟然是學生。那些學生看起來宛如大人們一般。所以我就想，進入大學後一定要穿上那髒汙的雨衣向警隊扔石頭啊。那簡直就是一種時尚。

但等實際升上大學後，卻不斷進行不明就裡的議論。不過，我被告知總之先加入行動，有如遭欺騙一般被帶往砂川，那時候在現場感受到相當程度的振奮呀。……那是首次參加遊行，等我搞清狀況時自己已經被排到前面數來第二排，在推擠之中遭到了痛揍啊。特別是法政大學，算是一種武鬥部隊，所以從第一排到第十排左右全都是法政的學生。還有，我們這邊雖然也在被揍，但第一排的人還邊挨打邊護著我們。看到那場景覺得他們實在是真英雄。我這個新鮮人根本比不上。雖然想逃可沒法逃走，亂七八糟地被痛毆，即便如此前排的人還是盡力保護我們。

所以呢，從一開始就覺得欠第一排的人一個人情。如此一來，即便超討厭自治會的那些傢伙，但心想欠的人情總得還，所以就說「下次把我排在第一排」，結果第一排的傢伙熱烈歡迎我，就是多個人手吧。所以呢，已經被煽動起來了，也就那樣留了下來。

如第三章說明過的，當時的學生運動中，東大與京大出身的運動者成為理論領導者，法政、明治、中央等巨型私立大學（學生人數眾多的龐大學校）則多成為武鬥的主要成員。糸井所言「因為法政大學算是一種武鬥部隊」，即意味這種狀況。加上作為「人手」，所以糸井把「不明就裡」的理論放到一旁，「就那樣留了下來」。

當時的報導也指出，新左翼黨派「街頭抗爭的先頭部隊中，『前運動社團隊員』的體格壯碩學生們，特別醒目。」[190]只是這種「人手」對新左翼黨派而言不過是底層要員，當新左翼黨派進行抗爭時，隊伍的指揮者往往位在稍微後方之處，而上層團體的領導者則在更後方，這種陣形安排並不少見。

根據一九六八年四月的新聞報導，「一直到鬥爭前夕，角材終於擺在眼前之前，幾乎大部分的學生都不知道這次是否使用角材。知道此事的，僅限於組織的最高幹部與各大學的主要基層組織者。」[191]一九六八年三月三日，當時一個無黨派學生前來參加反對設立王子野戰醫院的抗爭遊行（第八章詳述），記者報導道：「抵達會場後，如果不加入哪一派，就不能進入列隊。他也從某派領到頭盔坐入隊伍中。接著，就是分發角材。他見狀感到恐懼，扔下角材便逃往食堂。」[192]

武裝鬥爭乃是遵從上層團體或幹部層級運動者的命令而行動。不過，許多新左翼黨派的領導者都不打算為自己命令的結果負責。一九六八年，哲學家兼越平聯掌旗手的鶴見俊輔，在談論參加一九六四年橫須賀反對美軍核能潛艦靠港鬥爭的學生時，舉出如下的軼事[193]：

「去橫須賀大門前的時候，現場領導者下令『突入！』當時自己下定決心，無論受傷或者死亡，都要衝入美軍基地裡。可是，在回程的巴士上，那個領導者卻若無其事地對我說：『雖然下達那樣的命令，不過今天狀況實在是不適合突入啊。如果那時真的從大門衝進去了，狀況大概會變得很麻煩呀。』聽罷我心想，難道我只被單純地當作一枚棋子嗎？為何領導者已經對狀況做出判斷，卻仍下令學生們『突入！』思索至此，心中產生一股不信任感。」

另有一則類似的例子，一九六九年左右一位記者記錄如下軼事[194]：

……某日，在日比谷公園有場激進派之間的武裝內鬥。當時的內鬥不若日後那般悽慘，雙方兩陣相對，互相投擲石塊與拿武鬥棒互毆，可以說是堂堂正正的對決。

即便如此還是有人受傷，服裝道具也變得破破爛爛。對於武裝內鬥，只要不發生太超過的事情，機動隊並不會出手制止，等雙方鬥到筋疲力竭時再伺機全數逮捕。無論如何，逮捕時總是對學生又踢又打。

當天也是如此，告一段落後我便離開公園。……大約走了三、四百公尺時，發現一個認識的男人從對面走了過來。那是武裝內鬥某一方的高層組織、政治團體的書記局人員。所謂激進派是指學生的組織，在他們之上還有政治團體，學生們聽從其領導與指令行動。

男子悠然信步，並拿著無線電對講機說著什麼。大概是針對公園內發生的內鬥，在和某處聯絡吧。

嗯嗯，我不禁想著，大概就是這麼回事吧。自己「領導」的學生就在自己的眼前與其他新左翼黨派戰鬥。即便覺得武裝內鬥啥的愚蠢至極，但總之還是戰鬥了。之後遭機動隊逮捕。然而，對身為政治組織幹部的他而言，這種事情只是龐大戰略下的一枚棋子罷了。所有的事情，早就寫好劇本，被羅織進去了。

我想，政治是無情的。滿身泥濘互毆的學生們，年紀與我相差不到十歲。

當時的一位運動者，在一九九二年的訪談中如此批判當時新左翼黨派的高層[195]：「又抓了一堆狀況外的學生……說什麼佐藤訪美會怎樣怎樣；七〇年安保如何如何；袖手旁觀〔安保條約在七〇年〕不是就會自動通過了嗎？接著，說談判根本沒用，議會不具功能，只能用武力戰鬥。越是認真的人就越可能鑽牛角尖，最終奔走於武裝鬥爭中。可是，說起高層的那群人究竟做了什麼？就是一味說不，說沒這回事，如蜥蜴斷尾般逃走切割關係。當組織高層那群人擺出一副事不關己的表情時，下層的人們都被逮捕了。」

現場指揮官等級的運動者也有遭逮捕的例子。這種場合，理想的狀況是完全行使緘默權，絕不自白組織的秘密或自己的事情。但負責給在街頭抗爭遭逮捕入獄的人聘請律師與提供物資、從事救援活動的前運動者，日後表示[196]：「當我幫忙救援會後，聽到的盡是糟透了的事情。我看過各式各樣的筆錄，也有假裝是領導者的人說一堆冠冕堂皇的話，也有的人被公安逮捕後如洩洪般（自白），那些狀況我很能理解啊。」

此外，一如前述高橋徹的調查中也闡明的，學生運動者幹部等級的人，許多到了大四面臨求職時，便會「退出」甚至「轉向」。當時的評論家寫道[197]：「大學生到四年級要求職時也會改變。即便是擅長鼓動演說的運動者們，也會突然開始謹言慎行。雖說不至於拋棄以往的思想，但言談中會出現越來越搞不懂了、運動遭受挫折了、應該多學習一些等等更為曖昧的說法。其中最典型的軌跡，就叫做求職轉向。」

即便如此，因戰後的和平教育而帶有反戰意識、具有嚴肅社會意識的學生，以及從鄉下上京而苦於孤獨感的學生等等，仍為求在運動的場合尋找友情，或者期待「積極參與歷史」而加入新左翼黨派。不過，在前方等待他們的，絕非什麼烏托邦的世界。

新左翼各黨派的自治會統治與權益

那麼，對新左翼黨派而言，大學的定位究竟如何？先說結論，新左翼黨派一方面招募大學新鮮人，一方面則以掌控自治會為最優先課題。

最大的原因在於可以運用自治會經費[198]。當時大學的慣例，是由大學當局向全體學生收取學費與代理徵收自治會費。自治會費因大學而異，貴的如神奈川大學一個人收取一千四百日圓，便宜的如早稻田大學第一文學部一個人收三百日圓、北海道大學與東京大學等一個人收一百日圓等等。

當某新左翼黨派掌控自治會後，即可管理這筆自治會費。在一九六八年的階段，據稱，全國大學約七百五十個自治會中，民青派約掌控三百個；中核派、社學同、社青同解放派的三派約七十個；革馬派約二十五個，構改派約二十個（其他的自治會或者各派勢力在伯仲之間，或者處於中立狀態）。當時的報導指出，將隸屬學生人數換算成這些自治會的會費，則民青派一年可取得一億八千萬日圓，三派系約一億日圓，革馬派約二千五百萬日圓，構改派約三千萬日圓。正因如此，各派皆磨刀霍霍要掌控自治會。

這類自治會費似乎也被挪用於各派幹部們的生活費。一九六八年七月，某大學教授表示[199]：「我知道幾個案例。位於全學聯組織中樞的學生們，完全不需煩惱生活。一個月挪三萬至五萬日圓的自治會費當作自己的個人費用。這是貪汙。」

一九六八年大學剛畢業學生的起薪，平均是二萬九千日圓。如果一個人可以挪用三萬至五萬日圓的自治會費，大概就無需煩惱生活。

掌控自治會之後，大學當局會與新左翼黨派的幹部進行「高層交涉」，有時可避免不必要的摩擦，這個作法對雙方都有好處。

首先，校方代為徵收自治會費並對自治費被挪用睜隻眼閉隻眼，作為交換，就把大學內的一些紛爭委託特定的新左翼黨派處理。新左翼黨派方則努力不讓校內發生紛爭與摩擦，等於接下了大學內部的監視工作。社學同據點的中央大學某學生，在一九六八年的採訪中說道[200]：「簡單來說，即便是與學生運動完全無關的爭吵，社學同幹部的朋友之類的學生也會前來排解，大概就是這樣。」

也有大學因學校理事長討厭共產黨，為了排斥民青派學生而把自治會交給反日共派新左翼黨派。還有些例子是，只要私底下與校方友好的新左翼黨派掌控自治會，高層交涉便更容易商定，因此不承認該新左翼黨派以外的學生掌管自治會。某前運動者於二〇〇三年如此回憶道[201]：「發生過無黨派的學生在選舉中獲勝，成立了執行部，但大學當局卻不願承認的事情。校方好像說『哪兒冒出的來路不明的傢伙，竟然勝選……。』」

早稻田大學曾是革馬派的據點校。評論家津村喬如此描述六〇年代末早大的狀況[202]：「說起早稻田，眾所周知由革馬派與民青（＝日本共產黨）將『自治會』一分為二，與大學當局勾結來管理學生。校內存在〔大學當局與新左翼黨派的〕雙重管理體制，特別是黨派的權力，帶有比校方更赤裸裸的暴力，管束所有自發性活動。學生們經常互相開玩笑說：『變成社會主義後日子大概就是這麼難過吧。』大概是憎惡學生具有自發性這點，黨派對學生進行澈底管理。無論是多小的行動也會立刻趕來，問是否為『官許』（官方許可，此指革馬派許可的活動），否則就要立刻停止。」

在新左翼黨派內部，也有聲音批評那些藉「高層交涉」與大學當局勾結，拿自治會費當作個人生活費的幹部。早大社學同運動者荒岱介在一九九六年評論由社學同掌控自治會的明治大學與中央大學運動者們時，如此回憶道：「明治、中大的學生官僚，根本無需打工……而恐怕是挪用自治費當作生活費，只要存在這種惡質官僚，就會如自民黨般與大學當局勾結，一直進行高層交涉。」[203]

對此，中央大學的社學同運動者神津陽在二〇〇七年的著作中提及，把自治會費「給自治會委員個人補助活動費的說法並非事實」，聲稱「從自治會來的獻金分配給了〔社學同上層組織的〕共產同機構的官僚層充作活動費。」認為荒的指摘有所錯誤[204]。但，即便神津的主張正確，那只是挪用給中大社學同的運動者或上層組織的共產同運動者之別，新左翼黨派挪用自治會費仍是事實。

因此，對新左翼黨派而言，掌控自治會乃攸關生死的問題，而為了在選舉中勝出似乎也存在一些違法的狀況。曾為社學同據點校的中央大學學生天野惠一於一九九四年的著作中如此敘述[205]：

我在一九六六年進入都內（神田）的巨型私立大學（中央大學）。那裡日間部的自治會由六〇年代共產同派的領導者們居於執牛耳的地位。……

……算得上冒冒失失行動派的我，因為幾個班上朋友的邀約，入學後就去窺看首次的「聯合自治委員會總會」，該會一直開到深夜。那個時候我還不清楚是怎麼一回事，由於自治委員中「共產黨派」的人數變多，如果照一般狀況來舉辦選舉，自治會的勢力版圖極有可能從「共產同派」優勢轉為「共產黨派」優勢（即從委員長到委員等全都由共產黨派人員擔任，夜間部由「共產黨＝代代木」所掌控）。……

深夜，就在人事選舉開始之前，數十個揮舞著角材的人襲擊守在房間外的團體。同時，房間內執行部派的人們也把幾個我不認識的人追打出房間。我本來還在狀況外，但見到雙方互相叫罵與持續亂鬥（當然由靠武裝襲擊的集團獲得完全勝利），我也意識到這是自治會的執行部（共產同）派在以暴力驅逐「代代木」派。武裝突襲的似乎是早稻田大學或明治大學等外部人（因遭襲擊的集團人們口口聲聲如此叫喊）。……就在血腥驅逐後，選舉開始了（這部分我沒親眼目睹），最終由共產同派大獲全勝（理所當然的結果）。

不關心政治的學生天野聽到毆打民青的共產同派運動者叫喊「有膽就總結六〇年安保」時，腦中只浮現「到底是為了總結什麼鬥爭，竟可把這種愚蠢行為正當化」的想法。接著他表示，「這種幹法和街頭混混打群架沒兩樣。所謂的大學生，除了立志向學，也該與政治、黑道保持距離，我是決心遠離政治和黑道，而在東京上大學，這個場面讓我很震驚。」

接著，到了隔天早上「發生了更令人驚奇的事態」。社學同的運動者們拿著麥克風散發傳單，搞起「『代代木＝民青』為了破壞學生自治而使用暴力。把這些傢伙全部趕出校園。」的宣傳活動。民青方也展開對抗的活動，但看在普通學生的眼中，這不過是黨派之間的爭鬥，而且社學同一方的活動更有組織。後來自治會終究仍由社學同繼續掌控。

天野如此回憶：「果然，大學生與小混混集團有所不同。只有大學生能有這樣的政治智慧，從事寡廉鮮恥的政治作為。」「這算是我親身接觸到所謂的新左翼黨派，也是我的初次體驗，這種實際情況讓我感到十分幻滅。」「親眼、親耳見證他們領導者的主張——諸如必須打倒等同於特權民主主義的資產階級民主主義、真正的民主主義乃『無產階級民主主義＝專政』、透過『公社』（commune）確立學生自治權——等等之後，我打從心底覺得『可怕』。他們的腦袋究竟是什麼迴路？他們說的話根本無法取信於人，這點他們自己應該最清楚吧。」

不過，進一步讓天野幻滅的是民青的態度。最初天野同情民青，但「見到在身邊轉的『代代木』派人們，發現他們對『托洛斯基分子』的憎惡之深，到了只要自身力量夠大也會使用暴力將對方粉碎的地步，這種態度也讓我感到詫異。」最後他得出的結論是：「這種長期累積下來的憎惡，性質是相同的。而將這種共產黨傳統體質外在化的，就是共產同。」

即便新左翼黨派幹部們發起反學費調漲的大學鬥爭，但實際上似乎也存在事先早與具誠意的大學當局進行過「高層交涉」的案例。天野如此寫道[206]：

……對於面不改色施行詐術的新左翼黨派領導層而言，在大眾團體交涉（編註：日文簡稱為「大眾團交」）之前先與當局高層進行「高層交涉」，再把此先行交易當作之後團體交涉的結論，這樣的政治操作簡直是輕而易舉（有些人物甚至讓人覺得他陶醉於這種詐欺名人的狀態）。由於大學裡的教授會、職員中有許多共產黨派的人，懼怕共產黨可能控制全校的理事會高層人士產生袒護「反代代木」的心情——當然也只能袒護到某種程度——這也被共產同領導層巧妙利用於與「代代木」的競爭上。即便主流派黨派對學生會館裡的「代代木派」或少數派「反代代木黨派」成員進行恐攻，大學也都傾向睜隻眼閉隻眼（也有那種一聽到恐攻就雙眼放光的傢伙）。

另一方面，前述中央大學社學同的神津陽在一九九五年反駁天野，主張天野所說的社學同進行非法選舉一事，並無真實憑據。他表示[207]：「身為遭天野侮辱的前中大共產同成員之一，我打算一定要讓他付出代價」，「如果是在以前，就要對他武鬥了。」

關於大學內的黨派爭鬥，當時人們的證詞或回憶出入的不少，許多仍舊真相不明。然而，即便無法判斷天野目擊的中大非法選舉是否為事實，但從上述神津的言詞亦可看出：當時在中央大學內，只要有人表現出違逆社學同意志的言語、行動，立刻就會被當作「武鬥」的對象。可以說，神津在無意間吐露了這種實際狀況。

除了這類暴力手段之外，為了掌控自治會也用上其他各式各樣的方式。當時許多大學在選修外語課程上將學生分班，由這些班級選出班級委員，再由他們選出代議員，接著在代議員大會上選出自治會委員長等職。

據一九六六年身在革馬派據點校早大的學生所言，革馬派使用了如下手段[208]：「當革馬派得知哪個班級不打算選自家派系的人成為委員時，就不會〔從自治會〕派出選管〔選舉管理委員〕。對於這些自主選出委員的班級，便以『沒有我們選管監選故不予承認』為由，繼續由前一年的委員擔任。如此便可維持自身權力，獨裁式地掌控自治會。」

根據小阪修平的回憶，認真思考「革命」，「認為承擔革命者非黨派莫屬的人會加入黨派」，在這層意義上，加入新左翼黨派的人應大多是比常人更認真的人。然而「現在的黨派一旦奪得權力，就會變得比現在〔當時的日本〕更可怕，即便未深入黨派，這也變成了一種普通常識。」[209]

新左翼黨派在大學中的權利，除了自治會費之外，還有學園祭與合作社。

社學同運動者荒岱介在二〇〇八年的著作中指出[210]：「每年（春秋）兩次的大學祭資金，籌備費用大約以一千萬日圓為單位，此資金與辦理演講會、活動的門票收入，以及大量店鋪等的收益分別計算。在早稻田或慶應等有名私立大學，光是發行學園祭傳單，就可從畢業學長姊與附近商店街獲得大量廣告費。光是以傳單代替入場費讓到場者購入，據說就能獲得數千萬日圓的利潤。」這些利益也可能被掌控自治會與學園祭執行委員會的黨派挪用。

此外荒岱介還如此說明：「大學合作社是由學生自由出資而成立。出資金額不過一個人數千日圓，但每年春天整體都可增資數千萬日圓。」「而且合作社還有一項好處，就是在學生生活上必須的學生食堂、教科書、大學品牌商品等部分，在經營、販售上幾乎都享壟斷狀態。」「即便只由五十人左右經營的合作社，每年的銷售額都不低於數十億吧。」如第七章後述，一九六七年明治大學爆發反對學費調漲鬥爭時，共產同的學生會（自治會）常在高層交涉中向校方妥協，其原因是「此時期一部分的共產同領導者們正任職明治大學合作社的理事或職員。他們要保障自己的利權。」[211]

而正如在本書後段也將說明的，學生會館的管理權是由校方或學生（自治會）掌控，屢屢成為大學鬥爭的焦點。這一點嚴重關係到新左翼黨派是否能把學生會館當作據點來使用，這是個重大的好處，但除此之外尚有其他理由，荒指出[212]：

一般而言，在自治會處於執牛耳地位的黨派，會優先分配學生會館的隔間（房間）給自家派系的社團，而在分配學生會館房間給普通學生經營的社團時，就會提出某些條件。……從結論而言，那是一種互相勾結（give and take）的利益供給，〔新左翼黨派與大學勾結一氣時〕將大學當局也捲入其中的利權結構。只要協助自治會（選出代議員、自治委員），作為交換，就能保證給予社團補助款。此外，對於自治會制定方針的政治鬥爭，社團成員若能接受動員，作為交換也能保障在學生會館擁有社團用教室。在學園祭如協助銷售傳單，作為交換便可以舉辦活動，或在設置攤位時獲得場地上的優待。新左翼也這麼搞，自民黨也這麼幹，如此一來根本就是一丘之貉。……

一九九〇年停刊的某週刊雜誌曾報導，「每年到了五月，沒什麼幹勁的學生運動者就會出現在三里塚〔成田機場反對運動之地〕」，對此有讀者坦承，僅僅為了取得社團補助款與續用社團教室，新生們就被派去參加新左翼黨派的列隊，這樣的實情，大家知道嗎？

到了二〇〇〇年左右，由大學代理徵收自治會費的習慣，以及以方便行事的方式提供合作社建築物空間等做法，終於告終。荒岱介指出，因此「明治大學的學生運動與合作社運動走向毀滅。早稻田的自治會不受承認與早稻田祭的中止，法政大學自治會不受承認等狀況，也是出於同樣原因。」荒指出「最末期的學生自治會運動，說是變成金錢（自治會費）、場地（學生會館）、壟斷式權益（學園祭）與讓自己獲得空降職位（大學合作社）等利權的場域也無妨。」[213]

荒的證詞或許有過於片面之嫌，不過作為當時新左翼黨派幹部等級運動者的證詞，仍有一聽的價值。近年來，法政等大學不再便宜行事地提供新左翼黨派資源，也有無黨派的運動者提出批評，指出大學當局對他們的壓抑乃侵害人權，但這個問題與本章主旨無關，此處暫不討論。

在六〇年代時，荒所描述的利權結構尚在持續形成的過程中。在此狀態下的新左翼黨派財政，除了自治會費與合作社等等之外，也從街頭及知識分子處募集款項。許多運動新鮮人都會上街頭去募款。

日後以成為全共鬥世代的代表性和歌作家而聞名的道浦母都子，其和歌集《無援的抒情》中收錄了一首和歌[214]：「也曾消失在／領導的酒錢裡／即便知曉／仍扯嗓募款」。如這首和歌所表達般，底層運動者收集而來的募捐款項，成為幹部們酒錢或娛樂費的狀況並不少見。而如前所述，此時許多底層運動者日常只能以「長形軟麵包與蔥」充飢。

在民青的場合，比起自治會費與募款，活動費更多來自機關報《赤旗》的銷售與黨員的上繳款項，但交給中央與交給地方的活動費存在金額上的差異。一九六七年時擔任東京民青本部中央常任委員的川上徹，回憶宗邦洋這位自九州來東京的運動者造訪民青本部的模樣[215]：

民青的發展獲得全國性的成功，主要歸功於〔底層的〕工會專職工作者們，由他們流血流汗的奮鬥所支持。縣與地區被稱為「活動費」的薪資極低，而且經常無法正常發放。

開門而入的宗邦洋表情有點僵硬。

「搞什麼，這是！你們正在喝酒啊！」

滿口九州腔。那種劍拔弩張的氣勢，讓我們「胸口一緊」。甚至有人無意識地站了起來。

當晚包含常任委員在內，十幾位本部的勤務員正開辦「宴會」。因為達成全國性的擴張目標，所以舉行了「慰勞會」。這個時期只要有什麼藉口，偶爾就舉行這種「宴會」。……

稍微被炒熱的氣氛因為一位男子突然出現而重歸安靜。那位男子究竟為何發怒，我瞬間理解箇中意義。

「一路以來底層（組織）多麼辛苦地在幹，你們這些傢伙懂嗎！」……

「『中央』就如此腐敗嗎？眼下尚未成功的地方同志都還在拚命幹啊！」

「竟然吃著這麼好的東西。」

……「這個男人的憤怒是理所當然的。」在現場的我多少有些後知後覺，但確實如此想著。

所謂的新左翼黨派，也是大學這種小型場域的「自民黨」。他們在校內政治與自治會選舉上拚了命與其他新左翼黨派展開爭奪，其實不只是單純面子上的問題而已。

新左翼各黨派與反叛的關係

那麼，上述的新左翼黨派是否理解全共鬥運動等六〇年代末青年們反叛的性質呢？共產同運動者三上治在二〇〇〇年的著作中寫道，「政治黨派幾乎不懂大學鬥爭。」216

如第二章所述，包含全共鬥運動在內，六〇年代末的青年們其反叛的背景有：對因經濟高度成長而激烈變化的社會抱持違和感、喪失大學生的存在意義，加上空虛感與為了逃離「現代的不幸」而投入運動，他們大致具有這樣的心理狀態。根據三上的說法，全共鬥運動的主要原因是「高度資本主義化之下形成學生階層的異化意識」，在這層意義上，全共鬥運動乃是「社會運動而非政治運動」。

然而，新左翼黨派僅有馬克思主義的「政治運動」詞彙。三上指出，「政治黨派〔給全共鬥運動〕提供了各式各樣的詞彙。如學生的『生活與權利』意識高漲、對產學合作的反對意識，以及對大學的帝國主義式重整的抵抗意識等。政治黨派做出各式各樣的解釋，但所有說法都未能切中要點。」「只不過在支持行動型態的激進性上做出一點連結。」

在之後的章節會展開說明，包含東大全共鬥在內的全共鬥運動無黨派運動者，最終也無法以言語準確表達自己的欲求與空虛感。借用三上的表達方式就是「對這些學生的共同意識變化，誰也未能提供適當的詞彙。」

因此，暫時加入又轉往其他新左翼黨派學生，或者當日才選擇參加哪一個新左翼黨派的學生，若覺得不能滿足自身需求，便會拒絕新左翼黨派的動員。本來，他們加入或參加新左翼黨派活動，就不是因為相信該新左翼黨派的革命思想，而是為了表達茫然的不安與不滿，追求活著的真實感受與連帶感，而參加新左翼黨派的示威遊行或加入黨派。

一九六八年，社會學家日高六郎針對至一九五〇年代為止將「工人階級」與「民族」視為絕對的時代，以及一九六八年當時青年的意識進行差異比較，並做出如下闡述[217]：

> 社會的弱勢者以「團結」作為自身的武器，藉這種力量從整體的「民族」或「階級」中解放出來，而自己身為其中一員也能隨之獲得解放，這種想法逐漸被青年們棄之敝屣，他們追求更直截了當的方式。所謂解放自己，解放無可取代的自己，代表著什麼意義，以此為出發點來設定問題意識。……
>
> 當今學生運動的各種潮流即便以各家旗號來動員普通學生，但其動員力終究有限。根據不同議題，學生們可能無視旗號聚集而來。且該如何賦予該議題意義，又成為每一個人的思想領域的

問題，絕對無法做到整齊劃一，何況學生們也拒絕被劃一化。如此一來，學生們的出發點就是自己，不是被社會運動所動員，而是自主直接參與運動，若有質疑，即拒絕參加。從執行部的觀點來看這是脫隊，但從普通學生的立場來看，則是保證參加的直接性。即便是「進步性」的運動青年們，也拒絕單純地成為一顆棋子。

企圖動員學生的新左翼黨派與重視「解放自己」的學生之間存在落差，可從遊行或集會後舉行的「總結」演講或者機關報刊登的「總結文」中看出那種違和感。這是雙方的追求不同，導致在運動掌握上的歧異。

新左翼黨派無論是多弱小的黨派，也會在分析自家派系綱領與世界及日本的情勢後，以中長期的視野總結如何定位該鬥爭。例如，當世界情勢如越戰象徵性地處於資本主義危機的階段時，日本政府協助越戰，就是日本帝國主義持續與美國協調，藉此不斷邁向復活之道的證明，故阻止佐藤首相訪美的鬥爭就是要打破此種日美帝國主義的意圖，並告知日本工人階級存在此種危機。所謂的「總結」，大致都具備如此說明的傾向。

然而，一九四八年生，曾加入過新左翼黨派的笠井潔（現為作家、評論家），於一九八五年的文章中回憶[218]：「置身左翼政治黨派的世界後有許多不習慣之處。其中之一便是『情勢分析式的思考』。所謂的左翼，究竟為何喜歡那種情勢分析呢？」

如第二章末所述，已於一九六七年成為民青運動者的大窪一志認為，嬰兒潮世代的學生們並非關心鬥爭議題而齊聚，而是對社會有種茫然的不滿，為求一個發洩口而參加。從這類學生的角度來看，重要的是如何透過參加集會與示威來解決自己的不滿或認同上的不安，至於分析集會或示威如何與世界及日本政治情勢連結，則是次要性的問題。

東大示威鬥爭正熾的一九六八年九月十二日，國語國文學科研究所的有志之士在傳單中提出如下主張[219]：「學生皆是成長於二次世界大戰後的年輕人。他們在以往世代無法企及的富裕物質和精神環境下長大，同時呼吸著資本主義體制的『尊重自我』、『追求自我自由』的氛圍迎向青年期，屬於『自我的世代』。現在學生的自我主張，較二十、三十年前更為強烈。」

全共鬥的前運動者於二〇〇三年如此回憶[220]：「我不喜歡為他人戰鬥，也討厭為了遙遠將來而戰的定位。就在當下，為自己而戰，這種意識很強烈。」對這種「自我的世代」的青年而言，比起自我充足感，諸如世界情勢的長期分析，只是微不足道的問題。

當年曾是運動者的早大教授高橋順一於二〇〇四年敘述道[221]：「自我主體是依據『此時、此地』的內在充實而成立，而這才是運動的根據，據以改造世界的感受力也深深扎根於此。」首先只有「此時、此地」的自我「內在充實」才是問題，自此出發，才會發生世界變革。

一九四七年生，參加過東大全共鬥的小阪修平於一九九一年如此敘述[222]：「全共鬥的『當下主義』式思維相當顯著。例如，對某要求或目標，他們沒有要在哪個時間段實現的想法，而是考量當下該要求是否正確，接著是你覺得如何、打算如何參與，以這種思考形式當作發想的原點。」

此處可見如下狀況。重要的並非分析社會整體的情勢或透過中長期的時間段來分析該訴求如何被實現，而是「此時、此地」「你覺得如何」與追求「主體性」的「內在充實」，亦即認同的確立。所以小阪才認為，反叛本身就是目的，而新左翼黨派的政治情勢分析等做法「喪失了反叛本身的性格，換句話說便是失去固有性，又回到老舊政治脈絡中進行分配」，而他對此感到不快[223]。

不過應注意的是如高橋提及的，他們抱有一種感覺，即達成自己的「內在充實」與「世界變革」是相互聯繫的。若非如此，則獲取認同的運動（即便只有形式上）不必然要以政治運動的形式來推動。換言之，他們預感到那種舊時代的「自己」與「世界」的連結，可以在這個時代斷裂開來，正因為如此，他們才發起反叛。

不過如同之後章節將說明的，思辨性很強的東大全共鬥，其特徵在於澈底拒絕考量如何實現訴求，這點也散播到之後的全共鬥運動。東大鬥爭之前展開的大學鬥爭中，為了實現具體訴求而妥協或交涉的案例毋寧更多，在某些場合也能成功達成訴求。另外還需注意的是，「那個時代」的回憶錄等作品往往有某種傾向，即經歷者只知道自己所屬大學的全共鬥或新左翼黨派的狀況，卻基於這種有限的認知（沒有意識地）論述總體的現象。

無論如何，相對於新左翼各黨派基於情勢分析立足中長期觀點執行鬥爭，東大鬥爭以後的全共鬥運動則強調「現在」，忽視情勢分析或妥協，帶有無論如何先採取直接行動的傾向，這部分一定程度上是個事實。而且特別在雙方理論的對立上，表現特別明顯，亦即為了長期性地實現革命而安於組織的新左翼黨派理論，對上將自己所有的存在都賭在此鬥爭上的全共鬥理論。其中的一個典型就是東大鬥爭，這部分將於後文第十一章說明。

反戰青年委員會

除了新左翼各黨派，另一個必須了解的先備知識，就是反戰青年委員會。

反戰青年委員會是由社會黨青少年局動員總評青年對策部與社青同，為一九六五年八月的反對日韓條約鬥爭而成立。正式名稱為「為反對越戰、阻止日韓條約批准之青年委員會」。

這個組織當時成功聚集了青年勞工的能量。甚至可以說，當社會黨與總評轉換為穩健路線後，難以掌控的青年勞工能量，都藉由此組織來發散。一九六五年十月十五日，反戰青年委員會首次的中央集會上，不只集結了一萬數千名的青年勞工，更組織遊行，無視警方的警告，在參議院面會所前靜坐，即便與約三千名機動隊發生衝突，仍可維持遊行[224]。

當時總評逐漸空殼化，而青年勞工的能量便來自對總評的不滿。當時工會的遊行，慣例上參加者可以領日薪，不過當反戰青年委員會以「把日韓鬥爭交給青年人」的口號發起遊行時，意外撩起不信任革新陣營的青年勞工的心中不滿，根據反戰青年委員會營運委員的某位人員的說法，青年們為追尋「自己成為主角」的機會而前來參加集會，甚至有幾個縣的參加者還自發拒領日薪[225]。

還有一則成立大會上與民青相關的軼事。出席成立大會的民青主張：反戰青年委員會的成立，必須以重啟安保青學共鬥為前提來進行。青學共鬥因一九六〇年安保後與社共對立，加上一九六二年禁止原子彈氫彈運動的分裂後，實際上已經分崩離析。民青方期待透過重啟青學共鬥擴大自家派系的勢力，消除他們認定的「反黨分子」、「托洛斯基分子」。結果，民青的這些主張未被接受，在民青與一部分贊同民青的日共派青年工會不參加的狀況下，反戰青年委員會正式組成[226]。

日韓條約於一九六五年十二月獲得批准，反戰青年委員會的活動也因而停滯。不過社會黨青少年局在一九六六年一月決定將反戰青年委員會設為永久組織，適逢一九六五年二月美軍開始轟炸北越，隨之越平聯等各種團體展開反越戰運動，一九六六年八月全國反戰青年委員會作為廣島禁止原子彈氫彈大會的一環，舉辦了全國反戰集會，約共有一千人參加[227]。

過往的工會都以企業為區別進行編組，因此受到產業分類的束縛，而反戰青年委員會的特徵在於各職場、地區的反戰青年委員能以個人名義加盟，加上團體、個人加盟併用的市町村地區反戰青年委集結後，成為各都道府縣的反戰青年委，最終成為全國反戰青年委的形態。換言之，與過往工會不同，不再受企業的框架束縛，各職場或地區中，如打算以個人進行加盟也無問題，當集結一定人數的有志之士後，即可形成地區的反戰青年委[228]。

這打破了以往「總評本部→各產業的同一產業本部→各同一產業地方本部→各企業工會」這種上令下達的命令結構，成為重視「運動與參加者個人雙方『自立』」的「打破既存框架運動」[229]。對已厭煩既存工會上令下達形式，或厭煩空殼化的同一產業及企業工會框架的青年勞工而言，這種新的形式吸引了他們的關注。

如第一章所述，總評等組織「在街頭抗爭與政治集會上，一般採取由中央下達動員指令，數人頭前往參加並領取當天報酬的形式」，但「青年層中對此感到不滿，有人認為即便自己帶便當前去參加也好，只想參與更具政治性的活動。」而這些人遂流入反戰青年委員會。

形成這種狀況的背景原因為：中學或高中畢業後從地方來到東京的青年勞工，在經濟高度成長導致社會結構劇變下，感受到與大學生相同的空虛感，所以想追求「活著」的感覺。而中小企業也持續自動化與規格化，勞工的工作成為以「輸送帶」為象徵的單調作業，原本工匠以手工打造產品的喜悅逐漸成為過往的記憶。在此情況下，因為一部分青年勞工透過個人加盟可讓「自己成為主角」，或者透過一群人自身的意志組成組織，所以對反戰青年委員會產生共鳴。

此外，接受民主教育的世代不習慣上令下達且無法反映自身意見的過往工會形式。一九六九年自行籌組反戰青年委員會的勞工表示[230]：

「中學畢業後，在六〇年安保的隔年進入某私人公司工作。當時我非常單純地相信所謂的工會運動，就是為了爭取工人權利，但實際進到公司後一看，權力卻被執行部牢牢掌握，高層決定的事情交到下層來。不讓我們表達意見不是很奇怪嗎？我抱著這樣的疑問，決定打造一個可讓年輕人聚集、自由談話的場域，所以開始了活動。」

如此一來，各地組成的反戰青年委員會在一九六九年時約有六百個組織，地區反戰青年委員會與職場反戰青年委員會數量大致相同（職場反戰青年委員會的動員力約為地區反戰青年委員會的三倍）。地區反戰多由一般市民、學生或者沒有工會的中小企業勞工，以及不滿職場工會只有右派組織的勞工加入[231]。

同一時期各新左翼黨派的狀況是，除了革馬派在動勞（動力者工會，國鐵工會之一）打下基礎外，幾乎都無法打入既存的大工會。對新左翼各黨派而言，可以個人加盟，只要湊足一定有志之士便可成立地區反戰青年委的狀態，成為可向勞工拓展勢力的機會。

反戰青年委員會的中央組織全國反戰委的代表委員有社會黨青少年局長、總評青年對策部長，營運委員團體為國勞、全電通與日教組等大工會組織的青年部，此外也承認三派全學聯、革馬派全學聯以及構改派系的自治會共鬥作為觀察員團體[232]。因反戰青年委員會並非工會而是社會運動主體，學生也能以個人名義加盟，新左翼各黨派便把自家運動者派入地區反戰委員會。又因即便少數人也能組成地區反戰，有段時期甚至出現「『一個新左翼黨派只要來三個人就可成立地區反戰』的狀況。」[233]

全國各地的反戰青年委員會中，新左翼黨派的影響力達到什麼程度？因並無明確基準規定滲透程度達到多少後可將該反戰青年委員會稱為「ＸＸ派」，所以有各種不同的主張。新聞工作者立花隆在一九六九年推估，全國的反戰青年委員會之中，位於社會黨指揮下與屬於新左翼派系的，大約佔半數[234]。而評論家中田恭介主張，一九六九年時反戰青年委員會約二萬一千名的運動者中，「革馬、中核、共產同、第四國際派」約八千人，社青同解放派約三千人，社青同協會派與構改派約六千人，其他約四千人[235]。

當時某位加入新左翼黨派反戰青年委員會，出身北陸（約今日的新潟、富山、石川、福井縣一帶）的高中學歷女性程式設計師在接受立花隆採訪時如此表示[236]：「因為只有高中畢業，只給我單調重複的工作，為了排遣職場上的無聊，空閒時就出去玩樂。」她是個幾乎每晚都去新宿玩樂的花花女子，不過一九六八年十月二十一日湊熱鬧見到新宿事件後，頗受震撼，「時不時會覺得活著很無聊，也感覺玩樂似乎沒什麼意思，可是那群人卻不顧性命，賭上自己人生幹著危險的事情。我心想，他們這麼做，肯定有什麼理由。」之後她見到街頭張貼的海報並前往參加新左翼黨派集會，就此改變人生，加入了地區的反戰青年委員會。

在一九六八年至一九六九年的全共鬥運動中，關心運動但不滿意民青或新左翼黨派等既存組織的學生，成為不屬於任何新左翼黨派的運動者，一般被稱為「無黨派激進派」。立花隆認為，不滿意共產黨派或社會黨派既存工會的勞工青年之所以加入反戰青年委員會，也是基於相同理由，故將兩者定位成同一現象，他指出「反戰青年委在個人加盟的組織以『創意』與『自立』為口號，因此能夠大量吸收不願加入既存左翼組織的無黨派激進派勞工。此與大學的全共鬥起到相同的作用。」[237]

反戰青年委員會的勞工也屢屢以手持武鬥棒、頭戴頭盔的姿態參加示威遊行。動勞的勞工身穿被稱為「菜葉服」的淺綠色連身工作裝參加示威，該景象頗吸引人們關注。

面對這樣的反戰青年委員會，總評的事務局長岩井章批評其運動方針，主張應「凍結」反戰青年委員會，另組其他組織。社會黨把反戰青年委員會稱為「不像父母的孩子」，但同樣提出培養方針，只是在社會黨機關報《社會新報》中的新報反戰成員接連刊登評論新左翼黨派街頭鬥爭的報導，讓社會黨頗感困擾[238]。

終究，反戰青年委員會的青年們走到頂撞社會黨大會與總評大會穩健派執行部的地步。一九六九年七月第三十八屆總評大會上，反戰青年委員會的青年針對七〇年安保和沖繩鬥爭，要求「不要只是口頭提總罷工態勢，要傾全力進行準備」，並喊出「反對解散反戰的活動！」口號[239]。

對此，社會黨的成田委員長認為反戰青年委「偶爾會出現暴走的狀況」，但也發出支持他們的論述，指出「他們之所以會不滿與反彈，做出那樣的行動，原因之一便是高層常在所謂常識、現實之下反覆做出妥協。」但作為來賓的共產黨米原中央委員幹部會員卻發表演說，表示「實際上由托洛斯基分子掌控的反戰青年委員會鼓吹粉碎共產黨、社會黨、總評的既存指揮部，他們為了破壞民主勢力的共鬥而暴走。」總評方面甚至指責「反戰青年委員會是一台缺陷車」[240]。保守派雜誌則諷刺總評的發言是種「公然『內鬥』的現象」[241]。

面對這樣的反戰青年委員會，以企業劃分的既存工會反應冷淡。東京水道工會委員長在一九六八年明訂方針，表示「沒有工會中央的命令而獨自採取行動時，『即便受傷也無法適用工會的援護規定』。」[242]最終發生一九六八年參加街頭鬥爭的「川崎某同盟工會所屬青年勞工」「『被警棍打傷後，連職場同事都不得不說成那是因跌倒而受傷』的狀況。」[243]

至於資方的態度就更為嚴苛。許多資方對反戰青年委員會的勞工表示，「如果跑去參加示威，就要有被開除的覺悟。」某勞工表示，當被發現參加示威而遭解雇後，即便找新工作「也因現在無論哪家公司都有三個月到半年左右的試用期，這段期間會調查求職方此前的職業經歷，一旦發現他是反戰的人，便不予採用。」[244]

因為有這樣的背景狀況，所以反戰青年委員會的人數並未大幅增加。組織的組成與結束、成員的加入與退出，數量都驟減，大致的人數因議論者與資料不同而眾說紛紜。大部分的見解認為人數大約在兩萬，雖然也有人提出「全電通二千六百人、私鐵總聯六百人、國勞一千八百人」等「具體的」數字，但反戰青年委幹部在一九六九年表示：「怎麼說呢，其實我也不太清楚。大概是五萬人吧。」[245]雖說人數不甚確定，但即便讓社會黨幹部感到困擾的《社會新報》內的反戰青年委，實際上「在近六十人的新報編輯部人員中，不過僅佔四、五人。」實情便是如此[246]。

前東洋大學教授村田宏雄針對「約兩萬」這個數字，於一九六九年如此評論道[247]：

「從我國勞工總人數來看，即便只算工會的勞工人數也有一千八百萬人的程度，這麼看來這個數字屬實少得驚人。如果從統計學來看，也不過是『可忽略的少數』。因此，七〇年安保之際，許多人認為無論反日共派各派全學聯的行動造成哪些具影響力的狀況，其實也不過與反戰青年委一樣，並不會導致多大的問題。特別是許多既存工會幹部都對反戰青年委員會抱持這樣的看法。」

如前所述，不少勞工即便加入地區反戰等組織並前往街頭抗爭，在職場中也必須保密，因此也有人主張反戰青年委員會對勞動現場的組織化幾乎沒有影響。一九六八年十月，某勞工問題的評論家如此敘述[248]：「大致而言，他們在街頭無比武勇，可是在職場卻乖巧如貓，沒有出現能量的逆流啊。如果觀察示威遊行，敢穿著菜葉裝光明正大表明身分的僅有動力車工會，其他的人都偽裝成一般市民去參加。」

而新左翼黨派也有把反戰青年委員會當作工具的傾向，例如把他們算進自身示威遊行的動員人數，或者用來宣傳自家派系對勞工多麼有影響力等等。一九六八年十月，由反戰青年委員會的幹部們發行的著作中，便如此批判新左翼黨派的態度[249]：

……「新左翼」之一，革共同中核派指出，「全學聯的學生諸君，包含山崎博昭（於一九六七年十月第一次羽田鬥爭中死亡）同志在內，付出一切，做出犧牲，才打造出今天流動化的情勢。反戰青年委員會從而給全學聯的鬥爭帶來重大幫助，可說託他們之福才能取得今日的進步態勢。」「確實，今天若要在職場動員勞工，他們一聽到要拿著角材與學生一起作戰，許多時候參加人數就會減少。然而，即便如此，那些可憐的勞工如何有命令學生放下角材的權力？如果說為了將來的高飛，為了鍛鍊勞工，即便弱小仍應參加示威遊行，那麼勞工一方才該低頭，為自己的弱小道歉。請求學生幫助，才是具有階級良心的作法，不是嗎……」（《前進》三月二十五日號，陶山論文）。此處體現出把勞工的鬥爭簡化成街頭鬥爭的思維，他們只把反戰青年委員會當作全學聯各派街頭鬥爭中的輔助部隊。這也體現出他們對當今青年勞工面臨的特殊困境欠缺理解。

如前所述，反戰青年委員會的勞工若想參加示威遊行，需要一定的勇氣。上述引用的中核派文章，明顯表達出「對當今青年勞工面臨的特殊困境欠缺理解。」其中顯現的態度並非是為了解放勞工而發動革命，而是為了自家派系的鬥爭而利用勞工的精打細算。反戰青年委員會無法長足發展，在新左翼黨派中的影響力有限，大概與新左翼黨派的這種態度有關。

以上，簡略地概說了反戰青年委員會。之後的章節將在第I部的知識基礎上，具體審視「那個時代」青年們的反叛。

19_68

第II部

第五章　慶大鬥爭

「那個時代」的反叛究竟起於何時？要確定這個時間點並不容易。在本書中，我們將以一九六五年一月發生的慶應義塾大學反對學費調漲鬥爭作為開端來敘述。這場鬥爭雖在短期內便結束，但仍以「新形態的校園鬥爭」而備受關注[1]。這場鬥爭中，也已經萌發出日後全共鬥運動的雛形。

鬥爭的自發興起與經濟高度成長的不良影響

一九六五年一月二十日，慶大在評議會上決定調漲下一年度的新生學費。調漲幅度為：文科由六萬日圓調漲為八萬日圓，入學金由六萬日圓調漲為七萬日圓。另加上新規定，學生有義務繳納設施擴充費十萬日圓，以及無利息購買十萬日圓的大學債券。最終的結果是，加上其他雜費後，第一年需繳納的金額大約漲了三倍。

慶大的學生原本以保守、學生運動不發達而聞名。自治會活動上，根據當時的週刊雜誌形容是「總之也不加入全學聯，〔六〇年〕安保鬥爭時甚至出現贊成〔安保修訂〕連署運動的『少爺』自治會。」[2]即便反對學費調漲鬥爭激化之後，《每日新聞》也報導「慶應大學中各黨派的勢力頗小，本次鬥爭過程中並未出現顯眼的新左翼黨派式行動。」[3]

當時的慶大並非完全沒有共產黨或新左翼黨派運動者。雖至一九六三年上學期為止，自治會皆由保守派候選人當選，但一九六三年下學期時，結構改革派的FRONT掌控了全校自治會。校方提出校長意見書〈禁止學生的政治活動〉，但遭到運動者們抗議[4]。

根據一九六四年進入慶大的西井一夫回憶，一九六五年發生反對學費調漲鬥爭時，經濟學部、文學部、日吉的教養學部等自治會由FRONT掌控，法學部、商學部等則由自民黨派掌控[5]。但根據一九六七年的公安警察資料，整個慶大中構改派運動者約有六十人，共產黨所屬的民青派運動者約四十人，各派合計大概有兩百人，談不上非常強大，對普通學生更是幾乎毫無影響力[6]。

當時的新左翼黨派本來並不關心學費調漲這種校內問題。一九六五年，各新左翼黨派的關注重點放在反對《日韓基本條約》鬥爭，學費調漲等則是枝微末節的主題。同時，對這種校內問題傾注心力乃是民青的事情，而且往往被人們視為與革命無關的改良主義式的迎合大眾路線。

日後一九六六年早稻田大學爆發反對學費調漲鬥爭時，社青同早大學生班提出如下的中期總結[7]：「〔六〇年〕安保鬥爭以後的撤退戰中，至少在學生運動的領域中，『校內鬥爭』一直被說成是『右翼的』象徵。如『校內鬥爭是改良鬥爭』、『校內鬥爭是為了身邊利益的戰鬥』等等。」

第三章提及的前共產同運動者藏田計成也在一九六九年的著作中，記述一九六五年當時的新左翼黨派「充其量只把校園鬥爭當作校內鬥爭＝經濟鬥爭，僅能在過往的理論範圍內掌握。」「在革命的左翼學生中被稱為『消耗性的鬥爭』。」第四章透過手記介紹的中核派奧浩平也提及「在戰鬥性的學生運動內部，往往有輕視校園鬥爭的傾向。」[8]

隸屬慶大最大新左翼黨派構改派的高田麥也在一九六七年記錄「直到慶應鬥爭為止，『大學鬥爭』

都不是學生運動的主要課題。不，應該說根本不被承認。」[9]當慶大發生反對學費調漲鬥爭時，其他大學的新左翼黨派運動者中也有人斷定那只是「單純的經濟鬥爭，因為不具政治性，根本就是胡鬧。」[10]

然而，當一月二十日決定調漲學費後，遠遠超過各派運動者人數的大約一千五百名學生，於校監局前展開靜坐。二十二日的抗議集會中聚集了約三千人，自治會方面罷考定期考試，打出阻止提供考生「入學介紹」等的方針[11]。

新左翼黨派的運動者們對此現象感到震驚，因為當時適逢學生運動的低潮期，普遍認為大學生並不關心運動。據說「也有運動者關注此狀況，因為他們自己的〔反對日韓條約〕街頭抗爭，總人數偶爾也不過才數百人規模，但慶大僅在日吉分校的校內集會便達五千人規模。」[12]

慶大的反對學費調漲鬥爭出現意料之外的盛況，一方面也是出於新左翼黨派的勢力弱小。如法政大學同一年也決定將學費調漲三十%，由於中核派的自治會代表與大學當局進行「高層交涉」，校方承認中核派控制自治會，作為交換，中核派則壓抑普通學生的反對，最終得以決定學費調漲[13]。

然而，慶大因新左翼黨派不具勢力，無法控制普通學生的舉動，故自然而然出現普通學生挺身參與運動的狀況。這也是一九六五年慶大鬥爭被視為「新形態校園鬥爭」的理由。而各新左翼黨派見到慶大與第六章後述的早大反對學費調漲鬥爭竟意料之外的影響廣泛，認知到大學鬥爭是把自身勢力滲透到一般大學生中的機會，值得加以利用，遂開始投注心力到大學鬥爭中。

即便在慶大，運動者原本也非毫無影響力。根據西井的說法，運動者們「撕破要參加考試的學生們的考卷，罷考派在教室中進行鼓動演說等妨礙考試，造成實際上無法應試的狀況。」[14]各派合計約兩百人的運動者人數，或許難以徹底進行妨礙，不過似乎確實曾發起過這類活動。

因為有這種狀況，所以校方一開始認為反對運動起因於一部分運動者的煽動，樂觀地判斷事態應不至於擴大。一月二十六日校方公告：（一）學費調漲乃評議會上決定之事宜，故無需重新檢討；（二）校長不會針對學費問題與學生會面[15]。

但，事態發展超出了校方的預料。首先，因運動者干擾而無法應試的學生們，加入了罷考派。西井表示，「一旦自己的考試受到妨礙，這些學生就非常害怕其他人可以順利應試，所以突然變身為強硬的阻止考試派。」[16]

校方的另一個誤算，就是大學當局的態度造成普通學生的不信任與憤怒。一月二十三日，校長原本預定與學生代表見面，但校長卻以健康理由並未出席，引發約二千五百名學生發起遊行抗議「破壞約定」[17]。在罷考之後，自治會方也提出罷課，二十七日的第一屆全校大會約有八千名學生參加，組成「阻止學費調漲全校鬥爭委員會」，並以壓倒性的多數贊成進行罷課[18]。同一日，日吉校區展開放棄上學的罷課行動，在大學正門堆疊桌椅形成街壘[19]。

以街壘封鎖大學的戰術究竟起於何時何地，即便閱讀運動者們的回憶錄也得不出明確的答案。共產同運動者三上治在回憶錄中寫道：當共產同學生組織的社學同據點校中央大學於一九六五年末因學生會館管理問題發起罷課時，即以街壘進行封鎖，這大概是最早的例子[20]。

根據三上的說法，「過往學生的罷課鬥爭就是學生不去上課，在教室前張貼傳單，呼籲響應罷課。」但三上「前去中大一探時，感到非常驚訝。包含正門在內，學生們以桌椅在大學的各校門堆起街壘封鎖大學。這脫離了過往罷課的印象。」

針對這段軼事，三上在〈率先打造街壘的男人們〉一章中討論。不過在此事發生的近一年前，慶大就已經發生過以街壘封鎖校園的狀況。或許身為共產同運動者的三上治，並不清楚社學同成員稀少的慶大狀況。

只是，中大學生似乎也不是從慶大學得街壘封鎖。慶大的街壘看似是自然而然的行動，但也無法確認之前其他大學未曾做過街壘封鎖。無論如何，一九六五年街壘封鎖戰術確實已經存在，日後也成為全共鬥運動的固定戰術。

各學部的學生大會上也開除了自民黨系的保守派執行部，三田校區的各學部也展開罷課。二月二日的第二屆全校大會約有八千五百人參加，二月五日的第三屆全校大會約一萬人參加，抗議不斷擴大。

被視為保守學生眾多的慶大，事態竟能發展到這種程度，無論校方或運動者們都前所未料。此後的大學鬥爭也出現過共通現象，即參與運動的人數擴散到普通學生的鬥爭狀態，大致可分為兩類。

第一類，大學單方面決定調漲學費或處罰學生。接受戰後民主教育的當時大學生，如果校方要做重要決定但自己意見卻不被尊重，或者校方拒絕與學生代表談話的狀況，就會表現出激烈反彈。

但在慶大，有關學費調漲等事宜，過去有經學生自治會與校長等事先交流後才決定的慣例。但這次卻在學生為年度期末考試忙碌的時機，單方面做出公告。這種作法正是引發「戰後民主主義之子」憤怒的原因。

學費調漲將從新年度的入學生開始，在學生的學費並無變化，但慶大教授指出「校方用一種因為沒有調漲在學生的學費，所以跟你們沒關係，你們不知道這些事情也無妨的說明態度」，「這是最讓學生憤怒，心中冒火的原因。」這反映出接受民主教育的學生，無法容許此種說明態度。如此一來，學生高舉「校園民主化」，要求將調漲學費全案退回，並確立與學生的事前協議制度[21]。

另一類是大學方面背叛了學生的信任。如第二章所述，此時期的學生並未完全脫離往昔對大學與教授的印象，仍認為大學教授身為知識分子，不只在知識上，也期望他們在人格上應更加高尚。然而，與學生方代表交流後理事卻食言，這種「破壞約定」的行為背叛了學生心目中的大學、知識分子印象，所以學生們才感到憤怒。

當時一位班級委員如此回答週刊雜誌的訪問[22]：

再怎麼說，調漲的幅度實在太大。學生之間自然出現「亂來」的聲音。既無視於事前與學生交流的慣例，也比往年晚了許多，而且會突然單方面地公告。這不僅違反規則，也不得不讓人推測其中有不透明之處。……公告時機，大概是看準期末考之前發布吧，但學校實在是太小看我們了。正因為是考試期間，所以學生更認定這是每個人的問題。在班會討論時反而激起大家的抵制。

全校自治會委員長寺尾方孝在二月三日的報紙採訪中如此說明[23]：「學生們憤怒的是，趁著大家忙於應付期末考的時機，偷襲式地宣布學費大幅調漲。從過往起就流傳著學費將調漲的傳聞，但此前慣例都是事先與學生進行協議。」「加上原本答應見面的校長以『拉肚子』為由並未現身，到慶應醫院住院去了。」「即便調漲也未保證將在福利保健設施方面回饋給學生，眼下圖書館椅子不足，教師人數也不足，而且薪水也極低。」「我們知道大學財政相當困難，但是，卻不告知教授、學生們真實的狀況。我們把學費調漲當作一個契機，寄望走向一個打造校園民主機構的方向。」

當時慶大的財政確實頗困難。不過其中除了重建戰爭中燒毀校舍的資金需求之外，其實也有理事會缺乏計畫的散漫財政才導致此種結果。

經濟高度成長下，大學升學率急速攀升，包含慶大在內，各私立大學為了對應增加的學生必須增建校舍。當時週刊雜誌指摘，因慶大校方認為「即便〔經營〕困難，但若不蓋出豪華的校舍，學生就會被其他大學搶走」，所以硬是建築了校舍[24]。當時週刊雜誌的報導如此形容此類私立大學的經營狀況[25]：「即便了解這種行徑是立足於經營赤字上的過度競爭，在校舍上仍舊追求現代化，因為如果不蓋得更氣派，『顧客』便不會前來，所以又投下資金。如此一來，赤字又再度增加，陷入一種惡性循環中。」

慶大計畫從校友捐款來籌措新建校舍的費用。但自一九六一年至一九六四年，校園整備建設共花費十四億六千萬日圓，而校友捐款只有八億一千萬日圓。此外，大學醫院的建設費用高達二十二億八千萬日圓，而為此籌得的捐款僅一億六千萬日圓。當中的差額，都由借款來補齊[26]。

正因以這種過於天真的財政計畫進行校舍增建，致使慶大的財政處於破產邊緣。一九六四年一位從實業界轉任來的某理事認為，「如果繼續維持這種狀態，大學大概不超過兩年就完了。」[27]

發生此等事態的背景原因，部分在於經濟高度成長下急速膨脹的大學並未整備現代化的經營管理系統，僅憑過往小規模大學的感覺在經營。據當時的報導稱，「私立大學的前現代式會計」「不只是慶應而已」，各地私大「鮮少採取複式簿記的做法，當時幾乎也都未評估學校資金絕大部分的固定資產。」[28]

日本私立大學聯盟（由五十八所大型私立大學所組成）的事務局職員接受雜誌採訪時如此敘述[29]：「幾乎都是糊塗帳啊。不動產的價格就照購買時的價格原封不動地記載，折舊價格什麼的都沒評估。如果需要新的校舍，就在每個該當年度說『靠捐款來籌措吧』、『提高學費吧』之類的，做法簡直就像前現代私塾的老先生啊。」

慶大的財政失敗，是大學組織的經營面對經濟高度成長的結構性變化時，因無法追上現代化的大學現狀，而導致的結果。這些虧空的部分，遂通過調漲學費推到學生身上。加上密室經營的會計內容並不公開，也不聽取學生意見就單方面決定，導致接受民主教育的學生群情激憤。

一九六七年春，某評論家如此評述一九六五年的慶大罷課[30]：「所謂的財政危機只是巧妙的掩飾。那不過是理事們為了把自己極度稚拙的大學行政方式進行責任轉嫁，是非常卑劣的欺瞞。這麼說的證據，就是他們從未公開困頓的財政狀態。」「被認為最老實的慶應學生們，突然為了反對學費調漲挺身而出，其根本原因除了對學費調漲的不滿，肯定還有『無法忍受繼續被愚弄』這種心理上的理由。」

自治會成員在此鬥爭後寫下的評論也有如下主張[31]：「學生在學費鬥爭中發揮的能量，的確並非單純為了反對學費調漲而生。除了對經常私下進行、訊息未能傳達給學生的大學管理方式做出反彈，其他諸如比其他大學更誇張的量產型教育、對甚至沒有學生會館的教育環境感到不滿等等，都在鬥爭過程中一口氣爆發。」

如這名學生所述，對量產型教育的反彈，也在鬥爭擴大中增強。如第二章說明過的，當時許多私立大學入學時都徵收授課費、入學費、設施費、捐助款等約四十至五十萬日圓。但私大學生一般每個人可分配到的教授人數只有國立大學的三分之一到五分之一，授課費卻是國立大學的八倍至十倍[32]。

而且，在經濟高度成長下，慶大學生人數大幅增加，成為僅次於日本大學與早稻田大學的日本全國第三大巨型校。國立大學的教授與學生人數對比，是一位教授對十一名學生，私大則為一比三十人至六十人，每堂數百人的量產型授課連椅子都不夠坐，許多學生甚至選不到教授帶領的小班研討課（seminar）。上述這些慶大罷課的背景因素也被報紙提及[33]。當時的週刊雜誌也對慶大罷課提出同情論調，認為「繳納的學費比國立高數倍，教室卻擠得像沙丁魚，連可坐的椅子都沒有，學生們實在可憐。」[34]

輿論與考生也反對學費調漲。當時的週刊雜誌介紹了一些考生的心聲，如「原本考慮一橋與慶應，最後決定報考早稻田」、「父親聽聞慶應調漲學費後非常惱火，脫口說出『罷考慶應！考生中有沒有願意站在慶應大門呼籲罷考的勇敢武士？』」[35]慶大內則出現「兒子入學，爸爸要飯」、「從慶應退學把錢拿去夏威夷觀光」等口號，《朝日Journal》雜誌則報導「輿論壓倒性地支持學生」[36]。

一九六五年，大學剛畢業後的平均起薪為二萬三千日圓。這種情況下，入學時要求繳納三十六萬日圓，此等大幅調漲反映出校方對社會缺乏理解。慶大教職員工會也支持反對調漲的運動，理事之中也有人不知該驚訝還是該歡喜地發言表示「沒想到慶應少爺（慶応BOY）心中藏著此等衝勁」[37]。

普通學生反對的另一個原因，是擔心慶大地位可能降低。若依提案實施學費調漲，那麼貧窮卻優秀的學生將對慶大敬而遠之，可能淪落為學力低落的有錢人子弟專屬大學。

當時的報導傳達了如下的學生心聲[38]：「如果我今年合格了也不會去慶應。」「受不了學弟全變成有錢的公子哥兒。」「這次的調漲似乎在鼓勵走後門入學，讓我們光榮的母校變成低能不成熟孩子的大學。」「如果變得全都是有錢人孩子，大學的品質將會低落。」

當時的《朝日新聞》如此報導[39]：「這次的紛爭中許多學生訴求『慶應絕非少爺學校。希望大家改變看法』。」「雖說與在學生無關，但許多學生仍有『想到自己父親的收入實在付不起此等學費』的感受。學生們表示，『不該讓慶應成為只有富裕學生的大學』──這是他們最初浮現的真實心情。」

根據當時的雜誌報導，慶大學生中，大企業經營者的孩子有十三%，農林水產業者的孩子有一・二%，端看此組數字，似乎就是「少爺大學」。然而，慶大內受薪階級的孩子有四十四%，中小企業者的孩子有二十九%，此數值與早大、法政大並無太大差異。該雜誌根據此數據，表示「〔慶大〕絕非布爾喬亞大學」，「不帶政治意味的『別讓慶應成為富裕特權階級專屬的大學』口號，強力扣緊他們〔學生〕的心。」[40]

所謂的慶大鬥爭，在多重意義上是經濟高度成長導致社會變動的結果。巨型化的大學只能提供量產型授課，會計與營運則追不上龐大化後的狀況。加上升學率提升後，慶大裡不富裕的學生也增加。這些要素累加之後，反對學費調漲鬥爭才會突如其來地爆發。

街壘內的「直接民主主義」與「日吉公社」

從前面引用的普通學生心聲可以看出，他們並非基於包含馬克思思想在內的特定思想而參加運動。他們高舉的標語或看板上書寫的口號許多都是「忘了福澤精神了嗎？」「這仍是我最愛的大學，可是三十六萬日圓有點過分。」「是陸之王者[i]，還是金錢的追逐者？」[41]

學生集會上唱的也非《國際歌》等左翼歌曲，而是慶大校歌或應援歌。據當時報導稱，某女學生曾對提出「如果大學這麼苦於財政，老師，我會用我的嫁妝買大學的債券」，不過她仍訴求反對學費調漲。當時的《讀賣新聞》曾給這些「學生們的主張」下了一個標題：〈因愛校心而反對高學費——不要只給有錢人開門〉[42]。

除了原本運動者就少，加上普通學生大量參加，活動便遠離新左翼黨派或民青的思想而擴大。鬥爭委員由有志擔任的學生擔綱，在日吉校區即達兩千人[43]。一月二十七日的第一屆全校大會上，當「阻止學費調漲全校鬥爭委員會」成立之際，選出的執行部人員大多數也是普通學生。

因此，全校鬥爭委員會拒絕校外各新左翼黨派的支援提議，採取靠慶大學生的意志推動運動的立場。其理由是「若工會或其他大學自治會介入，我們將有被政治運動利用的危險。我們憑著愛校的精神，只為了大學的將來推行運動。」[44]

運動形態也出現了變化。此前的大學罷課鬥爭之類，是由掌控自治會的共產黨或新左翼黨派運動者決定鬥爭方針，將其傳達給各班級的運動者，他們在班會討論上誘導，使方針廣獲認可，之後在形式上通過全校投票決定，便可以「全校投票決定」的理由要求普通學生配合，這類形態不在少數。

不過一九六七年的公安警察資料則如此描寫一九六五年的慶大鬥爭[45]：「因『全校鬥爭委員會』執行部多選出普通學生擔任，故所有的鬥爭方針、戰術等皆由全校投票決定，此與過往校園紛爭的舊

i 譯註：出自慶應義塾大學的校歌。

形態（由學生運動者掌控的執行部決定方針→班級委員會上討論→普通學生）有質的不同，出現了稱為『直接民主制鬥爭型』的鬥爭類型。」當時的《朝日Journal》雜誌也形容「慶應的鬥爭被稱為直接民主主義。」[46]

這種「直接民主主義」以學生能直接參與的班會討論為基礎。如第一章所述，當時的學生們對形式化的議會制民主採取批判的態度。此外，同樣如第一章所述，他們是在戰後的民主教育中受老師教導「帶有問題意識，用言語表達出來，進行深入討論」的世代。他們將初等教育中學到的理念，原封不動地實踐於大學的鬥爭中。

此外，從班級委員提出「比起班會討論不如直接向上抵抗」的說法可以看出，相較於將反對學費調漲等運動僅視為「改良主義」的新左翼黨派運動者，普通學生的反應更加敏感。結果便是班會討論比自治會上層更先進入白熱化，並進一步影響到全校鬥爭委員會的決定。

而這個鬥爭中很幸運地，掌控自治會的FRONT，如第四章所述屬於重視直接民主主義的結構改革派，對於累積班會討論來決定自治會方針的傾向表示歡迎。某全校自治會委員表示，「就在擔心不知何時運動會虎頭蛇尾結束時，由下而上湧來的衝勁，甚至讓接近萬人的全校生大會都振奮起來。」[47]

鬥爭也展開了新的形態。由各學部組成鬥爭委員會，與由保守派或新左翼黨派掌控的自治會分別籌劃罷課。大一與大二生所在的日吉校區中，必須自主管理被街壘封鎖的校區，各班級組成留宿部隊，自發性地規劃夜間巡邏時間表[48]。

為留宿部隊準備飲食、進行街頭募款以籌集鬥爭資金等，也都由普通學生自發提案、實施。在日吉校區的西井表示，「此時普通的學生積極提案，提出的想法到了讓人驚訝的程度，不知道對方從哪裡冒出這麼有創造性的點子。」[49]

掌控全校自治會的構改派在運動後的總結中如此敘述[50]：「一直以來都不理睬普通學生的各自治會周邊，眼看著建構出了新的秩序，而運動的緊張感吸引了廣大的大學生，不再侷限於過往的運動者，他們還自發地把自己與新紀律銜接起來。」這種跳脫自治會框架，由各學部或學科組成鬥爭委員會的鬥爭方式，成為日後全共鬥運動的原型。

熟知學生運動的評論家中島誠認為，一九六五年這個時機之所以會產生新的鬥爭形態，乃是因學生追求世代交替。亦即，「〔六〇年〕安保之年的大一生已經在〔昭和〕三十九年〔一九六四〕春天畢業，幾乎全以『安後派』為主體」進行鬥爭，這便是慶大鬥爭的特徵[51]。

或許，正因慶大的新左翼黨派弱勢，加上中島所言的世代交替，才是讓新鬥爭形態發生的原因。此外，相對於戰爭期間接受皇國初等教育的六〇年安保鬥爭世代，一九六五年以後成為大學生的世代是在戰後民主教育下成長，習慣透過討論管理班級。

而「直接民主主義」的「新秩序」，讓學生可以一吐真心話，彼此建立連結，這讓他們體會到在充斥量產型授課的大學生活中所欠缺的喜悅。經濟系的某一年級學生面對週刊雜誌採訪時如此回答[52]：

「入學以來的一年間，同班同學從未像這次運動一樣聚集在一起。班會討論決定放棄上課時，全班七十七人中多達六十五人出席了。其中反對罷課的有三人。即便外語課的時候，出席人數也未達五十人啊。就是湊足了這麼多人。託此之福，我也記得許多同學的長相與名字。」

鬥爭中學生的交流，為他們帶來前所未有的喜悅。當時《朝日新聞》報導，「也有學生對『在鬥爭中成為活動委員，首次結交了許多朋友』而感到開心。這麼說的時候，臉上露出彷彿在量產型教育中找到綠洲般的表情……」[53]

鬥爭中特別吸引學生們的就是街壘。在因街壘而進入自主管理狀態的校園中，學生們彷彿處於校慶前一天或畢業旅行的夜晚般，徹夜自由討論，互相吐露真實想法，一同用餐，於此找到了攜手行動的樂趣。

據西井表示，學生們把呈現這種狀態的日吉校區稱為「日吉公社」。「學生們在街壘封鎖的校園內，開始謳歌自由自在的生活。雖然是一月，但在有如春天的溫暖陽光中，日吉公社甚至散發著一種牧歌式的氛圍。」「還不時可聽到各班級打算辦讀書會，或者在自主授課中擔任教師等等交換意見的話語。」[54]

鬥爭後學生們編輯的冊子中刊載了一篇文章，對鬥爭做了如下回顧[55]：「我們在大學生活中嚐到的連帶感，與早慶戰、三田祭並列的還有那一天那一刻在日吉的山丘，不，應該說後者的體驗是遠超前者的。那時彷彿所有人都充滿了生氣與活力。在那裡，有詩。是的，所以那個無法言傳之物，保存在我們心中。你可以稱之為『體驗』。身在『現場』的體驗，實在無與倫比。」這種連帶感與感動，日後也成為全共鬥運動吸引許多學生的要素。

西井回憶日吉校區的街壘空間，如此描述[56]：「街壘是新戰線的標誌。」「組織〔因不關心政治而〕未加入自治會的大量學生所執行的首次行動，很明顯地就是打造街壘這個全體的勞力作業。彷彿從該勞動中經歷了出生以來最初的共同體驗。深夜街壘中的巡邏，切身感受到了自己並非孤單一人，而是與睡眠中的夥伴們一同活在當下。」

經濟高度成長帶來的社會變動與量產型教育，使青年們開始煩惱於孤獨感與認同焦慮等「現代的不幸」。對他們而言，能實際感受到「自己並非孤單一人，而是與睡眠中的夥伴們一同活在當下」的街壘，充滿龐大的魅力。

前述的三上治如此描述一九六五年底中央大學街壘的魅力[57]：「街壘封鎖的下的解放感，蘊含著巨大的快樂，學生們深受吸引。正因如此，之後學生們幾乎每年都重複街壘封鎖。很短的時間內，這種鬥爭形態便擴散開來。街壘空間打造出了一個新的空間，學生在裡面生龍活虎。」

三上又如此寫道，「（街壘）把老是泡在麻將間的學生們叫回（到鬥爭）。拚命招募也不看一眼學生運動的學生們也很精明，見到鬥爭有趣，自然而然便聚集過來。快要開始街壘罷課時，附近大家認識的麻將間阿姨跑來吐苦水，告訴大家運動別搞太久喔。街壘就是如此吸引學生。」

三上更進一步寫道，「這也可說是對『無力感』、『無事可幹』等空虛感（的抵抗）。經濟高度成長中，他們察覺到物質富裕，換來浸透內心的空虛感，而這種空虛感即以街壘的形式表現出來。」換言之，街壘是「現代的不幸」的特效藥。

慶大鬥爭後《三田新聞》刊登的學生文章中，舉出以量產型教育為象徵的大學生活有多空虛，以及鬥爭有多充實，將兩者對比說明[58]：

> 我必須戰鬥。我們吶喊大學四年最終不過是碌碌無為的時光，憤世嫉俗地說人生就是一連串那樣的時光，這樣的看法或許是太過天真了。

高四時代並非全是黑白的。不過心中一直有「如果進入大學的話……」的念頭，也是事實。某個時候聊到，入學典禮那天的「沮喪」心情，似乎每個人都體驗過。……入學之前藉由深信「所謂的大學就是這樣的」，藉著習慣這種狀況，試著安撫自己。等考上時「大學」已經在我心中過度膨脹。……孤立化的個人內心荒蕪支配著校園，人們尋求「避難所」來逃避。麻將、耽溺於性愛，無精打采地度過每一天。……

我思索，大學生不應該是這樣的。不是在「大學」裡的生活。「大學」應該是存在我的心中，除此之外什麼都不是。

所以，我必須戰鬥。不能拿「大學的大眾社會化」這種詞彙來讓自己安心。那是旁觀者的詞彙。……

然後，我們經歷了學費鬥爭。

那超乎預期的盛況，以及與朋友花許多小時持續熱烈議論，都讓我結交了許多好友。「大學」存於我們的意識中，那正是我們想要的。……

畢竟，我們是大學生，所以不該盲從任何理論、倫理，想要保持自主追求新思想與倫理的態度。託選不到小組研討課與只能上巨型教室課之福，我打算以這種態度確立自我，藉此我才能成為真的大學生。在激烈示威中組成陣形時，這種堅信也更強烈了。

需再次說明的是，這個世代的青年們尚未脫離過往的大學觀。但他們實際進入的大學，已在經濟高度成長中變質，成為量化型教育的巨型大學。這種大學的實際狀況一如上述學生的心聲般，帶給他們「這不是大學」的感覺。

當現實的大學與他們期待的大學不同時，他們就透過鬥爭創造「真正的大學」，認為藉此能具備「自主追求新思想與倫理的態度」，可以成為「真正的大學生」。這樣的心理與「主體性」這個關鍵詞，也是可於日後大學鬥爭中見到的特徵。

青年們想要取回「應有的大學形式」，而作為他們追求行動的一環，學生也自行規劃學程。如第四章所述，構改派是慶大運動者的核心，他們擅長找講師到校舉行討論集會。一九六七年，慶大三田理財學會評論稱「（一九六五年的）學費鬥爭留下了直接民主與校園管理」，其中產生了「主體性的恢復與共同討論帶來的連帶感」。當時構改派的一名成員如此回憶[59]：

那個呢，從鬥爭的群眾性與規模大小來看，是二戰後最大的……。畢竟全大學一百五十個班級中有一百四十九個班級參加鬥爭，哪個班級負責舉旗，哪個負責設置糾察，大家討論決定責任分攤。我們的口號是「從破壞的秩序中創造新的秩序」，由校園的學生推出自主的管理方針。鬥爭期間，學生製作學程，開設班級討論與研討課，希望從鬥爭理論中梳理出新的生活理論。各教室中舉辦與大學校方不同的教養課程講座，從其他大學邀來講師。作為學程運動之一，到處出現討論越南的旋風，並且展開討論集會。例如以越南問題為核心，選擇與世界資本主義、人性、土地改革的相關主題，進行自主研討課，各專門領域的教師也一同出席。

當時這種運動並無名稱。但自第七章後述的橫濱國大鬥爭命名為「自主講座」後，也與街壘相同，成了全共鬥運動的必採用戰術。

這些學生們的行動與身影也在當時的電視上播放，使許多收視者感到驚訝。特別是在經濟高度成長下的社會劇變中，感到認同焦慮與孤獨感的青年們，見到罷課派的學生們生龍活虎的表現，甚至讓人產生一種羨慕之感。當時尚是青年作家的石原慎太郎也是其中一人。

石原原本是十三歲時迎來日本戰敗的少國民世代。此世代童年時期被教導身為士兵而死是至高無上的價值觀，但突然面對戰敗，不少人都覺得喪失自己與社會的連結迴路。石原一九五六年以《太陽的季節》獲得芥川賞，同年的座談會上他反覆提及「有種彷彿空轉般的虛脫感」，「空轉，沒有連帶性」，「總是在思考如何能與社會連結，但無論怎麼思考都沒有答案。」[60]

如此的石原為了追求與「社會」、「國家」的連結，於六〇年安保鬥爭時與江藤淳、大江健三郎等人組成「年輕日本之會」，開展反對安保修訂運動。但六〇年安保鬥爭之後，石原就任日生劇場的董事，參加跨太平洋遊艇大賽等，透過藝術與運動努力克服「虛脫感」。

石原接觸慶大鬥爭的報導時，適值他正進行這種摸索。感動的石原還寫了一篇隨筆〈你們也能做些什麼〉[61]。在文章中他如此敘述：「每個青年透過充滿個性的理念觸手，直接連接全人類、整體社會、整個國家或者全世界，並對其帶來影響，這種青年得以作為『最像青年的青年』之時代早已消逝。」「在〔過往的〕時代，青年創造自我，也完全等同於創造國家社會。那種無上幸福的青年形象，在我們日本處於現代國家黎明期的明治時代，四處可見。」

但六〇年安保鬥爭失敗後，搞政治運動的青年「自身信奉的革命理念簡直脫離今日現實，實現理念的行動完全沒有效果，這早就人盡皆知。……要說那已然是為了修改現實的行為，不如說那種世俗性的行為模式，僅僅在自我證明他們作為青年的精神年齡。」

不過，當石原見到電視上播放的慶大鬥爭中罷課派學生身影，對他們「非常符合年輕人的形象」、「真實的青年」感到非常感動。接著他極力稱讚慶大學生們起身而行是「現代青年對社會最積極的，而且是唯一且有效的態度，讓我們之中的某些人，不得不去做些什麼，來控制、改變、創造。」「即便他們沒有自覺，〔來自全學聯運動的〕慶應少爺的罷課形式，從效能而言確實有起到作用。」

當時石原對慶大罷課的感動，似乎非常強烈。他當時還寫了一篇小說，描述對不關心政治過著無趣每一天，對一切感到厭煩的四個年輕人，為了排遣無聊計畫潛入首相大選會場，以硝化甘油讓吊燈落下，最終失敗且未改變任何事態，藉此揶揄青年的閉塞感與政治運動的貧瘠。但據他稱，「與我小說中的主人公相較，慶應罷課的學生們遠遠更具革命精神，他們的行動是實質的革命。」

不過之後石原的注意力澈底轉往其他方向。一九六六年他前去採訪越戰後，對於在該地承擔國家命運而戰鬥（在他看來如此）的美軍與南越政府軍士兵非常感動，返國後寫下〈關於祖國〉的隨筆[62]。

文中他寫道，「國家的理念與我的理念相符，國家的目的與我的目的相符，賭上這個目的而讓兩者的行為重合，只有這種幸福，才是青年至高無上的幸福」，主張明治時代日本的許多青年，都如同日俄戰爭中被視為軍神的廣瀨武夫中佐般獻身國家。他高唱「希望自己所屬的國家社會，能展現出更強的團結力量所撐起的祖國形象」，之後於一九六八年成為自民黨全國區參議員候選人，並以第一高票當選。

先不論石原的人生軌跡問題，確實不難想像慶大罷課的報導，會引起心懷空虛感的學生們一陣陣羨慕之意。接著以慶大罷課為開端，大學鬥爭急遽蔓延各地。

鬥爭的實況與終結

雖說如此，一九六五年的慶大罷課也非所有學生都參與。當時慶大共有二萬二千名學生，參與全校大會的最高人數是第三屆大會，但也只有約一萬人。由公安調查廳推估，整個大學中運動者佔一・五%，參與運動的普通學生佔四十五・五%，不關心的學生佔五十三%[63]。

另外，教育學者鈴木博雄針對慶大鬥爭時經濟學部三年級某班級的七十名學生進行調查，於一九六八年寫下如下分析[64]：

一九六五年一月二十七日，全校抗議集會上確定總罷課體制這天，班級委員給全班打電話，七十人中約五十人回答將出席隔天的班會討論。但實際出席討論者為二十五人。不過之後隨著鬥爭逐漸熱烈，參加班會討論者也開始增加，二月一日達到全班的九十一%，亦即有六十四人出席。但二月五日以後出席數減少，三月十五日僅聚集了十一人。

由此鈴木類推，鬥爭中「最積極參與者」佔十六至二十%；消極但「支持鬥爭者」佔二十至二十四%；「批評鬥爭者」佔四十三%；「不關心鬥爭者」佔十四%。鈴木指出的「最積極參與者」與「支持鬥爭者」合計達四十至四十五%，「批評鬥爭者」與「不關心鬥爭者」合計五十四%[ii]，前者符合公安調查廳統計的「運動者」與「參與運動的普通學生」，後者符合「不關心的學生」數量。

如第一章的引用般，京大全共鬥運動者上野千鶴子指出，「全共鬥派如果加上周邊的贊同者大約有兩成，反全共鬥大約有兩成，剩餘的六成大學生是所謂的不關心政治者。」[65]這雖然是上野的感覺，但與鈴木的實證分析幾乎一致。鈴木的調查中「最積極參與者」可視為上野所述的「全共鬥」，「批評鬥爭者」之中積極的人數若視為半數，剩下的「不關心的學生」與「積極支持鬥爭者」、「批評鬥爭者」的大部分處於中間游離，如果以這個角度來解釋，那麼全共鬥約佔二成，反全共鬥約二成，剩下的約六成要不是根據當時狀況選擇支持與否，就是完全不關心的學生。

根據鈴木的說法，罷課權的制度一確立後便參加班會討論的人，僅有「最積極參與者」，等到「批評鬥爭者」與「不關心鬥爭者」也加入班會討論已是一月末到二月初，因此他下結論道「所謂真正的全校性鬥爭，是一月二十九日到二月二日的五天期間。」[66]後續章節會談到的各大學鬥爭也是如此，全校熱中參與的期間約為一週，最長也不過一個月，詳情將於後文說明。

此外，各年級的參與度也有不同。積極參與運動的是大一與大二生，面臨畢業與求職的大四生則不希望罷課事態影響到畢業考。立場一致的法學部大四生散發「阻止考試是對大四生權益的不當侵害」的傳單，與全校大會分開舉行的大四生大會，以六比四的比例支持「反對罷考」[67]。

正義感如火燃燒的大一與大二生，則張貼「籲請四年級的前輩諸兄，請拿出勇氣罷考」的傳單以資對抗。對此，大四生又貼出「別開玩笑！什麼拿出勇氣罷考。等你成為大四生再說」的傳單，與大一生互別苗頭[68]。

ii 編註：此處加總數字譯自原文，疑似有筆誤。

大一與大二生所在的日吉校區，比大三、大四生所在的三田校區更先開始罷課，出現「日吉公社」也反映出這種學年意識的差距。三田校區的大四生們自行成立四年級生對策委員會，不經過各學部的鬥爭委員會，逕行與校方交涉[69]。如此，為了保護就業權而出現反對學生的現象，在日後的全共鬥運動中也屢屢發生。

運動超乎預期地廣泛影響，讓驚訝的校方以各學部部長的名義，提議理事會與學生代表於一月二十八日對談。慶應工會也呼籲公開會計內容與學生冷靜行動[70]。

之後，當罷課與罷考通過決議後，一月三十日學生代表與理事會進行團體交涉。學生方要求：（一）澈底取消學費調漲；（二）召開評議會重新檢討此問題，並讓學生代表參加；（三）對學生的說明以公聽會形式辦理。然而理事會全數加以拒絕，討論在沒有交集的情況下結束[71]。

隔天的三十一日，因應理事會的回應，大一與大二生所在的日吉校區學生大會上，以壓倒性多數通過無限期罷課。而經濟學部等學生方則繼續與校方交涉[72]。

之後學生代表與理事會持續會談，但討論並無交集。隨著二月八日大四生的畢業考日期迫近，學生方也必須摸索一個停損點。二月三日《朝日新聞》訪談中，寺尾自治會委員長聲明「我們沒說停止學費調漲。只說將這個問題回歸原點，加入學生的訴求重新檢討」，表現出強調民主程序的妥協態度[73]。

理事會也在二月三日聲明「關於學費調漲，整體進行重新檢討」，五日由校長與學生代表會談[74]。校長表示「被諸君心懷大學與認真解決事態的熱誠所打動」，提出了三點的妥協提議：（一）入學條件中排除須購入十萬日圓大學債券的條款；（二）大幅強化獎學金制度；（三）今後關於學生生活的問題將事先與自治會溝通[75]。

但，校長也言明「打造與自治會事先溝通的場域」並非「承認學生諸君參與大學經營」。校方始終反對學生參與經營及學生自主管理大學。二月九日，學生自治會重新要求「由學校與學生代表成立事前協議機構，在決定學生生活相關事項前進行協議」，二月十二日也針對這點與校方進行團體交涉[76]。

但校方主張「成立協議機構可能導致插手經營權之虞，至多只能設立一個對話的場域。」且校方認為「『事前』是指『向公眾公布之前』」，「至於是在義塾的最高決議機構——評議委員會——附議之前，或者附議之後，皆由當時的主事者加以判斷並決定。」簡要而言，就是即便「設立事前協議的場域」，也不過是辦場詳盡說明會的程度而已[77]。

校方的回應就是：雖然取消強制認購大學債券，但調漲學費的方針並無改變，也拒絕學生參與經營。但考量到大四生的游離，鬥爭已經難以持續。全校鬥爭委員會決定接受校方的提案，五日下午由全校生大會進行議決。

不過在這種表面行動之外，學生代表與理事會方仍進行高層交涉。根據西井的回憶，剛進入二月時「畢業考與入學考兩大考試將近，煽起不安，主要是大四生的態度發生劇烈動搖」[78]。但「意外地在日吉校區的大一、大二生仍樂於自由自在、從容不迫的生活。」

然而，「二月的某天聽過發言後，鬥爭委員會突然通知要在晚間九點於信濃町的慶應醫院集合。」西井前往慶應醫院一探究竟，此時正值校長在住院病房與三田校區的學生代表結束團體交涉，並以「自由認購大學債券，不再是義務；今後設立機構，重要案件與學生溝通；本次鬥爭不進行秋後算帳」

為底線達成協議，而決定解除罷課結束鬥爭。

從日吉趕來的西井回憶道，「當下詫異至極。才搞清楚妥協案是由四對（四年級生對策委員會）一手炮製的。」站在西井的角度來看，這是想保障畢業與就業權益的四年級生們推動的交涉結果，等於是強迫所有人必須接受。

西田寫道，「為了防止這種暗中交涉被強行通過，（之後的大學鬥爭中）都要求『大眾團體交涉』。」一些新左翼黨派具有主導優勢的大學中，由新左翼黨派幹部與校方首腦進行高層交涉後結束鬥爭，宣稱獲得一定成果、高唱「勝利」的狀況並不少。「大眾團交」除了提供學生能直接參與的直接民主主義的場域，也被認為可以防止這種高層交涉。

突然遭三田校區的指揮部強迫接受此項鬥爭結束案，日吉的大一、大二生對校長的提案表示「不承認藉單方面『通告』所提出的解決方案」，大聲疾呼反對。他們抱持著心中不滿，大舉出席二月五日的三田校區全校生大會。

此場全校生大會大約有超過一萬名學生參加，場面大為混亂。大一、大二生主張只要不撤銷學費調漲，便「應斷然實施罷考、罷課」，大四生主張「因為大學當局有所讓步，應當收拾當前局勢」，卻「因為低年級生的輕率舉動，讓我們的一生毀於一旦」，雙方口沫橫飛爭論不休[79]。

根據西井的回憶，「議論在謾罵與起鬨聲中進行，但議長團仍掌握在三田校區的手裡」，因時間逼近傍晚，有人提出停止討論的動議，並進行投票表決。投票結果是，「罷考畢業考、繼續鬥爭」的緊急提案遭到否決，執行部的停止罷考罷課提案獲得通過。即便如此，持續罷考罷課派仍投出近四千的票數[80]。

原本該執行部的提案只提中止罷考罷課，並未明載解除鬥爭。關於原提案的解釋，執行部內部出現了爭議，寺尾委員長提倡應繼續鬥爭，但副委員長擅自以「鬥爭結束了」向外界宣傳，不費吹灰之力就讓鬥爭劃下句點[81]。鬥爭結束後的一九六五年五月一日，《慶應義塾新聞》寫道「執行部只把普通學生的運動單純評為對當局的壓力，而未視之為變革的原動力與破壞力」，認為這種作法乃是「透過高層交涉」的「具體失敗」表現。

對於上述票數，西井如此評論[82]：「當時的學生遵守多數決的原則。日後的鬥爭如果有這麼多的罷考罷課派，肯定靠實力堅守街壘，繼續鬥爭下去。但是我們卻沒有這麼做。」一九六八年的東大鬥爭中，採用多數決的「自治會民主主義」被批評為僅僅是欺瞞式的「波茨坦民主主義」，抱有貫徹鬥爭意識者不管多數決的結果如何，仍採取集結全共鬥繼續鬥爭的路線。但在一九六五年的慶大，遵從「多數決」仍被視為理所當然。

鬥爭落幕，在學生的心中留下複雜的情感。大一到大三的學生表達「我們不是為了玩罷課遊戲才進行抗爭的。是真心想浩浩大大地幹到最後。」（經濟學部二年級）；「這樣虎頭蛇尾的幹法，大概會被其他大學嘲笑是『少爺式罷課』吧。」（商學部三年級）；「大四生很怯懦啊。覺得自己的事情比大家的更重要，就這樣脫逃了。」（文學部一年級）[83]。另一方面，大四生也有許多心聲[84]：「為了大一新生斷送自己的一生，日本這個國家可沒富裕到可以這麼幹。」「就業已經確定了，只剩期末考，老實說，就算得衝破糾察隊封鎖，我也想去考試。或許會被覺得懦弱，不過這是切身的問題啊。」

就這樣，鬥爭落幕了，八日的畢業考安然舉行。構改派的成員總結時也不得不說，「指揮部因為軟弱和經驗不足，最終導致妥協的結果。」但根據這位成員的回憶，「反對學費調漲鬥爭或許以妥協的結果告終，但在鬥爭妥協前不久，數十名助教授與學生下定決心要在同樣的體制下籌組自主講座，我是後來才知道此事。」[85]可見年輕教師同樣對大學實際狀況感到不滿。這也可說是日後東大鬥爭中「助教共鬥」的原型。

同時應該注意的是，即便鬥爭規模如此浩大，民青與構改派的勢力依舊未能擴增。他們不僅未取得鬥爭的主導權，即使之後仍掌控自治會執行部，但普通學生對他們又回到漠不關心的狀態。

一九六七年的公安調查廳資料記道，「〔昭和〕四十一年（一九六六）初以來，以日吉自治會為中心的學生運動者呼籲舉行『反越戰學生大會』，但無法達到參加定額，如同之後也不斷流會的狀況所示，〔一九六五年的鬥爭〕對慶大各派勢力的擴大並未帶來太大影響。」[86]面對考慮與高層交涉，向大學當局妥協的指揮部與新左翼黨派，普通學生會不信任他們，也是情理之中。

這場一九六五年的慶大鬥爭，在各種意義上都表現出日後全共鬥運動的特徵。跳脫新左翼黨派思想的普通學生意氣昂揚，由各學部與學科組成鬥爭委員會的組織形態，街壘與自主學程的戰術，參與學生的連帶感與振奮，街壘內的「公社」空間，以及面臨畢業與就業、以大四生為核心的勢力終結鬥爭等情況，可說都原封不動地被日後的全共鬥運動所繼承。

這一連串的行動，與新左翼黨派運動者的思想有所區隔，是在經濟高度成長的矛盾中自發興起的。在慶大鬥爭出乎意料的熱潮後，新左翼黨派也開始關注大學鬥爭的動員能力，並對其傾注心力。

第六章　早大鬥爭

一九六五年初的慶大鬥爭之後，接著吸引社會關注的，是一九六六年一月起持續約一百五十天的長期罷課，被稱為「大學紛爭史上規模最大」的早稻田大學反對學費調漲鬥爭。

從結論而言，在慶大鬥爭中，新左翼黨派勢力薄弱，自發興起的成分相當強烈；與之相對，早大的新左翼黨派勢力強大，與普通學生之間的關係有各種波動起伏。這一點成為理解日後全共鬥運動的重要元素。

為了擴充理科學系而調漲學費

與慶大不同，早大的學生運動相當興盛。早大原本是革馬派的據點，但六〇年代前半，民青的勢力進入，之後與一九六五年成立的社青同解放派成為三虎相爭的局面。一九六六年一月，革馬派掌控第一、第二文學部與商學部，社青同解放派掌控第一、第二政經學部，民青掌控第一法學部與教育學部的自治會。加上各有數十人的社學同與中核派運動者在學，被通稱為「學生運動的百貨公司」[1]。

根據一九六七年的公安調查廳資料，一九六六年當時的早大運動者中，革馬派約有二百五十人，社青同解放派約有一百五十人，民青約兩百人，加上其他派系合計超過七百人。而鬥爭最興盛的時期中，與新左翼黨派無關而參與鬥爭的無黨派「運動者」也增加到約二千五百人，約佔全體學生的七%[2]。

不同於突發且自發興起的慶大鬥爭，早大鬥爭屬於過往運動的延伸。一九六一年，校方為了處理大學生社團教室不足問題，宣布第二學生會館的建設計畫。學生方主張全面自主管理此第二學生會館，但校方認為學校擁有管理權，為了學生方便只提供部分管理權，雙方因而產生對立。校方會如此決定，是擔心學生會館會遭新左翼黨派掌控，進而成為他們的基地。

一九六三年五月，學生方針對此問題組成第一次全學共鬥會議。之後為眾人所知的「全學共鬥會議」（全共鬥）名稱，即以此為開端。

不過，此次「全共鬥」與日後有志之士參加的全共鬥不同，是各學部自治會、社團協議會、合作社、早稻田祭實行委員會等的聯合體。早大過往有各學部自治會聯合而成的中央委員會，但於一九五〇年反對赤色整肅鬥爭後遭解散，之後便無中央組織，因此才組成這樣的聯合組織[3]。

然而，這個一九六三年第一次全共鬥會議自然消失，一九六四年五月又重新成立了第二次全學共鬥會議。一九六五年二月起第二學館建設開工，自秋天起共鬥會議與校方開始交涉，十一月的團體交涉要求遭校方拒絕，雙方討論始終沒有交集。

但在學館問題上，學生的反應相當遲鈍。一位普通學生在日後表示，「學館有社團教室與共用大廳，在管理上除一部分的學生外，與其他學生並無直接關聯。所以關於學館問題，就像搞不太清楚越戰與自己有什麼關係，因此大家並不關心，實際上連參與的方法也不知道。」[4]對學館問題有所堅持的，大概是如第四章所述，想以學館為據點並取得權力的各新左翼黨派為主。

十二月一日，校本部前出現部分學生靜坐，十二月八日舉行了說明會（共鬥會議被定位成大眾團交），大約聚集了三百名學生，校方以「這不是可以冷靜對話的氣氛」而拒絕出席，氣惱的學生在校長室前靜坐，三個代表展開了絕食抗議。

校本部前靜坐的學生人數持續增加，十二月九日約有一千人在本部前舉行集會，十一日校方與學生代表的團交決裂。約三百個學生要求大眾團交，並在凌晨兩點半左右衝入大學本部，但三十五分鐘後的凌晨三點五分，在校長的判斷下請來機動隊驅逐學生，並逮捕共鬥會議議長大口昭彥[5]。

不過，此時鬥爭尚無蔓延到全校的氣氛。學館問題不僅無法吸引普通學生的關注，許多報紙更把約三百名學生提出的團交要求，報導為「違法監禁理事」，因此請來機動隊是「為了救人而不得已採取的手段」[6]。

然而，十二月二十日，校方在臨時評議會上單方面決定調漲學費。在授課費上，文、法科系由五萬日圓漲到八萬日圓，理工科系由八萬日圓漲到十二萬日圓，如此一來，法律、文學科系漲幅達六成，理工科系達五成。各學部的入學金全都由三萬日圓漲至五萬日圓，還要加上設備費，法律、文學科系徵收五萬日圓，理工科系徵收七萬日圓[7]。

此次學費調漲宣布後，引起各派運動者的激憤。根據民青運動者宮崎學的說法，「三週前剛被機動隊毆打的各派運動者們，聽到此項通知後，齊聲怒吼『該死，大濱（校長）這個混蛋，被他小看了！』。」[8]

一九六六年時的早大校長為大濱信泉，以一手總攬權力的保守立場而聞名。還在美軍佔領期的一九四七年，當時吉田茂內閣嘗試制定加強管理私立大學的私學法，在野黨與私立大學一致表達反對。

但接受國會質詢的證人大濱卻說「關東私立大學協會雖表示反對，但那只是一部分大學的極少數教授們的意見」，表明支持法案。而反對赤色整肅鬥爭剛結束不久，公布「新自治會規定」命令早大中央委員會解散的，也是大濱[9]。

早大的大部分教授也反對私學法，因此大濱面臨反彈。但一九五四年就任校長的大濱與下屬的兩位理事壟斷會計業務，將反大濱派的理事與有勢力的教授趕出大學。此外，出身石垣島的大濱於一九六五年隨行佐藤榮作首相訪問沖繩，回到本土後他發表演說指出「沖繩人滿足於現狀，並不希望回歸日本」，結果遭到日本本土的沖繩出身者批評[10]。

一九六六年一月六日，全共鬥會議改名「全學學館．學費共鬥會議」，推出從二十日起發動全校罷課為目標的方針。但據當時教育學部的運動者稱，儘管在學館鬥爭受挫下發起了反對學費調漲的罷課，但「預測一月二十四日起許多學生將忙著準備期末考。『運動者』們誰也沒預料到，自己提出的罷課竟能突破期末考的障壁，達成如此大規模且長期的鬥爭。」[11]

校方一開始只把反對學費調漲鬥爭當作「一部分學生運動者的煽動」。但事態卻與此觀點大相逕庭，迅速且一發不可收拾地擴大，其中有幾項理由。

首先，早大的經營基本上有盈餘。一九六五年末，早大的資產一年大約增加十九億七千萬日圓，而借款約二億六千萬日圓。且理事會完全不理會學生或教授公開會計內容的要求，於埼玉縣購入約四十萬坪的土地[12]。

但有盈餘，指的是早大整體的收支。早大文學部的某位教授接受雜誌採訪時說道[13]：「文化科系的話，現在的五萬日圓授課費也仍有盈餘呀。」「可是理工收八萬日圓就出現嚴重赤字。」需要實驗設備的理工科系的學部，必須灌注大量投資。

對於這種情況，當時的週刊雜誌指出[14]：「池田內閣的時候，大濱校長也曾積極參與內閣的『打造人才』招牌政策，確實，這幾年早稻田的態度有一個特色。廢止政經學部的自治行政學科與新聞學科，新設立管理學部，對理工學部進行劃時代的擴充……。特別投注心力在耗費資金的理工學部，可說是本次經營困難——授課費調漲的導火線。」

為了經濟高度成長而充實理科系，如第一章所述乃當時日本國策，經濟界也有迫切期望。廢止與實業不太相關的科系，擴充理工學部，依循經濟高度成長與政界和財界的需求成為提供人才的大學，乃是早稻田改變編制政策的一環，所以實施本次的學費調漲。

與慶大相同，早大也是片面地公告學費調漲。宣布的時機也與慶大一樣，都特意選在寒假學生返鄉，以及期末考前夕大家正繁忙的時節。校方之前宣布廢止新聞學科，就選在七月沒有學生上課的暑假，當時便無事前通知單方面地宣布[15]。校方也未通知教授們學費調漲或會計內容，只有在教授會做說明與散發說明書[16]。

當時私大的理事會由一人專攬經營，早大並非孤例。根據一九六七年二月日本學術會議的「私大教育研究相關調查」，指出許多私大都有如下現象：（一）教師的任免、晉升等由學部長、事務部長、理事等決定，教授會不能做實質的審議；（二）校長、學部長由理事會或校長任命，並無選舉制度；（三）關於入學員額、學費等行政問題，既無負擔責任也不具備相關知識[17]。

這麼多大學都採一人經營，是因經濟高度成長下，即便大學巨型化，依舊未能改良小規模「塾」時代的經營體質。慶大的會計也是如此，經濟高度成長下急速膨脹的大學，體制改組追不上實際變化。而在早大更麻煩的是，前一年大濱校長還承諾過下一年度的學費不會上漲[18]。

校長打破承諾單方面宣布調漲學費，導致學生大為反彈。早大鬥爭激化之後，前去造訪早大街壘的詩人關根弘寫道，「（即便數度要求團交，）校長仍舊不願見學生，這種高高在上的態度，也是讓從小學便接受民主主義教育的學生大為不滿的原因。」[19]年長的理事會與校長，與接受戰後民主教育的學生之間存在感覺的落差，從此處即可明顯看出。

此外，當時還有許多家境清貧的學生，學費調漲直接衝擊到他們的生活。某學生接受雜誌採訪時如此敘述[20]（一九六六年大學剛畢業的平均起薪為二萬四千九百日圓）：

> 我的狀況是，四張半榻榻米附兩餐的住宿費共一萬兩千日圓，加上書籍費、零用錢、交通費後共兩萬日圓。不過新生就辛苦了。法律、文學科系入學時需十七萬五千日圓，理工科系過去是二十一萬日圓，現在漲到二十七萬。而且還有授課費八萬日圓（理工科系十二萬）對吧。實際上我弟弟今年考上早稻田，如果入學了，每個月最少開銷三萬日圓。老爸薪水的三分之一都因此花在教育費上。……雖說私立學校學費高，但心中還是會想，這樣真的好嗎？想讀書的人幾乎掏光口袋才能學習，現在還想把這樣的門縮得更小。我不禁感到憤怒。

根據宮崎學的說法，「連『普通學生』的反應大半也是『如此大幅調升實在太過分了。學弟妹們很可憐。』『別開玩笑了，突然自行決定。』與今天不同，當時早大生中貧困家庭的孩子還不少，對他們而言這是胡亂漲價，決定調漲的程序也顯得專斷。」[21]一月十八日起，各學部自治會支持全學罷課，二十一日，幾乎沒有運動者的理工學部也表示贊同，早大啟動首次的全校罷課。

他們大多以維護早稻田作為「在野的大學」、「庶民的大學」的傳統為訴求，反對普通學生學費調漲。一月二十二日，約三千人聚集於大學本部前舉行全學中央總誓師集會，會上某第一政經學部某班級委員的大四生表示[22]：

「我們將在三月畢業，大部分人的工作也都確定了。但這次大學當局片面大幅調漲學費，使早稻田精神瀕臨危機，我們無法袖手旁觀。我們級會討論的結果，決定毅然進行罷課。我們不願將來的後輩們淨是些有錢的笨蛋或是富家子之流！」

據當時的報導稱，全校罷課之所以獲得普通學生的支持，是因「體現出學生生活的真實困頓感受，以及對『僅有布爾喬亞子弟能入學』一事的單純反感。此外，也有些不願輸給去年慶大罷課的心情。」[23]如前所述，普通學生支持罷課方針的原因，牽扯到前述接受民主教育的學生心中感受，及後述對量產型教育的不滿，上述報導也反映出這種狀況。

在一月二十二日的集會上，駿台預備校的考生代表也演說表達「我們全國六十萬考生也衷心祈求早大生鬥爭的成功」，早大的在學生也拍手歡聲道「我們會加油！」「交給我們吧！」加以回應。集會中普通學生提議「為了鬥爭的勝利，讓我們唱《都之西北》吧」，場面於是演變成校歌的大合唱[24]。

以班級為單位的標語牌，也多採用當時漫畫與流行歌的諧擬，鮮少左翼色彩[25]。「政經2J的諸君，眼下不是旁觀的時候。立刻從麻將間、茶店滾出來」、「呀——很貴啊。不只貴內容也很粗糙。[i]」（教育2G I）、「學費上漲太驚人／校長錯了啊。由衷感到遺憾。[ii]」（一政2T）、「一直相信你／結果變成罷課／你的變心讓我難過／心中高漲的思慕派出糾察隊／學生與平常人一樣／發動罷課有什麼錯。[iii]」（文化團體聯合）。

這些日後被稱為「無黨派」的普通學生發揮的創意，比起那些總是寫左翼用語的新左翼黨派運動者更具新鮮感。民青運動者高野孟在一九八四年回憶看到無黨派學生所寫看板時的感想[26]：

「無黨派啊，那些普通學生的自主行動不斷出現。當時我看了很激動的，是一個署名『憤怒的豆丁太（或譯矮子太）』的立牌看板。那塊看板突然出現在我眼前，內容大致是類似早稻田愛校主義之類的，但內容完全沒使用『〔左翼〕用語』，以自己的言詞，直截地表現憤怒。……那時有兩個共產同的傢伙雙手抱胸站在看板前，苦笑地說『敗給他了，這傢伙最厲害啊。』」

引發學生行動的更重要原因，便是前述立牌看板形容的「不只貴內容也很粗糙」，對量產型授課為代表的大學的不滿。

「學園祭前夕」的氣氛與「反對產學合作」

與當時許多私大相同，五、六百人的大班授課，在早大也是常態。學生與專任教師的比率，國立大學教師一人對學生七．九人，私立大學為一對二十九．四人，而早大政經學部則是一位專任教師對九十四．一人，法學部一位專任教師對八十六．四人。能夠選到研討課的學生，在政經學部等也只有六成左右[27]。在授課費調漲上，理應獲得優待的理工學部也相同。理工學部自治會副會長的大二生，如此說明量產型教育的實際狀況[28]：

一般的授課在階梯教室，大概四百五十人。當然得使用麥克風，又因為教室後邊的人看不清黑板，所以改用幻燈片。聽不清楚時即便喊「聽不到」，教師也裝作不知道，最後有人就開始看起雜誌。實驗課與製圖課人數大概是一半的二百二十五人。而且不是老師先來，而是助教拿錄音機來播放老師的講課。升上二年級後連這樣的形式都沒有，自己讀書自己學習。報告的話，抄別人的內容就提交，老師則蓋章表示看過，然後原樣退還給我們。老師根本沒看吧。學習的欲望也不斷降低。今年的大一更慘，因為人數增加，只好在桌子之間放置板子讓他們坐，結果連通道也沒了。大家對這種授課內容都很不滿。生活空間侷促沒有餘裕。就算午休時間，有那麼大的教室，食堂卻很小，排隊都排到中庭了。學部的附近沒有其他餐廳，也有人乾脆就不吃了。

根據東京學藝大學助教山崎真秀的說法，在當時的早大「說自己是首次參加抗議集會或示威的一位『認真的』學生說，『大多數年輕的老師即便在研討課被問問題，絕對不會提出與自己老師不同的論調』，另一人說『請教授開參考書單，結果都是自己的著作，要不就是早大出版會的書籍。』」[29]學

i 譯註：諧擬漫畫《阿松》（或譯《小松君》）。

ii 譯註：諧擬植木等的歌詞《遺憾に存じます》。

iii 譯註：諧擬バーブ佐竹的歌詞《女心の唄》。

生們的心聲是「根本無法期待與老師促膝討論、學習。」「就算是新幹線，如果沒座位，票價不是比較便宜嗎？破爛校舍內，擠得如沙丁魚的課程，不是該把之前繳的學費打折退錢回來嗎？」「這種無趣的上課，讓人根本不想支付比現在更高的學費。」[30]

而且，當時的早大也沒有充足的社團活動場所。依據早大政經學部新島淳良助教授的推估，超過一半的學生未加入社團。原因之一是社團教室不足。根據全學共鬥會議製作的資料，能分配到教室的社團僅有三分之一的程度。據新島稱，即便有社團教室也不過是「大約三坪的小房間」。對社團也感到失望的學生，只能「泡在大學周邊的麻將間」[31]。

新島根據這種狀況，如此告訴當時的雜誌[32]：「學生歷經辛苦的讀書、考試後，終於進入他們憧憬的『一流大學』，而在此處等他們的，卻是這種教育環境。當然會感到憤怒。」「他們追求的——與我談過的學生大家都這麼說——是更好的教育條件、與大學名實相符的充實課程、與教授進行有人情味的對話、尊重他們的自治。至於學費方面，他們要求的只是民主主義式的程序，並非『金額』。自己負擔的學費將被如何使用，希望有詳細的說明；調漲幅度與用途方面，希望也聽聽教職員與學生的意見，針對調漲幅度出示合理的依據。」

由共鬥會議製作的學館問題資料中，刊載了學生發言如下[33]：

> 歷經辛苦進入的大學，在我青年期的最後階段並未帶給我內在的充實。只要出席就能輕易過關。大學的任務不在於教育，而是四年後把學生送出大學。然後出現大量「什麼都不懂」的大學生。燃燒著理想與企圖心的我們，即便那是不現實的理想，仍想追求測試自身可能性的場域。可

是卻被放進大教室，連尊敬的教授的臉龐也看不清楚，與隔壁的學生從未交談過。出了校園滿是空閒的學生們，排開人群回到自己租屋處。發現自己逐漸地失去對其他學生的關心，親密感淡薄，變得自我中心和自我封閉。逐步失去最基本的，人與人之間的關係。自己內心的欲求不斷翻攪，期待與人討論到自己能認同為止，希望他人能聽聽自己的想法。

早大鬥爭初期興盛的班級討論，也與慶大的狀況相同，學生們認真的對話為他們帶來歡欣。教育學部的某學生於一九九六年的回憶錄中如此敘述[34]：

……大家聚集在一起舉行首次的班級討論時，一開場就討論「首先，談談贊成罷課與否」，因為大家都在興頭上，所以幾乎所有人都贊成，但也有人說「我反對」。第一次見到這種狀況，心想「哇，這個人是怎麼回事？不理會眾人的心情，實在了不起。」那個人開始用自己的話來說明，關於罷課，即便支持，也要因為這樣那樣的理由，才加以支持。說話的方式不再是過往那般模稜兩可，覺得特別新鮮，終於感覺可以看清彼此，感受到每個人都是首次認真發言。有這種感覺的人應該不只我一人。

班級討論持續超過一個月。製作了三十五人的名冊，也寫下班級討論的筆記。即便不去上課的人也來參加班會，出席率超高。班級討論提出的結論（雖然有許多人都不理解學館的經營管理），對學費調漲當然反對，對罷課則表示贊成。除了這些內容之外，大家真的發自內心意見一致，這是頭一次有這種感受，是種劃時代的感受。

比起意見內容，「那個人開始用自己的話來說明」，這段特別值得關注，也就是注重各自的「主體性」。這種傾向也表現在全共鬥運動中。

透過抗爭、街壘、討論留宿校園來直接面對「現代的不幸」，給學生們帶來生命的充實感。且與慶大罷課相同，與其說是鬥爭，更像學園祭的前夕。一月二十七日的《早稻田大學新聞》如此描述一月二十三日的模樣[35]：「這天晚上，是學校創立以來首次有如此大規模的人數在校夜宿。校園中傳來製作看板的敲打聲，響徹了夜空，四處燃起篝火，大家在火堆四周唱校歌、《國際歌》或改編後的流行歌。……看板也寫著改編自電視流行歌、改編自漫畫的歌曲，以及大家喜愛的週刊雜誌『名句』。確實許多學生為了學費、學館鬥爭而奮起，但也有人批評『這種高昂的盛況，宛如早稻田祭前夕』。」

第二政經學部的傳單如此描述鬥爭中感受到連帶感的喜悅[36]：

換言之，今日的量產型大學從未有過公開表達、討論共通問題意識的機會與場域，更遑論在整個大學實現橫向的連結。這種狀態只會在我們身上貼上一個個孤獨學生的標籤。然而，二十六日的某集會，雖說不完全但也一定程度化解了以往那種量產大學的空虛與疏離感，在解放今日不斷受壓迫的學生上產生了新的行動。這些行動中，我們立足於同樣的利害關係，團結面對共同敵人，確認彼此的戰鬥意志，從中體會感動與喜悅！！團結起來是多麼美好的喜悅，既是最後的一課，也是青年學生的使命！！全校的大四生意識到這種「喜悅」何等高貴。與此同時，也清楚意識到自己如何遭到疏離，以及是由什麼或由誰在不斷擴大、再生產這種疏離。

從「青年學生的使命」這個詞彙中，可見到過往學生是社會改革先驅、菁英的學生觀。第一章也引用過詩人關根弘造訪被街壘封鎖的早大時，聽到學生們說「覺得大學還是真理的場域」、「在街壘之內，有種守護學術自由的心情」，繼而關根寫道「在某種意義上學生們是保守的。」[37]也就是說，早大鬥爭既是直接面對「現代的不幸」的學生們爆發自身的不滿，又是經濟高度成長下變身為人才培訓機構的早大校方與欲守護過往大學形象的學生間的鬥爭。

校方認定，運動是由一部分激進學生為了打造七〇年安保鬥爭據點而做的煽動。但當時座談會上，當早大體育局長問「是否在給七〇年做預演啊？」學生方回答「〔新左翼黨派〕確實有這種打算，但包含我在內，普通學生大多都是支持共鬥會議才搞運動，希望能認知到這點。」同時學生方也主張，對早大的「母校愛」、對大學重整的「不信任感」，以及因量產型教育造成「自我疏離」等，才是這場鬥爭興盛的背景因素[38]。

在鬥爭前期，領導共鬥會議的是擁護共鬥會議議長大口昭彥的社青同解放派。大三的大口是第一政經學部自治會委員長，劍道三段，理著小平頭身穿立領學生服（此時期大學生穿學生服並不少見，這在第一章已說明），長相也是運動型的粗獷臉龐，公認是個不矯揉造作，善於鼓動演說的人。

根據當時報導上刊登的大口父親證詞，他是個「從中學時代起便喜歡幫助弱勢的孩子」，此外並沒有什麼特殊之處，也是個練劍道的運動青年，與學生運動沒有交集。據其父稱，「他說，只有早稻田才是自由的校園，相當嚮往早大」，但親身體驗到量產型授課後，「進入大學不久便察覺嚮往與現實之間有所落差，畢竟他是個直線條，有疑問就會追究到底的性格，所以從那時起就受學生運動所吸引。」[39]

大口從大一起就參加反對核動力潛艦停靠橫須賀抗爭運動，遭機動隊警棒毆打而負傷，並被逮捕，即便如此，他仍一直站在抗爭的最前線。當時的週刊雜誌如此介紹早大女學生與其他新左翼黨派學生對大口的想法[40]：

「〔大口站在抗爭隊伍最前頭〕應該不是為了虛榮或逞英雄，只是見到我們〔女性〕或弱者正面遭〔警棍〕擊打時就忍不住出手相助，想要保護大家而已。所以只要是經歷大型示威後，他大概都會受重傷。」「我跟他立場不同，許多學生也不追隨他，但單純作為一個人，大家都被他的人格所吸引。男人傾慕男人，或許可以這麼說吧。女學生也是，大家都同意大口是現在早稻田中最有魅力的男人。」「那種品德，給人非常男性、擁有包容力的感受，所以這次才會被選為共鬥議長啊。早稻田的學生運動有各種派系，沒有像他這樣的人，肯定無法統合眾人吧。」「可是他不知道怎麼跟女孩相處。害羞、不會說話又笨拙。即便如此，仍有大量想跟他交往的女學生，不過現在好像還沒有特定的女朋友。」

許多學生也表示，「跟其他人〔新左翼黨派運動者〕說話，對方根本不聽我們說什麼。……這點呢，大口就會聽我們的意見。」「他是劍道部男子，行為非常端正，光聽他演講，就感覺是個了不起的領袖，因為口吻熱情，內容又邏輯清晰。」宮崎學也回憶道，「大口既不粗俗也不都會，是永遠站在陣前徹底戰鬥的類型，不帶欺瞞之意，是個讓人能夠信任的男人。」[41]

宮崎還回想，「〔當時早大的〕青解〔社青同解放派〕的其他成員也有許多大口這種類型的人，深受無黨派運動者與普通學生的歡迎。」全學共鬥會議的幹部會議上，包含「喜好理論」的革馬派在內，許多時候各新左翼黨派皆會基於自家理論進行抽象議論。根據宮崎回憶，擔任大口助理角色的事務局長福田武志曾對眾人撂話，「吵死了，閉嘴！少自吹自擂啦！」「我認為那些難懂的理論根本無所謂。如果是有關學費，就是『不要繼續從窮人手中拿錢』跟『根本沒知會我們』簡單兩點，就足夠了。」[42]

大口接受週刊雜誌採訪時，如此說明反對學費上漲的理由[43]：「第一，那個學費調漲幅度，大到足以破壞學生的經濟生活。即便在今天，早大每年仍有百名學生因繳不出授課費而被開除。文科系入學就得繳納多達十三萬日圓的費用，普通人家的子弟根本無法進入早大。這破壞了教育機會的均等。」「第二，這點與讓我們接手學館的口號有所關聯，這次的調漲是在協助文部省反動的產學合作路線，也就是培訓具高度技術卻不做社會批判的人，我們想批判這種路線。」

第二點的「產學合作」批判是社青同解放派的固有論調，其他的黨派也在大學鬥爭中採用。簡而言之就是，大學應當作為探尋真理的學府，現在卻遵從壟斷資本（產業界）的要求而淪落為「教育工廠」，把學生培訓成「心中有日之丸，手中有技術」的「人形機器人」和「勞動商品」[44]。如前所述，前一年的七月，政經學部的新聞學科與自治行政學科被以「就業率太低」為由，遭理事會決議廢止。且原本專為在職生設置的夜間部（第二部）也大幅縮小，第二理學部從一九六一年起減招或停招，第二商學部與第二法學部也從一九六五年起減招或停招。而為了配合產業界的需求，一九六四年又新成立教育學部、理學部、體育學科，一九六五年新成立理工、物理學科、社會科學部。擔任早大創立八十週年紀念事業後援會長的日本商工會議所會長足立正也強調「業界迫切需要理工類學部加強研究與教育制度，大力培養技術人才。」[45]

學生們的心底確實感受到，早大不斷從過往的「在野的大學」，轉變成配合產業界需求的人才培訓機構。這種為了阻止「產學合作」路線而發起鬥爭的論調或理論，對於那些不滿量產型教育、認定大學應是探究真理的學府、抱持著往昔大學觀的普通學生而言，也具有一定的說服力。

針對「教育工廠」的「恢復人性鬥爭」

「反對產學合作」的口號，也在另一種意義上引發學生的認同。如第一章與第二章所述，他們意識到自己的「人性」被升學戰爭與量產型教育這種「教育工廠」的「輸送帶」所碾壓而毀壞。教育學部的某女學生日後如此回憶道[46]：

「大口昭彥表示，『有人說，學費調漲是之後入學的人的問題，與現在的學生沒有關係。但並非如此，學費調漲將為今天的產學合作路線教育提供擴大再生產的經濟基礎，因此，不認同今日教育的我們，反對此舉。』大家熱烈贊同他的發言。」「我們成為教育工廠的勞動力商品，只是加工過程中的某種材料。材料不會擁有自我的意志，只會依照指示前進，最後被貼上早稻田的標籤出貨。因此，對教育工廠的經營方針提出意見，從大學教育看來是破天荒的行為，起因於我們完全不認同這種教育。……所以，遵循自我意識行動的我們，為了破壞這種機制而產生連帶感，為此而團結。」

這種理論成為共通理念並廣為散播。與慶大鬥爭中製作自主學程相仿，早大鬥爭中也聘請講師進行校內討論集會。開始罷課後的校內討論集會上，某大四生表示「早稻田淪落為商業學校」，教育學部大二女學生對熟悉教育問題的講師村松喬提出如下主張[47]：

我們反對學費調漲，因為新設備並不能保證帶給我們更好的教育，或讓大學成為真正追求學問的場域，而是「把學生」打造成給社會（和企業）的好商品，為了擴大再生產這種商品而使用設備。教育機構的主體應該是教授與學生，但今天的早稻田，在教授、學生之上還有理事會，還有校長。在真正需要設備的教授與學生之上還存在著決策機構，他們在完全脫節的地方做決定。這次運動是為了恢復人性的鬥爭。我們想追求真正的學問才進入這所大學。然而早稻田拒絕真正的學問。所以這個運動並非單純同情（後輩）的罷課，而是針對否定我們所受的教育、否定我們人性的當局，表達我們的積鬱與不滿。村松老師，您能理解嗎？……（爆出如雷掌聲）

這位學生的主張中包含了大學必須是「真正追求學問的場域」這種「保守的」大學觀。這與新島教授指出的，前述強調「青年學生的使命」的學生發言，以及學生要求「與大學名實相符的充實課程、與教授進行有人情味的對話」等觀點相通。

當時共產同運動者三上治在二〇〇〇年的著作中如此評價早大鬥爭[48]：「此鬥爭是反對學費調漲的戰術，除了具有行動的面向外，還帶有表達學生共同意識的面向。當然，這種共同意識的面向與所謂的政治思想有所不同，透過反對推進產學合作，或者反對重組大學帝國主義等詞彙來論述，這是一種抵抗意識，抵抗高度資本主義下大學的變化，以及因此導致被稱為知識群眾的學生喪失存在意義。我認為如此評價，雖不中亦不遠矣。」

三上也對從慶大、早大鬥爭到全共鬥的學生反叛有如下敘述[49]：「父母（社會）對教育的期待和幻想或許過大了。資本主義高度化下，人們的生活越富裕，大概父母的期待也越膨脹。因為人們的期待聚焦在越來越狹窄的範疇上。與這些期待相反，學生與大學都知道他們正不斷失去本質，如此一來，這個時期的學生勇敢地努力追求那個本質，為此提出異議。」

三上的評論，確實是「雖不中亦不遠矣」。學生們抱持著「保守的」大學觀，藉此反抗使其變質的大學校方，企圖透過自主學程等讓「真正的大學」重生。

但如序章所言，接受民主教育的學生們對教授會或理事會的單方面決定方式產生激烈反彈。從這個層面而言，他們卻不「保守」。如後所述，一九六六年的早大鬥爭中無黨派學生組織了大四生，成立「四年級生聯絡協議會」（四聯協），此四聯協提出如下訴求[50]：

我們大四生從入學伊始，便對早稻田量產化的實情深刻感到失望，一直以來企圖藉由社團活動等稍微打破這種疏離狀況，然而現實中的早稻田，卻是不關注人、不重視學生的企業經營理念橫行。但我們必須主張重視人。早稻田現下需要的不是宏偉的建築，而是教授與學生自治經營的，原本大學的狀態。

此處提出「原本大學」的狀態，但原本的大學就是由理事會與教授會營運，而不是學生參加的自治會在經營大學。如果以後見之明嘲笑學生的無知是容易的，不過學生們乍看「保守」卻並非「保守」，僅是把矛盾的期待透過「原本大學」這個詞彙加以表現而已。

同時，如前述引用，恢復「原本大學」的狀態也是「為了恢復人性的鬥爭」。根據當時公安調查廳的資料，早大的社青同解放派如此定位鬥爭：「早大鬥爭是與施行所謂產學合作路線的教育行政這種教育工廠＝個別資本產生的壓抑、斷絕，進行解放人性的鬥爭。」[51]

所謂「打倒產學合作路線」的用詞，也可說是他們企圖把茫然感受到的「現代的不幸」，透過馬克思主義用語進行語言化的產物。當時的早大教育學部運動者做出如下的運動總結[52]：「由於他們的訴求找不到合適的表達方式，即便不得不暫時以『教育機會均等』為口號，但從鬥爭開始到結束為止，在學生意識深層中支撐爆發的高漲運動的，毋寧是對整體學生生活的潛在批判，亦即一種混沌的不平、不滿。」

也就是說，對於自身一直面對的「現代的不幸」，以及對背叛往昔大學觀與民主主義價值觀的大學產生的反彈，他們心中的各種糾葛無法以適當的言詞來抒發，只能挪用（appropriate）馬克思主義用詞來表現。這種無法找出適切言語表達的狀況，也出現在日大鬥爭與東大鬥爭中。

但應注意的是，與日後全共鬥運動期不同，如同學生發言中可見般，他們視理事會與校長為敵，但將教授當作與學生一同形構「原本大學」狀態的同盟者。以東大鬥爭為界，教授與全共鬥形成了完全敵對的關係，學生把作為「學府」的大學完全當作幻想，此部分將於第十章後述。

只是，幾乎所有的教授都不理解學生的心理。各學部舉行的教授與學生對談集會上，教授們對學生說道[53]：「那麼想從事運動的話，等畢業後再去幹。想怎麼幹就怎麼幹。」「你想留級嗎？不要再給其他人添更多麻煩了。」即便表現出理解的教師，也僅停留在「我很理解你們所說的。……但早大在結構上，教師的意見並不被大學經營所採納」，「想立刻解決是不可能的，這應該是今後花時間一起思考的問題」之類的程度。

學生方對教授們的發言只感到焦躁，表示：「老師所說的只有『今後花時間』這麼一點，其他部分就跟沒說一樣。」「請不要模糊問題焦點。」「當局微笑著假裝要『對談』，卻只是利用『校園正常化』、『重建光榮的早稻田』等美名企圖趕走自治會執行部與運動者，打算建立再也無法發起罷課的自治會。」[54]

與罷課派學生對話的教授中也有人說，「那根本不是學生，是暴徒啊」，「因為他們想把我們抓起來，對我們直呼『你們這些傢伙……』呀。」[55]不過，至少這些教授願意出席對話，大部分的教授都不願被捲入麻煩，因此學生罷課後幾乎都不來大學。

當時的週刊雜誌介紹社會輿論道，「至少來個三、四十人也好，希望早稻田大學的教授團也振作一下，好歹捲起袖子走入學生。」理工學部的高木純一教授對週刊雜誌的採訪答道[56]：「有批評說：整體而言，這次的騷動中，老師並未出面。雖對這樣的說法感到遺憾，但也不得不承認確實如此。學生佔據校園時，我在雨中前往學校並站在正門附近，卻幾乎不見其他的老師。騷動中未出面的教師，以及從一開始就沒想過教師會在此時期到校的學生們——從這裡好像看到了本次騷動的原因。」

當時的週刊雜誌如此形容罷課中教授與學生的關係[57]：「所謂的教育，是從人格與人格的互相接觸開始的。今日的大學卻連這樣的餘裕也沒有。學生只是商品，而且是被大量生產的勞力商品。老師是製造技師，什麼有人情味的交流之類的，壓根沒想過。用極端諷刺的方式來說，只有發生學生們決定罷課的狀況，老師與學生才首次以人對人的形式展開對立。」

鬥爭中「首次以人對人的形式展開對立」的狀況，是學生以反叛形式展現渴求與教授溝通的願望，是一種求愛行動。這種面向也被全共鬥運動所繼承。

前述新島淳良助教授舉了幾個教授未能發聲的理由。首先，關於學費調漲，理事會完全沒與教授們商量。各學部的教授會分門化，無法統整全校教授的意見。教授會內存在師生的上下關係，年輕教師難以提出意見。經濟高度成長下巨型化的早大，理工學部的教授、助教授合計一百九十八人，文學部共一百三十三人，教授會也巨型化，因此教授會內也變得難以溝通意見[58]。

二月二十三日的《每日新聞》刊登了一位東大教授的意見：「如果是東大，在尚未如此惡化的階段就會舉行類似『全校教師集會』……」[59]。然而，東大的教授會也逐漸巨型化，不再具備這種能力，這在一九六八年的東大鬥爭中暴露出來，這點將於第十章說明。

另外，一九六六年的早大鬥爭與日後的全共鬥運動有一處不同。那就是全共鬥運動中對「和平與民主主義」、「戰後民主主義」做出明顯的批判，但早大鬥爭中批判則相對稀薄。

五〇年代初擔任東大教養學部自治會委員長的大野明男，其兄大野力曾造訪早大與運動者們對話。運動者們對大野表示[60]：「勉強來說，就是教育制度還沒那麼反動，在還充滿活力的時代，少年時代教師們教導的就是以和平與民主主義為原則的思想，或許與這也有關係吧。」「安保鬥爭也是，我們在地方的高中或中學時也受到各式各樣的刺激，禁止原子彈氫彈的運動雖然分裂，但心中依然掛念，抱持著為何會變成這樣的巨大疑問。不過當時還在準備升學考試，所以把這疑惑藏在心中三年，不斷發酵。所以上了大學後，以往受壓抑的問題便一口氣爆發出來。」

大野屬於重視戰後「和平與民主主義」理念的世代，因此對學生的發言抱持同感。不過大野提出了如下觀察[61]：

學生運動的高漲，證明了戰後理念尚未完全蒸發、變質。但隨著社會上這些理念不斷蒸發和變質，他們也變得越來越激進，越來越脫離常軌。換言之，學生運動的激進態度，一方面也反映出社會一般大眾的理念變得稀薄，觀念變得衰退。

要求他們這些學生運動者要講常識、要有倫理之前，社會一般大眾應先反省自己的理念和認知程度。這是從和平與民主主義理念出發，是戰後日本人相互間的義務，也是彼此間唯一的連帶管道。

人們說早大紛爭中教授群體顯得無能，也說他們變成了一群上班族。但，看到校內討論集會中站在學生們面前的教授們時，我深刻感覺，這絕非僅是這些人的問題。現在社會上已有太多乍看平凡而幸福，實際上卻連自己的異化也未能察覺，變得遲鈍化的人們。而學生運動的激進化，不過是反映出了這種人的對立面。

在經濟高度成長下，忘卻戰後「和平與民主主義」理念，包含大學教師在內的年長者不斷「上班族化」。隨著這種狀態益發顯著，學生運動者們成為了少數派，也變得更加激進。某種意義上，大野的這項預測，預言了六〇年代末的事態。

然而，大野的擔憂以違反他期待的形式實現。在學生運動激進化且全共鬥抬頭下，青年把「戰後的理念」視為一種欺瞞而加以批判。此狀況以東大鬥爭為分水嶺，後文第十四章將詳細說明。

當時早大校內四處立著「堅決進行罷課！」「全體學生參加同盟到校吧！」等大看板，自主到校的學生們反覆進行示威，在校舍進出口派遣糾察隊，阻止欲進教室上課的學生。學生中也有人主張「我想上課，能讓我進去嗎？」「我反對學費調漲，但覺得學生罷課是錯的」等等，並與糾察隊爭論，到了一月時，這類衝突已然減少，罷課支持派成為多數[62]。

鬥爭初期，各新左翼黨派雖對共鬥會議或自治會被中核派掌控有一定程度的批評，但在反對學費調漲上，普通學生都強力支持。閱讀第一文學部某班級日記可以見到，對革馬派掌控文學部自治會並制定讓學館鬥爭與反學費調漲鬥爭聯動的方針一事，出現許多批評，不過一月底為止，「雖然對自治會的管理有所批評，但擁護共鬥會議整體運動的氣氛強烈」，學生間也存在一種氛圍，就是即便在罷課中仍自主到校參加班級討論與示威[63]。

當時的早大校園內，普通學生也進行鼓動演說。日後成為新聞播報員的久米宏也是其中一人，因隸屬校內劇團所以擅長發聲，根據宮崎學的回憶，「其他運動者的聲音往往混濁又不容易聽清，久米與他們不同，不論發聲或其他部分，都很優秀，是早稻田裡少有的瀟灑人物，他以熟練的技巧進行鼓動演說，共鬥會議的幹部聽了他的演說還表示『真是了不起。讓那個傢伙一直負責演說吧』。」[64]

然而大濱校長主張，鬥爭是「一部分暴徒導致的」，「不容許罷課」。他發言稱，「反對運動的目標實際上不是學費調漲。鬥爭本身具有意義，透過鬥爭產生鬥士」才是目的[65]。此外，獲得大學優待的體育會[iv]學生，在校方的授意下對支持罷課學生施暴的狀況也屢見不鮮。由於體育會學生的暴力行徑，加上不知何時會叫來機動隊，一連數日超過千人的支持罷課學生都留宿校園，保持著警戒狀態[66]。

iv 譯註：體育會是大學中運動部的總稱，或者整體運動部所屬的組織，與一般社團不同之處在於訓練更嚴格，更強調階級尊卑秩序。

這部分可說也與日後的全共鬥運動不同，即便連日有眾多學生留宿校園，仍舊維持了良好的秩序。宮崎學如此回憶道[67]：

……連日以來許多學生留宿校園，但日常卻意外守規矩。共鬥會議與自治會都非常留意維持大學擁有的文獻資料與各種物資。大學設施內藏有貴重的文獻資料，如果能完全自由進出，即便沒打算偷盜，終究會在不知不覺中散逸。

共鬥會議與自治會廣為告知「對大學的所有物絕不可出手」，並在罷課現場澈底執行此政策，甚至毆打不守規矩者以保持文獻資料，致力於保安事務。最終，這次罷課中可說沒有散逸任何文獻、物資。從日後〔全共鬥運動期間的〕大學罷課經常散逸文獻、物資來看，可說早大本次運動簡直就是奇蹟。福田〔事務局長〕成為被告、接受早大鬥爭審判時，早大的教職員也作證「託共鬥會議諸君的嚴格管理之福，文獻資料完全沒有散逸」，提出減刑的請願。

過夜時的狀況，大家也是品行端正。或者討論或者讀書，聆聽北京廣播或莫斯科廣播，有些血氣方剛的傢伙可能會在寒冷的校園內互毆，不過即使學生中夾雜著女學生，也完全沒出現好色的狀況。

之所以出現這種現象，可以思考兩個原因。第一，包含大口共鬥會議議長在內，對男女關係抱持古風的學生佔大多數。第二，因為大家抱持大學乃真理探究學府的「保守」大學觀，所以致力防止文獻資料的散逸。一九六六年經濟高度成長尚在發展當中，與大眾消費社會更加發達的後年相較，學生仍保持「古風」的道德，表現出來就是嚴守規矩。

支持罷課的學生不斷增加，一月底時罷課支持集會的參加者已達到近二萬人。校方不承認罷課，一月二十八日宣布三年級以下的期末考於四月舉行，四年級則於二月九日舉行定期測驗，但共鬥會議提出罷考方針，以約六千人的抗爭隊包圍考試會場的早稻田實業高中，使測驗無法實施[68]。

為防止罷課遭突圍而建立的街壘，也與慶大鬥爭相似，帶來了心理上的效果，打造出學生可相互自由討論的解放區。

教育學部的運動者稻垣惠美子於鬥爭後如此說明：「街壘在整個鬥爭過程中完全支持著學生。藉著街壘，我們意識到自己是校園的主人公，自己的鬥爭主體開始獲得組織化。」她也引用教育學部推出的傳單內容：「當街壘消失的時候，群眾將再度倒退，回到儘管憤怒卻孤立的個人狀態。」[69]詩人關根弘聽聞前述學生所言「在街壘之內，有種守護學術自由的心情」後，如此說道[70]：

> 反對學費上漲的期末考罷考，出現連指揮部都感到驚訝的熱烈響應，因為大家連在教室內也築起了街壘。在教室築起街壘這類行為，看在有良知的人眼中，確實有些奇怪。雖然確實不符合知識生產場所的形象，但只有在這個不該出現的場所建立起街壘，才能對抗學費上漲，不，應該是讓抵抗量產型教育的意志或者心情，在此得以集結。
>
> 雖然報紙上寫著這次鬥爭的幕後主使是革馬派，但這次鬥爭的特色就在於超越革馬派的思想，使鬥爭群眾化。街壘，如果用低俗的說法來表現，就像土人打大鼓一般，由學生群眾揮舞敲打，但同時間，這樣的事態應該也讓觀念極左的革馬派不得不感到棘手，這才是事實的真相。

確實運動的擴散已然超越新左翼黨派的思想。與慶大鬥爭相同，早大鬥爭時，普通學生屢屢在運動的場合高唱校歌《都之西北》，根據中核派機關報《前進》的說法，在一邊合唱校歌一邊參加運動的普通學生面前，「革馬派完全抬不起頭來，只能以輕蔑的眼光注視著合唱《都之西北》的學生群眾。」[71]

同時關根也表示，「拿合唱《都之西北》一事就說這是早稻田國族主義，這種觀點是錯的。這只是因為在這次鬥爭中沒有更合適的新曲而已。」[72]一如「教育機會均等」、「反對產學合作」等，與學生們在表達「混沌的不平、不滿」時因「找不出適當的表現形態」而「不得不提出」的口號相同，唱校歌也可說是同樣的狀況。

鬥爭長期化與普通學生的背離

但隨著罷課的長期化，早大鬥爭也如慶大鬥爭般，面臨畢業與就業的大四生的態度首先動搖了。對此，一九六六年早大鬥爭的對策是由無黨派運動者成立「四年級生聯絡協議會」（四聯協），組織大四生支持罷考。比起由自治會與合作社聯合而成的全學共鬥會議，由志同道合者參與的四聯協更能視為日後全共鬥的先驅。

在考試舉辦失敗後，校方改要求提交報告，若不提出就無法升級、畢業，藉此逼迫個別學生進行選擇，以此分化學生。四聯協提出的對策是收集大家的報告進行自主管理，但仍難以對抗校方的分化戰術。宮崎學回憶當時大四生如何應對[73]：

這一年求職很困難，許多人都覺得好不容易才獲得採用。光是這點，大四生就不得不做出重大決定。……

法學部近半數的大四生拒絕提交報告。雖說如此，當然大部分人仍舊希望能畢業，而這些人也擔心如果自己提交報告是否會導致鬥爭敗北，因為我曾擔任群眾運動負責人，所以大四生經常來找我談話。

「對不起你們，不過我會提交報告。我既沒有錢可供留級，也想要就業。當然，我很清楚提交報告對學生一方而言，可能破壞團結導致鬥爭敗北。即便如此我仍要畢業。只是我不想偷偷提交，隨便你們叫我脫隊者、背叛者，什麼都行，我都接受，不會有怨言。」

……站在我的立場，只能說「請不用介意。鬥爭由剩下來的學弟妹堅持下去，把鬥爭交給我們，放心畢業吧。接下來就由我們後輩來努力看看。」

……也有人覺得不甘心而哭泣，承受多重苦悶的大四生舉行了多次只有大四生參加的集會，許多人都懷著慚愧的心情選擇畢業。

就這樣，罷課從內部發生了分裂。不過，我認為當時的大四生很了不起，因為沒有人為了就業而要求停止罷課。

在此狀況下，二月四日，大濱校長首次對學生方舉行公開「說明會」（學生方視為「團交」），早大紀念會堂內聚集了一萬五千名學生。學生方的想法是，已經進行了這麼大的抗議，就看校長會提出什麼妥協方案。

然而，堅定認為反對運動是由部分左翼運動者所煽動的校長，斷然表示「無論反對運動多浩大，都不會改變既定方針」。大濱校長繼而表明，「在〔昭和〕三十七年（一九六二）學費大幅調漲中入學的諸位，難道就是放浪的敗家子嗎？」「早稻田被稱為群眾大學，這是指學問的群眾性，不是只屬於窮人的大學」等等[74]。

大濱至今擺出的強硬態度，除了他認定「運動是部分學生的煽動」外，似乎還顧慮「如果就此對學生的主張服輸，影響將旋即波及全體私立大學。」以前一年的慶大鬥爭為始，各地相繼發生反對學費調漲及其他議題的大學鬥爭，根據當時的雜誌報導，支持大濱的日本化藥社長原安三郎主張「如果就此擊潰早稻田，六十多所大學的紛爭便會一舉崩潰」，表示絕對不可讓步[75]。

許多學生對校長的回答倍感憤怒。這個時代尚有許多缺乏家長經濟支持，白天工作晚上在夜間部上課的學生。夜間部第二法學部大三的某學生如此敘述[76]：「我的朋友和我，許多人的學費都是自己籌措的。大濱校長說『窮人不來也罷』，但我自覺自己是窮人而來到早稻田，早稻田就是如此符合我們的心境，可是類似這次〔學費〕上漲，自己賺錢付學費的人會感到很困擾，大家都從心底感到憤怒啊。」

然而，儘管許多學生都對校長的回答感到失望，但也不再期待運動能打開局面。據宮崎學回憶，學生聽聞校長的堅決主張後，彼此耳語著「沒救了。就算把大學毀了也沒效」，「完全撤銷學費調漲什麼的，根本不可能」等等，借用宮崎的表現，說明會後的抗議集會上「參加學生甚至未達千人，想到才幾天前還有兩萬人參加集會，實在是讓人想哭的蕭條集會。」[77]

不過，有許多人的意見認為，之所以在二月四日的校長說明會上遭遇失敗，原因出在共鬥會議方的戰術有問題。當時的雜誌報導稱，見面當日共鬥會議一方在會場的最前方安排了約兩百個共鬥會議學生，因此大濱校長發言時因共鬥會議學生的起鬨而聽不清楚，大濱表示「在這種狀態下無法進行詳細說明」，之後退場。某位普通學生表示，「純粹想聽聽校長怎麼說而聚集的學生超過一萬人，即便想抵抗共鬥會議的過激派，因為缺乏組織，變成一對兩百（指單一個別學生得對抗兩百人的前列共鬥會議成員）的狀態。」[78]

當時的《朝日Journal》如此報導：「這次的紛爭，許多學生都批評共鬥會議的蠻幹做法。例如一月十八日前後，各學部分別舉行是否贊成罷課投票，但議題中又混入日韓（條約）與國鐵運費調升等五個項目，在反對的項目上標記○，而標記○的項目又自動算入作為本次目標的贊成罷課票數中。」[79]

從文學部的某某班級討論日誌中也可看出，普通學生批評共鬥會議起於鬥爭高昂期的一月二十日前後。根據該日誌，一月十九日「班上針對文自治會執行部（革馬派）的鬥爭方針產生意見衝突」，二十四日則「因自治會執行部蠻幹的管理方式，不滿聲浪高漲」[80]。

班會討論本身也發生問題。根據當時的報導，各學部都由約六十人的班級選出二人擔任委員，再由他們組成自治會，但「班級委員幾乎都是（新左翼黨派的）運動者，完全凌駕於班級。」而且鬥爭中期以後，普通學生感到「他們既有班級委員的大義名分，在他們的集會發言只會被嗆聲……」「說是班級討論，只不過是語言課之後的十分鐘左右而已，而且盡是運動者們騷動的氣氛，大家感到厭煩，留下參加的人大概只有一半」，而淪為被運動者任意擺佈的狀態[81]。

儘管似乎與宮崎的回憶錄有所出入，但大四生也有反對罷課的行動。全校進入罷課的一週後，一月二十八日晚間，意識到畢業危機的約二千名大四生聚集在共通講堂，其中「反對成為共鬥會議下級組織」的聲浪佔絕大多數，因此決議與共鬥會議切割，另行籌立與校方交涉的組織。接著二月三日於大隈講堂邀請政經學部的部長及其下教授們進行靜肅的對談，之後決議「為了維持罷課的街壘已經沒有意義，應加以拆除。」[82]

此集會的隔日便是二月四日的校長說明會。參加此政經學部集會的學生敘述道[83]：

原本以為，隔天四日早上的說明會也會在相同的氣氛下進行。但前往會場紀念會堂一看，卻成了共鬥會議主辦，共鬥的人們早早進場正舉行抗議集會。……不過，普通學生見到共鬥的標語牌與旗幟後嚷嚷著撤掉、撤掉，之後才被收起。但校長談話的內容太糟，不但了無新意，而且對學生講話的態度也十分冷淡。我們見狀後，與其說是放棄，不如說是不再抱有期待。大三以下的考試延遲到四月以後，四年級的考試改為提交報告，所以大家都不去學校了。

最終，二月四日的校長說明會導致了共鬥會議與校長雙方皆失去學生支持的結果。據當時報導稱，「那天〔校長說明會〕後的兩、三天內，電車售出了超過一萬張的學生票，老家在鄉下的學生都返鄉了。預期能順利畢業的大四生們，也不再舉行集會。」[84]宮崎回憶中的「沒有人……要求停止罷課」，或許該理解成「與其說當時早大四年級生很了不起，不如說他們只要默默提交報告即可，故無需跳出來要求停止罷課」會更妥適。

前述文學部某班級日誌也顯示，一月十一日開始班級討論後，到三十一日「進入春假，出席率逐漸惡化」，到二月二日「因出席率逐漸降低，故把五人作為一『組』，今後只要每『組』決定至少一名負責出席者即可。」四日的校長說明會幾乎全員出席，但說明會後因大家深感失望，六日的班級討論便休會[85]。

即便如此，學生直到校長會議為止仍支持共鬥會議的一個原因，在於教授們的無能。一月二十一日，商學部舉行教授團與學生的對話，聚集了約六千名學生。此時「最前列的共鬥會議不斷喧嘩，試圖阻止學生與教授們接觸，而幾乎所有的學生都吼著，讓我們對話、讓我們對話，最後讓共鬥會議歸於沉默。」但教授們卻不斷重複「考試將照原定計畫實施，請大家務必出席」，幾乎沒有雙向交流。報導此狀況的雜誌寫道，「校方的這種態度，把眾多學生都推向共鬥會議。」[86]不過即便這樣的學生，在二月四日校長說明會後也不再到校。

無計可施的共鬥會議，打出只要校長不再度舉行團交，便封鎖大學本部的方針。二月十日，理事會與共鬥會議的二度團交破裂，共鬥會議動員約四百名學生強行封鎖校本部。

根據當時公安調查廳的資料，社青同解放派主張「將不到校的同學再度捲入，作為更有效的戰術，封鎖產學合作體制中樞機構的大學本部。」革馬派最初表示反對，認為「這只是靠力量維持之前的放棄上課、考試、交報告鬥爭，沒有什麼改變」，最終他們把此事視為可從一直領導鬥爭的社青同解放派手中奪取主動權的機會，故轉而贊成[87]。

同時，早大教職員工會認為「封鎖校本部就是剝奪教職員的職場」，非難共鬥會議的方針[88]。而民青認為，即便封鎖校本部，在早已失去普通學生支持的狀況下根本無法勝利，而且也會與有良知的教授與職員為敵，因此加以反對，並趁此機會退出共鬥會議。民青及共產黨當時的路線是，與有良知的、進步的教授與職員工會合作，組織統一戰線，「透過地區民主勢力的集結組成統一戰線，藉以孤立理事會」，因為站在這種立場，故反對封鎖校本部[89]。即便出現這些狀況，仍舊實施了校本部封鎖。十二日，體育會學生在校方的授意下毆打封鎖學生，暫時奪回校本部，但下午又被共鬥會議方奪回。

根據當時的報導，二月十二日前來毆打的體育會學生們手持棍棒頭戴頭盔，共鬥會議方為了抵抗也由革馬派為主準備頭盔[90]。從此處可見到，一般認為武鬥棒與頭盔是由一九六七年十月的第一次羽田鬥爭起成為固定模式，但此時期在校園內的鬥爭已經出現棍棒與頭盔。

當右翼學生前來毆打，或者預測將有機動隊介入時，聚集在大學周邊同情共鬥會議的學生們便會加入抵抗。宮崎學如此回憶當時的學生生活[91]：

> 以我為例，當時我剛搬到位於神樂坂二房一廳的公寓，總是有幾個人，最多時有十個人在我房子白住。他們自由進出，簡直把房子當作自己的住處。當外出招募而深夜歸宅時，幾個人分配少數幾床棉被就這麼睡下。在一旁還有兩、三人喝著酒議論。旁邊還有人在讀思想書籍或漫畫。我束手無策，或者睡到壁櫥裡，或者找個空隙蓋著報紙就寢，這種狀況屢屢發生。……
>
> 因為在這場鬥爭中，氣氛不容許一個人窩在住處讀書，因此大學附近的租屋處都有大量的學生聚集。這是眾人因應機動隊可能介入，或者右翼學生來揍人之類的消息時，聚在各處租屋處的學生們可旋即趕往大學。
>
> 身邊總是有其他人，生活根本沒有隱私。金錢也是共享狀態，說著「你這傢伙，又變成螻蛄

（沒錢）啦，真拿你沒辦法」，還有錢的人就出手付錢。某個層面來說是充滿麻煩、痛苦至極的生活，但也存在學生之間的濃厚情誼。此外，也存在一股濃厚的，「與大人世界不同，形成我們自己年輕人集團」的意識。

簡單來說，就是大量保留前現代的「若眾宿」（年輕人聚居處）的元素，這成為鬥爭的龐大原動力，也成為「大人的世界？那又如何。那種東西現在就全部摧毀」這種桀傲不遜想法的源泉。

這種同情派的學生，一旦發生狀況時就會趕往現場，但因封鎖大學本部的行為過於激進，因此普通學生大多不予支持。共鬥會議的動員人數部分，雖然傳來右翼學生或機動隊介入的情報時，可以聚集數千人的同情者，但除此狀況之外，平時聚集人數僅數百人之譜。

前述第一文學部三年級生的某班，在二月九日也出現「反對共鬥會議『封鎖校園』的聲音」，執行佔據校本部的十日則呈現「大量意見認為佔領這種手段不妥，因此出席率很差（二十人），班會無法得出決議」的狀態。到了十二日，雖有十五人到校開會討論，然而絕大多數的意見都是「已經沒有手段可以將我們的聲音反映給共鬥會議。大家也不出席了，不如解散今後以班級為單位的運動吧。」[92]

當時某位普通學生如此敘述[93]：「我認為支持佔領校本部的學生實際上很少」，但「最終還是勝不過專業（的運動者）啊。沒有形成我們的組織，就什麼都辦不成。」此時，普通學生僅在遠處圍觀由新左翼黨派執牛耳的共鬥會議。

如果是一九六五年的慶大鬥爭，恐怕此時就會與大學言和，結束鬥爭。但早大並非如此。如後所述，因為革馬派與社青同解放派為了爭奪主導權，造成共鬥會議難以團結一致，無法進行高層交涉。當時的雜誌寫著，「慶大的場合，運動是由下而上推出領導的形式，與此相對，早稻田則強烈帶有學生運動的『運動者』強力領導普通學生的印象。」[94]比起慶大，早大的運動者甚多，而這樣的特徵也由此表現出來。

至此，因學生不到校所以無法召開學生大會，過往的罷課決議也就惰性地維持下去。因沒課所以不到校的學生以在家睡懶覺的方式「參加」罷課，他們也被通稱為「睡罷課派」。

鬥爭泥沼化與內部分裂

二月十四日，為了收拾陷於泥沼的鬥爭，早大校友的國會議員團體「國會稻門會」提出調停。自民黨的橋本登美三郎與海部俊樹、社會黨的武藤山治等，由六位自民黨員、五位社會黨員、一位民社黨員組成調停委員會，構思調停案，其內容為：（一）縮小學費調整幅度、（二）作為交換，將放寬文部省私立大學振興費的借貸條件、（三）不懲處罷課相關學生。[95]

十四日舉行的稻門會委員會與共鬥會議代表的會見上，大口議長派出的代表表示「只要校方先承諾便可」。然而，當調停案被帶回共鬥會議幹部會後，與社青同解放派處於對抗關係的革馬派以「高層交涉」為由譴責大口等人，二十日在共鬥會議上聲明拒絕調停案[96]。

二月二十四日至二十五日，社青同解放派與革馬派之間發生互毆的內鬥事件。根據雜誌的報導，共鬥會議「最初社青同一直發揮重大效用，但隨著二月民青退出運動後，革馬派即掌握大權。」[97]

此報導的真偽不明，不過有這樣的傳聞卻是事實。又根據當時其他的報導稱，革馬派在其他各校的自治會被奪，早大第一文學部以外的據點幾乎盡失，因此「對革馬派而言，這次早大鬥爭飄蕩著最後一次鬥爭的悲壯感，所以一定要掌握主導權。」[98]

如此一來，共鬥會議內部也產生了分裂。在校本部封鎖前的二月五日，民青派運動者們便主張，此問題與其說是一所私立大學的問題，不如說是國家的私立大學政策問題，對文部省發動增加私立大學獎助金額度的請願遊行。但革馬派譴責此舉是攪亂共鬥會議團結的分裂活動，之後民青因反對佔領校本部而脫離共鬥會議，另組「全學聯聯絡會議」。但同情共鬥會議的學生批評民青「不積極鬥爭」，不關心政治的學生則因厭惡政黨色彩，所以民青的組織勢力沒有獲得發展[99]。二月五日舉行對國會的請願遊行，參加人數僅有七十人左右[100]。

由於新左翼黨派爭端，導致共鬥會議最終拒絕國會稻門會的調停案，普通學生對他們的支持也愈益低落。同情共鬥會議的一位學生如此表示[101]：

> 我一直以來都支持共鬥會議的鬥爭，佔領校本部的手段，嗯，總之也承認那是不得已的作法，但拒絕國會稻門會的調停案卻完全不能認同。鬥爭最後終究必須收拾事態，而我認為那個內容不就等於宣告學生們勝利了嘛。感覺讓大好機會從指縫中漏掉了。
>
> 更令人遺憾的是，接受這個調停案與否對全體早大生是個重大決定，卻只由共鬥會議的幹部來決定。為何不像慶大鬥爭時那般，召集全體學生進行學生大會再做決定呢？

當時的報導如此記述[102]：「共鬥會議接受國會稻門會的調停案後加以推翻，這是因為革馬派的抵制。而這也是普通學生遠離鬥爭的重要原因。」新左翼黨派爭端成為共鬥會議拒絕調停案的原因之一，進而遭學生孤立，這種現象也發生在第十一章所述的東大鬥爭中。

在此狀況下，也出現了由普通學生組成的「全學有志連帶準備委員會」、「早大有志學生會議」等組織。然而，前者第一屆大會雖聚集了四百人，但也是人數最多的一次，之後人數漸減；後者只有約一百人，另外收集了七百名贊同者的連署，僅此而已[103]。

這些組織中，「早大學生有志會」持反共方針。他們以辦公室名義在右派雜誌《民族公論》投稿，主張「無論共鬥會議或全學聯聯絡會議……最終目標皆在於……推動反大學、反政府、反權力的鬥爭，為達成此目標（而於早大）進行鼓動演說。」[104]此種共鬥會議、民青、有志團體鼎立的狀態，也出現在東大鬥爭中。

根據三月鬥爭後期的雜誌報導，積極支持共鬥會議，會到校本部留宿的學生約有一千人。共鬥會議的同情者約五千人至六千人。民青派的全學聯聯絡會議支持者從一千人到兩千人左右。前述的「有志」組織與連署贊同者約從一千人到兩千人。而與共鬥會議敵對的體育會學生，推估約有五百人[105]。

當時早大的學生總數約三萬六千五百人，上述各派合計約一萬人。刊出上述推估的雜誌如此介紹剩餘的不關心政治的學生[106]：「如果問我的個人意見，我也反對學費調漲。不過我不關心學生的反對運動。適逢考試而去學校時，也參加了一、兩次班級討論，以及聽了大濱的講話，如此而已。這就是我與這次運動的關係。」某早大講師表示，「大部分的學生對學生騷動並無興趣，他們要麼去滑雪，要麼去旅行。」[107]

如第一章的引用般，上野千鶴子指出「全共鬥派如果加上周邊的贊同者大約有兩成，反全共鬥大約有兩成，剩餘的六成大學生是所謂的不關心政治者。」早大鬥爭中也是如此，推估共鬥會議與同情者約兩成，不關心派佔六成至七成。與慶大鬥爭相同，上野推估的比率可說有一定的準確度。

另外，公安調查廳的推估是，運動者佔六．九%，明確的反罷課派佔四．一%，雖然關心鬥爭但對罷課態度搖擺的「心情派」佔二十七．四%，不關心派佔六十一．六%[108]。這組推估中，把「心情派」中略少於半數的人歸到共鬥會議同情者，略多於半數的人歸到反共鬥會議者，便與上野的推估幾乎一致。

評論家中也有人希望「之前一直旁觀的普通學生能鼓起勇氣」來解決事態。但別的保守派評論家則寫道，「這次的早大紛爭中，我實際感受到沒有組成團體的普通學生有多麼無力。」[109]

如第十一章後述，一九六八年的東大鬥爭中期待「普通學生」良知的論調也反復出現。但中央大學的某教授在一九六七年表示，期待「普通學生」與新左翼黨派運動者交鋒是不切實際的。他如此說明[110]：

……經常可以聽到有人責備普通學生的漠不關心，批評他們應該振奮而起。從表面上來說，這沒有錯，但實際上在今日巨型大學中根本近於空談，這點大概人盡皆知吧。確實有許多的普通學生對現在的自治會活動感到不滿。但單一學生，究竟能做些什麼呢？在學生大會或自治委員會上，這樣的學生有發言的餘地嗎？縱使發言了，「新左翼黨派運動者們也會大加議論」被徹夜留下吧。如果勇敢地熬夜努力，最後也會遭暴力排除吧。普通學生不過就是普通學生。他們想要取得發言權，就得面對把自身奉獻給運動的運動者，如果不放棄學業，根本辦不到。

二月十五日，大濱校長表示「一部分學生的運動，目標是人民管理大學」，「忍耐也是有限度的」，表明將要求機動隊介入[111]。由於二月二十四日將舉行新年度的入學考試，所以決心在考試前解決事態。

當時的報導指出，一九六五年的慶大當局對學生做出讓步，與此相對，大濱等人一向拒絕對話，「把學生稱為『暴徒』，反過來把運動部的選手稱為『正常的學生』，從最初就認定妥協、靠攏都是向『暴力』屈服，不斷要求警隊介入，然而一如所見，警視廳方面直到最後仍對進入校園抱持躊躇的態度。」國會稻門會出面調停時，雖然最拒絕調停案的是共鬥會議，但根據議員們的說法則是「校方的態度非常強硬。」[112]

從廣播新聞上聽到機動隊介入的同情共鬥會議學生，大約三千人在夜間於大學集合，主張不會阻止入學考試，但反對機動隊介入，強化街壘並留宿於校園[113]。宮崎學如此回憶機動隊介入前學生的樣子[114]：

「大家為了保持清醒，在棉被上坐著睜大眼睛，吸著極其劣質的香菸。會有這種心情也是當然的，對方是專業的戰鬥集團，會被怎麼樣，誰也不知道。再加上如果被逮捕，原本就業的大門就會被關閉，或許過了明天自己的人生就會走上完全不同的方向，所以大家都睡不著。但同時又充斥著畢業旅行夜晚般，某種凝聚在一起的親和感。」

以下也是根據宮崎的回憶，「人呢，陷入絕境時就會驟變。或者該說，會顯露出真實的性格。」

當確定機動隊介入的前夜，「好幾個平時總自吹自擂的傢伙玩起失蹤，機動隊抵達時也不見他們蹤影。」「另一方面，幾個意料之外的人竟志願擔任糾察隊去阻止機動隊，全都是平日不顯眼的同伴，其中也有已經確定就業的大四生。」[115]

入學考三天前的二十一日早晨，機動隊終於抵達。宮崎如此記述當時的樣子[116]：

下著小雨。我們法學部與教育學部的一組三至四百人守在正門，其他學部的一組五至六百人守在校本部前。凝視早稻田仍舊昏暗的街道，裝甲車與警車接連出現，之後跟著反射微光的藍色頭盔，如河川流水般朝著道路湧來。日後才知道機動隊與便衣刑警人數約三千五百人，但當時看在眼中卻有如數倍之多。

大家肩並肩組成陣勢時看了一眼四周，大家都因緊張而表情僵硬。

「殺過來啦。組好陣形！」

即便大聲怒吼，許多人仍彷彿沒聽到般地心不在焉。不過之後回過神來，開始齊聲大喊「警察滾回去！」就在學生激烈怒吼交織下，機動隊在我們面前整頓列隊，黑壓壓、靜悄悄的一片。

面對這堵黑牆，糾察隊唱起《國際學生聯合會會歌》與《國際歌》。

接著唱起《都之西北》時，機動隊開始衝來。當時糾察隊的學生們手無寸鐵沒戴頭盔，只能組陣堅忍，面對全副武裝的機動隊毫無勝算。學生或被驅散或被逮捕，校內的街壘遭撤除，校本部四周張起鐵條網，設置校方的街壘。

街壘封鎖在當時雖屬新戰術，但機動隊介入驅除學生也幾乎是首次發生。當時的大學，因反省戰爭期間大學的思想與研究自由遭政府與特高警察侵害，為了守護「大學自由」，慣例上不允許包含警察在內的國家權力介入。

在早大的校內教學討論集會中也受邀講學的村松喬，目睹機動隊介入後，學生遭逮捕，如此敘述[117]：

雖然沒有持槍，但全身戴頭盔穿鬥爭服的警察林立警戒，學生們猶如兔子走在猛犬前般，見到這種悲慘模樣，心中倍感難過。

他們一副內心遭擊碎的模樣，而且是由他們的大學敲碎他們的心。面臨這種狀況的學生，他們的心情如何呢？光是思考就覺得悲慘。

我原本只在觀念上排斥警方介入校園，但目擊此等事態後，認為那不該是什麼基於「大學自治」的基本概念而提出的理念，警方介入，不管有什麼樣的理由，都是絕對要避免的狀況！這次事件就是一個具體的事實，讓我理解到這點。

然而，當時大學當局如此聲明：早大鬥爭是假借學費上漲問題之名，行反政府活動之實，是「扎根於日本全國的學生運動的一環」，「由其他大學的學生組隊前來支援便可清楚知悉」，「溝通，不適用於這種學生運動家。」一旦「大學不會向暴力低頭」，機動隊的介入「並不違背大學自治，毋寧是從暴力中拯救了大學，唯有如此才能守護大學自治，基於如此的判斷與信念」才引入機動隊[118]。

確實，二十一日與後述二十二日的機動隊介入中，遭逮捕的學生裡有被視為新左翼黨派支援部隊的明治大學、專修大學、東京工科大學等十數名學生，但從這兩天遭逮捕的全部二百零三名學生人數來看，僅佔極少數[119]。這種因為其他大學前來支援全共鬥，所以不再是校內問題而是治安問題的論調，在一九六八年的東大鬥爭中也被提倡。

不過，事態發展卻超乎校方的預期。聽到機動隊介入新聞的共鬥會議同情派與普通學生怒火中燒，陸續回到學校。他們叫嚷「我們的大學」，邊唱校歌邊破壞校方街壘衝入校園。接著約五千名學生聚集舉行集會，重新佔領校本部並有約一千五百名學生住下。

如前所述，大學請警方介入驅離、逮捕學生一事，一般都公認違反「大學自治」。大多數的學生都相信本應是「真正的學術之府」的大學，不會做出如此粗暴的舉動。且與公布學費調漲相同，機動隊介入也是基於大學當局單方面的判斷。這種背叛學生們大學觀與民主教育理念的行為，惹惱了許多學生。

村松喬如此解釋學生們憤怒的原因[120]：「無論有什麼理由，要求警察逮捕（學生），這是教育工作者該做的事情嗎？我深感懷疑。擁有如此冷酷心思的人，至今掌控著早稻田的教育，故學生們抱持不滿與不信任，亦屬必然。」「從教育的根本，也就是『老師與弟子』來看，此等行為完全見不到愛，此處映照出的形象就是：大學當局根本不具身為教育者的資格，單純只是企業經營者。」

學生們的這些舉動，也超乎共鬥會議內爭奪主導權的新左翼黨派運動者的預期。三月三日的《每日新聞》如此描寫他們的模樣[121]：

二月二十一日早上。機動隊終於出動。被驅離的佔據派學生中許多都表示「難以對抗機動隊……」而放棄佔據。機動隊離去的那個傍晚，校園內四處閒晃的運動者們又老調重彈，議論著「革馬亂搞」，「社青同不行啦」，此時，那些被他們稱為「看熱鬧的」普通學生，陸陸續續集結而來。「看熱鬧的」人數很快達到兩千人，大喊「我們的大學」並搖撼鐵條柵欄。見狀，原本放棄的運動者們也重整勢頭。「看熱鬧的人」喊著「衝啊！」並突破街壘。……對認定「本次騷動，是一部分學生煽動而起」的大學當局而言，「看熱鬧的人」的崛起，是他們澈底誤判。

然而，隔天二十二日上午七點，校方又請來機動隊，逐一逮捕學生，過程中還以警棍亂擊。如此兩天內共有二百零三人被捕，大口議長遭通緝，學生們被驅離，入學考試順利進行。大口覺悟自己無法逃脫被捕命運，於三月十一日返回大學，遭機動隊逮捕。

共鬥會議的孤立與鬥爭的終結

從機動隊介入校內事務的二月中旬起，因事態陷入泥沼與內部分裂，共鬥會議更加被學生們拒而遠之。

幹部大量被捕後，共鬥會議陷入危機。機動隊介入時，學生返回校園的盛況也是曇花一現，進入三月後到校學生再度減少。當時一位女學生運動者如此總結運動[122]：「從運動最高昂時期來看——二月二十四日前後，規模約二千人的全學共鬥會議或數十名參與者的方針決定會議等，算是最興盛之際，但也僅有這麼一小段時間——共鬥會議又回到單調呼籲鬥爭的機構，淪落為各新左翼黨派高層交涉的場域，這種傾向實無可避免。」

根據報導，隨著局勢益發惡劣，共鬥會議內新左翼各黨派的口水混戰也更加激化。革馬派的領導者成岡庸治表示「我們的使命是如何在群眾運動中籌組志於革命的組織」，譴責社青同解放派把佔領大學本部等行為「當成了目的」。同時社青同解放派的大口議長認為「民青什麼都沒做，不提也罷」，並把佔領校本部當作為了阻止產學合作路線的具體戰術，表示如果沒有這樣的戰鬥，運動「將如革馬那些傢伙般，停留在一般的思想批判階段即告終。」[123]

更進一步而言，雖說機動隊介入引發「看熱鬧的人」的怒火，但實際上是驅使在東京的共鬥會議同情者採取行動。當時的雜誌報導了不關心鬥爭甚至反對鬥爭的早大普通學生在春天返回大學後說出的心聲[134]：

「早大鬥爭嗎？那除了爭奪學生運動的主導權之外，什麼都不是。說是兩萬人的早大生，其中實際行動的說不定不到一成啊。更簡單來說，就是六、七百個學生運動家在鬧而已。」「二月二十二日的晚上嗎？警隊出動到早大，不是檢舉了兩百三十個學生嗎？那個啊，半數以上混著其他大學的學生唷。看這種態勢也可以知道，說這是全學聯的日共派與反代代木派在爭主導權也不為過吧。」

上述兩位學生的發言中，對於遭逮捕者的校內外比例有著錯誤認知。但離開大學返鄉，僅從報紙或電視獲知狀況的「睡罷課」學生等，會流傳這種傳聞也不足為奇。

失去普通學生的支持，拒絕國會稻門會的調停，新左翼各黨派內部爭端益發激烈等等共鬥會議的狀況被披露後，一九六六年春，共鬥會議遭到許多批判。評論家大宅壯一斷言「雖然他們『鬥爭』的目標是反對學費調漲，但這不過是為了動員學生群眾的藉口」；保守派批評論家福田恆存評論道「學生的觀點有誤，軟弱、天真，而且不純潔。」[125]

在共鬥會議飽受批評的狀態下，運動者的家長們為了說服兒子或女兒，以及為了促成與校方的對話而組成「白手帕之會」。但最終該會代表也表示，「自始至終都表現出絕不妥協的態度，如果迎來那種最壞的狀況，雙親也無法阻止」而放棄活動[126]。這類家長組織的活動也在東大鬥爭中出現過。

如此，大部分的學生處於孤立，遭大學驅逐的共鬥會議要舉行會議、討論時不得不移往其他大學借用場地，或者在大學附近的咖啡館舉行。這個時期在募款與其他救援活動中表現活躍的是四年級生聯絡協議會（四聯協），根據四聯協議長在鬥爭後撰寫的文章，據說有段時期募款的六十五％都是由他們所募得[127]。

雖然不多，但一部分的四年級生卻非常積極參與鬥爭，這似乎是因為他們持續接受了四年的量產型教育後，在學生生涯的最後三個月突然嚐到鬥爭的興奮感。文學部國文科四年級的四聯協議長吉丸憲之說「學生不到九十人的文學部，國文大四生中，初期有七十人，就算臨近畢業時也有半數四十幾人，連日出席七十多回的班級討論」，之後他又寫道[128]：

> 三月十一日，頭戴藍頭盔、身穿戰鬥服的機動隊為了逮捕大口議長，於白天公然衝入校園時，平時乖巧的女學生忘我地喊著「幹掉他們，幹掉他們」，看著她們的身影，讓我感到這簡直就是我們國文四年級連續七十幾天抗爭的縮影。臨畢業之前，四年來從未開過一次像樣班會的我們班，既沒有任何溝通，也不存在任何人際關係的我們班，為何能固執地持續參與這場鬥爭？恐

怕最重要的動力，就是對四年之間枯燥無味的「學生生活」的強烈不滿，以及惋惜因無所作為而喪失的寶貴青春，這些情緒支撐著我們的憤怒。

因為鬥爭的混亂，校方主辦的全校畢業典禮只能停辦，但共鬥會議與四聯協的學生方主辦了「統一畢業典禮」。作為畢業生代表的四聯協吉丸議長表示「早大鬥爭是為了恢復人性的戰鬥」，盛裝的女學生及其家長一同合唱《都之西北》，在齊呼「反對上漲」口號中結束畢業典禮[129]。

但從整體來看，大四生的舉動算是例外。普通學生疲於長期鬥爭，故鬥爭也趨於沉寂。四月二十四日，大濱校長等暨全體理事為事態混亂負責而辭職，同時學生中約有多達四十人遭開除、抹消學籍或停學處分，包含大口共鬥會議議長在內，各新左翼黨派運動者成為大學的目標，遭到上述懲處[130]。

此外，四年級生雖改以提交報告畢業，但三年級以下的學生從四月起必須前往設置於早大校外的考試場地參加升級考試。因有遭共鬥會議妨礙之虞，故借用都內高中等處作為會場，並在機動隊加強防備下舉行考試。雖有一些學生表示「竟然還有這種考試，我要試著與學部長交涉看看，取消這個決定。」但大部分的學生都參加了考試[131]。

新年度的就業考試，文科系預定七月一日開始，理科系預定六月一日開始，文科系自六月六日起向公司提交推薦信，學內甄選則安排於五月前半。此時就算放棄就業也要貫徹罷課、拒絕升級考試的學生，已經變成了少數派[132]。

社青同解放派等此時期仍訴求「我們不想成為資本的機器人」、「中止罷課將淪落為資本的奴隸」等，但某普通學生則表示「老爸老媽很囉唆啊！說，不趕緊停止罷課就無法就業喔，說得好像都是我的責任一樣。偶爾到校盡是共鬥會議的喇叭、教授的訓話；回到家又是愛操心的老媽。真的是，沒有解決的方法了嗎？」[133]

面對這種狀況，失去大部分幹部的共鬥會議，也喪失了領導因延長罷課而感到疲倦的普通學生的能力。鬥爭後站在共鬥會議立場編纂的鬥爭紀錄《搖撼早稻田的一百五十天》，也記下進入四月後的狀況[134]：「國家權力與當局『付諸實際』強化打壓體制，商業報導誘導的『輿論』趨於僵化，在這些侷限下〔普通學生〕已與鬥爭初期截然不同，朝著大規模的虛無化、右翼思想持續扎根的方向發展，加上所謂的『睡罷課』（不到校間接參與鬥爭）的狀態，也讓狀況日趨惡化。」

在此情況下，畏懼鬥爭長期化導致留級的學生，開始在各學部的學生大會上漸次解除罷課。四月十四日的理工學部決議中止罷課、五月二十一日的第一商學部也決議中止，接著六月二十一日第一文學部也決議中止，至此全校罷課解除。

革馬派掌控的第一文學部自治會如上所述，最後才解除罷課。學生大會上在六月四日與六月十九日兩度否決解除罷課的提案，但實際上只是由新左翼黨派運動者收集大量空白委任書，利用演說延長大會，待解除罷課派學生返家後進行表決的結果。

想當然爾，第一文學部解除罷課派的學生們出現如下心聲：「自治會的人那種暴力式的幹法，實在拿他們沒辦法」，「班上有三、四個共鬥會議同情者，只要班會討論上出現反對罷課的聲音，每次他們就宛如要生吞活剝對方似的。」二十一日的學生大會上，主張解除罷課的有志會女學生們為了抵抗運動者將大會延長，特意留至深夜，並傳出解除罷課案獲得通過的消息[135]。

如此，長達一百五十天的早大鬥爭落幕了。與慶大鬥爭相較，早大鬥爭提出了「為了恢復人性的戰鬥」、「教育工廠」等與日後的全共鬥相通的口號。不過同時合唱《國際歌》與《都之西北》的傾向，卻不見於全共鬥運動。此外世代也出現變化，早大鬥爭時包含一九四四年生的大口昭彥在內，學生多屬戰爭期間出生的世代，這點與多屬戰後出生世代的全共鬥運動相異。

日後也參與東大鬥爭的宮崎學針對早大鬥爭如此敘述[136]：

……今日來看，那是牧歌時代的牧歌式鬥爭。黨派的革命方向與早稻田愛校主義渾然一體，接連合唱《國際歌》與《都之西北》的鬥爭。黨派與黨派之間的關係也不如日後全共鬥時代般的敵對。不同黨派即便互相謾罵，但仍保持彼此都是運動者的親近感。

不僅如此，運動者中保持古風者甚多，互毆也只用赤手空拳，厭惡使用武器的卑怯行為。確實，當體育局的那幫人闖入阻止罷課時首次用上了棍棒，但那時也是雙方各執棍棒對峙，眼瞪眼怒吼「爾等無恥！」「爾等才無恥！」彷彿時代劇（古裝劇）般的叫囂。

在運動者與教授、教職員的關係上，也還帶有某種彼此是自己人的意識。眼下就有許多教職員為被捕的共鬥會議成員審判提出減刑請願書，甚至還有為了拯救被告而冒作偽證之險的教職員。

所謂的早大學費、學館鬥爭，是這些多少連結著「戰前」思想的人們四處奔走下的騷動。在這點上，與團塊世代捲起的「全共鬥時代」有著程度上的不同。學生運動最後的牧歌時代，也於此告終。

一九六六年早大鬥爭中，引起的共鬥會議內部分裂、被普通學生孤立、出現「睡罷課」學生的現象，也在日後的全共鬥運動中發生。但如宮崎學所言，此時期的鬥爭亦包含了與全共鬥運動期相異的特徵。

宮崎學所謂「學生運動最後的牧歌時代，也於此告終」的說法，多少有些誇張。下一章討論的一九六六年橫濱國立大學鬥爭與一九六八年初中央大學鬥爭，仍比一九六八年中期以降的全共鬥運動更具「牧歌式」的元素。但黨派間鬥爭的激化、明顯與教授出現對立、因街壘封鎖導致大學荒廢等全共鬥運動期常態化的現象，則如宮崎學所述，也普遍蔓延在這些鬥爭中。

第七章　橫濱國大鬥爭、中大鬥爭

一九六五年發生了慶大鬥爭，接著是一九六六年的早大鬥爭，本章中將討論與早大鬥爭同時期的橫濱國立大學鬥爭與一九六八年初的中央大學鬥爭，此外，也將稍微提及一九六七年的明治大學鬥爭。

一九六六年橫濱國大鬥爭中，把慶大鬥爭時略具雛形的自主學程運動改稱「自主講座」並正式實施，因此許多見解皆認為，作為全共鬥運動期的標準戰術的「自主講座」源於橫濱國大鬥爭。而一九六八年初中大的反對學費調漲鬥爭，是學生方實際取得全面勝利的鬥爭。原因之一在於能抑制新左翼黨派專權並獲得普通學生支持，以及戰術性地限定目標。

在本章末尾，將根據第II部說明全共鬥以前的鬥爭，總結全共鬥運動前，特別是因東大鬥爭而模式化之前的鬥爭，有些什麼樣的可能性與問題點。

達成「大學自主管理」的橫濱國大鬥爭

橫濱國大鬥爭的開端是一九六六年一月六日，學藝學部的教授會上決議將學部名稱改為教育學部，結果導致學生的反彈。這並非單純的名稱變更，而是全國不斷推動的大學重整的一環，意味著將改變學生的身分，因而引起學生反對。

一九六〇年安保鬥爭的混亂中，文部大臣曾針對「大學教育改善相關事宜」諮詢中央教育審議會，其答覆於一九六一年至六三年發表[1]。基本內容大致為：（一）大學不分等級，按教育目的重新整編；（二）強化大學校長權限，弱化教授會權限；（三）文部大臣對大學校長任命擁有否決權；（四）限制學生自治會；（五）強化文部省對大學預算的統一管理；（六）導入國立大學的統一入學考試，等等。

其中的（二）與（三）曾於一九六二年的大學管理法案中出現，當時因各地學生與教授會的強力反對而無法提上國會議程。但（一）的依目的重整，則被持續、確實推進。

內容中把大學分為三類進行重整：（一）目的為追求高度學問研究及培養研究者，以舊制帝國大學為基礎的研究所大學；（二）目的為「培養高級職業人才」，以舊制高中、專門學校為基礎的新制大學；（三）以舊制師範學校為基礎的教師培育大學或學部，並把研究預算重點分配給（一）的菁英大學。新左翼各黨派對此總稱產學合作行動，稱其為「大學帝國主義的重整」。

二戰結束前的師範學校，在日本戰敗後實施過改革，而其中（三）的教師培養大學，等於讓舊制師範重新復活。所謂戰敗後的教育改革，是由於二戰前師範學校偏重培育教師的科目，為改變此狀況而增加美式的博雅教育（liberal arts，或稱通識教育，日文稱「教養科目」），大學名稱或學部名稱也改為「學藝大學」、「學藝學部」等。但一九六六年，國立學校設置法的修正案被提交國會，草案中計畫將北海道、愛知、京都、奈良、福岡的「學藝大學」改為「教育大學」，並將二十二所國立大學「學藝學部」名稱改為「教育學部」。

在新制度中，為了取得教師資格，必修學分大量增加，而選修科目部分，欲取得小學教師資格者僅剩八學分，欲取得國高中教師資格者僅剩十五學分。換言之，從「學藝學部」改為「教育學部」意味著「原本以廣泛教養為基礎，進行專門的學問研究暨培養教師的學藝學部理念，淪落為單純訓練職業教師的培訓所。」[2]此與早大理科系擴充一樣，可視為將大學重整為人才培訓機構。

早在一九五八年，中央教育審議會已提出「關於教師培養制度的改善方策」答覆。因戰後各大學濫發教師資格證，導致教師素質低落，故提案打造以培養教師為目的的大學。此時正值勤務評定鬥爭的高峰期，從該答覆起，一連串將「學藝學部」改為「教育學部」的名稱變更，被認為是依文部省意見以培養教師為目的之措施[3]。

因為有上述情況，各地的學藝大學或學藝學部，如大阪學藝大學與秋田大學學藝學部的教授會也反對更名，而在國會進行名稱變更審議時被排除在外[4]。而橫濱國大學藝學部的教授會則遵照文部省意向，決定更改名稱。

對此決定，學生們爆發反彈。《橫濱國大新聞》主張「從學藝學部改為教育學部，使學生蒙受不利，然而不僅沒有任何道歉，還強制學生改用教育學部的學生證，令人強烈不滿。入學時隸屬學藝學部，自然有從學藝學部畢業的權利，教授會沒有改變學生身分的權限。」[5]

學生更進一步認為，變更名稱乃無視大學與學生的協定，對片面決定更名一事表達反彈。自一九六五年起，為了改制為教育學部持續展開學程變更，一九六五年秋，學生大會決議發起反對學程變更鬥爭。十二月，學生方與教授方展開對話，約定不會在寒假期間做出重要決定。然而，就在寒假時節學生返鄉的一九六六年一月六日，教授會片面決議更改學部名稱[6]。

學生方對學藝學部的教學已累積一些不滿。原本橫濱國大是僅有學藝學部、經濟學部、工學部三個學部的小型國立大學，量產型教育程度沒有巨型私大那麼嚴重。不過，學藝學部在鬥爭發生約一年前，因火災燒毀了鎌倉校舍，一部分借用經濟學部的建築物，一部分使用緊急搭造的預製組合校舍進行教學，因此自然極度缺乏學生休息室、圖書館、社團教室等設施[7]。

而且，在設施惡劣的狀況下，一九六五年大學還打算增收新生，此舉激起反對運動[8]。學生的不滿，瀕臨一觸即發的狀態。

一月十一日，學藝學部自治會約一百名學生與學藝學部的部長展開團體交涉。但學部長表示「從學藝學部的就業狀況來看，八十％以上都當上教師，故與『教育』學部並無二致」，此發言讓學生群情激憤[9]。不管就業狀況如何，對學生們而言，更改學部名稱意味著隸屬學部成為「教師培訓工廠」，自己則成了「輸送帶上的零件」。此外，在某些狀況中校方片面決定的方式，也讓接受民主教育的學生們心生反感。

一月十九日，教授方與學生方的團體交涉再度舉行。據橫濱國大的新聞會員竹村弘稱，團交時教授方回答「更改系所名稱並不會改變內容，改稱後更容易取得預算，這是最重要的。」對此，學生進一步追究，所謂不改變教學內容根本是謊言，因為校方早已明確規劃將於一九六六年度廢止學藝學程，改用教育學部的學程[10]。

二十一日，又舉行了學生與教授方的交涉，因教授方態度強硬，判斷不會有任何進展的學生們轉而召開學生大會，並於會上確認罷課權，組成阻止學部名稱變更全學鬥爭委員會。至二十四日更舉行學部學生投票，決定展開無限期罷課，二十八日則舉辦了針對文部省的抗議遊行[11]。

教授方對學生罷課感到焦慮，自二月二日至三日有三十九名教授出面因應交涉。這次因學生發起猛烈追究，共花了三十二個小時熬夜交涉。這種集團式「交涉」被稱為「大眾團交」，溝通時夾雜著許多學生對教授的起鬨和怒吼，並屢屢演變成徹夜追究的狀況。

許多年長的教授與有識之士對「大眾團交」抱有疑慮。他們主張，所謂的「團交」，是指工會與資方進行工資談判，並不適合用在教師與學生間的對話，而且理應只需代表進行會晤即可。

但學生方認為，這種「大眾團交」具有幾項意義。其中一個理由是，例如在結束慶大鬥爭時只有代表在場，如此往往變成高層交涉，許多時候無法反映普通學生的意見。

另一個理由是，普通學生也希望參加團交，將自己的意見傳達給校方。許多論點都認為，這是感慨代議制民主主義流於形式化的當時，學生們心向直接民主主義的例子；然而，向對方直接傳達自身意見並引出對方反應，藉此可以確認「活著的真實感受」，大概也是學生們的期望。

因此，日後的「大眾團交」如在東大鬥爭等處可見到的，除了用來確認校方是否接受制度性的訴求外，許多時候更是用來關注校方是否承認錯誤及展現自我批評的態度。當學生們的目的是要引出校方上述反應，而校方卻只做形式性的回應時，學生們便愈益憤怒。如此一來，偶爾便會使用超出必要的粗暴口吻來攻擊那種形式性回答，而且有長時間留置對方的傾向，藉這種對抗手段逼出對方的真實想法。

從教授方來看，這種「大眾團交」只讓他們感到遭學生群起批鬥。某私立大學的學部長於一九六七年的雜誌上如此敘述[12]：

經常出問題的是，現在大學中被稱為團交的「對話」。

所謂的團交，原本是工會代表與資方代表針對勞工問題對等溝通的場域。但大學中稱作「大眾團交」的對話，通常都是在大講堂由數百甚至數千人的大學生，對上幾個大學當局者。而且佔據最前排椅子的運動家又會獨佔麥克風，單方面向大學說自己想說的，而且大說特說。

況且用詞上皆是像「你們這些傢伙」、「老人懂些什麼，你們這些老傢伙」、「拿筆記本擤完鼻涕再來說」之類，總是用一些很難聽的言詞。盡力出席一次的教授，都覺得自己被暴力團體所包圍，絕對不想再次出席。簡直就是除了主張權利之外，完全沒有其他內涵的行為。

從教授的角度來看，這僅僅反映出這些在戰後民主教育中被教導「主張權利」的青年集團在施加暴行。即便多少理解學生的年長知識分子，大多數也都批評「大眾團交」。《世界》雜誌的前總編吉野源三郎在一九六九年初如此敘述[13]：

「某位教授曾對我說過，『如果是個別見面談話，〔運動者也〕大多是老實的好青年、優秀的學生啊。可是當他們集體行動時就完全變了個人，自己夥伴之外的發言全都是胡說，夥伴的發言全都沒有異議，原本的交流全被他們切斷了。』在那之後，我也親眼目睹學生們的集體行動，方知該教授的說法絕不誇張。這位教授曾努力要說服許多學生，正因如此而遭遇許多麻煩，最終才會做出如此發言。」

但學生方面的說法則有所不同。校方只要還握有權力與決定權，那麼單純的「對話」就會變成單方面的「說明會」，只會拿官僚的方式對應。沒有權力的學生方，為了改變校方的態度，只能借助人數的力量，或者攻擊形式性回答，又或者做出挑釁式的發言，但無論何者，都只是想追究教授的責任而已。前述的竹村弘直截了斷地表示，所謂「團交」「並不意味互相對話，而是把邏輯與力量強加於教授會。」[14]

這種「大眾團交」也在向國家權力挑戰，因政府要求大學依照「產學合作」路線進行重整，學生們也意識到這是強迫教授表態的場合。當時的《橫濱國大新聞》報導即如此主張[15]：

> 全體學生拒絕交涉／單純的對話本身就具有意義。亦即，這個交涉會場之外籠罩著看不見的文部省敵對權力與警察權力，而學生們靠著團結挺過，當學生的團結力量與國家權力對決時，逼迫教授表態究竟選擇哪一方。某位教授說「這是暴力」、「我們被拘禁了」。這是必然的。學生才不怕這種指控。學生的目標是自身的將來，正因為肩負此責才展開鬥爭，不管被說是暴力或其他批評，只要不追究清楚教授們到底願不願意負起責任，就不可能有交涉。

歷經長達三十二小時的熬夜團交，疲倦的教授們與學生們確切約定二月九日再次交涉後，終於離開會場。但在大眾團交中吃盡苦頭的教授一方，在七日的教授會上達成決議，拒絕九日的二度交涉。憤怒的學生方聚集在二月七日舉行教授會的會議室外走廊，大叫要求九日舉行團交。當這項要求被否決後，晚間十點半，全學鬥爭委員會委員長三戶部貴士拿著擴音器宣布「今後將只由學生來管理校園。」以這句話為信號，靜坐於走廊的學生們全體起立[16]。

根據竹村的回憶，此時「大家紛紛耳語，不知從何處傳出『公社』這個詞彙，而且每個人的臉上都放出光芒。」[17]接著，學生們從教授會手中奪下大學營運權，展開前所未聞的學生自主管理戰術。

根據當時的公安調查廳資料，橫濱國大的全學鬥爭委員會陳述自主管理鬥爭的方針如下[18]：「橫濱國大不若早大那般普遍施行量產型教育，現在卻打算實施，對此我們能進行的有意義武力鬥爭只有一種，就是『大學自主管理、自主學程戰術』。據此，我們放棄此前『拜託教授』的鬥爭，亦即讓教授會去對決文部省（不是直接對文部省鬥爭）的間接鬥爭，而是將教授趕出校園，僅由學生來營運大學。」

據竹村稱，二月七日出現「公社」這個詞後，「學生們判斷〔只會聽從文部省的〕教授會缺乏自治能力，因此以武力剝奪教授會對大學的營運權，在校門築起街壘」，設置糾察隊與警備人員，教授們因而無法進入校園。進入自主管理的大學中，「只有學生認為必須的行政單位才允許執行業務」，以武力阻止支付教授薪水，學生們規劃自主學程[19]。之後維持了約一個月的自主管理。

進入自主管理後的二月十一日，學藝學部自治會的傳單上如此敘述[20]：「所謂的自主管理……簡而言之，就是由負責營運我系的學生之手加以掌控，這種形式保障了我們追求自身的大學教育，而不是現行的大學經營——無法脫離文部省干預且融入統治階級意圖的大學經營。」

從這份傳單可讀出，學生認為因「統治階級意圖」使現今大學不斷成為「教師培訓工廠」，所以必須透過自主管理重新創造「真正大學」的志向。竹村也在鬥爭後的文章提及，「即便鬥爭是一時的，學生仍是大學的核心，才能展現出原本大學該有的樣貌。」[21]一九六五年的慶大鬥爭與一九六六年的早大鬥爭浮現出藉鬥爭恢復「原本大學」的意識，此處也同樣存在。

據竹村稱，這次鬥爭中，「學生之間一路以來一貫主張『貫徹戰後的大學理念』、『為捍衛大學而奮起』，防止大學自治從內部崩壞乃是第一階段。」[22]「貫徹戰後的大學理念」這句話，也可理解為守護戰後改革帶來的學藝學部理念。這與一九六六年早大學生所述之「在街壘之內，有種守護學術自由的心情」有著共通之處。欲阻止因經濟高度成長使大學變質為人才培訓機構的心理，無論在早大或在橫濱國大皆同。早大鬥爭中使用「反對產學合作」的表現，橫濱國大則使用「貫徹戰後的大學理念」。

竹村在鬥爭後如此敘述[23]：「大學是研究與教育的學府」。然而，「教授會無論作為研究主體，或是面對權力時，皆太過居於劣勢」，「與其說教授們是教育者，不如說他們是利己的研究者。」「教授會標榜〔在對權力無害的範圍內准許研究的〕官方許可『大學自治』」，現在教授會實施的「大學自治」不過如此，因此「當教授與權力對決時就會徹底放棄自身角色」，在此狀況下「即便不夠成熟也要由學生之手來管理，學生必須登場，代替能力不足的教授會，成為實際支撐大學的旗手。」

二月二十六日，馬克思主義歷史學者羽仁五郎發表〈大學是學生的〉演說，在展開自主管理的學生們間「獲得壓倒性的支持」。在演講中，羽仁藉中世紀義大利波隆納大學之例，力陳「學生是大學的主人公、代表者，對教授具有任免權」、「面對權力方打壓學術自由，學生們必須團結一致守護大學」、「教授會中解決不了的問題……由〔大學〕原本的主體，也就是學生來解決」等[24]。

羽仁的演講主張只有學生才是大學的主人公，必須守護學術自由，受到基於前述心情進行自主管理的學生歡迎，也屬理所當然。之後，藉波隆納大學來主張學生是大學主人公的歷史根據，這種說法在整個全共鬥運動期間被廣為流傳，羽仁也受到來自各地全共鬥的演講邀約。

尋求「存在價值」的運動

如此，日本學生運動史上最初的自主管理，便在摸索中前進。竹村於鬥爭後的文章中如此寫道[25]：

> 最初的出發點是自主發起的讀書會。《教育與教育政策》、《我的教育宣言》（宗像誠也，岩波新書）、《塑人論》（長州一二，三一新書）、《戰後教師故事》（三一書房）、《教育白皮書》等教育相關書籍，隨鬥爭委員會分發的資料一起被閱讀、討論。高年級學生開始進行專門研究。這些計畫逐漸被自主學程委員會彙整，決定製作日程表時，規劃當天何時用於鬥爭、何時用於學習。最終這個委員會中，學生認真討論並提出了自主學程的方針。

在自主管理中，很重視直接民主主義。竹村敘述，「重要的鬥爭單位由班級、研究室組成，由各班級、研究室的代表即鬥爭委員決定的方針，也全數在每天召開的全體會議中在獲得全員同意的基礎上實施。特別重要的事，會舉行學生大會正式決定。以此為鬥爭原則的話，看起來便很簡單沒有什麼難處。」[26]

根據第四章提及的調查當時學生運動的教育學者鈴木博雄稱，在持續約一個月的自主管理中，全校大約四成的學生到街壘封鎖的校園參加自主學程[27]。被延聘為講師的東大研究生說，「讓人驚訝的是學生明明是在罷課，卻每天帶著募款到校。」[28]

這次運動根植於對現存大學教育的不滿。竹村如此說明[29]：

學生在大學裡總是被動的。上課——出席與做筆記——的形象束縛了自我，而非自主滿足求知慾的人。學生追求更有邏輯的、更為合理的、更具人性性質的學問，但卻被出席卡、做筆記，以及貧瘠的設備與腦袋孱弱的教授所切斷。疏離並不只存在上課方面。變更名稱改變了學生身分，但此事至決定為止皆未告知學生。何況學生們根本不願認可這些決定的內容。此處呈現的，是對決定自身命運的完全疏離，站在與自己無關之處，被決定自身的命運，這種客體感爆發為對教授會的激憤能量，之後為了嘗試加以克服而轉化為運動。

這種自主管理滿足了學生們的期待。一九六六年四月十六日的《圖書新聞》刊登了「中村君」的體驗記，敘述道[30]：「中村君」到高中為止一直是不關心政治的學生，帶有方言情結所以只有兩個同鄉的朋友，一直過著蝸居租屋處的生活。但，一九六五年的學園祭打出「從被飼育的思想中脫離吧！」的主題後，他被觸動而參加班級討論，最終也出席反對學程修訂鬥爭的校內教學討論課。接著於一九六五年十二月被選為自治委員，他也在迷惘之中接下此職。

然而在寒假返鄉後，教授會決定更改學部名稱。憤怒的他身為自治會執行部員加入團交。接著一九六六年二月七日，當三戶部鬥爭委員長提出自主管理戰術後，「中村君」旋即有如下感受並採取行動：

三戶部君的發言，宛如給疲憊不堪的中村君腦袋照下一片日光，帶給他輕盈的感覺。學生再度生氣勃勃。即便無人特意提出「清水之丘（當時橫濱國大所在地）公社」這個詞語，大家仍開始如此耳語。為了達成校園的自主管理，中村君也起而行動。自主學程檢討委員會活動起來，製作時程表、選擇教材、輪流閱讀、進行報告、做討論……每個人、每間教室都展開多元的自主學習。排除校內的教授，從外部延請講師。

學生自主管理學校，並非「聊天小屋」，而是以自己的規則來決定自身的命運，由自己來執行的自立行動團體，這正是公社。

鈴木引用上述文章後如此敘述[31]：「在此狀況下，N君切身感受到與真正的同學結為一體。他這麼想，這才是真正的『大學』。」由此可見，當時的大學鬥爭在建構他們想像的「真正大學」的同時，也是一種為了逃離「現代的不幸」恢復自身「主體性」（identity）的行為。

能夠一路執行這種形態的鬥爭，中央鬥爭委員會留心經營也是原因之一。當時的橫濱國大鬥爭委員會執行部中存在著中核派、社青同解放派、社學同ML派、無黨派等各式各樣的運動者，學藝學部自治會以社學同ML派勢力最強（一般認為橫濱國大是中核派的據點）。因為有這種混合狀態，所以能遵守「經討論、統一後才提出執行部方針；各派自身的行動與這個層次區別開來」等原則[32]。

同時，民青遵照共產黨的統一戰線路線，主張不與有良知的教授為敵，而應與他們合作共同對抗國家權力，呼籲避免與教授對決。但因前一年反對日韓條約鬥爭中，民青並未積極參與武力行動，不受新左翼黨派歡迎，在學藝學部與工學部的自治會選舉中落敗，僅掌控了經濟學部自治會。且在學藝學部更名鬥爭中，學生們群起支持自主管理，二月一日經濟學部也決議通過罷課，因此在執行部的方針下，民青也不得不參與鬥爭[33]。

竹村在鬥爭後表示，各班級與研究室的討論透過鬥爭委員上達給執行部，藉此貫徹「正統」直接民主主義的方式，是「引領數種學生運動潮流，甚至民青也被納入，使運動一直到最後都未面臨分裂的最大原因」[34]。鬥爭委員長三戶部貴士也記道，「學生自治會的戰鬥，恐怕誰都沒料想到會以如此民主的方式展開作戰。」[35]《圖書新聞》的報導也提及「支撐此長期鬥爭的是澈底的民主主義。無論多麼小的戰術決定，學生們都透過群眾討論來決定。因為只有群眾討論決定的方針，所以執行部與新左翼黨派之間並無對立。」[36]

實際上，前述教育學者鈴木博雄是當時橫濱國大的助教授，因本次鬥爭的機會，他開啟對學生運動的調查。他將一九六五年慶大鬥爭以後的大學紛爭調查結果，整理為著作《學生運動》，於一九六八年五月——正好是東大鬥爭與日大鬥爭正式展開前——出版，其序文寫道[37]：

「由於我經歷過〔昭和〕四十一年的橫濱國大紛爭，同時身為大學教授也為了理解今日大學教育應有的形式，所以認為有必要努力理解學生運動。」「在與渾身滿是激憤、張牙舞爪而來的學生交涉中，我發現了與我學生時代的學生運動者截然不同的類型。我意識到若依過往的經驗，不僅無法理解他們的主張或戰術，甚至不懂他們的理論與心情。面對這種未知類型的學生，教授們不知如何是好。看著教授們回答問題時，大為偏離學生們的真正想法而引來學生訕笑，被趕出街壘後，方知『自主管理』這個詞彙的嚴重性，並體會到我們大學教授對學生運動太過無知，為此感到羞恥。」

一九二九年生的鈴木，將一九六六年橫濱國大的學生們視為某種「未知的類型」。而一九三〇年生的評論家中島誠，在體認到一九六〇年代中期以降的學生運動與自己參與的一九五〇年代初期學生運動性質完全相異後，寫下了他的「震驚」感想。

中島是在觀看記錄一九六五年發生高崎經濟大學罷課的紀錄片《壓制之森》（小川紳介導演）時，感受到那股「震驚」。高崎經濟大學因優先接受當地有力人士或企業家子弟入學，導致參加正規考試入學的學生批評前者為「非法入學」，進而發起罷課鬥爭。而即便自治會相關人員已遭逮捕，暑假期間仍有十多名學生佔領、固守學生會館。

中島看過紀錄片後，描述自己受到的衝擊[38]：

> 讓我感到驚訝的，是十幾名學生在盛夏固守學館時的言行。他們在該處舉行中央委員會，討論今後該怎麼辦，如何進行鬥爭。……雖然有各式各樣的討論，但最終他們都會回到自己身而為人的這個主旨。他們從事學生運動，是為了抵抗權力，貫徹維護生而為人的權利。堅守期間有學生打算去尾瀨沼遊玩，經過勸說後該學生又返回。他們強硬說服這位友人道，「你現在離開這裡，就等於向權力屈服，向權力屈服就等於放棄活著。人是否活著，就是能否貫徹存在的問題。」中央委員會的討論，必定會追究到人的問題、存在的問題，這讓我非常震驚。
>
> 我與他們年齡大概相差快二十歲，我的世代，也就是戰後不久的學生運動中，皆未提及存在與否，或者身為人的權利之類的問題。
>
> 在我的學生時代，先鋒黨（共產黨）是唯一的，我的理解是，社會革命無論在理論上或實踐上，都在先鋒黨的領導下進行。……從而，所謂的學生運動帶有一定的指向性，即盡可能向學生

灌輸先鋒黨的革命理論使其理解，並吸收、組織他們為行動的援軍。學生運動的領導者們有種自覺，認為自己是一種觸媒，具有非常禁慾式的倫理觀與正義感，而且與「普通學生」間存在著隔閡，有容易落入自己在革命過程中不惜犧牲性命的悲壯感與自以為是的傾向。為了自己在社會上出人頭地而學習、研究，為就業而考試、結婚、娛樂等一切「為了自己」的問題都被忽略了。學生運動者並非為了自己而活而參與學生運動，而是自我認知為革命的輔助手段。

從今天的角度來看，戰後數年間的學生運動中，我們最敵視的戰爭中的國家主義、軍國主義、民族主義等精神結構，尚留存於行動深處。這就變成了二十四小時行動主義、極端禁慾主義，甚至當緊繃的神經因外界衝擊而放鬆時，又會有一百八十度的大轉彎。

然而，今天的學生運動，特別是僅看過《壓制之森》後，發現運動完全是為了自己。

如中島所敘述的，五〇年代初期的學生運動，由日本戰敗時正值十多歲的世代承擔，在皇國教育被注入的「滅私奉公」倫理尚被大量保留下來。加上當時大學升學率低，大學生是少數的菁英，在此狀況下，學生運動者應犧牲自身菁英地位為革命奮力邁進，所以在中央委員會上不可能討論自我認同等私人問題。

但一九六〇年中期以降的學生則有所不同。他們接受民主教育，主張自己的權利，認為只有自己能決定自身命運。加上經濟高度成長導致的生活與文化變化，大學升學率的急速上升，使學生的存在意義產生改變，因此他們陷入包含認同危機在內的「現代的不幸」中。為此，透過鬥爭確認自身認同，借用中島的表現就是「運動就是為了自己」，他們展現出前一世代運動者與教授想像不到的運動形態。

此外，六〇年代中期的學生們因不像前一世代對戰爭擁有強烈的共同體驗，而懷有一種自卑感，他們想要透過自身的鬥爭經驗去解除這種自卑感。一九六七年七月十日的《橫濱國大新聞》如此敘述[39]：

> 我們的世代幾乎沒有戰爭體驗、安保體驗等橫向擴散的均質體驗。我們逐漸地個人化。硬要說的話，就是大學問題。對我們的世代而言，形成自我的思想，將其打磨、銼平的大銼刀，大概就是大學問題。參加後是否化為自身思想發展的一部分，並不清楚，因為這部分的責任其實在個人本身。我們不能把這個統合運動單純視為物質活動，它形成了我們自身的思想。這不就是自己負起自身的責任嗎？

若從這個理論出發，運動當然希望能阻止學費上漲與更改學部名稱，但在參加此運動時，更重要的是學生形成自己的「主體性」與「自身思想」。橫濱國大新聞會的竹村弘在鬥爭後的文章寫道，自主管理「作為對抗權力的主體，必定需要進行自我確認的作業。」[40]

我們在第四章介紹了高橋徹針對學生運動者的調查，對於中核派學生吐露「人的存在價值是什麼呢？想到這裡，我似乎是為了追求答案而參加運動的」，高橋徹如此評論[41]：「如果在運動中自我充實支撐存在價值，並不僅僅是單純的修辭，那麼我們從中見到的，便是過往社會運動未曾見過的新運動觀的扎根。」

如鈴木所記錄的，面對這種「未知類型的學生」時「教授們完全不知所措。」據一九六六年四月的《圖書新聞》稱，厭倦了無趣授課的學生在自主學程中也會努力學習。因此「在團交的場合，教授們不用功的狀態被學生們暴露出來，屢屢還引學生發笑。」《圖書新聞》舉出一個如下的例子：「學生對著教授怒喝，『你們這些傢伙，知道課程這個詞嗎？知道的人舉手！』結果竟無一名教授舉手，引得學生們訕笑。」[42]

當然，學藝學部的教授們不可能不知道「課程」這個詞在文法上的意義。但學生們質問的並非那種形式上的意義，而是究竟基於何種理念將教育組織成「課程」。習慣遵從文部省指示組織學程的教授們，或者無法回答，或者一如鈴木所言般「教授們回答問題時，大為偏離學生們的真正想法而引來學生訕笑。」

自主管理的現實與極限

雖然學生嘲笑教授們，但實際自主管理大學並非易事。從結論而言，此事超越了學生的能力。竹村在鬥爭後也寫道，「回頭看當時，老實說，（學生們制訂的）這些學程絕對稱不上優秀，看不出有任何特別的方向性。」「問題出在思考方向性之前，也就是我們作為主人公，以自己的手掌握大學，究竟想做些什麼？」「因此，當獲得場域後，許多時候在思考『做什麼』時便陷入困境……這只意味著自身的實力並不足夠。」[43]

如前所述，學生們首先自行選書並開讀書會，之後做報告與討論。對欲學習的事物進行自主學習，這種志向超前於自身的實力。學生們彼此僅具備程度相近的知識與學力，他們即便開讀書會或討論也不具發展性，這種狀況很快就被察覺。

根據竹村的說法，學生們對「教授會缺乏自治能力」而憤怒，以街壘封鎖校園並驅逐教授，「如果學生們的能力近似教授，即便教授們都把自己關在研究室，僅憑學生也能獨自營運大學吧。」[44]就算教授想在教室內講課，但學生們卻主持著比教授更優秀的課程與研究會，如此一來學生方即可聚集更多學生，向教授展現實力，這應該是理想的狀態。

但據竹村稱，「這樣的意圖並無法在短期間內達成。學生們很快就意識到，需要耗費長時間累積自身實力後才能達到目標。」[45]因為如此，橫濱國大的學生們在二月九日開始自主管理後，很快地就在二月底時「自主管理開始顯露疲態。」[46]

鈴木博雄在前述《學生運動》著作中如此敘述[47]：以學費調漲或其他問題進行鬥爭，即便一時興盛，「隨著問題是否能被解決逐漸明朗後，通常全體學生的高昂情緒便會衰退，持續期間頂多一週至兩週。」果然，二月九日開始的自主管理，到兩週後的二月底橫濱國大的學生們即顯露疲態。

此外，鈴木在《學生運動》中也如此說明[48]：「即便學生對大學教育的現狀多所不滿，面對使用罷課等手段長期中斷大學教育後，也對〔升級或畢業出現危機〕的狀態感到極度不安……經過激昂的一、兩週後，必然會明顯出現部分學生脫離的狀況。」

早大鬥爭的最高昂期被形容為有如校慶一般，但祭典或狂歡節之類正常不過數日，無法維持一到兩週。無論一九六五年的慶大鬥爭或一九六六年的早大鬥爭，全校高昂期皆是「一週到兩週」，之後感受到留級或畢業危機的四年級生，及其他的普通學生，就開始訴求停止罷課。根據公安調查廳的資料，大約二月底到三月初，橫濱國大也出現「四年級生的畢業認定成為問題，該些學生們逐漸遠離紛爭」的狀況[49]。

為了突破現況，橫濱國大的學生們從校外邀請講師。既然學識程度相同的學生舉辦的學習會無法達到效果，就只剩下從校外招聘講師的方法。

根據當時的鬥爭日誌，從校外延攬講師的演講，依照如下日程舉行[50]：

二月二十四日　演講　五十嵐吉雄「參加阿爾及利亞的世界教師會議」
二十六日　演講　羽仁五郎「大學是學生的」
演講　野村重雄「從經濟政策看教育投資論」
二十八日　演講　里美實「從教育政策看教育投資論」
三月一日　演講　高山英男「兒童產業論」
二日　演講　津田道夫「國家論」
三日　演講　阿部進「兒童研究論」
四日　演講　山田宗睦「認識論」

實際上，前述羽仁五郎獲得學生「壓倒性支持」的演講，也被當作擺脫這種困境的演講之一。如前所述，此演講獲得好評，「半途呈現疲軟的自主管理，又喚醒了年輕的活力。」[51]即便如此，根據竹村的說法，招聘校外講師「雖然有補足驟然施行的自主學程之意」，但並不能成為決定性的行動。竹村稱，校外講師演講時「學生拚命地記筆記，但能夠理解多少演講內容卻是個問題」，無非是抱持著「只要學生邀請也能獲得講師協助，至少學生能辦得到這點」的「自信」之舉罷了[52]。學生的能力無法達到自主管理這個理想的高度，而且在理解校外講師的演講上，也很難說具備足夠的能力。

鈴木博雄在其著作《學生運動》中，如此評價橫濱國大的學生自主管理運動[53]：「其內容，（一）無法管理行政事務，（二）雖然編定自主學程，但無非是讀書會與演講會，換言之，此類授課內容都無法取得學分認定。從這兩點來看，『由大學生的手來管理大學』這個理念，等於以大為萎縮的狀態告終。」

一九六六年三月十五日的《橫濱國大新聞》如此敘述[54]：

> 自主管理是學生把不積極交涉的教授逐出校園時命名的鬥爭形態，不過隨著時間經過，這個詞彙也顯現出自己的意義，促成學生提高自身的自立性。這個自主管理日後發展成以自主學程為目標的鬥爭，而這個鬥爭至多就是為了要求完全撤回〔學部名稱變更〕的戰術。即便演講會也納入學程中，也從最初在上午、下午排滿一般通識到各專業科目的課程，到後來不得不減少成只有上午安排課程。
>
> 有位老師認為，學生把自主管理從手段變成目的，是為了打造、形成公社。然則，如果自主管理變成目的，那就不會開口要求交涉，也不會減少演講會。很遺憾的，因為這場鬥爭的性格，自主管理只變成一種抗議形態，並且不得不就此止步。

即便在上午、下午排滿自主學程與演講會，全數參加的熱心學生並沒有那麼多。因此學程課不得不減量，而且不得不要求教授們重新展開談判，討論撤回更改學部名稱一事。如後所述，日後各大學發起全共鬥運動時，屢屢舉辦自主講座，但隨著罷課長期化，便無法避免參與學生人數的流失。

橫濱國大中央鬥爭委員長三戶部貴士在鬥爭後的文章中回憶道，「在那場鬥爭中，把我們一直以來累積的理論全都用上了。」[55]同時鈴木博雄則評論道，「一所大學的學生自治會在孤立狀態下，能在當前體制下達到的自主管理，最終，理所當然只有這種程度，而且無法超越。」[56]缺乏經驗與學識的學生們，即便投注全力也只得到這種程度的評語，雖然冷峻嚴厲，但可說十分恰當。

實際上，橫濱國大中央鬥爭委員會有認識到，僅靠一所大學進行抵抗有其極限，因此嘗試過聯絡應該也面臨同樣問題的全國二十二處學藝大學、學藝學部，企圖組織統一戰線，發展成全國鬥爭。但三戶部在鬥爭後表示，大多數培養教師的學部都由民青掌控自治會，他們以橫濱國大自治會是包含許多新左翼黨派運動者的「托洛斯基分子」組織為由，拒絕組成統一戰線[57]。

在這種狀況下，雖然不盡理想，但自主管理鬥爭依舊持續下去。如前所述，一九六六年的橫濱國大鬥爭中，自二月至三月堅持了約一個月的自主管理，學生到校率也維持在四成左右。四成這個數字是高是低，評價相當分歧，但比起大多數學生都成為不到校「睡罷課派」的一九六六年早大鬥爭，可說處於更佳狀態。

不過，當時公安調查廳的秘密調查資料給予的評價卻比鈴木更嚴厲。該資料指出，學藝學部的學生約七百人，他們只對與自身將來有關的問題表現關心，並有很高的活動參與率。但學藝學部的學生只佔橫濱國大全部學生的三成左右，工學部與經濟學部的普通學生幾乎不關心此次運動，這些學部中僅有學生運動者表達支持。因此公安調查廳概算，在橫濱國大的四千九百六十名學生中，運動者佔四%，積極支持派佔二十%，不關心派佔七十六%[58]。

但即便公安調查廳的概算正確，學藝學部學生只佔全大學的三成左右，運動者與積極支持派合計卻能達二十四%，這也顯示學藝學部中有相當人數的學生參與鬥爭。然而，自主管理到了三月已達極限，校外講師的連續演講會也於三月四日停止，三月九日與教授會重新開始團交。

重新交涉幾乎是連日進行。三月十一日有學生約八百人、教授約七十人，耗時二十八小時；三月十六日有學生約六百人與教授約四十人，耗時三十八小時，使用大教室徹夜進行團交。在這些團交中，教授會一方針對未事前告知學生便更改學部名稱，以及未充分審議便議決更改學部名稱兩點，進行了自我批評[59]。

重新交涉的最終日，是從三月十六日上午起一直持續到十七日的徹夜團交。十六日下午的交涉，中央鬥爭委員長三戶部在約六百名學生面前發表以下開場白[60]：

> 在三月十一日、十二日的徹夜團交中，老師們提及一月六日教授會決定把學藝學部改稱教育學部時未事先告知自治會，以及該決定未經充分審議，對此表達反省之意。今天也自我批評當時教授會的決定缺乏社會知覺。身為真理傳播者的教授會，應當採納學生的要求，澈底撤銷變更學部名。我們對國家步步進逼控管教育感到極端恐懼。……我們希望校方承認變更學部名是錯誤決定，並加以道歉。然而校方卻沒有明確的自我批評。青木校長雖表示「引發此等事態，大家可叫我大笨蛋」，但這不是個人層次的問題。變更學部名完全是錯誤的。希望說清楚「缺乏社會知覺」

> 代表什麼意思。沒有任何老師明確說出「你們這裡錯了。」沒有老師自豪地說明變更的理由。我們想對你們說，過則勿憚改。基於全校學生的心聲，我們再度要求澈底撤銷學部名變更。（全場熱烈鼓掌）

團交時，偶爾學生會對教授發出汙言穢語的叫囂。不過，上述發言還是表現出他們希望大學教授是「真理傳播者」。三戶部所言之「沒有任何老師明確說出『你們這裡錯了。』沒有老師自豪地說明變更的理由」，表現出來的正是這樣的情感。比起左顧右盼的模糊發言，即便是反對意見也好，學生們更期待教授擺出應有的凜然態度來發言。

學生在團交上對教授發出的髒話叫囂，是對模糊說法感到焦躁，希望聽到符合「真理傳播者」身分的凜然發言，可說屬於一種求愛行為。一九六八年的東大鬥爭中，一貫「模糊回答」的大河內校長在會晤上惹惱學生，而貫徹保守主張的林健太郎則獲得學生的好評。

遭學生追究的教授一方，自我批評未充分意識到變更學部名屬於文部省反動文教政策的一環，其中存在著問題。然而，教授方也不斷說明，不僅在學藝學部教授會，並且也在全校評議會決議更改學部名，如此一來，問題已經提升到國會層級，靠他們的能力也無法解決。

三戶部指出，大阪學藝大學與秋田大學學藝學部因教授會拒絕更名，所以國會也將他們排除在外，逼問教授們「未獲得大學同意，文部省應將其取消。這就是大學自治。為何做不到呢？」在女學生們齊呼「請回答！」男學生怒吼「把話說清楚」之中，教授們卻只是呆然不語[61]。

教授們不得不承認學生方的追究有一定道理，以及趁著寒假偷襲決議更改學部名實屬卑劣。但是，他們也沒有勇氣撤銷決議，並與文部省澈底抗戰。

最終，因徹夜團交而疲憊不堪的教授們說，「你們說的我理解，但校方也必須遺憾地說，無論如何都無法完全撤銷學部名更改」，並在學生面前哭了出來。看著教授流淚，學生方也開始哭泣。據當時報導稱，「至今為止竭盡全力，最終仍無法撤銷，感知此事的學生們哭了起來，三戸部君也流下眼淚。」[62]

橫濱國大鬥爭委員會的全國規模鬥爭遭拒絕後陷入了困境。三月十七日團交之後，鬥爭委員會執行部表示「依現行狀態持續鬥爭的話，面臨畢業典禮與入學考試的到來，校長肯定會依據『管理命令』找來警隊。現在的狀況是，無論如何都無法達到完全撤銷，但除此之外，只要能要求的全部都要要求。」對於這樣的提案，學生花了二天進行班級、研究室討論[63]。

三月二十日，教授會與學生自治代表會進行談判，學生方以「能要求的全部都要要求」的決心展開交涉，並與教授會一方達成如下約定[64]：

（一）站在團交過程中提出之三項自我批評基礎上，向學生及其家庭郵寄道歉文；（二）確立對反動文教政策的立場；（三）不廢止學藝學士學位；（四）於學生自治會與教授會兩者間設立協議會；（五）對鬥爭期間中的學生不施加處罰；（六）立即全面中止伴隨學部改名而來的學部設置基準與教師證照法修訂，以及以此為前提的學程修訂；（七）不改變大學、學部的基本經營方針；（八）不變更學部的基本理念。

總的而言，即與學生約定雖然承認學部名稱變更，但不變更學程與學部經營方式，並於教授會與學生自治會之間設立協議會。設置協議會在一九六五年慶大鬥爭中亦為收拾罷課事態的條件，但實際上則變為校方片面的說明會。橫濱國大的學生為了能更深入參與大學經營的場域，而要求設置協議會。

如此一來，三月二十五日結束了罷課。對於橫濱國大鬥爭的結果有各式各樣的評價。大多數評論都將此鬥爭定位為失敗，因為雖然設置了協議會也成功阻止了學程修訂，但終究通過學部改名。另方面，《圖書新聞》則報導學生之間「並無敗北的挫折感。」[65]

關於自主管理的評價也相當分歧。《橫濱國大新聞》評價，自主管理在此鬥爭中僅止於「戰術」、「抗議形態」，此於前文已提及。《都立大學新聞》認為「現在社會體制必然會追求把學生商品化」，而自主管理就是「與之對抗，主張真正的教育與真正的人性者之鬥爭形態」，但鬥爭「卻未朝追求真正的教育的方向邁進，僅被當作處理麻痺體制的一種方策，最終導致悲劇的結果。」《圖書新聞》也表示，自主管理「只被當作戰術來採用」，「若能把弱小化的公社透過原則性、綱領性的問題加以澈底檢討，並把廢除既存學校教育當作目標，則橫濱國大、學藝學部的戰鬥，將能產生更多的迴響。」[66]

鬥爭當事者們明白自主管理是自然產生的，故對於難以將其理論化其實抱有自覺。竹村在鬥爭之後的文章中如此敘述[67]：「支持自主管理的思想是什麼？那僅僅是剛萌芽的想法，無法從中求得某種體系化思想。」「關於自主管理是什麼，若不怕招來誤解而嘗試回答的話……那便是持續了一個月，而且現在總歸結束了，只能這樣回答。」

雖說如此，橫濱國大鬥爭仍以自主講座這種鬥爭形態而聞名。此與街壘並列，對經濟高度成長下直接面臨認同危機與「現代的不幸」的學生們而言，同樣是確認自我與品嚐「活著的真實感」的，充滿魅力的鬥爭形態。

因此，這種鬥爭方法擴散到日本全國。明治大學、中央大學、東北福祉大學等鬥爭皆受此戰術影響，之後全共鬥運動時，也廣泛舉行自主講座。據公安調查廳稱，橫濱國大鬥爭最高昂時期，「因為早大紛爭正走到頂點的關係，為了澈底學會『自主學程的方法』，早大學生運動者連日前來支援、參加。」[68]

而一九六六年初的橫濱國大鬥爭與早大鬥爭，當然引起新左翼黨派的矚目。到慶大鬥爭為止並不關注校園鬥爭的各新左翼黨派，也開始關心校園鬥爭。

然而，新左翼黨派對校園鬥爭的定位，仍舊不離各黨派的革命路線。例如一九六六年五月，前往參觀早大鬥爭與橫濱國大鬥爭的中核派幹部北小路敏，寫出一篇名為〈復甦的「戰鬥全學聯」〉的論文。文章的主要論點指出，至六〇年代中期停滯的學生運動，在大學鬥爭這個新場域獲得了重生。但我們不能忘記北小路在文中附加一段說明[69]：

> 橫濱國大鬥爭中，我對一點感到憂心，即不可否認的是，可能有學生把「自主管理鬥爭的教訓」視為透過自己的手打造與大學不同的學程，並誤解藉由這種對立可以重造大學。
>
> 若不顧今日大學的反動化是資本制社會本身的產物這一嚴酷的現實，認為可以在今天實現「原本的大學」（這個詞彙究竟意味什麼也是一個大問題），這種想法不過是一種幻想。

北小路如此主張：「鬥爭的真正成果並非在今日實現『原本的大學』，而是如何產出以及能產出多少在當下戰鬥的革命知識分子，為了打造包含『原本的大學』在內的『原本的社會』＝共產主義社會而奮鬥，這才是重點。」接著，「明確認識到現在大學的問題並不在『校內問題』這點」，有必要「打破動不動就將其視為『校內問題』的看法」，「迫切需要的，是將其當作全國性政治鬥爭的一環來處理。」

鈴木博雄同樣指出，在體制內的自主管理有其極限。但根據北小路的說法，大學問題只要不打倒資本主義社會便無法解決。在這個前提下，大學鬥爭的目標就是能夠擴增多少「在當下戰鬥的革命知識分子」，換言之，就是能擴增多少自己新左翼黨派的同盟成員。北小路的這種主張，雖說承認大學鬥爭具有一定意義，但基本上仍帶著蔑視的態度，認為這基本上是「未與革命連結的校內主義」，這顯示出他的論述仍與慶大鬥爭之前的根本認知並無二致。

這種觀點未能注意到經濟高度成長帶來社會的激烈變化，導致學生們直接面對包含認同焦慮在內的各種「現代的不幸」。北小路或許因為有過參觀早大鬥爭與橫濱國大鬥爭的經驗，在前述文章中也記道「我在這麼寫的同時，屢屢也對自己是否真的能正確掌握這些鬥爭而感到不安。」[70]但他對大學鬥爭的最終定位並無改變。

第四章也引用過共產同運動者三上治於二〇〇〇年的文章[71]：「政治黨派幾乎都不了解開始成為重大潮流的大學鬥爭。他們幾乎沒有從社會層面去理解的觀點。大學鬥爭是社會運動，而非政治運動。」不僅如此，「在大學他們只懂得找加入黨派的運動者，政治黨派終究不理解大學鬥爭」，「只有在支持行動型態的激進性上做出一點連結」。但三上是否在當時便有這種認知，仍值得懷疑。

此外，自主講座的形式雖然波及全日本的大學鬥爭，但卻談不上思想上的深化。第四章介紹過的社會學者高橋徹於一九六八年曾如此說道[72]：「現在校園鬥爭中逐漸蔚為流行的『學生根據自主學程進行自修』……可說是種獨特的嘗試。但實際上即便熱烈企劃此理念……仍無法將『學生力量（student power）』的知識性面向當作一種再生產機制加以制度化。現實中，最後只成為罷課時吸引學生群眾的『暫時性活動』而告終。」

無論如何，街壘與自主講座發生自一九六五年至六六年，到一九六八年迅速普及。就在新左翼黨派與普通學生處於同床異夢的狀況中，一九六六年至六七年大學鬥爭的數量愈益增加。

一九六五年末的「中大公社」

之後，僅計入引起大眾傳媒關注的學生運動，就有一九六五年底至六六年的中大學館鬥爭、一九六六年底至六七年初的明大反對學費調漲鬥爭、一九六八年初的中大反對學費調漲鬥爭等。為了比較鬥爭在何種狀況屬於成功，何種狀況屬於失敗，此小節中將透過觀察中大學費調漲鬥爭，進而概觀另外兩個鬥爭。

中大學館鬥爭的起因在於一九六二年學館建設計畫決定後，學生方與校方圍繞著管理經營權產生了對立[73]。中大是社學同的據點，長期備有約兩百名的運動者，還掌控了名為「白門祭」的校慶實行委員會。一九六五年十二月，學生方向校方提出「學生統一案」，並展開了罷課鬥爭。

但當時，中大社學同中沒有人有執行罷課的經驗。在此狀況下，從一九六〇年安保鬥爭起便一直參與行動的三上治，即以具備罷課經驗的身分造訪中大[74]。三上抵達當時還位於御茶水的中大時感到相當震驚，因為學生們以桌椅築起街壘，封鎖了大學。

三上「對築起街壘的學生說，這不是罷課，而是封鎖大學」，但「學生們笑著說，不管是封鎖或者佔據，都無所謂啊。」三上還寫道，學生間「突如其來地提起波隆納大學，說起關於大學自治的新解釋。」

橫濱國大邀來演講的羽仁五郎，在一九六六年二月講述波隆納大學的學生自治並獲得喝采，但自一九六五年底開始，學生之間便把波隆納大學當作「由學生進行的大學自治」先例來談論。

根據三上的說法，此地的「學生們透過街壘封鎖大學的鬥爭，體會到過往學生們未曾經歷的快感。」三上也與教授們對談，據說教授們也察覺到這個新世代的運動與過往性質不同。

三上在與教授們談話中感受到了以下的印象。學生們的不滿包含了「大學設備惡劣，或者覺得量產型授課無趣。」但引發鬥爭的更大根源在於經濟高度成長使社會結構變質，當大學升學率也上升時，對「規範知識分子或大學生的大框架（共通的印象或認知）遭破壞之處」產生了「不安意識、否定意識」，以及「經濟高度成長的富饒卻換來滲透內心的空虛感」。

此時的街壘也為一定人數的學生帶來解放感。中大社學同的運動者神津陽在此學館鬥爭時尚為普通學生，他於一九七八年如此回憶[75]：

政治意識與常人差不多，偶爾參加示威遊行，無論對哪個黨派的鼓動演說或體質都感到格格不入，身為一個再平常不過的普通學生，偶然去了趟許久未去的大學，卻看到了「街壘」。半感興趣地進入校園，戰鬥、論爭、成立班鬥（班級鬥爭委員會），接著又更擴大參與，最終捲入漩渦的中心……。這些與學問、〔被機動隊包夾毆打的〕三明治示威、約會等，都有所不同的「共同」體驗，是種讓人感到如此有趣、竟然有如此充滿躍動感的世界般的身心「解放」體驗。

如同橫濱國大鬥爭般，與舊世代運動者相較，他們也是「迥然不同」的運動者。神津於二〇〇七年如此回憶：「一九六五年左右，還有許多保有安保鬥爭記憶的留級運動者前輩，他們邊搞一百人規模的示威，邊談著讓六〇年安保規模的鬥爭再度降臨的夢想。在這類運動者看來，校園鬥爭只是擴大政治鬥爭的階段，我從學館街壘罷課中則產生一種感慨：那是全然不同的社會鬥爭。」根據神津的說法，在大學築起街壘的鬥爭型態，受到許多前輩運動者們的批評[76]。

此次街壘從十二月十三日開始至十七日與校方達成協議為止，持續了五天便結束，不過仍與慶大、橫濱國大相同，被稱為「中大公社」。此時的全校罷課實行委員長久保井祐三，在一九六五年十二月給《中央大學新聞》（七三一號）投稿的評論〈中大公社的五天〉中，舉出「波隆納大學」的例子闡述「此際整個中大的機構完全由學生掌控，再也不是紙上談兵，而是擁有完全自治與直接民主主義。」[77]

不過，這場鬥爭能如此高昂，大概也與只持續五天這種正好適合慶典長短的天數有關。此外，神津雖強調無黨派普通學生的熱烈參與，但他本身也成了社學同的運動者，而且無可否認，實際上鬥爭是在以社學同為領導者的狀態下進行。順帶一提，據神津稱，反對激進鬥爭的民青「從街壘陣前逃亡」[78]。

此處必須注意的是，一九六六年早大鬥爭等將教授視為與學生共同打造「真正學府」的同盟者，但此時則將他們視為敵人。上述久保井祐三的評論中如此敘述[79]：

「現行體制下不存在『大學自治』等想法。如果存在的話，就一定是『公社』的形式，除此之外別無其他可能，要實現這點就必須倚靠武力。」「大學自治的唯一核心成員就是學生，所謂的大學就是學生的。」「日本學生運動的『校園民主』鬥爭過程中誕生的與『進步的教授』的統一戰線，如今已不復存在了。……現在，教授會是公然出現在我們面前的敵人。」

民青主張，不應將教授視為敵人，而應與「進步的教授」和職員打造「統一戰線」，對抗文部省和政府。但神津表示，「民青諸君堅持不與教授會為敵的主張是不合理的。」[80]在東大鬥爭以後的全共鬥運動中，將教授和教授會當成敵人是普遍現象，而其萌芽則出現在一九六五年末的中大學館鬥爭。

不過，當時也可見與此相反的報導。一九六七年三月號的《世界》雜誌刊出的中大學館鬥爭報導中，社學同成員的日間部自治委員長前田祐一如此主張[81]：

「在大學失去了學府的狀態，被定位在國家體制內的現狀下，為大學創造新秩序是學生的義務。我們的目標是教授、職員、學生三方組成共同體統一戰線，實現大學自治，但在不可行的狀態下，只能且必須由學生追求這個目標。學生會館必須滿足今天對量產型教育感到不滿的學生。因此，對現實不滿的學生在會館籌組自主學程，冀望藉此達成學生的思想生產，計畫以變革授課內容與打破對課外活動的壓抑為目標。為了達成此目標，無論如何都需要學生獨立管理。」

這段發言中，以大學由「教授、職員、學生三方」組成統一戰線為「目標」。此外，也可見到其思想是：大學應為「學府」，透過鬥爭恢復因經濟高度成長而不斷變質的大學。自不待言，這與慶大鬥爭、早大鬥爭、橫濱國大鬥爭中的學生的心理很類似。

《世界》雜誌引用的前田發言並未標明出處，因此準確性並不明朗，而且使用「統一戰線」這種民青用語也多少有些不自然。不過後述的一九六八年初反對中大學費調漲鬥爭中，仍有信任教授的現象。若上述報導有一定程度的正確，只能說對教授產生明確敵意的傾向，此時尚處於萌芽階段。

校方擔憂罷課長期化，故採取較柔軟的對應方式，設立由教授與學生組成，為審議學生統一案的準備會[82]。但，校方對於在罷課前擅自闖入校長室的事件，一九六五年十二月底仍開除了三名學生。一九六六年六月學館建築竣工後，七月發生了學生方強行入館的事件，十月共懲處十四名學生，其中也包括退學處罰。對此，學生方除要求撤銷懲處，尚要求：（一）由學生獨自管理經營學館、（二）會館職員任免權、（三）從整體授課費中挪〇．五%作為會館預算（約九百萬日圓）等。

之後於「準備會」進行的交涉未能達成共識，學生方由自治會、社團聯合六團體組成全校中央鬥爭委員會，在聯合自治委員總會通過罷課決議。一九六六年十二月八日，第三屆準備會於大禮堂召開，校方由準備委員會全體、五位學部長與三位理事出席，學生方由委員全體出席，約有四千人旁聽，成為所謂的「大眾團交」。然而雙方針鋒相對超過八小時，教授們最終受不了而離席。當夜，學生方宣布進入罷課，重新築起街壘。

見到重新展開街壘、罷課，焦急的校方連日徹夜進行交涉，十二月二十五日達成協議。協議內容對學生方大幅讓步：（一）由學生的管理經營委員會管理會館、（二）承認學生自行雇用會館職員，利用者限定中大的學生、（三）學館預算不從整體授課費中按一定比例撥付，但首年度支付七百萬日圓，之後不下調。

關於校方會讓步到這種程度的原因，當時的學生部長如此說明[83]：

「只要沒有具體解決罷課的策略，罷課便可能延長，如此便無法實施入學考試，將造成重大影響，因此教授會傾向即便讓步也要解決事態，導致制定這樣的內容，而身為教授，這種態度只能說是放棄自身責任。普通學生幾乎都不關心罷課，自治會幹部則根本沒想過要通過合理推動討論以得出可接受的結論。況且只要學生會館被學生獨自管理，可能會出現只有一部分的學生與外部團體（新左翼黨派）方能使用，普通學生反而無法利用的狀況，這點令人擔憂。」

同時，社學同方面對挪撥一定比例的預算遭拒，以及如果被認定把學館當作自家據點將被停止自主雇用職員權的條件，也出現反彈的聲音。但全學中央鬥爭委員會因鬥爭資金枯竭，與進入寒假後學生人數將減少等理由，決定接受上述協議[84]。

如此，由社學同掌握管理權的學生會館中，迅速開始舉辦自主講座。由校方支付的七百萬日圓學生會館管理費中，約三百萬被用於自主講座。一九六七年四月至十二月舉辦的自主講座，邀請了三浦勉、正木宏、竹本信弘（如第十四章後述，日後以「瀧田修」為筆名主張武裝鬥爭）、藤本進治、吉本隆明等當時非共產黨派的左派知識分子。社學同的運動者們似乎思考「想要形成新的左翼運動思想潮流。」[85]

不過，此自主講座也如高橋徹所評價的一般，僅停留在「成為罷課時吸引學生群眾的『暫時性活動』而告終」的程度。這些演講會分別在下午舉行兩場，夜晚舉行一場，不過一場講座的參加學生大約四十人，參加總人數僅停留在四百人左右。這些數字反映出，普通學生並未熱烈參與學館鬥爭的實際狀況。

如此，中大學館鬥爭雖未將普通學生捲入，不過與慶大鬥爭相同，以新左翼黨派為主的交涉仍獲得一定成果。但在一九六七年初的明大鬥爭中，新左翼黨派的高層交涉卻遭遇失敗。

在新左翼各黨派一意孤行中結束的明大鬥爭

明大學生會由各學部代表聚集而成，同時也是社學同的據點。明大學生會於一九六六年七月與大學理事會締結協約，約定學費調漲時，應透過與學生對話來執行[86]。

然而，一九六六年十月二十五日第七次與校方交涉後，學生會中央執行部突然主張「澈底撤回學費調漲」的鬥爭宣言。對此，理事會方面表示願意繼續交涉，而普通學生也感到唐突[87]。

十一月十八日召開了臨時學生大會，學生會一方提出展開罷課的提案。但大會參與度不高，總共六百九十九名的代議員中，包含五十位提出委任出席狀的人，總共才約四百五十人出席。普通學生提出「因為這是重要議題，請交付全校學生投票」、「應該多累積些由下而上的討論」，但學生會一方則堅持「若不能在寒假前進行罷課，就等於輸了」，歷經六小時的討論後，贊成者勉強構成多數，接著據此通過、確認罷課權[88]。

最終，大會在鬥爭方針與全學鬥爭委員會（全學鬥）組織上出現意見分歧，花了三個小時討論。隨著大會的拖延和與會人數的減少，之後以微小的差距通過執行部的草案，即全學鬥的組織完全委任中央執行部議訂。執行部草案的通過，標誌著全學鬥由社學同所壟斷。表決時，代議員僅剩約二百人，留下的社學同運動者甚至多於普通學生。

緊接著，有人旋即提出對議長的不信任動議，抗議學生會的議事管理，但遭到否決後大會便告結束。明大的學生新聞也報導：僅由約二百人的代議員進行議決一事遭到批評[89]。

之後，十一月二十四日和泉校區、二十八日生田校區進入罷課，築起街壘，宣布自主管理。十一月三十日，於校本部禮堂舉行的與校方團交破裂，當夜學生築起街壘，全校罷課，大學進入學生自主管理體制[90]。直到十二月十五日，明治大學理事會才正式宣布調漲約六成授課費的計畫。

一九六七年一月二十日的《朝日新聞》描述明大鬥爭，「這場紛爭實在太過奇特，在理事會公布學費調漲之前，學生方就進入放棄上課的狀態。」[91]這是因為掌控學生會的社學同與理事會有密切接觸，事前即獲得調漲學費的資訊，但還是無法擺脫社學同一意孤行之感。

罷課後的校園景致，也給人大學一方與社學同合謀的感受。當時的報導記錄道，「將校園交給學生之前，大學職員仔細告知電源與滅火器的所在處，大家的表情都很開朗。」「學生部長在大門前吟詠『國破山河在』的詩句，並留下一句『諸君！小心別感冒了』，之後身影消失在街壘之外。這給人一種彷彿在看一場已知道劇情的戲劇演出般，是個非常光怪陸離的光景。」據說理事長還表示「孩子們在惡作劇啊。」[92]

宣布自主管理的街壘之內，迅速開始舉辦自主講座。但因皆由社學同專擅，普通學生參與並不熱烈。據當時報導稱，「出席學生零零落落，自主講座旋即告終。更有甚者，普通學生原就不太具備參與罷課的意識，看守街壘的學生也不多。加上職員已經被攆出校園，所以學生們只能在無法購買學生票的狀況下返鄉。」[93]

為何明大社學同不等校方宣布學費調漲，而且在普通學生並不熱烈參與的狀況下，匆忙推進罷課？當時的雜誌如此報導其理由[94]。

第一個理由，三派全學聯的內部勢力鬥爭。如第四章所述，中核派、社學同、社青同解放派組成三派全學聯，成立大會預定於一九六六年十二月十七日舉行，首屆委員長預計由明大學生會委員長齋藤克彥擔任。

為此，熱中三派全學聯成立的明大社學同為了向其他派系誇示實力，表示「在明治的鬥爭中有必要提升氣勢。」當時新左翼黨派的運動者中便有傳言，說這場明大鬥爭是送給齋藤就任委員長的賀禮。因為有這樣的背景，在慶大與早大反對學費調漲鬥爭中進行罷課時，社會上有不少同情學生的聲音，相對地在明大鬥爭中，卻出現社會輿論顯得「冷淡」與「不關心」的報導[95]。

根據當時的報導，社學同認為「早稻田鬥爭失敗的原因在於『由全部的學部組成鬥爭委員會，導致最終事態無法收場。』早大鬥爭中，各學部的鬥爭委員會掌控在各新左翼黨派手中，在共鬥會議中也確實發生糾紛。因此社學同重視組織的統一，一九六六年十一月十八日臨時學生大會上，社學同掌控的學生會中央執行部提出之罷課決議案中也明言：「關於鬥爭，堅實的鬥爭組織不是倚靠由下而上的領導力，而必須透過由上而下領導的形式來追求運動。」[96]

日後《中大學生會館新聞》如此敘述社學同的特徵[97]：「他們主張，學生們不能只把自己當學生，這種意識是行不通的，必須從整體社會的觀點重新編組學生。」「該運動實際上明明以學生為基礎，但社學同卻企圖從革命的觀點獨力重整學生，因此他們的組織方針有點空降部隊之嫌。」「學生應有的狀態，大學應有的狀態，共同體在利益上的幻想，而透過團交要求貫徹執行的方式，正是被這種幻想所束縛，因此我們堅決拒絕。」

因為這種態度，明大社學同不採取慶大鬥爭出現的經班級討論由下而上累積共事的型態，也就不意外了。原本明大社學同在校內就是一個新左翼黨派壟斷統治的狀況，所以除了掌控自治會費與合作社等「財政上的利益」外，更擅長與校方進行高層交涉，當時的雜誌報導他們「政治手腕卓越」[98]。亦即，明大社學同對自身的力量相當有自信。

然而，明大社學同的這種態度卻無法引起普通學生的共鳴。即便如此，十一月三十日召開與校方的團交，學生仍擠滿了位於駿河台校區的紀念館，只是之後普通學生的參與人數就不斷下降。當時明治大學校內雜誌《駿台論調》評論道，「〔學生會〕中執會……正在自我固化」，「因此導致團交之後的抗議集會、抗議遊行、建構街壘等的學生參加人數如雪崩式的下滑。」[99]

因為普通學生不熱中，面臨就業與升學的學生態度迅速動搖。校方早就給寒假返鄉的學生們發送賀年卡，內容提到「若駿河台〔校區〕於一月二十一日前、和泉〔校區〕於一月十三日前不解除罷課，則無法升學、畢業」。過完年不久，面臨就業壓力的工學部四年級生們即展開連署運動，要求學生大會通過重啟授課的決議[100]。當時的週刊雜誌《朝日Journal》如此報導[101]：

> 放假後大勢底定。自十三日起學生與教授會重啟對話。教授發言表示「學費上漲也是不得已而為之」，竟出現學生方報以鼓掌的奇怪現象。商學部四年級生連署要求重啟授課，體育會學生舉行「抗議校園封鎖集會」，於正門街壘前展開解除罷課的連署。全學鬥雖盡力說服，但此集會卻無解散的模樣。商學部四年級有四個班級更是召回鬥爭委員，改以支持重啟授課的人取代。

事已至此，便不得不開始收拾事態。一九六七年一月起展開了數次團交，特別是一月二十日的

「公開團交」上，幾乎來了約佔全校學生四分之一的九千多名學生，對那些無法擠入會場的學生則以大型擴音器進行實況廣播。只不過據說也有些人對聽實況廣播的學生說，「終究只是一部分的運動者與理事會的『對決』，沒有必要勉強去看。」[102]

團交雙方在沒有交集的狀況下決裂，二十五日的團交也未達成結論，一月二十九日第三度舉行團交。但當以社學同為主的全學鬥成員前赴團交會場時，體育會學生已佔據會場前廣場，憤怒的全學鬥協同校外的支援部隊以武力鬥爭的方式毆打體育會學生[103]。

但這場武裝內鬥卻適得其反。之前明大的體育會一部分學生向校方靠攏與全學鬥對立，但主流派仍保持中立，然而社學同進行武裝內鬥惹惱了體育會主流派，社學同變成與整個體育會為敵。理事會方面對這次武鬥騷亂也揚言「在這種狀況下不接受團交。」[104]

對此，全學鬥採取強制作戰方式，二十九日晚間把校長、理事長關起來，脅迫要求交涉，機動隊為了救出校長而出動，驅離全學鬥，街壘則被體育會學生撤除，對全學鬥發出解散命令。全學鬥打算舉行抗議集會，但大學周邊都遭體育會學生壓制，無法聚集學生，二月一日其他大學的社學同前來支援抗爭，也遭體育會學生阻攔而無法進入校園[105]。

陷入窮途末路的全學鬥社學同運動者，以學生會委員長齋藤為主的成員與校方進行高層交涉，二月二日在銀座東急飯店對調漲學費一事達成共識。此次高層交涉被稱為「二・二協定」，不過據共產同機關報《戰旗》稱，齋藤一行人「在兩到三個小時前舉行的全學聯集會上發表『完全撤回』的鼓動演說，於〔共產同〕學對部的席上隻字未提正在進行的協議，還明言『絕不輕易妥協』。」[106]

如第四章提到，前早大社學同的荒岱介認為，這次高層交涉背後存在明大社學同與大學當局勾結的利權。荒於二〇〇八年的著作如此說明[107]：「一九六七年明治大學反對學費調漲鬥爭中的高層交涉，實際上與掌控學生會中央執行委員會的共產同……在明治大學合作社的利益有關。簡單來說，當時一部分的共產同領導者們是明治大學合作社的理事或職員。他們要保障自己的利權。」

對於齋藤等人私下進行高層交涉，普通學生當然不滿，甚至共產同內部也爆出反彈聲音。共產同將齋藤批為「腐敗分子」，並開除了他三派全學聯委員長的職務，由中核派的秋山勝行接任。如此一來，一九六七年底至一九六八年前半的「激盪的七個月」，便由中核派與秋山委員長領導。

但當時中核派運動者的小野田襄二在其二〇〇三年的著作中則如此表示[108]，對得到大學當局默許挪用自治會費與合作社銷售額的明大社學同而言，「與大學當局維持和平共存」才是重要的，「大學當局賦予明大自治會高於其他大學的治外法權，除此之外，明大共產同也握有合作社。這些既得權益對共產同為生死攸關的問題。實際上，明大共產同（明大學友會）一邊與校方做出許多明大普通學生認為的背叛行為，但同時仍穩坐明大自治會的執行部寶座。」

如此，一九六七年初的明大鬥爭在新左翼黨派的利害關係中單方面地起始——妥協，並且旋即告終。但一九六八年初的中央大學反對漲學費鬥爭，雖同樣是社學同的據點大學，卻呈現出不同的樣貌。

以勝利告終的中大鬥爭

一九六七年十一月二十七日，中大理事會對日、夜間部二自治會公告明年度起計畫將學費調漲四十七%[109]。中大的校長兼理事長桝本喜兵衛，向大學捐贈了前旗本大宅遺址的約五千坪土地作為大學用地，這號人物抱有強烈的一人治理「我的大學」的意識[110]。桝本事前並未與教授們商量學費調漲，此決定也讓教授們感到驚訝，但桝本卻表示「大家都說這是大幅調漲，但其實已經是很客氣的金額了，不管出現什麼樣的反對，都要實施調漲。這是我的信念。」[111]

掌控中大自治會並在學館鬥爭中獲得成果的中大社學同，旋即展開反對運動。十二月四日，在由教授們組成的校長諮詢機構的教學審議會上，提出了學費調漲問題[112]，但因學生運動者的介入導致流會。翌日五日，中大片面播放桝本校長的「全校廣播」，指出中大為了「確保將來大展宏圖的基礎」，必須調漲學費。

十二月十八日，日間部自治會認可罷課權。二十三日，運動者闖入在丸之內飯店舉行的教學審議會，校方承諾在寒假期間不會就調漲學費做出最後決定，而且桝本校長會在一月中旬接見學生，但仍有四名學生遭到逮捕。

以社學同為核心的全校學費鬥爭聯絡會議行動委員會代表吉川晃，面對雜誌採訪時如此表示[113]：

「我們在當今的大學中只是一個商品，被當作勞動力來大量生產，接著送入資本主義社會，為了該社會的存續而遭利用。這樣的現實狀況能夠被忽視嗎？這次的學費調漲，便是在促成大學進行帝國主義式的重整，因此我們的反對鬥爭與反戰鬥爭、階級鬥爭、反政府鬥爭相互連結。在完全撤銷調漲之前，我們一步也不會退讓。」

從這段話可以看出，早大鬥爭中出現過的「產學合作」、「教育工廠」等詞彙，已經滲透至大學鬥爭中；反對學費調漲是抵抗大學「帝國主義式重整」的政治鬥爭，因此形式上等同於「反戰鬥爭、階級鬥爭、反政府鬥爭」，從這些主張中可看出與新左翼黨派理論整合的樣貌。

雖然如此，罷課開始時中大的運動者們並沒有太多自信。除了同樣由社學同領導卻輸得一敗塗地的明大鬥爭仍記憶猶新外，某運動者吐露「如果校方使用當時早稻田那種提報告抵期末考與讓公權力介入的手段，我們還是沒有多大勝算。」[114]

而且在這個階段，普通學生們的反應大致都很冷淡。根據當時學生的回憶，社學同的運動者們「即便把所有的現象都歸結為『帝國主義的重整』、『協助越戰』等等，大多數的學生仍不為所動。」最初「普通學生都不認為身為法律專家的校長會在行政程序上犯錯，並認定即便發生這樣的狀況，有一半的責任也都出在運動者們的行動上。〔社學同的運動者們〕跑去舉行審議會的飯店破門而入砸場時，許多學生都覺得『不用搞到這種程度應該也能解決吧……』。」[115]

扭轉當時這種氣氛的，是一九六八年一月九日的校長會見。因十二月二十三日曾與學生約定，桝本校長要在這天與大約二千五百名學生見面。全學鬥以理事會的說明不夠具體而要求公開會計內容，理事會一方則加以拒絕[116]。

在這樣的爭吵中，一位學生手持隔天最早印製出的早報版本，指出報上已然刊登修訂學費的廣告。之前明明與學生約定，不在寒假期間對學費調漲做出最終決定，但又刊登這則廣告，校方的這種態度讓學生們群情激憤。當時的學生如此記下現場狀況[117]：

瞬間禮堂充滿指責與怒吼的聲浪。此前大綱上寫著先經過與學生對話之後才做決定，這種全然不把學生放在眼裡的態度才是理事會的真面目，這使普通學生也感到非常憤怒。

「愚弄別人也要有個底線。我也是有繳學費的。我們的社團一定抗戰到底。」

說出這段話的是一位隸屬於愛好彈奏樂器的社團的男性。……這個時期，大部分的社團都已轉為支持在街壘鬥爭。

理事會大概原本是準備好大綱，再儀式性地請校長親臨接見。但理事會卻太小看了學生。與慶大、早大相同，這種公布調漲的手法，背離受民主教育的學生們的觀感，所以引發強烈的憤怒。之後，全校的班級討論熱烈，在全校約二百六十個班級中有一百三十個班級決議反對學費調漲[118]。在此情況下，一月十三日大部分學部展開罷課，剩下的理工學部也在二十二日加入，發展到全校罷課的狀態。[119]

與早大、明大不同的是體育聯盟的態度。許多私立大學的體育會因在預算等方面獲得大學的優惠，許多案例中都會破壞街壘，成為大學當局行使暴力的打手。然而一月二十五日，中大體育聯盟卻推出「反對片面調漲學費，拒絕一切校內暴力」的大看板[120]。

實際上，中大的體育聯盟不同於其他私大的體育會，並不直接從校方取得預算，而是由學生社團聯合的學友會分配預算。因此與早大、明大相比，與校方的關係並不緊密。況且一九六六年的中大學館鬥爭中，體育聯盟因採取旁觀立場，結果當學生爭取到自主管理學館後，體育聯盟是否能分配到社團辦公室一直處於不明朗的狀況。因此體育聯盟委員長發言表示，「不管其他大學的運動部狀況如何，中央大學的體聯如果不站在學生的立場思考、行動，結果就是掐住自己的脖子。」[121]

此外，教授們也對校長一人總管一切的態度感到不滿。前文提及學費調漲一事並未通知教授，在校長接見學生的前一天，也就是一月八日，由教授組成的教學審議會提議學費調漲降至三十七%[122]，但意見並未獲得採納。某位教師接受採訪時如此表示[123]：

「理事會中雖有教學理事，但在經營管理上猶如公司的重要董事與普通員工間的關係，即便展示了一堆數字，我們也改變不了什麼。也就是說，在會議時只有提出包含大量數據的會計內容文件，會議結束後就立刻被束之高閣。在這種狀態下，根本不可能有好的教學或研究。」

校長的「諮詢機構」教學審議會，也甫於一九六七年啟動，而且由校長擔任委員長。與慶大等大學相同，大學經營並未隨時代進化，而且該教學審議會彙整出意見時，已經是全校進入罷課的一月下旬，因此只招來學生們「支持調漲的幫兇」、「校方不理會教學方的意向片面決定調漲」等批評與憤怒[124]。

在會計現代化方面，與慶大等其他大學相同，亦追不上巨型化的大學發展。某中大教授給出如此評價[125]：「每年三十多億的龐大金額在流動，經營卻停留在中小企業老爺爺般的糊塗帳程度。」

普通學生對此學費調漲的反彈，超乎社學同運動者的預期。其中一位運動者在當時的採訪中表示[126]：

「學生大會聚集了四千人到五千人，這樣的集結力道遠超乎掌控日間部自治會執行部的我們的預期。實際上，對於有這麼多學生不滿每天的學生生活，感到震驚。」「一部分也是對我們大學品質低劣的量產型教育現狀表達反彈，感覺像是一口氣全部爆發。在大一、大二的通識課程中，除去語言課程，悉數皆為三百人左右，使用麥克風的授課，所有的課程都變成工廠的流水線作業。我們把這種狀況稱為『知識與技術的生產場所』。亦即，大學變成一所工廠，當國家需要哪種知識的技術人員，或統治階級的意識形態中需要哪種生產者，大學就為其產出他們的看門狗。」「中大以法學部為核心，因此除了走上菁英路徑的人以外，其他人都承受著龐大的疏離感。能夠通過司法考試的最終只有一百四、五十人，僅僅佔了全體學生的幾個百分比。」

通過司法考試的學生眾多，這是中大的賣點。然而，中大超越東大成為司法考試合格學生數最多的大學，起於二戰之後，當時的中大接收了因戰敗而無處可去的舊陸軍士官學校與舊海軍士兵學校的大量畢業生，他們在日本戰敗後的混亂中以司法考試合格為目標，為中大帶來了大量的及格人數。之後中大校內成立「真法會」、「正法會」、「綠法會」等猶如「大學校內的司法考試補習班」團體，支撐著司法考試合格人數最多的這塊招牌[127]。

但在中大約四萬名學生中，能夠獲得這種恩澤的司法考試合格者，也只有約一百五十人。實際上，中大一個教師分配到的學生數量是私大平均的兩倍多，是國立大學平均的六倍弱，在所謂的「巨型私大」中也屬於最糟的那一類[128]。

上述社學同運動者還如此表示[129]：「學生大會上集結的數千名普通學生中，大一與大四生特別多。大一生對大學的幻滅感正值鮮明且強烈的時期，大四生則是為了與自己的大學生活做一個了斷，因此無法置之不顧。」這種現象也可見於一九六六年的早大鬥爭。

普通學生熱烈參與後，他們的行動超越了新左翼黨派的主張。掌控自治會的社學同受到吉本隆明的「國家＝共同幻想」論的影響，主張「所謂的國家是共同幻想（宗教），我們身處的大學受制於國家以及法律的幻想，被迫進行知識的雇傭勞動」，學費調漲便是大學在帝國主義下重整的展現，最終必須透過革命以改造資本主義體制與議會民主主義。[130]

但這樣的理論附會，招致了普通學生的反對。一九六七年十二月某小班研討課發表如下聲明[131]：

自治會諸君對權力組織的見解，不必然與我們一致。雖然平日感到現在的議會民主制存在矛盾，但沒必要將其與學費調漲問題攪在一起，如此有可能模糊鬥爭焦點。我們希望在私立大學教育的範疇內設定問題。一直以來，我們屢次向理事會要求公開會計內容，這是身為授課費繳納者的當然權利，但總是遭校方踐踏。類似中世紀的教皇統治之世，學生人格遭忽視這點就如中世紀的農奴。這種屬於神話次元的系統，理所當然必須改正為現代性的系統。……我們的學費鬥爭，就是完全撤銷在那樣的場所中決定的事項，這是一場改善落後系統的鬥爭。

這樣的定位，類似早大鬥爭中革馬派不屑一顧的高唱《都之西北》的普通學生，同理，著眼於對國家與資本主義體制進行根本性變革的社學同，大概也覺得普通學生不夠積極且革命意識低下吧。社學同的運動者們屢屢將學費調漲連結到「阻止大學帝國主義重整」的口號，並經常進行鼓動演說，但「根本無法傳達給普通學生，更有可能被認為是『瞎扯』。」[132]

社學同在中大的掌控相當穩固，而且原本就擅長高層交涉的中大社學同看不起團交這種形式，不希望與校方公開交涉。

中大社學同擺出拒絕與校方交涉的態度，另一個原因來自社學同的上層組織，亦即共產同的學生對策部（學對），其方針對社學同也有一定影響。根據三上治二〇〇〇年出版的回憶錄，據說共產同學對給中大鬥爭下達「以敗北為前提，作為革命敗北主義而戰鬥」的指令[133]。

據三上稱，此方針是基於前一年明大鬥爭中明大社學同的高層交涉遭到批評，從那次經驗中提煉出此次方針。也就是說，站在共產同高層的角度，判斷「阻止學費調漲，很明顯從一開始就會敗北」，但即便失敗也要展現澈底戰鬥的態度，打算藉此增加同盟成員，故採取此種「革命敗北主義」。但一九六八年初的中大反對學費調漲鬥爭中，社學同並無法掌握主導權。當時中大文學部的一位普通學生如此說明情況[134]：

> 〔社學同〕自身的意見浮現後，便要求與校方〔透過高層交涉〕對話，以執行部草案的形式通過方針。……這種作法，在本次學費調漲問題上首次遭遇學生群眾的重大抵抗。學生什麼的單純就是民主主義者，輕易就能瓦解，說難聽點就是很容易欺騙，但學生們決定不讓他們得逞。
>
> 社學同雖然推出封鎖校本部、拒絕團交、武力阻止入學考試等方針，但在學生大會上遭到否決。過往的學生大會，情況大多是一開始聚集許多學生，台上各新左翼黨派進行討論，最後開始互毆，到這種時刻學生大都覺得厭煩，心想算了，之後就全部交給指揮部去辦吧，大家就解散了。但是，這次卻非如此，因為大家已累積長時間的班級討論或社團討論而來，所以不在乎台上的煽動，充滿耐性地努力參與集會。而且普通學生雖然心懷反共產同想法，但既不是共產同指揮部的敵人，也不是右翼分子。學生對指揮部表示，如果照方針行動會造成大家的麻煩，要求貫徹團交路線，這讓共產同諸君感到相當困擾。

那麼，學生為何會出現這種充滿耐力的能量？那是因為他們都是帶來各自班級討論結果的鬥爭委員，因此在學生大會上不能僅僅旁觀或逃避。他們具有一種責任意識，即自己是全班討論結果的代表。學館內大量社團的成員也都參加鬥爭委員，他們又與班級組織合流，由下而上追究批評執行部拒絕團交的方針。

這種社學同與普通學生的對立，也出現在戰術面向上。第八章後述的一九六七年十月第一次羽田鬥爭中，三派全學聯公然採用持角材戴頭盔與機動隊衝突的戰術，故社學同運動者要求普通學生也以角材與頭盔進行武裝。但許多普通學生表示反彈。

某社學同運動者當時接受採訪時如此回答[135]：

「築起街壘是否合適，以角材與鋼盔武裝是對是錯，學生之間有過討論，但我們只要求通過學生的手佔據大學，死守街壘而已。決定罷課之前，許多學生之間對於街壘問題還是充滿能量的，但總之他們認為暴力不可行。要說服他們非常困難。他們說，知道機動隊的暴力是錯的，但你們的暴力也是惡的。結果，許多學生面對機動隊的暴力之牆、以街壘、頭盔、角材進行暴力對峙的場合，逐漸變得不再參與。」

最終，為了抵抗大學強制舉行畢業考，學生方於一九六八年二月十日築起街壘。但對於頭盔與角材，許多學生直到最後仍持非暴力的論調。

如前所述，社學同的指揮部與一意孤行的明大鬥爭等有所不同，在中大鬥爭時，班級自下層積累熱烈討論，如此一來便跳脫新左翼黨派掌握的自治會框架，組成了「學術聯盟」、「文化聯盟」、「白門聯盟」等社團聯合，以及志同道合的學生們組成法學部鬥爭委員會、各學部的班級聯合委員會等等。

其中起到重要作用的是四年級生聯絡會議（四聯會）。大四生是否罷考畢業考，成為持續罷課的焦點，在慶大與早大的事例中已清晰可見。四年級生聯絡會議為了澈底執行罷考畢業考，打出將大四生學生證全部收集到本部的方針。當時的學生如此寫道[136]：

要求每一個人反對大學，靠著半吊子的意識是不可行的。每個人都會考量到自身的安全。光是要讓等於是自己分身的學生證離開身邊就令人擔心，也感到是否會被運動者利用的不安。而緩和此種不安的方法，便是由班級負責人保管這些學生證，並附加如果不贊成四聯會方針，隨時可以取回的條件。……完全就是，除了以誠懇態度應對之外，別無他法。某位班級的負責人嘆口氣說：「不知道能收到幾張呢。」。

大四生班上針對集中管理學生證湧現熱烈議論，據說「屢屢徹夜開會討論」。某大四生提出「擔心其他人突然跳槽到贊成接受考試一方，如此一來我也難以維持一個人獨自抗爭的想法」，對此某班級負責人如此回答[137]：

「我也是已經確定就業，所以同樣不願意見到大家都參加畢業考，只有我一個人落單。無論如何，大家的心情都差不多。所以現在需要的，不是考慮其他人如何，而是你自己的決心。學校最關注的，就是四聯會的行動。交出學生證就是你決定的證明，能夠引來更多人下定決心。因為每個人狀況各異，我也不會強求，不過，我們的決心，不是正在創造歷史嗎？」

「希望你自己下決心」、「我們的決心，不是正在創造歷史嗎」等說法，在懷抱認同焦慮，追求確認「主體性」的學生間引起共鳴。這種說服起到了功效，提交學生證的數量開始逐漸上升。一開始，校方對收集學生證一事抱持樂觀態度，甚至洩漏出「校方的說法是，『用收集學生證這種強人所難的方法，最多也只能收到兩百張』」的情報。不過，畢業考前一天的二月九日，學生證收集數量已達八百張[138]。

但當時的報導指出，中大四年級學生的整體意識並沒有那麼高，評論寫道，「普通的四年級學生可能也在內心盤算，要不就是順利參加畢業考，要不就是改為繳交報告取得成績。」[139]雖然如此，罷考畢業考仍獲得超乎校方預期的響應，這仍是不爭的事實。

中大四年級學生展現出令人意外的強大凝聚力，有些人認為是因為他們具有「自己的運動者」。當時接受採訪的中大生如此形容中大四年級的無黨派運動者[140]：

「他們過往曾經歷數次學館鬥爭，以前又是共產同、革馬成員，又是班級委員，簡單來說就是前學生運動的中堅運動者。他們具有大四生的自尊，與大一、大二生有區別，有股不受黨派（新左翼黨派）領導，要自行做點事情讓人看看的自豪感，這些大四生集結了八、九百人。如此一來，以班級鬥爭委員、社團成員、四年級生運動者為核心，當時存在著一千至二千名運動者，如此深厚的運動者，是在其他大學未曾見過的。」

二月十日畢業考前夕的九日晚間，學生在校舍出入口築起街壘夜宿校園。因為預期校方會請來機動隊，所以參加此次夜宿，需要相當的決心。當時的學生如此記錄道[141]：

預定舉行法學部考試的後樂園校舍，二月九日晚間，有超過六百名學生築起街壘，運動者之

> 中也有人說「今晚的夜宿恕不奉陪」，就此返家。留下來的人之中，大四生約百名，大三以下的法鬥委一行約二百人。觀察大四生成員，給人一股意外的感受。比起充滿殺氣的運動者，他們表現出鬥爭中難得一見的平穩表情，十分顯目。一位已經確定在一流銀行就業的男性也身在列中，對他說「別勉強啊。如果發生什麼萬一會影響到就業的，回家比較好，趁現在還有電車。」〔他回答，〕「別開玩笑了。我是決議罷考的四十人班級的代表，所以留下來。我也想在出社會之前，給自己立一塊『我是依照自己意識採取行動的人』的墓碑。」

隔天，校方宣布終止考試。一千五百人的法學部中約一千人自動到校聚集，舉行慶祝勝利的遊行。據稱「因為沒有破壞彼此間的信賴，每個人的臉龐都充滿活力。」[142]同時，還有主張「解除街壘」、「讓我們接受畢業考」、「停止罷課」的自稱「學生協議會」的學生集團，但人數不過四十人左右[143]。

因為理事會方宣布學費調漲的方式過於蠻橫，輿論多支持中大鬥爭。夜宿街壘時，僅棉被租借費一天就需要四萬日圓至十萬日圓，鬥爭需要的費用總額超過二百萬日圓，不過透過許多市民的捐款得以籌得款項。在大學畢業第一份薪水平均不到三萬日圓的當時，也有向募款箱投入一萬日圓鈔票的紳士。對於這些捐款與署名的市民，鬥爭之後由鬥爭委員會寄送感謝與報告結果的信件，因為鬥爭委員會認為這是「理所當然的禮貌」[144]。

學生這樣的「禮貌」，不僅市民，也獲得新聞記者們的好評。當時《每日新聞》記者的內藤國夫撰寫了如下的軼事[145]：

深夜，我前去採訪同情派的學生，帶了關東煮與酒當作禮物，對方只收下關東煮，讓我把酒帶回去。他們說：「我們是認真在進行鬥爭的，酒之類的，不是在這種場合（街壘）喝的東西。」我在感到一陣羞赧的同時，心中也浮起微妙的愉悅。我一邊喝著帶回來的酒，一邊私自推想，「這次學生們應該會獲勝吧。」

由此可見，街壘內除了是學生的解放區，同時也被視為守護「真正學問」的神聖場所。

此外，此處也可見到教授的無能。二月六日早報上刊登了〈給中央大學學生諸君〉的廣告，內容是教授們呼籲「對話」。但教授們實際上想表達的是「應把反學費調漲與畢業考切割思考，我們教授有讓大家考試的義務」，全都是說服學生參加畢業考的論調[146]。

學生方則對教授們回應[147]：「老師們說為了讓大四生能夠畢業，得趕緊讓他們考試，但他們出社會後，面對的又是什麼樣的社會？老師們完全妥協於現實社會。」「老師對我們真的抱有師生之情嗎？我們之所以群聚於此，就是因為不信任老師。如果有師生之情，那就在更早之前找機會與我們對話。」「不談學費調漲的本質，不反省自己授課內容的貧瘠，卻一直喊著考試考試，這不奇怪嗎？」

畢業考當天，校門前也出現教授與學生圍成一圈對答[148]。某位教授問學生，「你們不滿理事會片面做法的心情，我能理解。但你們覺得這樣的幹法能解決事情嗎？」據說學生們如此回答：「我是大三學生。如字面上的意義就是個普通學生，對目前為止的上課與設備一直感到不滿。而這次的狀況是無視學生的意見，單方面調漲學費對吧。在如今的狀況下說要調漲學費，稱要據此提升教育條件，我們如何能相信？」「怎麼說呢，我們也不喜歡街壘啊。可是呢，我們也沒有權力，我們感到無力，所以就只剩下武力對抗的方法了，不是嗎？」

二月十二日，成功罷考之後，街壘內重新請來有意願的教授們對話，此時代表學生發言的大四生如此陳述[149]：

> 與教授這種高潔的職業不同，我們之中的許多人，都將在現實世界中從事藏汙納垢的工作。四年間所學，究竟多大程度能應用到現實社會上，令人質疑。然而，到畢業的最後一秒為止，我們仍願意相信學問的有效性。這場鬥爭，是我們每一個人基於在大學中習得的認知而產生。藉由這個或許是僅此一次的機會，取得遵循正道的成果，我們不願相信竟會受到教授們的阻撓。如果我們在老師們眼裡，是不聽話的孩子，那我們感到非常悲傷。不斷重複這個問題雖然顯得固執，但在此想請教一下教授們如何看待學費調漲，我們想聽聽每個老師的意見。

普通學生們意識到這是場將非民主的大學機構進行現代化的鬥爭。在這樣的認知基礎上，學生們理所當然地認為教授們會認同學生提出的論述。雖然在此鬥爭中教授敵視論開始萌芽，但當時的大多數學生仍舊對講述「學問真理」的教授們心存信賴。

但其中一位教授辯解道，「我個人不贊成學費調漲……應該直白說我反對調漲。但學術研究就是我的生命，希望能在更好條件的狀態下進行。」他的回答簡直就是在表達：學費調漲的話，自己的薪水也會隨之調升。其他還有教授表示，中大的實際狀況就是教授對此事並無權限，因此「請拿到理事會與他們對談。」[150]

聽到這樣的回應，一位學生在鬥爭後的手札上寫道，「見到以自保為第一要務的教授們，許多學生都很失望。大家不禁說『教授，連你也這樣』，教授的身價在我們心中大為跌落。」某個學生吐露心聲道，「平常教導我們要懷抱展望並從根源下判斷的教授，一旦遇到狀況卻汲汲營營地尋求自保。這種揮舞正義大旗的騙子，完全不值得期待。」[151]

對於二月六日的「對談」，有傳單上寫著此乃「對『校園秩序—大學自治』一直迷迷糊糊的教授們頭上澆上一盆冷水。」[152]這種對教授的不信任，於往後東大鬥爭中更加全面擴散。

當時，許多中大的教授認為學費調漲是不得不為之事。理由之一是，理事會方面對他們說明，不只是調升薪資，在改善量產教育及增加研究費上，同樣必須調漲學費。

然而，教授們對學生不斷質疑自身的態度與學術良心感到愕然。學生們討論後的二月十三日，由助教以上教師組成的教職員工會向理事會提議，除了撤銷學費調漲外，沒有其他方法可以解決事態[153]。如此一來，二月十六日舉行了與約五千名學生的團交。最初社學同反對此次團交，但學生們壓抑社學同的反對，實現這次團交。某中大學生接受採訪時如此表示[154]：

「共產同認為團交這種形式，等於處於敵方的攻擊範圍內。如果學生不接受團交的條件，校方背地裡就會準備招來機動隊或投入右翼分子。為了保護學生不受這種暴力侵害，〔社學同〕主張必須備妥武裝好的五百人示威隊。」「五千人的學生群眾如果因各新左翼黨派爭領導權而遭分化，大概就會誘發警察權力的介入。但學生並沒有給警方這樣的空隙。過去在早稻田鬥爭也發生過各新左翼黨派爭奪主導權，結果出現與大學進行部分高層交易的狀況，如果中大發生這種情形，那麼街壘大概就會被機動隊摧毀吧。」

中大在這種情況下舉行團交，結果校方公開宣布全面撤銷學費調漲，而桝本理事長兼校長也一併辭職。實際上學生一方獲得了全面勝利。當時的學生如此記下當時的情況[155]：

校長在台上記者的包圍下宣布「理事會應諸君要求，將調整學費的決定完全撤銷」，四千名擠滿禮堂樓上與後方的學生歡聲雷動，甚至讓禮堂震動。紙片齊飛，數十支團體旗幟狂搖，掌聲持續不斷。有互相擁抱的人，有雀躍高喊萬歲的人，有彼此握手的人，有把臉埋在對方肩膀噙淚的女學生。

與此相對，佔據最前排的〈新左翼黨派〉頭盔部隊，臉上幾無興奮之色。為了做總結，頭盔部隊爬到台上，總數約二百人，其中還包含預期機動隊介入而來支援的〈其他大學〉校外部隊。佔據講台右側的革馬派、ML派主張既然已獲勝，應撤去街壘，展望今後透過群眾運動連結到飛躍式的政治鬥爭上。佔據左側的主流派社學同〔共產同〕則主張聲討校方過去發布的「非法佔據」事項，開始進行冗長的總結。突然間，二樓席位的普通學生開始齊聲喊「共產同滾回去」。十一點，伴隨著「拆掉街壘」的呼聲就解散了，各派趕往天寒地凍的神田大街上遊行，普通學生則開始拆毀街壘。

從新左翼黨派方來看，一間大學撤銷學費調漲，只屬於校內改良主義。他們的目的在於以學費調漲鬥爭為契機，藉此擴充自家運動者的人數，或者打鐵趁熱與反政府活動、社會主義革命連結。而且運動者們對今年雖撤銷調漲，但明年之後狀況如何卻未有承諾感到不滿。基於這種不滿，運動者中有人企圖引起動亂，但遭普通學生阻止[156]。

關於街壘也是如此，某社學同運動者回答「以在校內打造學生的左翼公社為目標」[157]。但普通學生卻不贊成新左翼黨派的這種態度。

如前所述，這場一九六八年的中大鬥爭中，班級討論等非常興盛，因此普通學生的參與意識也頗高。當時的報導指出，「早大罷課時〔校長會見〕來了六千名學生，但參加遊行的只有八百人。但中大聚集了三千名學生，所有人都參加了遊行。由此可看出學生群眾無聲的壓力與團結力量。特別是學生內部也高聲批評暴走的運動者。」[158]

雖說如此，新左翼黨派在鬥爭中也並非一無是處。即便他們內心有自己的算盤，但在各種宣傳活動、遊行指揮、與理事會的交涉會場設置等等，他們的努力與運動經驗都派上了用場，這也是不爭的事實。

當時的學生表示[159]：「運動者在這場鬥爭中的作用，大概是一種觸媒般的形式吧。所謂的觸媒，就是即便自身有毒，也不參與化學變化，但能加速其他物質的化學反應。籌組群眾運動，把群眾的目標最大限度達成後，於最終階段與群眾切離，這就是屬於他們的先鋒式宿命吧。」

但根據當時共產同運動者三上治的回憶，中大的社學同之所以在團交場合採取強硬的態度，似乎是因為來自高層的命令。三上在二〇〇〇年的著作中如此回憶[160]：

這場鬥爭大戲起於大學撤銷學費調漲。總結去年的明大鬥爭，即不可能撤銷學費調漲，所以共產同中央提出須以革命的敗北主義來戰鬥的方針，結果只是一場空。……共產同中央突然講了奇怪的話。

日後成為赤軍派議長的鹽見孝也提出，即便成功阻止學費調漲也不該拆除街壘的方針。他的意思是轉換成政治性街壘的方針，將街壘持續到阻止佐藤〔首相為修訂七〇年安保〕訪美。⋯⋯這是個不知道是校園鬥爭還是什麼鬥爭的方針。即便如此，如果真心要貫徹這個方針，那倒也還好。明明知道這個方針並無法貫徹，還擺出那種左翼式的姿態。

我與中大共產同的夥伴不得不說感到目瞪口呆，竟動員政治局等讓自治會委員長說出那樣的方針。那時的我，決心即便退出共產同也要打破這個方針，這種程度，我有自信一個人也做得到。剛過中午，因為明大召開大會我便出門去參加，結果被明大的學生告知：他們說要監禁三上先生啊，請不要離開此處。

我尋思著後輩的運動者著實可憐，一邊回到了中大禮堂。一如預期，提出愚蠢方針的共產同遭學生們噓聲以對，嚷嚷著共產同滾回去。這是必然的事情。這種時候，跟著大家一起歡慶成功阻止學費調漲不就好了。

其實，當時中大社學同的全員不必然都表現出「感到目瞪口呆」的態度。日間部自治會委員長田村元行日後這麼說道[161]：

「中大裡共產同其中一派的學對接受當局要求，前一晚答應解除街壘的，就是該支派。我心想也是理當如此，就此睡下，次日到來，當天早上掌控共產同執行部的關西共產同一行人前來，他們主張不該解除街壘，應該斷然繼續鬥爭。聽到關西共產同〔鹽見孝也等人〕的話，我也覺得該繼續保持街壘。而在團交中提出應該持續到七〇年時，卻被學生群眾罵得狗血淋頭。」

三上與田村的回憶有若干出入。若田村回憶無誤，那麼就是中大社學同透過高層交涉已經讓理事會取消調漲學費的方針，在此基礎上他們「答應當局的要求」打算解除街壘，但到了校長會見會當日早上，鹽見等關西共產同表達應維持街壘的方針後，他們又覺得是該維持下去。

不過，根據中大社學同運動者神津陽的回憶，中大「在學費鬥爭上為了不重蹈明大失敗的覆轍，拒絕一切團交、高層交涉或個人調停，從當局傳來撤銷學費調漲的情報後，中大社學同會議上便決議取消街壘的方針」，但隔天早上又傳來維持街壘的命令[162]。如果此言屬實，那麼中大社學同僅由大學當局取得情報，並未進行高層交涉。雖然真相如何並不明朗，但無論如何最終結果就是學生大罵社學同的強硬方針。

對中大鬥爭獲勝感到困擾的，不只有社學同。二月二十日，日本私立大學聯盟召開理事會，會上頻頻傳出「輕率的決定」、「讓學生運動者取得勝利感」、「身為管理者太不負責」等聲浪。私立大學聯盟的事務局長表示，「本次中大紛爭的解決方式，是令人難堪的屈服」，「私大的授課費連一日圓也無法再做調整。影響甚大。真希望校方能更慎重一些啊。」[163]

但中大鬥爭並未讓新左翼黨派「獲得勝利感」，此已如前所述。更有甚者，某無黨派學生如此記述[164]：「學生一方表現出取得全面勝利的模樣，好似革命且創造了劃時代的成果般，實際上只是前現代系統的修正運動罷了。」「理事會有如羅馬教廷，一直以來在私大裡都被當作不可侵犯的聖域。這種有如中世紀般的系統還存在現代社會中，說來真讓人覺得不可思議。……雖然在中大鬥爭中偶然出現了完全撤銷學費調漲的狀況，但追本溯源，可說原因還是出在歷史宿命創造出來的惡果。」

校長兼理事長的一人統攬大權，在「糊塗帳」會計下蹣跚邁步的中大體制，已然不符合經濟高度成長下不斷現代化的日本社會實際情況。上述學生「好似革命且創造了劃時代的成果般，實際上只是前現代系統的修正運動罷了」的分析，可說切中要害。

大學鬥爭的「一般規律」

那麼，至此為止的第II部概觀了從一九六五年慶大鬥爭至一九六八年初的中大鬥爭，所謂全共鬥運動的「前史」部分。從這些事例中可以看出一定的規律，整理如下：

（一）儘管新左翼黨派的運動者們依舊宣揚社會主義理論，但在當時馬克思主義持續衰落的日本社會，已經吸引不到太多學生。普通學生參加鬥爭的主要契機，在於經濟高度成長帶來的量產型教育，又或者是對「現代的不幸」積累的鬱憤。大學當局調漲學費、請來機動隊等片面決定，背離了他們這些接受民主教育的世代的感受。

（二）加快普通學生參與運動的原因，是因為學生中仍存在「大學應當是真正的學府」之「保守的」大學形象。早大鬥爭中見到的對「產學合作」和「教育工廠」的批評，橫濱國大的自主講座運動等，與其說是源自社會主義理論，不如說是學生們對當今大學與他們夢想中「原本的大學」有所不同，因而表達出來的不滿。

（三）在一九六八年初，對教授的敵視開始萌芽。許多學生把教授當作打造「原本的大學」的盟友，認為他們在人格上應當比一般人優秀。但教授在紛爭中或者沉寂，或者無力主持仲裁，學生們見到明哲保身的教授態度，感到「應有的大學形象」、「應有的知識分子形象」遭到背叛，因而群情激憤，認為要守護「大學自治」只能倚靠自身發起的鬥爭。

（四）如無上述條件，即便新左翼黨派掌控的自治會等呼籲進行激進的鬥爭，也幾乎不會有學生響應。其中一例便是一九六七年的明大鬥爭，新左翼黨派一意孤行，最終淪為高層交涉結束鬥爭的下場。反之，一九六八年初的中大鬥爭中，當普通學生大舉參與時，新左翼黨派便無法控制鬥爭，他們只能靠自身的鬥爭經驗給普通學生提供技術性的支援，除此以外起不了作用。

（五）支持學生參與運動的是，透過鬥爭可以獲得此前學生生活無法取得的連帶感，或者脫離「現代的不幸」的喜悅。街壘封鎖則是將上述喜悅以「公社」、「解放區」的形式具體表現，他們宛如度過慶典般享受在街壘內的夜宿。

（六）然而，這種慶典般的氛圍無法長期持續。實際上，橫濱國大的自主管理不過持續了一個月，這也顯示出這種抗爭的時間臨界點。在兩週內達成妥協的慶大鬥爭、歷時一個月即告終的中大鬥爭等尚可維持慶典般的熱烈，但罷課達兩個月的明大鬥爭只能透過新左翼黨派的高層交涉結束事態。長達一百五十天的早大鬥爭亦然，全校熱烈投入運動的期間只有最初的十天左右，當機動隊介入後即陷入緊張狀態，之後僅有零星地恢復盛況。

（七）即便鬥爭在全校呈現盛況，但在「三無主義」的時代，終究不可能全校學生都參與鬥爭。至於學生的分布狀況，大致是運動者與支持鬥爭派約佔二成，反對鬥爭與希望重啟授課的學生約佔二成，剩下的六成即便短期內參加校長會見或學生大會，仍有成為不關心的「睡罷課」派的傾向。

（八）從橫濱國大鬥爭可見，即便學生們追求「真正的大學」，但他們對「真正的大學」並無明確的願景，而自主講座、學習會、演講等也不脫藉此聚集學生的範疇。簡要而言，他們並不具備具體創造「真正大學」的力量。

（九）大部分的學生都未打算放棄從大學畢業獲得就業的既得權利。因此，活動只要遭遇可能延畢或留級的冬季考試期間，便會陷入危機。若未能在此之前妥協、取得成果，即便一部分的運動者呼籲激進的活動，也將如早大鬥爭中的共鬥會議般遭到學生孤立，無法避免運動整體邁向結束。

（十）如在中大鬥爭與橫濱國大鬥爭中所展現的，如果學生的要求是諸如撤銷學費調漲或設置協議會等可在校內決定的事項，那麼學生可以獲得一定程度的勝利。但，類似新左翼黨派提倡的把大學鬥爭與日本社會整體變革連結，則是不可能的要求，而且這樣的主張也僅能引起少數學生的共鳴。

透過分析一九六五年至六八年初的大學鬥爭，應可得出上述規律。但如後文所述，一九六八年春以降發生的日大鬥爭與東大鬥爭，乃至一九六八年至六九年接連發生於各地的全共鬥運動，無論大學當局、新左翼黨派、教授們、無黨派運動者、普通學生等，都澈底表現出未從之前的鬥爭吸取教訓的模樣。而這樣的情況，也預示著全共鬥運動將以「敗北」告終。

註釋

序章

1 三上治《一九六〇年代論Ⅱ》（批評社，二〇〇〇年）一三六頁。三上治是筆名，本名為味岡修。

2 從社會運動的面向處理全共鬥運動的先行研究，可舉大野道夫一九八〇年討論東大鬥爭，包含當事者訪談的〈學生的動向〉（一九七九年度東京大學國史專修課程畢業論文）為代表。之後大野亦發表〈「青年の異議申立」に関する仮説の事例研究〉（《社会学評論》第四一卷三號，一九九一年）等論文，雖然作為社會運動的理論取徑相當精煉，但從使用原始資料的價值而言，收錄當事者訪談的畢業論文有更高價值。此外，從社會運動角度切入的社會學研究有栗田宣義〈政治世代と抗議活動〉（收錄於：栗田《社会運動の計量社会学的分析》日本評論社，一九九三年），以量化社會學與國際比較的觀點討論全共鬥運動。此外，從文化與階級關係開展獨創的社會學取徑之日本近代史研究者，有竹內洋《大学という病》（中公叢書，二〇〇一年）、《教養主義の没落》（中公新書，二〇〇三年）等著作，以經濟高度成長導致「教養主義」解體的時期引起全共鬥運動的現象進行導論。又，高木正幸《全学連と全共闘》（講談社現代新書，一九八五年）僅止於通史性的敘述。另外鈴木英生《新左翼とロスジェネ》（集英社新書，二〇〇九年）以「尋找自我」為關鍵字俯瞰新左翼運動、全共鬥運動與現代不穩定無產階級（precariat）運動，雖有類似本書觀點的研究，但主要以文學為對象，對時代背景缺乏理解，加上份量上的限制，談不上紮實的驗證。上述研究皆可作為本書參考文獻，但無法說是綜合描述、分析「那個時代」反叛的研究。本書中各章的相關研究與資料集，將於各章註解中個別加註。

3 三上治《一九六〇年代論Ⅱ》（批評社，二〇〇〇年）一九七頁。

4 船越雄一〈《東大全共闘》取材後記〉（ＮＨＫ取材班《チッソ・水俣　工場技術者たちの告白　東大全共闘　二六年後の証言》、《戦後五〇年その時日本は》第三卷，日本放送出版協会，一九九五年收錄）三九〇—三九一頁。

5 同上後記，三九三頁。

6 六八・六九記録する会編《東大闘争資料集》（国立国会図書館藏，一九九四年捐贈）。關於山本義隆是東大全共鬥的「議長」或「代表」，根據不同紀錄有不同敘述，並無定論。如第十章後述，東大全共鬥乃不設正規職位的運動形體，由任何人皆可出席的代表會議決定方針。根據從東大鬥爭初期起持續採訪的《每日新聞》記者內藤國夫《ドキュメント　東大紛争》（文藝春秋，一九六九年）一五五頁，山本「雖說是〔東大全共鬥的〕議長，但並未經正式選舉，而是在擔任彙整角色時不知不覺變成全共鬥代表，之後又被推為議長。」因此「代表」或「議長」的稱呼都有可能，本書基於全共鬥的思想（即便同樣沒有定論）「誰都不能為誰代言（即誰都不能代表誰）」作為解釋，後文全部統一作「議長」。

7 船越雄一〈《東大全共闘》取材後記〉，三九一頁。

第Ⅰ部

第一章　時代性及世代性的背景（上）

1 松尾尊兊《国際国家への出発》（集英社，一九九三年）二五四頁。本章與下一章從嬰兒潮世代的時代、世代背景，討論與「那個時代」的反叛的關係，而依筆者所見目前尚無相同的研究。

2 中村政則〈一九五〇—六〇年代の日本〉（《岩波講座　日本通史》第二〇巻，收錄於《現代1》，岩波書店，一九九五年）五三、五四頁。

3 渡辺治〈高度成長と企業社会〉（收錄於渡辺治編《高度成長と企業社会》，《日本の時代史》第二七巻，吉川弘文館，二〇〇四年）四三頁。

4 宮沢喜一《社会党との対話》（中村前掲〈一九五〇—六〇年代の日本〉再引用）三〇、三一頁。

5 渡辺治〈戦後保守支配の構造〉（收錄於前掲《岩波講座　日本通史》第二〇巻）七三頁。

6 前掲中村〈一九五〇—六〇年代の日本〉三一頁；前掲渡辺〈高度成長と企業社会〉七四頁。

7 前掲渡辺〈戦後保守支配の構造〉八〇頁。

8 有關以上的三池爭議，參見前掲渡辺〈高度成長と企業社会〉三四—三五頁；前掲中村〈一九五〇—六〇年代の日本〉三〇頁。

9 前掲松尾《国際国家への出発》二五五頁。

10 時事問題研究所編《全学連　その意識と行動》（時事問題研究所，一九六八年）一六五—一六六頁。

11 同前書，一六六頁。

12 高見圭司編著《反戦青年委員会》（三一書房，一九六八年）七七頁。

13 前掲渡辺〈戦後保守支配の構造〉八六頁。

14 立花隆〈一流企業に反戦女性が急増している〉（《現代》一九六九年十二月號）一〇九頁。

15 前掲渡辺〈戦後保守支配の構造〉八六頁。

16 日高六郎〈直接民主主義と「六月行動」〉（初見於《世界》一九六八年八月號，收錄於：ベトナムに平和を！市民連合編《資料・「ベ平連」運動》上巻，河出書房新社，一九七四年）三七四頁。

17 同前論文，三七四頁。

18 《宝石》一九六八年六月號與田英夫的對談。前掲時事問題研究所編《全学連　その意識と行動》一六七頁再引用。

19 なだ・いなだ主持〈高校生と反戦運動〉（《朝日ジャーナル》一九六八年二月一八日號）一〇九頁。

20 鈴木博雄《学生運動》（福村出版，一九六八年）七六—七七頁再引用。

21 前掲立花隆〈一流企業に反戦女性が急増している〉一〇七—一〇八頁。

22 同前論文一一三頁。

23 以下的農村人口變化參照上村忠《変貌する社会》（誠文堂新光

社，一九六九年）三五—三七頁。

24 青森縣的數字根據三浦展《団塊世代を総括する》（牧野出版，二〇〇五年）二三、二四頁。對「團塊世代」進行計畫性的分析，本書可視為先行研究之一，但並未論及與青年反叛的關係。

25 同前書，二四頁。

26 遠藤邦夫〈変わったもの・変わらぬもの〉（大畑裕嗣・成元哲・道場親信・樋口直人編《社会運動の社会学》有斐閣選書，二〇〇四年）七二頁。

27 前揭中村〈一九五〇—六〇年代の日本〉四七頁。

28 結城清吾《過密・過疎》（三一書房，一九七〇年）九、一三、一八頁。

29 同前書四五—四六頁再引用。

30 同前書六九頁。

31 同前書七〇—七三頁。

32 前揭三浦《団塊世代を総括する》一二五頁。

33 前揭上村《変貌する社会》八二、八三頁。

34 前揭三浦《団塊世代を総括する》二五、一二六頁。

35 前揭上村《変貌する社会》一一九頁。

36 同前書一七四、一七五頁。

37 同前書一三二—一三七頁。

38 同前書一一一頁。

39 同前書九三—九四頁。

40 柏崎千枝子《太陽と嵐と自由を》（ノーベル書房，一九六九年）六六頁。

41 NHK取材班〈東大全共闘〉（收錄於NHK取材班前揭〈序章〉《チッソ・水俣　工場技術者たちの告白　東大全共闘　二六年後の証言》）二四四頁。

42 大河原礼三〈六〇年代を生きた教師の痛苦〉（《朝日ジャーナル》一九七〇年三月二二日號）一三七頁。

43 橋本克彥《バリケードを吹き抜けた風》（朝日新聞社，一九八六年）五—六頁。引用時改行稍加縮減。

44 以下室的引用為室謙二〈戦争を否定の心情〉（《展望》一九六七年十一月號）七八—七九頁。

45 七字英輔〈ぼくの教師像〉（《展望》一九六七年十一月號）八〇—八一頁。

46 西三郎・柴田弘美《全共闘》（河出書房新社，二〇〇三年）五〇、四四頁。

47 久冨善之《競争の教育》（労働旬報社，一九九三年）三六頁。

48 中野光《戦後の子ども史》（金子書房，一九八八年）九二—九三頁。

49 国民所得倍増計画〈人的能力の向上と科学技術の振興〉（再引用自前揭NHK取材班〈東大全共闘〉）二四四—二四五頁。

50 同前論文二四五頁。

51 西本勝美〈企業社会の成立と教育の競争構造〉（收錄於前揭渡辺編《高度成長と企業社会》）一六四—一六五頁。

52 前揭NHK取材班〈東大全共闘〉二四五頁。

53 再引用自前揭中野《戦後の子ども史》一三五頁。

54 同前書一三四頁再引用。

55 前揭NHK取材班〈東大全共闘〉二四六頁。

56 前揭中野《戰後の子ども史》一三四—一三五頁。
57 村松喬《進学のあらし》（シリーズ《教育の森》第一巻，每日新聞社，一九六五年）四九頁。
58 以下關於此三原則的理念，參照同前書二三頁以下。
59 同前書七九—八〇頁。
60 同前書六五—六七頁。
61 同前書四一頁。
62 同前書五二—五三頁。
63 村松喬《〝再編下〟の高校》（シリーズ《教育の森》第一巻，每日新聞社，一九六七年）一八—一九頁。
64 仲新監修《日本近代教育史》（講談社，一九七三年）四〇三—四〇五頁。
65 前揭村松《進学のあらし》九五、九九頁。
66 同前書一一八頁。
67 同前書一一二、一一三、一一四頁。
68 同前書一一九頁。
69 同前書一一三、三五頁。
70 藤原てい〈くたばれ！　キャラメルママ〉（《文藝春秋》一九七九年二月號）一三二頁。
71 前揭中野《戰後の子ども史》一三二頁。
72 前揭村松《進学のあらし》一一五頁。
73 前揭なだ・いなだ主持〈高校生と反戦運動〉一〇三、一〇四頁。
74 前揭七字〈ぼくの教師像〉八〇頁。
75 平栗清司編著《高校生は反逆する》（三一書房，一九六九年）一〇七—一〇八頁。
76 〈グラビア・高校生その心〈一九〉　自慰〉（《朝日ジャーナル》一九六九年六月八日號）
77 〈グラビア・高校生その心〈一八〉　差別〉（《朝日ジャーナル》一九六九年五月一八日號）
78 日置徹〈造反する高校生と教師の亀裂〉（《現代の眼》一九六九年十一月號）二〇五頁。
79 小熊英二《〈民主〉と〈愛国〉》（新曜社，二〇〇二年）二四四頁。
80 此處前後從見田調查的引用，參照見田宗牟〈高校生の現代職業観〉（《中央公論》一九六九年四月號）二〇三—二〇四，二〇五頁。
81 豊田充〈上昇志向の喪失〉（《朝日ジャーナル》一九七〇年三月二二日號）一一五頁。
82 村松喬《大学は揺れる》（シリーズ《教育の森》第八巻，每日新聞社，一九六七年）八一頁中記有「東大裡好像有個『三無氣質』的詞」。依作者管見，這是新聞媒體上最初出現相當於「三無主義」的詞彙。一九六七年連新聞媒體也使用東大此詞彙，一九六〇年代前半已經在學生之間廣為流傳。
83 〈グラビア・高校生その心〈九〉　無気力〉（《朝日ジャーナル》一九六九年三月九日號）
84 〈反抗による自己の発見　自分の世界を〉（初次見於《東京都立隅田川高校新聞》一九六八年六月號，收錄於前揭平栗《高校生は反逆する》）九〇頁。
85 前揭室〈戦争を否定の心情〉七九頁。

86 以下引自前掲七字〈ぼくの教師像〉八一頁。

87 鈴木博雄《高校生運動》（福村出版，一九六九年）五五—五六頁再引用。

88 前掲大河原〈六〇年代を生きた教師の痛苦〉一四〇頁。

89 同前論文一四〇頁。

90 同前論文一三七、一三八頁。

91 匿名〈何が正しく何が悪いのか〉（《朝日ジャーナル》一九六八年二月二五日號）一二一頁。

92 前掲大河原〈六〇年代を生きた教師の痛苦〉一三九頁。

93 前掲茜・柴田《全共闘》四六—四七頁。

94 同前書四八頁。

95 大塚彰〈「人民派右翼」の闘い〉（收錄於日本大学全学共闘会議・石田郁夫共編《日大全共闘　強権に確執をかもす志》しらい書房，一九六九年）一五二—一五三頁。

96 杉岡昭〈東京大学—一・一八—一九〉（《中央公論》一九六九年三月號）一八六頁。

97 松隈章一〈変革への眩暈〉（《展望》一九六九年一月號）七四—七五頁。

98 上床邦夫〈東大闘争のなかから〉（《展望》一九六九年一月號）八五頁。

99 前掲小熊《〈民主〉と〈愛国〉》五八六—五八八頁。

100 宮崎学《突破者》（初版南風社，一九六九年。幻冬舎アウトロー文庫，一九九八年）文庫版上巻一八七—一八八頁。以下對本書的引用出自文庫版。

101 山本義隆〈王子野戦病院撤去闘争の衝撃〉（《市民の意見三〇の会・東京ニュース》第八九號，二〇〇五年四月一日）二一頁。

102 小倉貞男《ドキュメント　ヴェトナム戦争全史》（初版岩波書店，一九九二年。岩波現代文庫，二〇〇五年）文庫版二一二頁。

103 〈獄中書簡〉発刊委員会編《東大闘争獄中書簡集》（三一書房，一九七〇年）第一巻二五七頁。

104 〈佐世保事件　機動隊のガスはベトナムの毒ガスか〉（《週刊朝日》一九六八年三月一五日號）二一號。

105 〈座談会　冷たい壁の中で彼らは何を考えたか——羽田事件全学連・留置場体験記〉（《週刊朝日》一九六七年十二月八日號）二七頁。

106 以下關於日本協助越戰，參照前掲松尾《国際国家への出発》二九五—二九七頁。

107 川合安夫・竹内静子〈高校生政治参加の光と影〉（《現代の目》一九六八年六月號）二三二頁。

108 一瀬智司・尾形憲・神沢惣一郎・篠崎武・西村秀夫・村松喬〈学園の紛争と大学の自治〉（《中央公論》一九六七年十一月號）二六八頁。

109 前掲橋本《バリケードを吹き抜けた風》七—八頁。引用時因改行而略有縮減。

110 前掲茜・柴田《全共闘》四七頁。

111 同前書四七頁。

112 〈グラビア・高校生その心〈二〉　反戦〉（《朝日ジャーナル》一九六九年一月一二日號）

113 なだ・いなだ主持〈高校生と反戦運動〉一〇八頁。
114 白川淑子〈私は"戦う全高連"の少女リーダー〉（《現代》一九六九年一月號）八五頁。
115 加藤倫教《連合赤軍　少年A》（新潮社，二〇〇三年）二一四—二一五頁。
116 〈体制の矛盾を問う・大学闘争を考える〉（初次見於《埼玉県立浦和高校新聞》一九六九年三月八日號，收錄前揭平栗編著《高校生は反逆する》）八四頁。
117 吉川秀雄〈父さん母さんへ〉（收錄於日本大学全額共闘会議・石田郁夫共編《日大全共闘》）一三〇頁。
118 小田実〈平和への具体的提言〉（收錄於前揭《資料・「ベ平連」運動》上卷）一一〇頁。
119 小田実編《ベトナムのアメリカ人》（合同出版，一九六六年）二三七、二四八頁。但前揭高見編著《反戦青年委員会》三五頁中記道「早期的反戰青年委員會屢屢強調的日韓問題觀點，就是『日本試圖從被害者轉變為加害者』。」因此，一九六五年時反戰青年委員會內就有討論日本的「加害」問題，雖然小田並非最初的提出者，但最廣為人知的仍是小田提起的內容，因此本文中加以重視並記述。
120 水田ふう〈わたし史のなかの「ベ平連」〉（收錄於女たちの現在を問う会編《全共闘からリブへ》インパクト出版社，一九九六年）一七六—一七七頁。
121 高野悦子《二十歳の原点》（新潮社，一九七一年。文庫版一九七九年）文庫版五六頁。以下本書的引用皆出自文庫版。
122 折原浩〈現代学生の基礎経験〉（《中央公論》一九六八年五月號）二七五頁。
123 前揭茜・柴田《全共闘》四〇、四一、七八頁。
124 座談会〈何も知らないあなたのための赤軍ガイド〉（收錄於《赤軍一九六九→二〇〇一》，《文芸別冊》河出書房新社，二〇〇一年）七〇頁。
125 以下重信的引用，參照重信房子《十年目の眼差から》（話の特集社，一九八三年）三八、四二、四〇頁。
126 永田洋子《十六の墓標》上卷（彩流社，一九八二年）一七頁。
127 前揭鈴木《学生運動》六七—六八頁再引用。
128 〈グラビア・高校生その心〈一四〉　疎外〉（《朝日ジャーナル》一九六九年四月二〇日號）
129 小阪修平《思想としての全共闘世代》（ちくま新書，二〇〇六年）六〇頁。
130 安達素子〈ベトナム人に申し　ない〉（《ベ平連ニュース》一九六七年七月號〔第二二號〕。復刻版為《ベ平連ニュース縮刷版》ベ平連・「ベトナムに平和を！」市民連合，一九七四年）復刻版六七頁。
131 富田正勝〈体内のベトナム〉（《ベトナム通信》一九六八年九月號〔第七號〕。復刻版為不二出版，一九九〇年）復刻版三三頁。
132 川本三郎《マイ・バック・ページ》（河出書房新社，一九八八年）一〇〇—一〇二頁。但筆者認為，川本這種稍帶感傷的解釋，在普遍的趨勢上或許符合，卻不能適用全部狀況。川本提到激進行動時，以赤軍派淀號劫機事件為例，如第十六章後述，這個事件的重要一面是，部分赤軍派在國內的行動陷入困境，故到國外尋求生路。

133 前揭茜・柴田《全共闘》九〇―九一頁。

134 以下參照見田宗介〈日本の高校生は紅衛兵をどう見えるか〉（《中央公論》一九六九年十一月號）二〇四、二〇五、二〇九頁。

135 前揭ＮＨＫ取材班〈東大全共闘〉二四三頁。

136 道浦母都子〈わが遠き七〇年〉（《朝日ジャーナル》一九七〇年八月九日―一六日號）九四頁。

137 船曳建夫〈「東大闘争」とは何であったのか〉（《蓮實重彥著者代表《東京大学》東京大学出版会，一九九八年》三七頁。

138 酒井隆史〈自由の夢〉（收錄於前揭大畑・成・道場・樋口編《社会運動の社会学》）二一八頁。

139 前揭六八・六九記録する会編（序章）《東大闘争資料集》。

140 渋谷陽一《ロックミュージック進化論》（初版日本放送出版協会，一九八〇年。文庫版為新潮社，一九九〇年）文庫版一二―一四頁。引用時因改行而有縮減。

141 恩蔵茂《ビートルズ日本盤よ、永遠に》（平凡社，二〇〇三年）六九頁。

142 同前書二五九、七九頁。

143 同前書二六二頁。

144 前揭三浦《団塊世代を総括する》五八―五九頁。

145 〈偽りの六〇年代モードが主流だなんて〉（《朝日新聞》二〇〇三年九月二八日）。

146 前揭小阪《思想としての全共闘世代》一三、一四頁。

147 以下，引自室謙二〈現代青年の権力観〉（《思想の科学》一九六八年十一月號）六〇頁。

148 〈「dankaiパンチ」苦戦〉（《朝日新聞》二〇〇七年十二月一五日）。

149 同前報導。

150 小中陽太郎《私のなかのベトナム戦争》（サンケイ新聞社出版局，一九七三年）一〇五頁。

151 上野千鶴子・加納実紀代〈フェミニズムと暴力〉（收錄於《リブという「革命」》，《文学史を読みかえる》第七巻，インパクト出版会，二〇〇三年）八頁。

152 絓秀実・高橋順一・府川充男〈六八年の思想（上）〉（《情況》二〇〇七年七、八月合併號）一四七頁。

153 同前座談會一四七頁。

154 越平聯的機關報《ベ平連ニュース》第一七號（一九六七年二月號）上寫道，在美國反戰民謠歌手瓊・拜亞（Joan Baez）的歌友會上，尚未正式出道的高石友也（當時使用本名尻石）於會上一同演出。第一八號（一九六七年三月號）刊登了高石的訪談；第二一號（一九六七年六月號）還是由出道前的中川五郎投稿〈繼續歌唱〉一文；第二九號（一九六八年二月號）刊登中川〈受験生ブルース（考生的藍調）〉歌詞，隔月三〇號的〈事務局來信〉一文中寫道中川的〈考生的藍調〉發行唱片，對於終於能來到越平聯辦公室，中川表現出「非常開心」的模樣。高石在前述訪談中表示，「只唱歌也不行，只運動也不行。兩邊都幹的話，應該可以出現很多可能性。」中川在前述的投稿中陳述「繼續歌唱――這就是我的一種反戰運動。」（前揭《ベ平連ニュース縮刷版》四一、四七、六二、一一一、一二〇頁）

但，沒有紀錄顯示正式出道後的兩人曾參加一九六九年新宿西口民謠集會的演出。

155 前揭茜・柴田《全共闘》七八—八〇頁。

156 吉田和明《吉本隆明》（FOR BIGINERSシリーズ三二，現代書館，一九八四年）一一四、一一五頁。

157 四方田犬彥《ハイスクール一九六八》（新潮社，二〇〇四年）二〇〇頁。

158 前揭小阪《思想としての全共闘世代》二五頁。關於「教養主義」，以及教養主義夾在全共鬥運動期間發生什麼變化，參照前揭竹內（序章）《教養主義の没落》。

159 橋本克彥《団塊の肖像》（ＮＨＫブックス，二〇〇七年）一〇六、一六三頁。

160 蓮實重彥〈なにものによっても「代表」されないし、またなにものをも「代表」しない〉（《海燕》一九九三年八月號）三七頁。

161 前揭三上（序章）《一九六〇年代論II》一〇一、四四頁。

162 西井一夫〈学生運動の雰囲気〉（收錄於《一九六八年　バリケードの中の青春》每日新聞社，一九九八年）六八頁。

163 四方田犬彥・坪内祐三〈一九六八と一九七二〉（《新潮》二〇〇四年二月號）二一七頁。

164 最首悟・山之内正彥・野間宏・広末保〈東大闘争の提示するもの〉（《新日本文学》一九六九年四月號）八四頁。

165 J. A. シーザー〈グリーンハウスでの懐かしきフーテン生活〉（《東京人》二〇〇五年七月號）四六頁。

166 山口光明〈アメリカの平和運動〉（《ベ平連ニュース》一九六七年十月號〔第三五號〕復刻版八二頁。

167 編集部〈東大闘争と学生の意識〉（《世界》一九六九年九月號）六四頁。

168 〈暴力化した東大騷動の怪〉（《週刊読売》一九六八年九月一三日號）二三、二四頁。

169 平井啓之・高畠通敏〈大学には何ができるのか〉（《世界》一九六九年九月號）七六頁。

170 同前對談七六頁。

171 〈その前夜、田村正敏君に三〇問三〇答〉（《女性自身》一九六八年九月二三日號）一四九頁。

172 小室等〈温度差があった「WE」を主語にしたフォークの熱〉（《東京人》二〇〇五年七月號）三八頁。

173 加藤登紀子〈みんな「願い」を持って行動した時代〉（收錄於《連合赤軍"狼"たちの時代》每日新聞社，一九九九年）一七五頁。

174 山西孝雄〈フォークとは〉（《朝日ジャーナル》，一九六九年十一月九日號）一二四頁再引用。

175 岡林信康〈旅へ出ます〉（《現代の眼》一九六九年十二月號）一九二頁。

176 前揭宮崎《突破者》上卷一一九頁。

177 〈全学連女性闘士の思想と行動力〉（《週刊大衆》一九六七年十一月二日號）二二頁。

178 いそべひろ〈燃える中核と一週間〉（《時》一九六八年三月號）六九頁。

179 前揭小阪《思想としての全共闘世代》一四頁。

180 久保田麻琴《世界の音を訪ねる》（岩波新書，二〇〇六年）一二六頁。關於赤軍派成員參加「裸體集會」，在針對赤軍派「淀號」劫機事件及其後餘波進行調查報導的高澤皓司《宿命》（初版新潮社，一九九八年。新潮文庫版二〇〇七年）文庫版二二—二三頁（以下本書引用皆出自文庫版）中指出，想靠劫機前往北韓之際，一位不斷提到「不想剪頭髮」的成員之後如此說道，「他們在身為赤軍派成員的同時，仍舊抱持著音樂家的夢想。或許革命運動與音樂活動的結合給人奇異的感受，但當時二者間並不存在多大的矛盾。」除了可以確認此事實的存在外，筆者有如下看法：（一）高澤提及的事例是在一九七〇年三月，亦即「那個時代」的末期，因為是大眾消費文化滲透到學生運動者的時期，所以才有可能出現這樣的事例。（二）這樣的事例限於「裸體集會」或「頭腦警察」等，並被象徵性的誇大流傳。此時期每年的變化都相當大，又很難一概而論，因此高澤的見解雖有一定的道理，但本書認為這種看法是被誇大的「神話」。

181 以下橋本的學生生活，根據橋本治《「とめてくれるなおっ母さん」を描いた男の極私的な一九六八年》（收錄於前揭《一九六八年バリケードの中の青春》一三五、一三四頁。

182 大宅壮一〈学園紛争は学生と機動隊のレジャーだ〉（《勝利》一九六七年十二月號）四六頁。

183 〈全学連女性闘士三五人の愛情報告〉（《週刊サンケイ》一九六八年十一月一八日號）二〇頁。

184 大宅壮一・大野明男・草柳大蔵・いいだもも〈全学連一〇・二一付近総まくり〉（《現代之日本》一九六八年一一、十二月合併號）三四頁。

185 前揭三上《一九六〇年代論II》一〇二—一〇三頁。

186 〈バリケードは唄い始める〉（高沢浩司編著《全共闘グラフィティ》新泉社，一九八四年）三二—三三頁。

187 無署名〈A・Y・M〉及藤代誠〈マルクスとコカコーラ〉（皆收錄於日本大学文理学部闘争委員会書記局編《反逆のバリケード》三一書房，初版一九六八年，復刻版一九九一年）復刻版一八六、一八二頁。以下對本書的引用皆出自復刻版。

188 〈大学のニューラジカルズ〉（《サンデー毎日增刊》一九六九年二月二〇日號）七九頁。

189 上野千鶴子〈楽天性もつ「原っぱ世代」—しぶとく生きのびてやる〉（《朝日新聞》二〇〇六年二月二〇日）。

190 前揭《世界》編集部〈東大闘争と学生の意識〉六四頁。

191 山口文憲《団塊ひとりぼっち》（文春新書，二〇〇六年）一〇一—一〇三頁。

192 前揭三浦《団塊世代を総括する》一三六—一三七頁。

193 前揭四方田《ハイスクール一九六八》

194 高橋源一郎・大塚英志〈「歴史」と「ファンタジー」〉（《トリッパー》二〇〇三年夏季號）七頁。

195 前揭《大学のニューラジズ》七九頁。

第二章　時代性及世代性的背景（下）

1 前揭宮崎（第一章）《突破者》上卷一一六頁。

2 前揭小阪《思想としての全共闘世代》三五頁。

3 同前書三四頁。

4 雨宮昭一〈一九五〇年代の社会〉（收錄於歷史学研究会編《日

本同時代史3》青木書店，一九九〇年）二四九頁。

5 前掲小阪《思想としての全共闘世代》三六頁。

6 秋山勝行・青木忠《全学連は何を考えるか》（自由国民社，一九六八年）一二五頁。

7 奥田東・岡本道雄・上柳克郎〈京都大学の紛争〉（收錄於大崎仁編《「大学紛争」を語る》有信堂，一九九一年）一二〇頁。

8 前掲上野・加納〈フェミニズムと暴力〉一三頁。

9 大窪一志〈パラノイドの青春が蹉跌のバリケードを！〉（川上徹・大窪一志《素描・一九六〇年代》同時代社，二〇〇七年）一九四頁。

10 〈東大・日大闘争に連帯し早稲田に反逆のバリケードを！〉（一九六九年二月五日傳單，收錄於津村喬《魂にふれる革命》ライン出版，一九七〇年）二二八、二三七頁。

11 小坂修平〈「叛乱論」とその時代〉（長崎浩，初版合同出版，一九六九年。再版彩流社，一九九一年。小阪的論文在一九九一年版被當作解說而收錄）二一一—二一二頁。

12 U・N〈反逆から人間性の回復を〉（收錄於前掲日本大学文理学部闘争委員会書記局編〔第一章〕《反逆のバリケード》）二三二頁。

13 以下引自藤原新也〈インドで試した〝身体と世界のリアル〟〉（收錄於前掲〔第一章〕《連合赤軍〝狼〟たちの時代》）四〇二頁。

14 渡辺隆行〈もがきそして闘う〉（收錄於日本大学全共闘会議・石田郁夫共編前掲〔第一章〕《日大全共闘》）一七五—一七六頁。

15 安藤根八〈内なる山崎君との対話〉（收錄於前掲日本大学全共闘会議・石田郁夫共編〔第一章〕《日大全共闘》）一六八頁。

16 前掲加藤〔第一章〕〈みんな「願い」を持って行動した時代〉一七四頁。

17 把黑道電影與全共鬥運動進行心理連結討論的有趣評論，可舉前中大全共鬥天野惠一的著作。他以一九七一年首映的《暴力団再武装》（導演：佐藤純彌）為例，介紹電影中由鶴田浩二飾演的黑道小弟因忍受不了一直對勞工收取保護費，與丹波哲郎飾演的黑道兄弟一起刺殺自家幫派的大哥，之後因受不了一直以來收取保護費的罪惡感而切腹自殺。他指出，這種「與堂堂正義無關而活著的人（男人），他的『自我懲罰』才是全共鬥學生感到共鳴的黑道電影本質。」（天野恵一《「無党派」という党派性》インパクト出版社，一九九四年，三九—四一頁）筆者認為，這種見解很難說是全共鬥派學生喜歡黑道電影的普遍理由，但當時的學生一面受到大眾消費文化的入侵，加上對越南人民的「加害者」意識，因此必須「自我否定」的罪惡感乃是全共鬥運動背景因素的論調，一如該書的論證。因此天野的見解在某種程度上可說是恰當的。

18 山田洋次〈渥美清の寅さんが問いかけるもの〉（《論座》二〇〇五年九月號）四一—四二頁。

19 内田敏雄《敗戦の年に生まれて》（太田出版，二〇〇一年）三三—三四頁。

20 福田克彥《三里塚アンドソイル》（平原社，二〇〇一年）一七三頁。三上治《一九七〇年代論》（批評社，二〇〇四年）一八三頁。

21 前掲加藤〔第一章〕《連合赤軍　少年A》二〇—二二頁。

22 前掲上野（第一章）《楽天性持つ「原っぱ世代」》
23 浅田彰・三田誠広・筑紫哲也〈全共闘って何〉（收錄於筑紫哲也編著《全共闘─それは何だったのか》現代の理論社，一九八四年）七九頁。
24 加藤典洋《戦後を戦後以後、考える》（岩波ブックレット，一九九八年）一六頁。
25 前掲三浦（第一章）《団塊世代を総括する》一七、一九頁。
26 同前書一七頁。
27 〈宮崎駿四万字インタビュー〉（《SIGHT》二〇〇二年冬季號）二〇頁。
28 前掲橋本（第一章）《団塊の肖像》一九二頁。
29 毎日新聞社社会部編《ゲバ棒と青春》（エール出版社，一九六九年）一六七、一七七頁。
30 前掲加藤（第一章）《連合赤軍　少年A》四二─四三頁。
31 前掲三浦（第一章）《団塊世代を総括する》五一頁。
32 前掲內田《敗戦の年に生まれて》四九頁。
33 福富節男〈デモンストレーションと民主主義〉（《季刊　運動「経験」》一五號，二〇〇五年）一〇七頁。
34 前掲小阪《思想としての全共闘世代》四四、四五頁。
35 前掲加藤《連合赤軍　少年A》二二頁。
36 以下山口的引用引自前掲看口《団塊ひとりぼっち》五三、五六─五八頁。
37 〈日大父兄大会の実況録音〉（《週刊文春》一九六八年十一月二五日號）一五二頁。
38 前掲三浦《団塊世代を総括する》四四頁。
39 荒岱介《破天荒伝》（太田出版，二〇〇一年）七一頁。
40 立花隆〈実像・山本義隆と秋田明大〉（《文藝春秋》一九六九年十月號）一五二頁。
41 以下橋本的回憶引自前掲橋本《団塊の肖像》九四─九七頁。
42 伊藤公雄〈戦後男の子文化の中の「戦争」〉（收錄於中久郎編《戦後日本のなかの「戦争」》世界思想社，二〇〇四年）一七〇頁。
43 前掲茜・柴田（第一章）《全共闘》四六頁。
44 長谷百合子〈全共闘で学んだこと〉（收錄於前掲〔第一章〕《全共闘からリブへ》）一〇七頁。
45 前掲三浦《団塊世代を総括する》一三─一四頁。
46 前掲大宅・大野・草柳・いいだ（第一章）〈全学連一〇・二一付近総まくり〉三五頁。
47 前掲《敗戦の年に生まれて》四五─四六頁。
48 同前書五八頁。
49 前掲山口《団塊ひとりぼっち》一五二─一五三頁。
50 田中美津《いのちの女たちへ》（初版，田畑書店，一九七二年。新裝版現代書館，二〇〇一年）新裝版二六四頁。以下引用自新裝版，原文內容與初版無異。
51 〈〝革命家のセックスも愛情の結果よ〞〉（《週刊読売》一九七二年三月一八日號）六一頁。
52 前掲白川（第一章）〈私は〝闘う全高連〞の少女リーダー〉八九頁。
53 以下引自〈全学連〝籠城男女学生〞は中で何をしている?〉《週刊プレイボーイ》一九六八年八月二〇日號）二六、二七、二

八、二九頁。

54 前掲（第一章）〈大学のニューラジカルズ〉七九—八〇頁。

55 〈暁の手入れと八人の女子学生〉（《週刊新潮》一九六八年五月一一日號）三七頁。

56 同前報導三六頁。

57 同前報導三六頁。

58 同前報導三七、四〇頁。

59 〈高校生座談会　紛争はぼくらの〝お祭り〟だ〉（《文藝春秋》一九七〇年二月號）一九九頁。

60 植垣康博《兵士たちの連合赤軍》（彩流社，初版一九八四年，新裝版二〇〇一年）新裝版九七頁。以下引用自新裝版。

61 町野美和〈性解放の名のもとに〉（收錄於前掲《全共闘からリブへ》）一二四頁。

62 首藤久美子〈優生保護法改悪阻止運動と「中ピ連」〉（收錄於前掲《全共闘からリブへ》）二六六頁。

63 前掲〈全学連女性闘士二五人の愛情報告〉二〇頁。

64 前掲永田（第一章）《十六の墓標》上巻六六頁。

65 田中美津・上野千鶴子《美津と千鶴子のこんとんとんからり》（木犀社，一九八七年。増補新版二〇〇三年）増補新版五八頁。以下引用自增補新版。

66 前掲〈〝革命家のセックスも愛情の結果よ〟〉六一、六〇、六三頁。

67 前掲三浦《団塊世代を総括する》二八頁。

68 上野千鶴子〈女性革命兵士という問題系〉（《現代思想》二〇〇四年六月號）五七頁中提及「永田的性愛觀是道德的、保守的……與當時持續發展的性革命狀況，可說是時代錯誤地格格不入。」然而，一九四八年生的上野以自己的觀點判斷一九四五年生的永田（生於一九四五年二月，因此比上野大四歲）性愛觀，有點忽略年代上的制約。筆者認為，永田的性愛觀並非特別保守，至少與她世代的平均值相差不大。而上野所謂的「性革命」應該是指全共鬥運動衰退後，亦即一九六九年後半以後的現象。永田在一九七〇年以後因非法活動而過著流離於各地下基地的生活，這與全共鬥運動衰退後無事可幹而透過戀愛與性愛消磨時間的上野不同，永田在物理上、時間上並無享受「性革命」的餘裕。例如田中美津回憶，在忙於參與女性解放運動時期（從一九七〇年她開始女性解放運動至一九七五年她前往墨西哥為止）「〔除了運動之外〕每天要做的事情太多，心情上沒有餘裕，當時變得很瘦啊。唉，根本不是談戀愛的時機」，這段話也可作為旁證。（田中美津・加納穗子・小川てつオ・西池恵美子・神長恒一・小倉虫太郎・ぺぺ長谷川〈だめ連は二一世紀のあたりまえ〉、だめ連編《だめ連宣言！》作品社，一九九九年所収，二六〇頁）。

69 村松前掲（第一章）《大学は揺れる》一六〇頁。

70 同前書二〇—二一頁。

71 〈オレンヂカラー〉（《法政大学新聞》一九六六年五月一〇日號）。

72 〈これでも勉学の場か、現実を直視せよ〉（《中央大学新聞》一九六六年九月一三日號）。

73 村松前掲《大学は揺れる》六一頁。

74 〈慶應におけるマスプロの現状〉（《慶應義塾新聞》一九六六

年四月一五日號）。

75 〈大学のあした　第八回　マス・プロ〉（《慶應義塾新聞》一九六七年四月一日號）。

76 船橋邦子〈全共闘運動とジェンダー〉（收錄於前揭《全共闘からリブへ》）九六頁。

77 大森節夫〈終わりなき闘い〉（收錄於日本大学全学共闘会議・石田郁夫共編前揭《日大全共闘》）一三六頁。

78 鈴木前揭（第一章）《学生運動》六二—六三頁再引用。

79 前揭〈大学のあした第八回　マス・プロ〉。

80 兵藤昭〈最近の私学紛争とその本質〉（《月刊社会党》一九六七年四月號）一〇七，一〇三頁。

81 〈レジャー産業からの脱皮を——の新設ラッシュ〉（《朝日ジャーナル》一九六六年十月三〇日號）一〇八，一〇七頁。

82 鈴木前揭《学生運動》六四—六五頁再引用。

83 同前書六七—六八頁，再引用。

84 ＮＨＫ（第一章）取材班編前揭〈東大全共闘〉二三〇頁。

85 大野明男〈学生がかくも暴発する理由〉（《現代》一九六八年十二月號）三一二頁。

86 大野明男《全学連》（講談社，一九六八年）一二頁。

87 同前書一四，一五頁。

88 以下，此源自《法政大學教育白皮書》的引用來自村松前揭《大学は揺れる》二五—二八頁的再引用。

89 村松前揭《大学は揺れる》一七—一八頁。

90 〈大学入試と母親の付添い〉（《朝日ジャーナル》一九六七年三月一九日號）一〇六頁。

91 村松前揭《大学は揺れる》一二頁。

92 同前書六五、六六頁。

93 宇佐美承〈大学生の大量留年はなぜおこる？〉（《朝日ジャーナル》一九六七年四月九日號）二一頁。

94 同前報導二四頁。

95 北川隆吉〈現代学生気質　その1〉（《教育評論》一九六六年二月號）五二頁。

96 北川隆吉〈現代学生気質　その2〉（《教育評論》一九六六年四月號）一一一、一一〇頁。

97 村松前揭《大学は揺れる》七七—七八頁。

98 前揭〈大学生の大量留年はなぜおこる？〉二四頁。

99 同前報導二三—二四頁。

100 三浦朱門〈日本大学よ甘えるなかれ〉（《中央公論》一九六八年八月號）二九四頁。

101 一瀬・尾形・神沢・篠崎・西村・村松前揭（第一章）〈学園の紛争と大学の自治〉二六八頁。

102 村松前揭《大学は揺れる》四六頁。

103 同前書七〇頁。

104 北川前揭〈現代学生気質　その2〉一〇九頁。

105 以下杉本的調査的摘要來自村松前揭《揺れる大学》七四—七五頁。

106 同前書九一頁。

107 〈卒業式告示と現代っ子〉（《朝日ジャーナル》一九六七年四月一六日號）一一四頁。

108 いいだ・もも〈こどもマンガを読む大人たち〉（《中央公論》

一九六六年五月號）一三六頁。

109 稲生勁吾〈学生らしい学生になれ〉（《時》九六七年十二月號）八八頁。

110 以下、同前論文九〇，九二，九二—九三頁。

111 以下〈教授からみた現代の学生像〉（《時》九六七年十二月號）九五，九六，九九，一〇〇，一〇二，一〇三，一〇四，一〇五，一〇七頁。

112 ＮＨＫ取材班編前掲〈東大全共闘〉二二八頁。

113 吉田幸男〈苦悩から現実視を〉（《法政大学新聞》一九六六年五月一〇日號）。

114 村松前掲《大学は揺れる》三八頁再引用。

115 折原前掲〈現代学生の基礎経驗〉二八三頁。

116 鈴木前掲《学生運動》六八頁再引用。

117 同前書七一頁。

118 同前書六三頁再引用。

119 〈遮断される学生〉（《岡山大学新聞》一九六七年十月一五日號）。

120 鈴木前掲《学生運動》七九—八〇頁再引用。

121 前掲〈大学生の大量留年はなぜおこる?〉二二一頁。

122 池田信一〈悩みさまざま、学生相談室〉（《現代の眼》一九六六年十二月號）一五八，一五九，一五七頁。

123 高野前掲（第一章）《二十歳の原点》三九—四〇頁。關注高野自殘行為的論文有土井隆義〈生きづらさの系譜学——高野悦子と南条あや〉（亀山佳明・富永茂樹・清水学編《文化社会学への招待》世界思想社，二〇〇二年）。對於高野為了逃避集體壓力而秘密在大學筆記中書寫日記，土井舉一九九九年自殺的南條彩（音譯，南条あや）為逃離孤獨而在網路上公開發表日記，對照高野的自殘行為，藉以說明六〇年代與九〇年代「生活困難度」的差異。筆者贊同六〇年代與九〇年代確實有程度上的差異，但兩者皆是同質的高度資本主義社會下發生的「生活困難」，高野是早期的例子。筆者與土井相異之處在於，是著眼於高野與南條（及她生活的年代）的同質性，抑或者是異質性，而這種不同並無何者才是「正確」的問題。

124 田中前掲《いのちの女たちへ》二三五，一七〇—一七一頁。

125 大原紀美子《時計台は高かった》（三一書房，一九六九年）四〇頁。

126 藤原新也〈猿が森を渡る音〉（《海燕》一九九三年八月號）六〇頁。但藤原指出，「這種〔喪失真實感的〕怨念是以次文化的形式在該時代迅速綻放，而非學生運動的形式」，他認為「喪失真實感」與次文化興起相關，而非與學生運動連結。這樣的結論確實很符合背棄學生運動踏上印度之旅的藤原風格，不過此處引用並非是要證明其論點，而是作為「喪失真實感」的佐證。

127 村松前掲《大学は揺れる》四四頁。

128 同前書四五頁。

129 大窪前掲〈パラノイドの青春が蹉跌するまで〉一七八頁。

130 以下引自宇佐美承〈原理運動の学生たち〉（《朝日ジャーナル》一九六七年九月二四日號）一〇五，一〇六—一〇七，一〇八頁。

131 池田前掲〈悩みさまざま、学生相談室〉一五六—一五七頁。

132 北川隆吉〈現代学生気質　その3〉（《教育評論》一九六六年

五月號）五六頁。
133 鈴木貞美〈四半世紀ののちに…〉（《海燕》一九九三年八月號）九九頁。
134 〈ぼくらは「平和」に窒息しそうだ〉（《現代の眼》一九六七年一月號）。
135 筑紫哲也〈ポスト全共闘としてのいま〉（收錄於筑紫編著前掲《全共闘——それは何だったのか》）一七頁。
136 三上前掲（序章）《一九六〇年代論Ⅱ》一三六—一三七頁。
137 村松前掲《大学は揺れる》四二—四三頁。
138 茜・柴田前掲（第一章）《全共闘》五四，五七—五八頁。
139 同前書五六，五七頁。
140 同前書五六頁。
141 K・H〈闘いの総力をもって〉（收錄於前掲〔第一章〕《叛逆のバリケード》）二二六—二二七頁。
142 高橋徹〈直接行動の心理と思想——日本学生運動の思想と行動・第四回〉（《中央公論》一九六八年九月號）一三四頁。
143 鈴木前掲《学生運動》一六九頁再引用。
144 関根弘〈早大バリケードの思想〉（《現代の理論》一九六六年五月號）一〇五，一〇六頁。
145 NHK取材班前掲〈東大全共闘〉二四五頁。
146 東京大学〈大学の自治と学生の自治〉（收錄於東京大学全学大学院生協議会・東大闘争記録刊行委員会編《東大変革への闘い》労働旬報社，一九六九年）四〇九，四一一頁。
147 村松前掲《大学は揺れる》一四六頁。
148 一瀬・尾形・神沢・篠崎・西村・村松前掲〈学園の紛争と大学の自治〉二六七頁。
149 船橋前掲〈全共闘運動とジェンダー〉九六頁。
150 〈一部活動家は真に一部か〉（《朝日ジャーナル》一九六八年二月二五日號）一〇二頁。
151 金田孝之〈変革によせて〉（《ベトナム通信》一九六八年五月號〔第五號〕）復刻版四三頁。
152 猪野健治〈現代〝管理社会〟と若者〉（《月刊ペン》一九七二年五月號）五八—五九。
153 高畠通敏〈「発展国型」学生運動の論理〉（《世界》一九六九年一月號）二四五頁。
154 以下、中島誠〈新しい科学・技術者運動の胎動〉（《週刊言論》一九六九年六月四日號）三六頁。
155 大野前掲〈学生がかくも暴発する理由〉三一一頁。
156 同前論文三一九，三一八頁。
157 同前論文三一一頁。
158 大野前掲《全学連》一九頁。
159 田中志津代〈私にとってべ平連とは〉（《ベトナム通信》一九六八年七月號〔第六號〕）復刻版二七頁。
160 南雲規至〈私は「石」でぶん　られた〉（《月刊時事》一九六八年十二月號）一四七頁。
161 NHK取材班前掲〈東大全共闘〉二九六—二九八頁。
162 三浦前掲〈日本大学よ甘えるなかれ〉二九二—二九四頁。
163 西村秀夫〈不安と焦燥を超えて〉（首見於《朝日ジャーナル》一九六八年四月二八日號，收錄於西村秀夫《教育をたずねて》筑摩書房，一九七〇年所収）三三頁。

164 同前書三二頁。

165 羽仁五郎・秋田明大〈日大闘争の本質〉（《世界》一九六九年一月號）二九四頁。附加一九六八年十一月一七日的日期。

166 ディビッド・リースマン「学生運動について」（『中央公論』一九六八年一〇月号）二八〇頁。

167 〈《人間》として生きたい——中学生からのアピール〉《ベ平連ニュース》（一九七〇年二月號〔第五三號〕）復刻版三〇三頁。

168 一瀬・尾形・神沢・篠崎・西村・村松前掲〈学園の紛争と大学の自治〉二六九頁。

169 前掲（第一章）〈高校生座談会　紛争はぼくらの"お祭り"だ〉一九七頁。

170 例如四三LI・II一五ストライキ実行委員会〈勝利〉第五號（一九六八年十月二日）或理工系社会科学研究会〈理工社研への招待——君は今、何を為し、何を為そうとしているのだろうか?!〉（一九六八年十二月二日）等文章的末尾皆有引用吉本的詩。皆收錄於六八・六九を記録する会編前掲（序章）《東大闘争資料集》第六卷。

171 以下室的引用引自室謙二〈何がそんなに不満なのか〉（《思想の科学》一九六九年五月號）一〇一，一〇二頁。

172 以下、大原前掲《時計台は高かった》八六，四，八七頁。

173 村松前掲《大学は揺れる》四五頁。

174 NHK取材班前掲〈東大全共闘〉二九五頁。

175 室前掲〈何がそんなに不満なのか〉一〇三頁。

176 沢登誠〈バリケードとは何か〉（首見於《情況》一九六九年三月號，《全共闘を読む》情況出版，一九九七年）九六頁。

177 東京三〈敵前浮上した上部団体〉（《現代之日本》一九六八年一一・十二月合併號）六一頁。

178 北村孝一〈アナーキーへの志向〉（《展望》一九六九年一月號）七八頁。

179 高野前掲《二十歳の原点》四〇頁。

180 戸山高・かんけん〈大学受験と反戦運動〉，ろうにん〈予備校生と反戦運動〉，皆收錄於《ベ平連ニュース》一九七〇年十月號（第六一號）。復刻版三六七頁。

181 いいだもも・菊池昌典・高橋徹・永井陽之助・萩原延寿〈"学生の反逆"と現代社会の構造変化〉（《中央公論》一九六八年七月號）五一頁。

182 森節子〈「男並み女」からリブへ〉（收錄於前掲《全共闘からリブへ》）一六五、一六四頁。

183 以下引自大窪前掲〈パラノイドの青春が蹉跌するまで〉一九四，一九五，一九六頁。

184 前掲（第一章）〈反抗による自己の発見　自分の世界を〉，大西健文〈学生運動と関連して〉（首見於長野県立松本深志高校《校友》一九六八年度號）。皆收錄於平栗編著前掲（第一章）《高校生は反逆する》，引用自同書九〇—九一，五四—五五頁。

第三章　新左翼的黨派（上）

1 關於本章記述時期的「新左翼」研究尚少。較近的研究有大嶽秀夫《新左翼の遺産》（東京大学出版会、二〇〇七年）。但大嶽主張的「後現代（post-modern）」之連續性，筆者認為此時期與其說是「新左翼」，不如說是本書作為整體主題的六〇年代末的反叛。同時代的事實記錄有藏田計成《安保全学連》（三一書房，一九六九年），該作最為充實詳盡。但藏田的描寫有時和相關人士的證詞或回憶有出入，對此本書將隨時加入補充。

關於六〇年代安保鬥爭，概說書籍有：井出武三郎編《安保闘争》（三一新書，一九六〇年）、信夫清三郎《安保闘争史》（世界書院，一九六一年，新裝版一九六七年）、齋藤一郎《安保闘争史》（三一書房，一九六二年）、保阪正康《六〇年安保闘争》（講談社現代新書，一九八六年）；文獻列表有：国立国会図書館編《安保闘争文献目録》（湖北社，一九七九年）。此外，松井隆志〈複合的現象としての社会運動の分析にむけて——六〇年安保闘争を事例として〉（《ソシオロゴス》第二七號，二〇〇三年）及〈六〇年安保闘争とは何だったのか〉（岩崎稔・上野千鶴子・北田暁大・小森陽一・成田龍一編著《戦後日本スタディーズ② 六〇・七〇年代》紀伊國屋書店，二〇〇九年首次收錄）中，透過對安保鬥爭參加者的計量分析及意識分析，指出共產同及「市民」才是主角，迫使對六〇年安保鬥爭的印象做出修正並引起議論風波。

但上述著作從分析共產同來概觀六〇年代末新左翼黨派源流的觀點，與本章有所不同。

筆者雖在討論六〇年代安保鬥爭的前著《「民主」と「愛国」》第十二章中，從思想史、集體心智（collective mentalities）的面向討論，但本章僅把該部分當作六〇年代末反叛中的共產同前史，從共產同的立場來描寫六〇年安保鬥爭。關於思想史上的先行研究，請參照《「民主」と「愛国」》第十二章的注。本章主要描寫伴隨共產同的分裂而出現新左翼黨派的原委，以及可說是新左翼黨派惡習，如與其他派系的競爭凌駕於政治目標之上，還有對國內政治過程無知的傾向等，早從六〇年安保鬥爭共產同時期便已存在。

此外，日本從何時開始使用「新左翼」一詞，時間點並不明確。直至六〇年代中期，各新左翼黨派並不太使用「新左翼」自稱，提及時多半指涉美國的「New Left」。日本的新左翼黨派或無黨派激進派被普遍稱為「新左翼」，依筆者管見大約起於七〇年左右。但六〇年安保鬥爭後不久出版的《民主主義の神話》中，收錄的革馬派指導者黒田寛一論文中描述當時共產主義者同盟（共產同）「自稱新左翼」（黒田寛一〈党物神崇拝の崩壊〉，收錄於谷川雁・吉本隆明・埴谷雄高・森本和夫・梅本克己・黒田寛一《民主主義の神話》現代思潮社，一九六〇年，一九六頁）。

而因今日「新左翼」的名稱已普遍化，故本書只針對必要部分將一九五八年共產同以後的新左翼黨派稱為「新左翼」，但至一九六八年左右為止的記述中則盡量避免「新左翼」這個稱呼。

2 前揭大野（第二章）《全学連》五七頁。

3 社会問題研究会編《全学連各派》（双葉社，一九六九年）一六八頁。

4 前揭大野《全学連》一〇頁，前揭社会問題研究会編《全学連各派》一八四頁。

5 前揭社会問題研究会編《全学連各派》二〇頁。

6 時事問題研究所編《全学連　その意識と行動》（時事問題研究所，一九六八年）九六頁。
7 前掲大野《全学連》一三頁。
8 前掲社会問題研究会編《全学連各派》一八五頁。
9 前掲松尾（第一章）《国際国家への出発》一三五頁。
10 同前書一三五—一三八頁。
11 同前書一三九頁。
12 同前書一三九—一四〇頁。
13 同前書一四〇頁。
14 此段原委參照筆者前著《「民主」と「愛国」》第七及第八章。
15 前掲社会問題研究会編《全学連各派》二二頁。
16 前掲時事問題研究所編《全学連　その意識と行動》九七頁。
17 武井昭夫〈『全学連』の引き　ぎの頃を話そっか〉（島成郎記念文集刊行会編《六〇年安保とブント（共産主義者同盟）を読む》情況出版，二〇〇二年所収）一六六頁。
18 前掲秋山・青木（第二章）《全学連は何を考えるか》二二二頁。
19 島成郎《ブント私史》（批評社，一九九九年）二八頁。
20 同前書三〇頁。
21 以下島的回憶引自同前書三〇，三一頁。
22 前掲社会問題研究会編《全学連各派》二三—二四頁。
23 吉川勇一〈連合赤軍事件と市民運動〉（一九七二年三月の講演。初出《市民》第八號。ベトナムに平和を！市民連合編前掲（第一章）《資料・「ベ平連」運動》再録）下巻一七六頁。
24 前掲社会問題研究会編《全学連各派》一一八。
25 中岡哲郎《現代における思想と行動》（三一新書，一九六〇年）五一—五三頁。
26 前掲島《ブント私史》三二，三三頁。
27 前掲松尾《国際国家への出発》一九五頁；前掲社会問題研究会編《全学連各派》二五頁。
28 前掲社会問題研究会編《全学連各派》二〇，二二，二五頁。
29 前掲時事問題研究所編《全学連　その意識と行動》九八頁。
30 前掲蔵田《安保全学連》三七頁。
31 西部邁《六〇年安保》（文藝春秋，一九八六年）一三三頁再引用。
32 前掲島《ブント私史》三五—三六頁。
33 同前書三九頁。
34 前掲社会問題研究会編《全学連各派》二四一，二七頁。此書中將社學同成立大會設定於全學聯第十一屆大會前一天的五月二十七日，但根據前掲藏田《安保全学連》三九頁，社學同組成於一九五八年三月。雖然時間差異不大，此處仍把社學同成立記為五月的成立大會前。
35 高沢皓司・蔵田計成編《新左翼理論全史》（新泉社，一九八四年）一二頁。
36 前掲社会問題研究会編《全学連各派》一九〇—一九一頁。
37 《清水幾太郎著作集》（講談社，一九九二—九三年）第一四巻四三八頁。
38 前掲大嶽《新左翼の遺産》一一六，一一七頁。
39 前掲島《ブント私史》四〇頁。
40 前掲社会問題研究会《全学連各派》二六頁。
41 前掲島《ブント私史》四二頁。

42 前掲高沢・蔵田編《新左翼理論全史》一三頁。
43 同前書五〇頁、前掲社会問題研究会編《全学連各派》二七頁。
44 前掲社会問題研究会編《全学連各派》二七頁。
45 荒岱介《新左翼とは何だったのか》（幻冬社新書，二〇〇八年）一四八頁。
46 前掲島《ブント私史》四七，四八頁。
47 立花隆《中核VS革マル》（初版一九七五年，講談社。講談社文庫版一九八三年）文庫版上巻五八頁。以下本書引用皆出自文庫版。
48 同前書五八—五九頁。
49 星宮煥生〈全学連・六〇年安保・そして島成郎〉（收錄於島成郎記念文集刊行会編前掲《六〇年安保とブントを読む》）七〇頁。
50 前掲蔵田《安保全学連》三九頁。
51 前掲島《ブント私史》七九頁。
52 同前書八〇頁。
53 前掲星宮〈全学連・六〇年安保・そして島成郎〉六九頁。
54 前掲蔵田《安保全学連》七四，四〇頁。
55 同前書一五八頁。
56 前掲立花《中核VS革マル》上巻六五頁。大歳成行《安保世代一〇〇〇人の歳月》（講談社，一九八〇年）二一七頁。前掲蔵田《安保全学連》一〇七頁。
57 前掲蔵田《安保全学連》一五八頁。
58 前掲島《ブント私史》八七頁。
59 前掲西部《六〇年安保》二〇，二一，二五頁。
60 前掲島《ブント私史》八六頁。
61 前掲大歳《安保世代一〇〇〇人の歳月》一五三頁。
62 東原吉伸《追想の中の「二人の改革者」》（收錄於島成郎記念論文集刊行会編前掲《六〇年安保とブントを読む》）二六頁。
63 大瀬振〈さよなら島、さよならブント〉（收錄於島成郎記念文集刊行会編前掲《六〇年安保とブントを読む》）五五頁。
64 前掲東原《追想の中の「二人の改革者」》二三頁。
65 前掲西部《六〇年安保》一三四—一三五頁再引用。
66 前掲東原《追想の中の「二人の改革者」》二二，二三頁。
67 前掲中岡《現代における思想と行動》一七三頁。
68 同前書一七四頁。
69 前掲東原《追想の中の「二人の改革者」》二三頁。
70 前掲西部《六〇年安保》三三頁。
71 前掲大歳《安保世代一〇〇〇人の歳月》二一一頁。
72 共産主義者同盟〈全世界を獲得するために〉（初出《共産主義》第一號，一九五九年一月。收錄於前掲高沢・蔵田編《新左翼理論全史》）五〇頁。根據前掲島《ブント私史》六二頁，此論文乃島生田浩二共同執筆。
73 前掲社会問題研究会編《全学連各派》五八頁。
74 前掲大嶽《新左翼の遺産》四九頁。小川登〈京都から見つめた六〇年安保とブント〉（前掲島成郎記念文集刊行会編《六〇年安保とブントを読む》）一七四頁。
75 前掲島《ブント私史》八四頁。
76 前掲蔵田《安保全学連》四九頁。
77 同前書一〇三—一〇四頁。革共同關西派在和共產黨派罷工時

「錯過進場時機」後散會。

78 前揭島《ブント私史》九二頁。

79 林紘義〈一一・二七。国会構内へ入った！〉（收錄於記念文集刊行会編前揭《六〇年安保とブントを読む》）二一三頁。

80 前揭島《ブント私史》九六頁および前揭大野《全学連》七六頁再引用。

81 船田中〈安保改定と国会乱入事件〉（《民族と政治》一九六〇年一月號）一二頁。在國會玄關小便的是共產同成員，但不確定是否為一同進入國會建築內的學生或是勞工。

82 前揭蔵田《安保全学連》五四─五五，五八，八七頁。

83 山田和明〈輝く太陽青空を……〉（收錄於早稲田の杜の会編《六〇年安保と早大学生運動》ＫＫベストブックス，二〇〇三年）九三頁。

84 前揭蔵田《安保全学連》六五頁。前揭船田〈安保改定と国会乱入事件〉一二頁。

85 以下小野田的回憶根據小野田襄二《革命的左翼という擬制》（白順社，二〇〇三年）一六六，一六七─一六八頁。

86 同前書一六八─一六八頁。

87 前揭立花《中核VS革マル》上卷六七頁。前揭蔵田《安保全学連》八一頁。

88 以下一月十六日對羽田事件的記述，根據前揭立花《中核VS革マル》上卷六七─六九頁、前揭蔵田《安保全学連》九五─九九頁、前揭島《ブント私史》一〇〇─一〇一頁。三方的記述存在若干差異，前揭立花著作中認為在知道岸於十六日上午八點出發後，十五日傍晚五點時「發出緊急動員令，但可在該時間集合者僅有在駐紮據點學校宿舍裡的學生。以東大駒場住宿生為主力，當天夜間僅能抓到約七百人的部隊。」（六八頁）。而前揭蔵田著作則記述，學生們以各自治會為單位前往羽田，至晚間七時許抵達的學生得以進入機場大廳，但晚間十時許之後因警察的盤查，後續學生無法入內（九六─九七頁）。又，前揭島著作則記述，「從平日對全學聯、共產同抱持好感的《每日新聞》吉野正弘（已逝）處得知出發被提前的消息，是在十五日下午四點。便毫不猶豫立即發布『為奪先機開始行動』的指令。接著在封鎖機場前一個小時，在唐牛健太郎委員長帶領下，全學聯先發部隊佔領羽田機場大廳，開始靜坐。後續部隊也接連在出發前一晚持續抵達羽田」，但後續的學生與勞工數千人在弁天橋附近遭警隊及右翼阻攔，無法進入機場（一〇〇─一〇一頁）。此三者的記述何者最貼近實況已然不明，本文則綜合三者描寫進行敘述。

89 前揭立花《中核VS革マル》上卷六九頁。前揭島《ブント私史》一〇一頁中，記載「晚間九點秘密進入機場大廳，一直戰鬥保護直到最後唐牛遭到逮捕。」

90 前揭島《ブント私史》一〇二頁。在島的此著作中記錄被逮捕者為七十七人，但前揭立花《中核VS革マル》則記為七十八人。

91 以下小川的回憶，根據前揭小川〈京都から見つめた六〇年安保とブント〉一七四─一七五頁。

92 前揭島《ブント私史》一〇四頁。

93 前揭東原《追想の中の「二人の改革者」》二二頁。前揭島《ブント私史》一〇五頁。

94 前揭大野《全学連》一三〇頁再引用。

95 前揭東原《追想の中の「二人の改革者」》二二，二九頁。

96 前揭大歳《安保世代一〇〇〇人の歳月》一八六—一八七頁。此項記述與島前述回憶安保鬥爭每月需一千萬日圓經費的說法有所矛盾，但作為資料加以照錄。

97 同前書一九六頁。

98 蔵田計成〈秘話／ブント「革通派」結成の謎〉（收錄於前揭島成郎記念文集刊行会編《六〇年安保とブントを読む》所収）一五四頁。

99 前揭東原《追想の中の「二人の改革者」》三〇頁。

100 前揭蔵田〈秘話／ブント「革通派」結成の謎〉一五四頁。但根據前揭大歳《安保世代一〇〇〇人の歳月》一八七頁，東原每個月從田中那裡領到鬥爭資金以外的「零用錢」三萬日圓，並搬進了高級公寓。另外，藏田在前揭論文一五四頁中寫道「關於政治局層級的事務完全不明，但咸認在學聯書記局能獲得〔來自右翼捐款〕獎賞的人僅為極少數。」

101 前揭島《ブント私史》一〇七，一〇八頁。

102 前揭大野《全学連》八五頁。

103 前揭蔵田《安保全学連》一〇六頁。前揭大野《全学連》八四頁。

104 前揭島《ブント私史》一一〇—一一一頁。關於此時島的演講，前揭蔵田《安保全学連》中記錄島說「只要對共產同投入三千名勞工武裝部隊，便能擊垮安保。」（一〇六頁），記錄全勞協常任理事前田裕晤說「若有三千名武裝革命家領導，即便奪取政權也不無可能」（前田〈前衛は崩壊したのか〉，前揭島成郎記念文集刊行会編《六〇年安保とブントを読む》六一頁）細節部分有若干出入，此處引用島的回憶。

105 前揭前田〈前衛は崩壊したのか〉六一頁。

106 前揭西部《六〇年安保》一三六頁。

107 前揭島《ブント私史》一〇八，一〇九頁。

108 清水丈夫〈追悼　島さんの思い出によせて〉（收錄於前揭島成郎記念文集刊行会編前揭《六〇年安保とブントを読む》）三七頁。

109 前揭島《ブント私史》一一七頁。

110 前揭蔵田《安保全学連》一一三頁。

111 前揭島《ブント私史》一一六頁。

112 前揭蔵田〈秘話／ブント「革通派」結成の謎〉一四二頁。

113 同前論文一四九頁。

114 前揭蔵田《安保全学連》一一五頁。

115 前揭蔵田〈秘話／ブント「革通派」結成の謎〉一五三—一五四頁。

116 前揭西部《六〇年安保》三四頁。

117 同前書一三七頁。

118 前揭蔵田《安保全学連》一二〇頁。

119 同前書一二〇頁。

120 前揭三上〈序章〉《一九六〇年代論》三二頁。遊行動員人數根據前揭松井〈六〇年安保闘争とは何だったのか〉一三三頁。

121 前揭蔵田《安保全学連》一二二頁。

122 前揭大野《全学連》九〇頁。

123 〈岸退陣と総選挙を要求す〉（《朝日新聞》一九六〇年五月二一日）。輿論調查根據〈岸内閣をどう思うか〉（《朝日新聞》

一九六〇年六月三日）。
124 前掲蔵田《安保全学連》一二四，一二五頁。
125 前掲大野《全学連》九二—九三頁。前掲立花《中核VS革マル》上卷七〇頁。
126 前掲島《ブント私史》一一八頁。
127 前掲西部《六〇年安保》一四八頁。
128 前掲島《ブント私史》一一九頁。
129 同前書一一七頁。
130 前掲小川〈京都から見つめた六〇年安保とブント〉一七六頁。
131 阿部行蔵・網野武男編《全学連——怒る若者》（ 風社，一九六〇年）。前掲大野《全学連》八〇—八一頁再引用。
132 前掲蔵田〈秘話／ブント「革通派」結成の謎〉一五二頁。五月二十六日主流派遊行動員人數根據前掲蔵田《安保全学連》，但前掲松井〈六〇年安保闘争とは何だったのか〉中則記為四千五百人。
133 前掲蔵田《安保全学連》一二六頁。
134 前掲大蔵《安保世代一〇〇〇人の歳月》一六四頁。
135 前掲蔵田《安保全学連》一二九，一二八頁。
136 前掲大瀬〈さよなら島、さよならブント〉五四頁。
137 以下西部的回憶根據前掲西部《六〇年安保》二六，三七頁。
138 同前書二四—二五頁。
139 前掲島《ブント私史》二四頁。
140 前掲小川〈京都から見つめた六〇年安保とブント〉一八四頁。根據五〇年代初東大教養學部自治會委員長吉川勇一的說法，即便在當時受共產黨指導的東大自治會選舉中，也沒有舉行過非法選舉。（吉川勇一〈ベ平連——国境を越える運動〉《検証昭和の思想V　思想としての運動体験》社会評論社，一九九四年）。
141 前掲蔵田〈秘話／ブント「革通派」結成の謎〉一五一頁。
142 同前論文一五一頁。
143 前掲大嶽《新左翼の遺産》一一七頁。
144 前掲大野《全学連》一〇九—一一〇頁。
145 久野収〈市民主義の成立〉（《思想の科学》一九六〇年七月號）一一三頁。
146 日高六郎・高畠通敏・中谷健太郎・前田康博・竹内敏晴〈形なき組織の中で〉（《思想の科学》一九六〇年七月號）八九頁。
147 黒岩秩子〈安保から三十年〉（女たちの現在を問う会編《女たちの六〇年安保》、《銃後史ノート戦後編》5，インパクト出版会，一九九〇年）一一四頁。
148 前掲蔵田《安保全学連》一三二—一三三頁。
149 前掲三上《一九六〇年代論》三二頁。
150 前掲蔵田《安保全学連》一三三頁。
151 杉山美智子〈マイクの追った〝激動する十日間〟〉（《思想の科学》一九六〇年七月號）四二頁。
152 前掲蔵田《安保全学連》一三三頁。
153 仙波輝之〈激動と濃密の日々の始まり〉（早稲田の杜の会編前掲《六〇年安保と早大学生運動》）一三二頁。
154 前掲蔵田〈秘話／ブント「革通派」結成の謎〉一五二頁。
155 前掲蔵田《安保全学連》一三四頁。在藏田的記述中，如本文所寫的事先已決定從南通用門闖入，但前掲島《ブント私史》

中則寫道「〔十五日當天比遊行隊〕更早一步到達的我，繞著國會走了一圈，思考今天應以哪個門作為突破口時，發現正門防守最為嚴密，因此決定從接近議員會面所的南通用門闖入國會建築，並將此決定轉達給學聯指導部。」（一二三—一二四頁）。

又，身為一般的遊行參加者的三上治在前揭《一九六〇年代論》中寫道，「我們有闖入國會的意圖，但並不知道將從何處闖入。國會議事堂的正門有卡車且築起了街壘，受到嚴密警戒，所以不可能從該處闖入。沿著國會周邊展開兩、三次遊行的期間，逐漸意識到他們打算從南門闖入。」（三二—三三頁）。

此外，前揭藏田書中也記載六月十五日前一天起已準備切割剪，而使用該工具打開突破口的「工兵隊」成員篠田邦雄回憶道，「我們工兵隊繞著國會八次進行調查」，因正門被固守所以最終決定以南通用門作為突破口，同為「工兵隊」成員的東大理學部研究生長崎浩也回憶道，「一邊指揮遊行隊伍繞行國會周邊七、八次，一邊試著晃動各個門與剪斷鐵絲」，之後決定了南通用門。（前揭大嶽《安保世代一〇〇〇人の歳月》一六六、一七四頁）。島表示，在判斷南通用門容易闖入後「因需要網子、鋸子與扳手而被派去採買」，並未提及「工兵隊」有事先準備好這些器具。（收錄於石川真澄・黒羽純久・島成郎・多田実・松野　三〈生まれたてのブントが主導した全学連は何を目標にやったのか〉《六〇年安保・三池闘争》每日新聞社，二〇〇〇年，一六八頁）。

如果事先決定從南門闖入，姑且不論底層參加者的三上，至少共產同書記長島或「工兵隊」成員不可能不知情。而決定以南通用門為突破口的是否為島，抑或是「工兵隊」，甚至連是否組織了「工兵隊」，各方證詞都不一致。真相為何已經不明，此處先採用藏田的記述。但，藏田於六月一日被捕，因此藏田的描寫並非他親眼所見，在此也必須附記。

156 前揭藏田《安保全学連》一三六頁。前揭松井〈六〇年安保闘争とは何だったのか〉中，六月十五日全學聯主流派遊行的動員人數為一萬人。

157 前揭東原《追想の中の「二人の改革者」》三〇頁。

158 以下六月十五日的狀況與引用出自前揭藏田《安保全学連》一三八—一四〇頁。

159 關於樺的動向出自前揭大嶽《安保世代一〇〇〇人の歳月》二三一，一六九，一七五，二四三頁。引用文為明治大學自治會副委員長篠田邦雄的證詞。

160 前揭小野田《革命的左翼という擬制》一八九頁。但如前述，藏田於六月一日被捕，故此處描寫並非藏田親眼所見。此外，小野田因也參加四月二十六日闖入國會鬥爭而遭逮捕。根據小野田的說法，在這些共產同主導的鬥爭中，從革共同來參加的僅有小野田。小野田身為革共同成員，卻參加共產同主導的遊行，他這麼說明：「老實說，我討厭馬學同〔革共同的學生組織〕的體質，我覺得那就是個背地裡說壞話的集團。只是個從其他地方偷偷摸摸竊取人員物資，無處可去的弱者聚集的團體。」（七六頁）。

161 同前書一九〇頁。

162 以下記述與引用來自前揭藏田《安保全学連》一四〇—一四三頁。但根據搬運樺美智子遺體的工兵隊成員篠田邦雄的回憶，

「現場領導層判斷可移往正門進行集會一事雖為事實，但共產同政治局則要求『多爭取一些時間』。不過現場已再也撐不下去，因此一時陷於提不出方針的狀態。在此情況下，我們跟警方都因群眾心理的作用，一口氣爆發。」（前揭大嶽《安保世代一〇〇〇人の歳月》一六九—一七〇頁）。如果這段敘述無誤，則共產同領導層未能決定是否將學生引導至正門，但事實如何已難以釐清。

163 樺光子編《人しれず微笑まん——樺美智子遺稿集》（三一書房，一九六〇年）二五七頁。

164 前揭蔵田《安保全学連》一四五頁再引用。

165 前揭小野田《革命的左翼という擬制》一九三頁。

166 平岡正明〈赤色残　伝〉（前揭〔第一章〕《赤軍一九六九—二〇〇一》所収）二〇二頁。

167 同前論文二〇二頁。

168 前揭三上《一九六〇年代論》三五頁。

169 前揭島《ブント私史》一二九，一三二頁。

170 前揭小野田《革命的左翼という擬制》一九六頁。

171 同前書一九六頁。

172 同前書一九六頁。

173 前揭大野《全学連》一〇三頁。

174 前揭西部《六〇年安保》一三五—一三六頁再引用。

175 前揭大野《全学連》一一六頁。

176 多田靖〈ブント書記長・島成郎と仲間たち〉（收錄於島成郎記念文集刊行会編前揭《六〇年安保とブントを読む》）一二一頁。

177 前揭谷川・吉本・埴谷・森本・梅本・黒田《民主主義の神話》。

178 前揭大嶽《安保世代一〇〇〇人の歳月》二二六頁。

179 前揭大野《全学連》一一一，一一二頁。

180 前揭蔵田〈秘話／ブント「革通派」結成の謎〉一三八頁。前揭星宮〈全学連・六〇年安保・そして島成郎〉七二頁。

181 前揭島《ブント私史》一三八頁。

182 前揭多田〈ブント書記長・島成郎とその仲間たち〉一一七頁。

183 前揭島《ブント私史》一三九頁。

184 前揭大野《全学連》一一五—一一六頁。

185 前揭蔵田《安保全学連》一六二頁。

186 前揭蔵田〈秘話／ブント「革通派」結成の謎〉一三六，一四三頁。

187 同前論文一五三—一五四頁。

188 前揭立花《中核VS革マル》上巻八一頁。

189 前揭蔵田〈秘話／ブント「革通派」結成の謎〉一四一頁。

190 前揭蔵田《安保全学連》一九四頁。

191 同前書一七一—一七二頁。

192 前揭蔵田〈秘話／ブント「革通派」結成の謎〉一三八頁。

193 前揭小川〈京都から見つめた六〇年安保とブント〉一七七頁。

194 前揭小野田《革命的左翼という擬制》一六〇頁。

195 前揭島《ブント私史》一三九—一四〇頁。

196 前揭清水〈追悼　島さんの思い出によせて〉三八頁。

197 以下林的回憶根據林紘義〈島成郎はブントそのものだった〉（收錄於前揭島成郎記念文集刊行会編前揭《六〇年安保とブン

トを読む》）九二，九三頁。

198 前掲藏田〈秘話／ブント「革通派」結成の謎〉一四七頁。

199 前掲大野《全学連》一一八頁。前掲立花《中核VS革マル》上卷八二頁。

200 前掲小野田《革命的左翼という擬制》三六—三七頁。

201 前掲藏田《安保全学連》一五六頁。

202 前掲清水〈追悼　島さんの思い出によせて〉四一頁。

203 前掲林〈島成郎はブントそのものだった〉九一頁。

204 前掲大野《全学連》一一八頁。

205 前掲小野田《革命的左翼という擬制》二〇，二一頁。

206 中島誠編著《全学連》（三一新書，一九六八年）二三一—二三二頁。

207 前掲藏田《安保全学連》二一九頁。

208 前掲大野《全学連》一二一—一二二頁。

209 前掲小野田《革命的左翼という擬制》一四—一五頁。但根據前掲藏田《安保全学連》二二二頁，全學聯第十七屆大會之前的一九六一年六月十一日馬學同全都運動者會議上，截取到「共產主義學生同盟」成立情報的馬學同及革共同全國委高層，決定將此「陰謀」暴露並加以搗毀。藏田的此段記述與唐牛及小野田的證詞有出入，但可想像之後「共產主義者學生同盟」構想仍繼續醞釀，故此處採用小野田的記述。

210 以下全學聯第十七屆大會的記述引自前掲大野《全学連》一二二—一二三頁、前掲立花《中核VS革マル》上卷八四—八五頁、中垣行博〈それぞれの安保闘争〉（收錄於前掲島成郎記念文集刊行会編前掲《六〇年安保とブントを読む》）二三三頁、前掲藏田《安保全学連》二二〇—二二五頁。各著作的記述有若干出入，前掲立花著作記載，八日早晨「鶴屋聯合」與終於趕來欲進入會場的馬學同發生鬥毆後，「惱怒的馬學同方從附近木材店購來大量角材，以此武裝發起突擊。」

另一方面，根據當天在現場的中垣手記，馬學同發布一次「警告」後，便將舉牌用的木材拆下化身突擊隊闖入。前掲藏田書中記載，馬學同在發布「交涉決裂宣言」後，「迅速籌集角材進行武裝」。

根據前掲立花著作八七頁，「馬學同與『鶴屋聯合』亂鬥逐漸擴大之際，全自聯的代議員們趁機而入。馬學同與『鶴屋聯合』立即中止戰鬥，協力組成陣勢，驅離全自聯。當全自聯離去後，雙方又開始展開亂鬥」，前掲藏田書中也記載「雙方亂鬥正酣之際，有情報傳入說『代代木抵達會場周邊』。兩派立刻停止戰鬥，一同組織陣形。待危險解除後，兩派又繼續展開亂鬥。」

但，中垣的手記中並無這般敘述，前掲大野著作一二二頁中提及全自聯在會場外遭機動隊阻止。中垣手記與大野及藏田的記述雖不抵觸，但與立花記述有矛盾之處。這恐怕是因為立花根據前掲藏田著作而誤認全自聯曾進入會場。總之，本書重視當日在現場的中垣記述，綜合四者的說明。

211 前掲藏田《安保全学連》二二五—二二六，二四二—二四三頁。

212 前掲大野《全学連》一一六—一一七頁。

213 以下關於全自聯的混亂，根據前掲大野《全学連》一二三—一二四頁及前掲社会問題研究会編《全学連各派》一〇八—一一七頁。

214 關於此時期禁止原子彈氫彈世界大會的分裂，可參照當時擔任共產黨禁止原子彈氫彈運動，且因反對共產黨方針而遭開除黨籍的吉川勇一《市民運動の宿題》（思想の科学社，一九九一年）七八—八四頁。

215 鈴木前掲（第一章）《学生運動》一八九頁。

216 同前書一九〇頁。

217 同前書一八九—一九〇頁。

218 前掲蔵田《安保全学連》二五一，二九一，一九九頁。高沢皓司・佐長史朗・松村良一編著《戦後革命運動事典》（改訂新版 新泉社，一九八五年）七七，一四八，二二三頁。此外，前一段落結構改革派部分，本書也根據同書盡可能做出正確記載，統一社會主義同盟於一九六二年成立學生組織FRONT；另，一九六三年九月共產黨派的平民學聯分裂出結構改革派，組成民主主義學生同盟（民學同）；一九六四年因禁止原子彈氫彈問題而遭共產黨開除的志賀義雄等人組織「日本之聲」，也有一些民學同成員加入此「日本之聲」。但一九六七年以「日本之聲」左派等為基礎組成了共產主義者勞工黨，一九六九年成立學生組織普羅學生同盟（普羅學同），結果殘留下來的民學同，變成由未前往共勞黨的「日本之聲」右派學生所組成的組織。（七七，一八九，二七五頁）。因為太過繁瑣，本文中略去不記。

219 同前書二八四頁。高沢・佐長・松村編著前掲《戦後革命運動事典》一二六—一二七頁。

220 同前書二八四頁。高沢・佐長・松村編著前掲《戦後革命運動事典》二一三、二五一頁。

221 岩田弘〈闘わざる革新派の破廉恥さ〉（《朝日ジャーナル》一九六七年十月二二日號）一六頁。

222 前掲蔵田《安保全学連》二五〇頁。

223 前掲立花《中核VS革マル》上卷八八頁。

224 前掲小野田《革命的左翼という擬制》一七頁。

225 前掲立花《中核VS革マル》上卷八九頁。

226 前掲蔵田《安保全学連》二五九頁再引用。

227 大管法鬥爭的原委，根據前掲大野《全学連》一二六—一二七頁、前掲蔵田《安保全学連》二六二—二七六頁、前掲立花《中核VS革マル》上卷八九—九四頁。

228 以下馬學同的分裂原委，根據前掲立花《中核VS革マル》上卷九三—九四頁、前掲蔵田《安保全学連》二七七—二七九頁、前掲大野《全学連》一二七—一二八頁。

229 以下關於黑田與本多的對立，根據前掲蔵田《安保全学連》二七九—二八三頁、前掲立花《中核VS革マル》上卷九二—九三頁、前掲小野田《革命的左翼という擬制》二三—二五頁。又，前掲立花著作中寫道：黑田提倡重視產業別委員會，對此本多主張應重視地區黨委員會，但前掲蔵田書中的記述則相反。從黑田的思想來看，他重視的應該是將黨中央的意向滲透到末端基層組織者，因此主張他重視地區黨委員會的想法較合邏輯，又前掲立花著作的記述乃基於前掲蔵田著作（但此處誤讀）的可能性很高，因此採用蔵田的敘述。

230 當時身為勞動領袖，被認為與革馬派關係親近的松崎明，其態度可於松崎明〈〝異端児〟動労への集中弾圧〉（《朝日ジャーナル》一九七〇年十月一一日號）等處讀到。

231 小野田襄二〈全共闘世代への違和と共感〉（收錄於田中吉六ほか《全共闘・解体と現在》田畑書店，一九七八年）一八一頁。
232 前揭立花《中核VS革マル》九七—九八頁。
233 前揭小野田《革命的左翼という擬制》四九—五〇頁。
234 奥浩平《青春の墓標》（文藝春秋，一九六五年）一六二頁。
235 前揭蔵田《安保全学連》二八七頁。
236 大野力〈学生運動家の存在価値（2）〉（《中央公論》一九六六年八月號）三〇六頁。
237 鶴見俊輔・上野千鶴子・小熊英二《戦争が遺したもの》（新曜社，二〇〇四年）三二一頁。
238 前揭蔵田《安保全学連》二八八頁。
239 同前書二八九頁。
240 以下，關於一九六四年七月發生於早大的事件，其描寫與引用取自前揭小野田《革命的左翼という擬制》四三—四六頁。
241 前揭奥《青春の墓標》一六〇—一六二頁。
242 橋本前揭（第一章）《バリケードを拭き抜けた風》六七頁。
243 前揭蔵田《安保全学連》三〇一—三〇二頁。
244 同前書三一四頁。
245 U・N〈叛逆から人間性の回復を〉（收錄於日本大学文理学部闘争委員会書記局編前揭〔第一章〕《叛逆のバリケード》）二三二—二三三頁。
246 前揭奥《青春の墓標》七〇頁。
247 前揭立花（第一章）〈一流企業に反戦女性が急増している〉一一二頁。
248 川上徹〈泡立つ時代経験〉（收錄於川上・前揭大窪〔第二章〕《素描・一九六〇年代》）一二五，一二六頁。
249 前揭大窪（第二章）〈パラノイドの青春が蹉跌するまで〉一八九—一九〇頁。
250 成島忠夫〈激動の六〇年代とマル戦派〉（收錄於荒岱介及其他《全共闘三〇年》実践社，一九九八年）一二七頁。
251 前揭荒《新左翼とは何だったのか》八一—八二頁。

第四章　新左翼的黨派（下）

1 關於新左翼黨派運動者的心理、加入新左翼黨派的契機等問題，相關研究甚少。就筆者所知範圍內，有當作一種社會問題放在同時代中研究者，本章所根據引用的鈴木博雄與高橋徹的調查可說是唯二的研究。這些研究的調查對象甚少，特別是鈴木的研究中臆測成分相當多，有其限制，但仍為貴重資料。另外依筆者管見，關於新左翼黨派在校內的政治、利權基礎等部分，除本章根據的當事者證詞之外，幾乎沒有相關研究。
2 前揭奥（第三章）《青春の墓標》二三五頁。
3 同前書二三二，二三六頁。
4 同前書二三六頁。
5 同前書二三二頁。
6 同前書一二頁。
7 同前書二三三頁。
8 同前書一三，二四，二五頁。
9 同前書二五頁。
10 前揭鈴木（第一章）《学生運動》二一八頁。
11 前揭奥《青春の墓標》二三五頁。

12 前揭鈴木《学生運動》二二三頁。
13 前揭奥《青春の墓標》四三頁。
14 同前書三五頁。
15 同前書五八頁。
16 同前書六〇頁。
17 同前書九六頁。
18 同前書六六頁。
19 同前書六一頁。
20 同前書六三頁。
21 同前書七四，七九頁。
22 同前書八一，八五頁。
23 同前書八七頁。
24 同前書八〇頁。
25 同前書八三，八二頁。
26 同前書八四，八八頁。
27 同前書一三六頁。
28 同前書九八頁。
29 同前書一〇二頁。
30 同前書一五七頁。
31 同前書一八九，二三七頁。
32 同前書一六八－一六九頁。
33 同前書一一七頁。
34 同前書一九〇頁。
35 同前書一一六頁。
36 同前書一一三頁。
37 同前書一四四頁。
38 同前書一四一，一四二頁。
39 同前書九五，一五六頁。
40 同前書一一九頁。
41 同前書一六四頁。
42 同前書一七〇頁。
43 同前書二〇八頁。
44 同前書二〇六－二〇七頁。
45 同前書二三八頁。
46 同前書二一七，二一八頁。
47 同前書二二四頁。
48 同前書二二五頁。
49 同前書二三九頁。
50 前揭宮崎（第一章）《突破者》上卷一一九－一二三頁。
51 前揭鈴木《学生運動》二七九－二八〇頁。
52 前揭大野（第二章）《全学連》二六八頁。
53 前揭鈴木《学生運動》二八〇頁。
54 〈佐世保に行った社長令嬢篠田礼子さんの場合〉（《女性自身》一九六八年一月二九日號）二九，二七，二八頁。
55 高橋徹〈活動家学生——日本学生運動の思想と行動・第二回〉（《中央公論》一九六八年六月號）一七七－一七八頁。
56 前揭鈴木《学生運動》二三三頁。
57 前揭高橋〈活動家学生〉一七九頁。
58 同前論文一七八，一七九頁。
59 同前論文一七二，一七八，一七九頁。原本高橋調查的一九六七年時自治會幹部的班級，至於一九六八年以降也包含末端運動者的全共鬥運動狀況如何則不明。根據在東大法學部隸屬社青同解放派、參加過安田講堂攻防戰的江島駿表示，「看那些東大的運動者呢，他們的老爹就是大學教授，像這種的很多呀。那種階層的人，跟來自農村地區貧苦家庭的，比例大概是多少，我不知道，恐怕說個很大概的數字，就是都市中產階級的孩子約六、七成，不是這種的可能佔個三成吧。我自己呢，是屬於後者的。」（江島駿〈大衆はやっぱりアホじゃないの？という結論しか出なかった〉〔收錄於鈴木泰子編著《男たちは変わったか？》第三書館，一九九二年〕八〇頁）。但此處究竟是（一）「農村地區的貧苦家庭」出身的江島在自己的主觀意識看來覺得都市中產階層人數眾多，或是（二）反映出在東大較一般大學具有更多來自富裕家庭的學生，抑或（三）高橋調查的時間點與一九六八年全共鬥時代，運動者在質上發生了變化，並無法做出判斷。

60 前掲高橋〈活動家学生〉一七九頁。

61 同前論文一七七頁。

62 前掲鈴木《学生運動》二五一—二五二頁。前掲高橋〈活動家学生〉一七七頁。

63 前掲高橋〈活動家学生〉一七七頁。

64 前掲鈴木《学生運動》二三二頁。前掲高橋〈活動家学生〉一七九，一八〇頁。

65 前掲高橋〈活動家学生〉一八〇，一七二頁。

66 大原前掲（第二章）《時計台は高かった》八三頁。

67 高橋徹〈体系への信従と実験——日本学生運動の思想と行動・第三回〉（《中央公論》一九六八年八月號）二六九頁。

68 前掲高橋〈活動家学生〉一八一頁。

69 前掲鈴木《学生運動》二三七頁。

70 前掲高橋〈活動家学生〉一八一頁。

71 前掲鈴木《学生運動》二三七，二三八頁。

72 以下七個發言之中，前六者引自前掲高橋〈活動家学生〉一八一，一八二頁。第七個引自前掲鈴木《学生運動》二三八—二三九頁。

73 前掲奥《青春の墓標》一一四—一一五頁。

74 〈起訴された反日共系女子学生の"私の遍歴"〉（《週刊サンケイ》一九六九年三月三日號）一二〇頁。引用時因改行而略為縮減。

75 長洲真知子〈父よ、母よ、わがゲバ・ヘルの青春に悔いなし〉（《潮》一九六九年十月號）二一三頁。

76 〈女闘士は口が堅かった！〉（《サンデー毎日》一九六九年五月一八日號）二六頁。

77 前掲（第一章）〈全学連女性闘士二五人の愛情報告〉一七頁。

78 前掲〈女闘士は口が堅かった！〉二九頁。

79 前掲（第一章）〈座談会　冷たい壁の中で彼らは何を考えたか〉三〇頁。

80 前掲〈起訴された反日共系女子学生の"私の遍歴"〉一二一頁。

81 同前記事一二〇，一二一頁。

82 前掲高橋〈活動家学生〉一八三頁。

83 同前論文一八三頁。

84 以下引用與訪談同前論文一八三、一八四頁。

85 前揭高橋〈体系への信従と実験〉二七一頁。

86 絓秀実・高橋順一・府川充男〈「六八年」問題をめぐって〉（首見於《情況》二〇〇四年七月號）及府川充男〈「六八年革命」遶る断章〉（首見於さらぎ徳二編著《革命ロシアの挫折と崩壊の根因を問う》築地電子活版，二〇〇二年）。皆重新收錄於府川充男編著《ザ・一九六八》（白順社，二〇〇六年），引用自七三，二二，二八頁。

87 前揭府川〈『六八年革命』を巡る断章〉二八，二九頁。

88 前揭三上（序章）《一九六〇年代論Ⅱ》五七頁。

89 前揭高橋〈体系への信従と実験〉二七一頁。

90 以下三種分類及對其評論引自同前論文二七二頁。但根據高橋調查，雖說三種馬克思主義觀各以民青、構改派、革馬派及三派系居多，但各派中採取該種馬克思主義觀者大約五十%左右，各派中採取其他兩種馬克思主義觀者大約二成左右。無論如何，各新左翼黨派幹部中有五成左右共享這三種馬克思主義觀，可說仍是饒富深意的觀察與想法。

91 前揭絓・高橋・府川〈「六八年」問題をめぐって〉七二頁。

92 同前座談會四七頁。

93 前揭高橋〈体系への信従と実験〉二七三頁。

94 以下三種類型及其評論出自同前論文二七四頁。

95 前揭鈴木《学生運動》一七六頁より重引。引用時因改行而略為縮減。

96 以下引用與訪談出自前揭高橋〈活動家学生〉一八四，一八五頁。

97 同前論文一八五頁。

98 以下首次參加遊行時的心境，出自同前論文一八五，一八六頁。

99 同前論文一八六頁。

100 前揭高橋（第二章）〈直接行動の心理と思想〉一四五頁。

101 以下與機動隊發生衝突的反應出自同前論文一四四—一四五頁。

102 同前論文一四六頁。

103 同前論文一四三—一四四頁。

104 同前論文一四一頁。

105 以下鈴木的調查結果引自前揭鈴木《学生運動》二二六，二五六，七四，二五八頁。

106 以下類型出自前揭高橋〈体系への信従と実験〉二七八—二七九頁。

107 以下荒的引用出自前揭（第二章）《破天荒伝》二七，三五頁。又，荒於此處記道「共產同（ブント）」，但招募學生的場合中並非一下子成為共產黨的同盟成員，通常是進入學生組織社學同，積累經驗後才成為共產同同盟成員。荒也在同書頁四七中提及「我被鹽見孝也硬拉入的」是社學同。不過，府川充男等都有明確說明從學生組織升到共產同同盟成員的明確經過，但荒的狀況是即便閱讀他的自傳也未清楚說明。共產同作為組織相當寬鬆，一般也多把社學同稱為共產同，或許兩者的區分因此顯得模糊。但如第十一章所述，東大鬥爭中荒身為社學同委員長（根據《破天荒伝》八八頁的紀錄，於一九六八年十二月就任）接受共產同政治局的指揮，因此至少在一九六九年初還是社學同成員，可能尚未成為共產同同盟成員。雖然難以判斷，原則上本文中仍把荒視為社學同運動者來記述。
108 前掲中島編著（第三章）《全学連》一三五頁。
109 前掲高橋〈体系への信従と実験〉二八〇—二八一頁。
110 以下的連帶感與「存在價值」的調查結果及引用，出自同前論文二八二—二八五頁。
111 以下運動者的煩惱與對將來的想像，出自同前論文二八五—二八六頁。
112 前掲中島編著《全学連》一四三頁。
113 前掲高橋〈活動家学生〉一七六，一七七頁。
114 前掲鈴木《学生運動》二二八頁。
115 同前書二六一，二六二頁。
116 同前書二六一，二六二頁。前掲高橋〈活動家学生〉一八三頁。
117 以下各新左翼黨派對授課的對應與引用出自前掲高橋〈直接行動の心理と思想〉一三七—一三八頁。
118 同前論文一四七頁。
119 前掲川上（第三章）〈泡立つ時代精神〉一三二頁。
120 鈴木邦男《がんばれ!!新左翼ｐａｒｔ2》（エスエル出版会，一九九九年）四二頁。
121 庄司薰司会・構成座談会〈ゲバルトちゃん気をつけて〉（《諸君！》一九七〇年二月號）二二九頁。
122 前掲毎日新聞社会部編（第二章）《ゲバ棒と青春》一二八，一二九，一三三頁。
123 前掲鈴木《学生運動》二〇三—二〇四頁。
124 前掲大野《全学連》二六三—二六四頁。
125 以下三種類型出自前掲鈴木《学生運動》二〇四—二一〇頁。
126 前掲毎日新聞社会部編《ゲバ棒と青春》一六一頁。
127 〈死んだ山崎博昭君の日記〉（《週刊朝日》一九六七年十月二七日號）二五頁。
128 前掲毎日新聞社会部編《ゲバ棒と青春》一九二—一九三頁。
129 白井為雄〈暴走する反戦青年委の組織と行動〉（《二〇世紀》一九六八年八月號）五二頁。
130 前掲荒《破天荒伝》五九—六〇頁。
131 前掲中島編著《全学連》一五六頁。
132 同前書一六三，一六五頁。
133 同前書一七七—一七九頁。
134 横山哲也〈ほんとはその程度に働けたら、みんないちばんいいわけでしょ〉（收錄於前掲鈴木《男たちは変わったか？》）二一一頁。
135 毎日新聞社編《スチューデント・パワー》（毎日新聞社，一九六八年）四四，四七頁。
136 前掲毎日新聞社会部編《ゲバ棒と青春》一九四頁。
137 同前書一九五，一七五頁。
138 同前書一九五頁。毎日新聞社前掲《スチューデント・パワー》四九頁。
139 三浦伸明〈日記〉（ノーベル書房編集部編《自由をわれらに》ノーベル書房，一九六八年）九一頁。
140 前掲中島編著《全学連》一七八頁。
141 毎日新聞社編《安保と全学連》（毎日新聞社，一九六九年）一二一頁。
142 前掲毎日新聞社会部編《ゲバ棒と青春》一九五，一九六頁。

143 柏崎前掲（第一章）《太陽と嵐と自由を》一〇二頁。
144 前掲毎日新聞社会部編《ゲバ棒と青春》一九八頁。
145 新田滋〈『十月革命』『六八年革命』とわれわれの道〉（《情況》二〇〇三年七月號）七五頁。
146 前掲荒《破天荒伝》四三頁。
147 高橋徹〈全学連——その運動組織と論理　日本学生運動の思想と行動・第一回〉（《中央公論》一九六八年五月號）二六二頁。
148 以下荒的回憶出自前掲荒《破天荒伝》六九、六八頁。
149 以下引用出自前掲毎日新聞社会部編《ゲバ棒と青春》二〇〇—二〇一頁。
150 以下引用出自同前書二〇一，二〇二頁。
151 堰野麻児〈ご苦労様〉（インターネット書店「AMAZON」における大塚英志《彼女たちの連合赤軍》文藝春秋，一九九六年への読者評，二〇〇四年）。
152 前掲〈死んだ山崎博昭君の日記〉二〇頁。
153 前掲小阪（第一章）《思想としての全共闘世代》六二—六三頁。
154 前掲高沢編著（第一章）《全共闘グラフィティ》四四—四五頁。
155 同前書四五頁。同書中指出，塗鴉在引入機動隊前已在東大正門前，但《朝日ジャーナル》一九六八年十二月二十九日號則說明出現在東大法學部廁所，也記錄了東大法學部學生的反應。何者正確難以判斷，也有可能廁所的塗鴉在引入機動隊之前也被寫在正門。
156 宮岡真樹〈二一世紀の女たちへ〉（收錄於前掲〔第一章〕《全共闘からリブへ》）一五七頁。
157 前掲鈴木《学生運動》一八五，一八四頁在引用。
158 前掲大野《全学連》二六五頁。
159 宮本貢〈警視庁記者クラブ物語〉（收錄於前掲〔第一章〕《連合赤軍"狼"たちの時代》）二九〇頁。
160 前掲三上《一九六〇年代論II》八一頁。
161 以下大原的引用出自大原前掲《時計台は高かった》一一，二三頁。
162 和田（書籍中並無記載姓名）〈都会の自立・イナカの自立〉（津村喬編著《全共闘——持続と転形》五月社，一九八〇年）一〇八頁。
163 前掲小阪《思想としての全共闘世代》六一，六二頁。
164 此女子大學生的事例引自前掲〈起訴された反日共系女子学生の"私の遍歴"〉一一九—一二〇頁。
165 同前記事一二一頁。
166 前掲中島編著《全学連》一五九頁。
167 〈東大紛争における青春の研究〉（《サンデー毎日》一九六八年十二月二二日號）一二三頁。
168 吉川勇一〈国境をこえた『個人原理』〉（收錄於岩崎・上野・北田・小森・成田編著前掲〔第三章〕《戦後日本スタディーズ②　六〇—七〇年代》）二四二頁。
169 前掲中島編著《全学連》一五八頁。
170 島田郭志〈もう僕は、正義、不正義っていうのは基本的に存在しないと思ってる〉（收錄於前掲鈴木《男たちは変わったか？》）一四二頁。
171 同前訪談一四〇頁。

172 小黑弘〈フォークバンドから街頭へ〉（吉岡忍編著《フォーク・ゲリラとは何者か》（收錄於自由国民社，一九七〇年）八二—八三頁。
173 以下大窪的案例引自大窪前揭（第二章）〈パラノイドの青春が蹉跌するまで〉一五三—一五四，一五六頁。
174 八木淳〈世間と隔　する学生たち〉（《朝日新聞》一九六八年四月一日付）。
175 最首悟〈一般教育・その二重の幻〉（《朝日ジャーナル》一九七〇年四月二六日號）二一頁。
176 佐々淳行《東大落城》（文藝春秋，一九九三年。文春文庫版一九九六年）文庫版三二一—三二三頁。以下對此書的引用出自文庫版。
177 前揭毎日新聞社編《スチューデント・パワー》三二，二二頁。
178 鴻上尚史《ヘルメットをかぶった君に会いたい》（集英社，二〇〇六年）一六四頁。
179 番場友子〈全共闘運動の突破口としての『性差研』創設〉（前揭《全共闘からリブへ》）一一五頁。
180 前揭橋本（第一章）《バリケードを吹きぬけた風》六七頁。
181 前揭庄司主持〈ゲバルトちゃん気をつけて〉二三一頁。
182 全共闘白書編集委員会編《全共闘白書》（新潮社，一九九四年）四一二頁。
183 前揭小阪《思想としての全共闘世代》八七頁。
184 前揭〈全学連女性闘士二五人の愛情報告〉二〇頁。
185 坂本龍一《時には、違法》（角川書店，一九八九年。文庫版一九九一年）文庫版一二一—一二三頁。
186 中野正夫《ゲバルト時代》（バジリコ出版，二〇〇八年）七五，七六頁。
187 前揭絓・高橋・府川〈『六八年』問題をめぐって〉六九頁。
188 布施克彥《二四時間戦いました》（ちくま新書，二〇〇四年）一一四—一一六頁。
189 筑紫哲也対論集《若者たちの神々Ⅰ》（初版朝日新聞社，一九八四年。文庫版新潮社，一九八七年）文庫版三一—三二頁。以下此書引用出自文庫版。
190 前揭毎日新聞社編《スチューデント・パワー》二八—二九頁。
191 八木前揭〈世間と隔　する学生たち〉。
192 前揭大野《全学連》三〇頁。
193 鶴見俊輔〈現代学生論〉（《展望》一九六八年八月號）四一頁。
194 前揭宮本〈警視庁記者クラブ物語〉二九一頁。
195 前揭島田〈もう僕は、正義、不正義っていうのは基本的に存在しないと思ってる〉五九頁。
196 前揭横山〈ほんとはその程度に働けたら、みんないちばんいいわけでしょ〉二一六頁。
197 酒井角三郎〈学生反逆における生活への志向〉（《展望》一九六九年一月號）一〇二頁。
198 以下自治會費的狀況引自前揭毎日新聞社編《ゲバ棒と青春》二〇七，二〇八頁。
199 宗左近〈腐食しやすい木材〉（《週刊読書人》一九六八年七月八日號）。
200 前揭中島編著《全学連》一四七頁。
201 前揭西・柴田（第一章）《全共闘》七〇頁。

202 津村喬〈全共闘経験における『身体性の政治』〉（前掲〔第三章〕《全共闘・解体と現在》）五九頁。

203 荒岱介〈正義の実現をめざしてきた〉（菅ほか前掲〔第三章〕《全共闘三〇年》）一七頁。

204 神津陽《極私的全共闘史　中大一九六五—六八》（彩流社，二〇〇七年）二二四頁。

205 以下天野的引用出自前掲天野（第二章）《「無ノンセクト党派」という党派性》八一—八三頁。

206 同前書八七—八八頁。

207 神津陽〈戦後五〇年・今こそ反体制運動を問う〉（前掲《全共闘三〇年》）七六頁。

208 徳山晴子〈私が動けば世の中が一人分動くという実感〉（前掲《全共闘からリブへ》）八四頁。

209 前掲小阪《思想としての全共闘世代》八七—八八頁。

210 前掲荒（第三章）《新左翼とは何だったのか》一一九—一二〇頁。

211 同前書一二一頁。

212 同前書一二七—一二九頁。

213 同前書一三一—一三三頁。

214 道浦母都子《無援の抒情》（初版雁書館，一九八〇年。岩波現代文庫版，二〇〇〇年）文庫版六頁。以下此書引用出自文庫版。

215 川上徹〈民青本部における新日和見事件〉（川上・大窪前掲〔第二章〕《素描・一九六〇年代》）三〇三—三〇五頁。

216 以下三上的引用出自前掲三上《一九六〇年代論Ⅱ》八三，四四頁。

217 前掲日高（第一章）〈直接民主主義と《六月行動》〉三七五頁。

218 笠井潔〈戦後ラディカリズムの現在〉（收錄於笠井潔《〈戯れ〉という制度》作品社，一九八五年）二三七頁。

219 國語国文学科大学院有志〈東大闘争と研究の立場に対する私たちの考え〉（一九六八年九月一二日，收錄於六八・六九を記録する会編前掲〔序章〕《東大闘争資料集》第一二巻）四一五頁。

220 前掲茜・柴田《全共闘》七三頁。

221 前掲絓・高橋・府川〈『六八年』問題をめぐって〉七〇頁。

222 前掲小阪（第二章）〈『叛乱論』とその時代〉二〇八頁。

223 同前論文二一〇頁。

224 前掲高見編著（第一章）《反戦青年委員会》二五—二六頁。高見的自傳性著作有高見圭司《ＮＯ！　9条改憲・人権破壊——反戦青年委員会をつくった軍国少年》（明石書店，二〇〇七年）。

225 前掲高見編著《反戦青年委員会》四四頁。

226 同前書三九—四〇頁。白井前掲〈暴走する反戦青年委の組織と行動〉五〇—五一頁。

227 前掲高見編著《反戦青年委員会》四七，五一頁。

228 同前書七三，七五頁。

229 同前書七五，七六頁。

230 〈若者たちは組織される〉（《サンデー毎日》一九六九年七月二〇日號）一九頁。

231 前掲立花（第一章）〈一流企業に反戦女性が急増している〉一

〇六，一〇八頁。

232 宮村文雄〈反戦青年委員会をつく〉（《日本の課題》一九六九年十一月號）四二—四三頁。

233 前掲高見編著《反戦青年委員会》二一八頁。

234 前掲立花〈一流企業に反戦女性が急増している〉一〇六頁。

235 中田恭介〈〝妖怪〟反戦青年委員会は往く〉（《自由世界》一九六九年九月號）七四頁。

236 前掲立花〈一流企業に反戦女性が急増している〉一〇六頁。

237 同前論文一〇八頁。

238 〈反戦青年委に苦しんだ病める総評大会〉（《週刊言論》一九六九年八月六日號）一〇二頁。〈「お前もか」——〝社会新報〟に頭が痛い江田書記長〉（《宝石》一九六九年十一月號）。

239 前掲〈反戦青年委に苦しんだ病める総評大会〉一〇二，一〇三頁。

240 同前記事一〇三頁。〈〝欠陥車〟と呼ばれた反戦青年委のエネルギー〉（《週刊言論》一九六九年八月一三日號）二二頁。

241 丸山邦男〈総評はなぜ反戦青年委を目の敵にするのか〉（《潮》一九六九年九月號）一〇四頁。

242 〈三派系は労働組合にも浸透している！〉（《週刊現代》一九六八年十月三一日號）一二八頁。

243 前掲高見編著《反戦青年委員会》七九頁。

244 前掲〈三派系は労働組合にも浸透している！〉一二八頁。前掲〈若者たちは組織される〉二〇頁。

245 関之〈反戦青年委の実態をみる〉（《経営者》一九六九年九月號）五九頁。前掲〈〝欠陥車〟と呼ばれた反戦青年委のエネルギー〉二五頁。回答「不太清楚」的是高見圭司。

246 前掲〈「お前もか」——〝社会新報〟に頭が痛い江田書記長〉七六頁。

247 村田宏雄〈反戦青年委　一点突破のゲリラ活動〉（《自由》一九六九年十一月號）一六三頁。

248 前掲〈三派系は労働組合にも浸透している！〉一三〇頁。

249 前掲高見編著《反戦青年委員会》一六六—一六七頁。

第II部

第五章　慶大鬥爭

1 前掲大野（第一章）《全学連》一四〇頁。關於慶大鬥爭的研究，除後述鈴木博雄的調查外，依筆者管見並無其他研究。鈴木的調查追蹤了包含不關心者學生在內的整體學生動向，相當寶貴，但對於與經濟高度成長及「現代的不幸」的關聯檢證，基本上與本書的立場不同。

2 〈慶応〝坊ちゃんスト〟の誤算〉（《週刊サンケイ》一九六五年二月二二日號）一六頁。

3 〈危機に立つ私学（中）〉（《毎日新聞》一九五六年二月六日晚報）。

4 〈慶大紛争〉（收錄於公安調査庁《学園紛争白書》上巻，一九六七年四月）七一—七二頁。本書是一間地下出版社冥土出版於一九九六年復刻之《公安関係資料集成》的第三卷。封面上記有「極秘」字樣，對當時各大學的紛爭原委與各新左翼黨派所屬的運動者人數、普通學生的意識調查等皆進行詳細的調查，可看出是公安調查廳的極秘資料。

5 西井一夫〈全共闘への道〉（收錄於前揭〔第一章〕《一九六八年バリケードの中の青春》）二二三頁。

6 前揭公安調查庁〈慶大紛争〉七二，七五頁。

7 日本社会主義青年同盟早稲田大学学生班〈早稲田大学闘争の中間総括〉（《月刊社会党》一九六六年五月號）六〇頁。

8 前揭蔵田（第三章）《安保全学連》三〇六—三〇七，三三二頁。前揭奥（第三章）《青春の墓標》一五二頁。

9 高田麦〈大学闘争とトロツキズム批判〉（《現代の理論》一九六七年五月號）六〇頁。但高田表示「安保鬥爭後，儘管是結構改革派，但旋即主張『大學鬥爭』具有重大意義，在理論上與實踐上都持續保持積累」，並舉立命館大學與神戶大學的大學革新運動為例。確實，如第四章介紹過的高橋徹研究也主張構改派運動者把大學視為直接民主主義的實驗場而當作鬥爭對象。但，立命館大學等在一般的理解中乃透過共產黨派的自治會或教授的活動形成「民主的大學經營」，因此高田的主張是否恰當，難以判斷。

10 前揭大野《全学連》一四六頁。

11 〈学費値上げ反対〉（《朝日新聞》一九六五年　月二二日）。〈きょう授業放棄〉（《朝日新聞》一九五六年一月二三日）。

12 前揭大野《全学連》一四六頁。

13 同前書一一四五。

14 前揭西井〈全共闘への道〉二二三頁。

15 〈各校舍で授業放棄〉（《朝日新聞》一九六五年一月二六日晚報）。

16 前揭西井〈全共闘への道〉二二三頁。

17 前揭〈きょう授業放棄〉。

18 前揭公安調查庁〈慶大紛争〉七二頁。

19 〈日吉校舍で全級の授業放棄〉（《朝日新聞》一九六五年一月二七日晚報）。

20 以下三上的回憶出自前揭三上（序章）《一九六〇年代論Ⅱ》二七—二八頁。

21 前揭鈴木（第一章）《学生運動》一五五頁。前揭大野《全学連》一四五頁。

22 〈慶応大学〝学園騒動〟始末記〉（《平凡パンチ》一九五六年二月二二日號）三五頁。

23 〈〝抜き打ち〟に怒り〉（《朝日新聞》一九五六年二月三日）。

24 〈春寒い私学のフトコロ?——慶応大学ストライキの背景〉（《週刊朝日》一九五六年二月一二日號）四五頁。

25 池田信一〈明治大学——バリケードの背後〉（《現代の眼》一九六七年三月號）一六八頁再引用。此處引用自《週刊読売》的臨時增刊號，因沒有號數故無法對原本進行確認。

26 〈学費値上げの被害者たち〉（《朝日ジャーナル》一九五六年二月一四日號）一四，一五頁。

27 〈慶大紛争の残したもの〉（《朝日新聞》一九五六年二月六日）。

28 前揭〈学費値上げの被害者たち〉一七—一八頁。

29 同前報導一八頁。

30 兵藤昭〈最近の私学紛争とその本質〉（《月刊社会党》一九六七年三月號）一〇六，一〇四頁。

31 山崎馨〈慶応大学自治会の大学改革運動〉（《中央公論》一九六六年三月號）三七五頁。
32 前掲兵藤〈最近の私学紛争とその本質〉一〇四頁。
33 前掲〈危機に立つ私学（中）〉。
34 前掲〈春寒い私学のフトコロ？〉四五—四六頁。
35 前掲〈慶応大学〝学園騒動〞始末記〉三六，三七頁。
36 〈私大紛争・早慶明三つの型〉（《朝日ジャーナル》一九六七年三月五日號）二四，二二頁。前掲〈学費値上げの被害者たち〉一二頁。
37 前掲〈学費値上げの被害者たち〉一三頁。
38 前掲〈慶応大学〝学園騒動〞始末記〉三六頁。〈「陸の王者か金の亡者か」〉（《ルック》一九五六年二月一一日號）二〇頁。前掲〈学費値上げの被害者たち〉一二頁。
39 前掲〈慶大紛争の残したもの〉。
40 前掲〈学費値上げの被害者たち〉一四頁。
41 前掲〈きょう授業放棄〉。前掲〈「陸の王者か金の亡者か」〉二〇頁。
42 前掲〈学費値上げの被害者たち〉一二頁。〈値上げ反対は愛校心〉（《読売新聞》一九五六年一月二九日）。
43 前掲〈私大紛争・早慶明三つの型〉二三頁。
44 前掲〈学費値上げの被害者たち〉一二頁。
45 前掲公安調査庁〈慶大紛争〉七四頁。
46 前掲〈私大紛争・早慶明三つの型〉二三頁。
47 前掲〈慶大紛争の残したもの〉。
48 前掲西井〈全共闘への道〉二二三頁。
49 同前論文二二三頁。
50 前掲公安調査庁〈慶大紛争〉七七頁。
51 前掲中島編著（第三章）《全学連》一三九頁。
52 前掲〈慶応大学〝学園騒動〞始末記〉三四頁。
53 前掲〈慶大紛争の残したもの〉。
54 前掲西井〈全共闘への道〉二二三頁。
55 前掲大野（第二章）〈学生がかくも暴発する理由〉三一五—三一六頁再引用。手冊標題為《三田会一〇九》，特輯則為〈学費闘争・六五〉。
56 前掲西井〈全共闘への道〉二二四頁。
57 以下、三上の引用は前掲三上《一九六〇年代論Ⅱ》三〇，三二頁。
58 杉下剛〈一卒業生の回想——忘れられない学費闘争〉（《三田新聞》一九六六年三月一六日）。
59 〈学費問題〉（首見於三田理財学会《批判と変革と創造の運動》一九六七年。《高度成長》每日新聞社，二〇〇〇年重新收錄）一九四頁。FRONT成員的回憶出自前掲中島編著《全学連》二二三頁。
60 高見順・堀田善衛・三島由紀夫・吉之淳之介・村上兵衛・石原慎太郎・木村徳三〈戦前派・戦中派・戦後派〉（《文藝》一九五六年七月號）四八，四九，五〇頁。石原在此座談會上以「戰後派」代表進行發言。有關石原的成長軌跡及「少國民世代」的心境，參照小熊前掲（第一章）《「民主」と「愛国」》第一五章。
61 以下此隨筆的引用出自石原慎太郎〈君たちにも何か出来る〉

（首見於《文藝》一九五六年四月號，之後收錄於石原慎太郎《孤独なる戴冠》河出書房新社，一九六六年）二一六，二六二，二六〇，二六二頁。
62 石原慎太郎〈祖国について〉（收錄於石原慎太郎《祖国のための白書》集英社，一九六八年。吉本隆明編《国家の思想》、《戦後日本思想大系》第五巻，筑摩書房，一九六九年重新收錄）三六二，三六三，三七三頁。
63 前掲公安調査庁〈慶大紛争〉七六頁。
64 以下引自前掲鈴木《学生運動》一九六—二〇〇頁。
65 前掲上野（第一章）〈楽天性持つ『原っぱの世代』〉。
66 前掲鈴木《学生運動》二〇〇頁。
67 前掲〈慶応大学〝学園騒動〟始末記〉三五頁。
68 同前報導三五頁。
69 前掲西井〈全共闘への道〉二二三頁。
70 前掲〈きょう授業放棄〉。
71 〈話合いはもの別れ〉（《朝日新聞》一九六五年一月三〇日）。
72 〈〝無期限スト〟可決〉（《朝日新聞》一九五六年一月三一日）。前掲〈私大紛争・早慶明三つの型〉二三頁。
73 前掲〈〝抜き打ち〟に怒り〉。
74 〈慶大紛争　理事者側が　案〉（《朝日新聞》一九五六年二月四日）。
75 〈慶大紛争やっと解決へ〉（《朝日新聞》一九五六年二月五日晚報）。
76 前掲鈴木《学生運動》一五六頁。
77 同前書一五七頁。
78 以下の西井の回想は前掲西井〈全共闘への道〉二二三，二二四頁。
79 〈慶大紛争　学生投票で受入れ〉（《朝日新聞》一九六五年二月六日）。〈慶大のスト解決〉（《読売新聞》一九六五年二月六日）。
80 同前論文二二四頁。
81 副委員長の発言は前掲〈慶応〝坊ちゃんスト〟の誤算〉一六頁。
82 前掲西井〈全共闘への道〉二二四頁。慶大新聞的引用出自和田純〈春の日を浴びた処刑台〉（首見於《慶應義塾大学新聞》一九五六年五月一日號，前掲《高度成長》重新收錄）一五三頁。
83 〈なんのためのスト？〉（《読売新聞》一九五六年二月六日）。
84 同前報導。〈空も晴れ、卒業試験〉（《朝日新聞》一九五六年二月八日晚報）。
85 前掲中島編《全学連》二二三頁。
86 前掲公安調査庁〈慶大紛争〉七五頁。

第六章　早大鬥爭

1 前掲大野（第一章）《全学連》一四九頁。依筆者管見，目前並無一九六六年早大鬥爭的研究。
2 公安調査庁〈早大紛争〉（收錄於前掲〔第五章〕《学園紛争白書（上）》）六〇，六六頁。另，吉良常男〈戦後最大の大学紛争〉（《自由世界》一九六六年四月號）一五頁中，認為早大的「革馬派二百二十名」，二月民青脫離後的「共鬥會議運動者約有五百名，核心為社青同、社學同、馬學同。」「馬學同」同時指革馬派與中核派，但在革馬派勢力強大的早大，中核派人數甚少。雖與公安調查廳的數字有若干差異，但上記數字仍可視為大致正確的數目。
3 前揭大野《全学連》一五一頁。
4 前揭徳山（第四章）〈私が動けば世の中が一人分動くという実感〉八三頁。
5 以上經過出自前揭大野《全学連》一五二頁。
6 〈早大闘争の記録〉編集委員会編《早稲田をゆるがした一五〇日》（現代書房，一九六六年）一三頁。
7 〈早大事件にみる教育の不在〉（《世界》一九六六年四月號）一六六頁。
8 前揭宮崎（第一章）《突破者》上巻一四二頁。
9 松浦総三〈大浜総長の黒い周辺〉（《現代の眼》一九六六年四月號）一三三，一三四頁。
10 同前報導一三四，一三五頁。
11 稲垣恵美子〈「一五〇日スト」の提起したもの（上）〉（《現代の理論》一九六六年八月號）一一〇頁。
12 〈孝ならんと欲すればストならず〉（《女性自身》一九六六年二月一四日號）三六，三七頁。
13 〈早大騒動を裏で操る意外な主役〉（《週刊現代》一九六六年三月一〇日號）一六頁。
14 同前報導一六頁。
15 安井俊雄・佐藤観次郎・稲野治兵衛・山野勝・高山武生〈早大騒動とマスコミ〉（《総合ジャーナリズム研究》一九六六年四月號）五九頁。
16 前揭稲垣〈「一五〇日スト」の提起したもの（上）〉一一〇頁。
17 鈴木博雄〈何が学生運動に駆り立てるか〉（《自由》一九六八年二月號）五四頁。
18 前揭〈早大事件にみる教育の不在〉一六六頁。
19 前揭関根（第二章）〈早大バリケードの思想〉一〇五頁。
20 前揭〈孝ならんと欲すればストならず〉三二—三三頁。
21 前揭宮崎《突破者》上巻一四二頁。
22 〈〝庶民の大学〞ワセダの森に〉（《サンデー毎日》一九六六年二月六日號）二三頁。
23 〈早大紛争の教えるもの〉（《朝日ジャーナル》一九六六年二月六日號）五二頁。
24 前揭〈〝庶民の大学〞ワセダの森に〉二二，二三頁。
25 同前報導二四頁。
26 安東仁兵衛・上原俊介・岡留安則・高野孟・宮崎徹・筑紫哲也〈いまだ総括されず〉（收錄於筑紫哲也編前揭〔第二章〕《全共闘——それは何だったのか》）一九六頁。
27 新島淳良〈早大民主化への条件〉（《現代の眼》一九六六年四月號）三四—三五頁。
28 北小路敏〈甦える〝闘うゼンガクレン〞〉（《現代の眼》一九六六年五月號）一二三—一二四頁。
29 山崎真秀〈早大事件と私立大学の自治〉（《法律旬報》一九六六年四月號）七三頁。
30 前揭〈孝ならんと欲すればストならず〉三五頁。前揭〈早大騒動を裏で操る意外な主役〉一六頁。前揭稲垣〈「一五〇日スト」の提起したもの（上）〉一一〇頁。

31 前揭新島〈早大民主化への条件〉三六頁。共鬥會議的資料引自前揭関根〈早大バリケードの思想〉一〇七頁。

32 前揭新島〈早大民主化への条件〉三六，三八—三九頁。

33 前揭関根〈早大バリケードの思想〉一〇七頁再引用。

34 前揭徳山〈私が動けば世の中が一人分動くという実感〉八五頁。

35 〈活気あふるる闘争前夜〉（《早稲田大学新聞》一九六六年一月二七日號）。

36 吉丸憲之〈卒業を前にした闘い〉（收錄於前揭《早稲田をゆるがした一五〇日》）引自二一四頁註釋。吉丸是後述四年級生聯絡協議會的議長。

37 前揭関根〈早大バリケードの思想〉一〇五・一〇六頁。

38 安井・佐藤・稲野・山野・高山前揭〈早大騷動とマスコミ〉五九頁。

39 〈ワセダ事件をあやつる男たち〉（《週刊サンケイ》一九六六年三月一四日號）一〇八頁。〈早大事件の主役　大口昭彦議長の素顔〉（《女性自身》一九六六年三月七日號）二八頁。

40 前揭〈早大事件の主役　大口昭彦議長の素顔〉二八，二九頁。

41 前揭〈ワセダ事件をあやつる男たち〉一〇六頁。前揭宮崎《突破者》上巻一四九頁。

42 前揭宮崎《突破者》上巻一四九，一五一頁。

43 前揭〈〃庶民の大学〃ワセダの森に〉二五—二六頁。

44 前揭〈早大騷動を裏で操る意外な主役〉一五頁。

45 前揭大野《全学連》一四九—一五〇頁。

46 前揭徳山〈私一人が動けば世の中が一人分動くという実感〉八五—八六，八七頁。

47 引自前揭吉丸〈卒業を前にした闘い〉二二一頁。

48 前揭三上（序章）《一九六〇年代論Ⅱ》三三頁。

49 同前書一五二頁。

50 前揭北小路〈甦える〃闘うゼンガクレン〃〉一二四頁。

51 前揭公安調查庁〈早大紛争〉六一—六二頁。

52 稲垣恵美子〈「一五〇日スト」の提起したもの（下）〉（《現代の理論》一九六六年九月號）九四頁。

53 前揭《早稲田をゆるがした一五〇日》一二九，一三〇頁。

54 同前書一二九，一三〇頁。

55 〈教授はなにをしたか〉（〈全調查　早稲田大学〉《サンデー毎日》一九六六年三月一三日號）二三頁。

56 同前報導二三頁。

57 前揭〈孝ならんと欲すればストならず〉三五頁。

58 前揭新島〈早大民主化への条件〉四〇—四一頁。

59 同前論文四〇頁再引用。

60 以上早大運動者們的發言，引自大野力〈学生運動家の存在価値〉（《中央公論》一九六六年五月號）一二四頁。

61 同前論文一三五頁。

62 前揭宮崎《突破者》上巻一四二，一四三頁。

63 〈学生はどう動いたか〉（前揭〈全調查　早稲田大学〉）二〇頁。

64 前揭宮崎《突破者》上巻一四六頁。

65 同前書一四六頁。〈大浜総長に聞く〉（前揭〈全調查　早稲田大学〉）一七頁。
66 前掲宮崎《突破者》上巻一四五頁。
67 同前書一五二—一五三頁。
68 前掲〈早大事件にみる教育の不在〉一六六頁。
69 前掲稲垣〈「一五〇日スト」の提起したもの（上）〉一一一頁。
70 前掲関根〈早大バリケードの思想〉一一五頁。
71 《前進》一九六六年二月七日號。同前論文一一五頁再引用。
72 同前論文一一六頁。
73 前掲宮崎《突破者》上巻一五四—一五六頁。引用時因改行而略有縮減。
74 前掲宮崎《突破者》上巻一五七頁，前掲大野《全学連》一五五頁。
75 〈早大"トロツキスト"の家庭〉（《週刊新潮》一九六六年三月五日號）三五頁。〈OBはこう思う〉（收錄於前掲〈全調査早稲田大学〉）二七頁。
76 前掲北小路〈甦える"闘うゼンガクレン"〉一二四頁。
77 前掲宮崎《突破者》上巻一五七頁。
78 前掲〈ワセダ事件をあやつる男たち〉一〇五—一〇六頁。
79 〈早大事件に動かぬ人たち〉（《朝日ジャーナル》一九六六年三月六日號）六—七頁。
80 前掲〈学生はどう動いたか〉二〇頁。
81 前掲〈早大事件に動かぬ人たち〉六，七頁。
82 同前報導七頁。
83 同前報導七頁。
84 同前報導七頁。
85 前掲〈学生はどう動いたか〉二〇頁。
86 以上一月二十一日商學部的會面状況引自前掲〈早大事件に動かぬ人たち〉七頁。
87 前掲公安調査庁〈早大紛争〉六一，六二頁。
88 前掲北小路〈甦える"闘うゼンガクレン"〉一二七頁。
89 前掲公安調査庁〈早大紛争〉六二頁。
90 前掲〈ワセダ事件をあやつる男たち〉一〇九頁。
91 前掲宮崎《突破者》上巻一五九—一六〇頁。
92 前掲〈学生はどう動いたか〉二二頁。
93 前掲〈早大事件に動かぬ人たち〉六頁。
94 前掲〈学生はどう動いたか〉二一頁。
95 前掲〈OBはこう思う〉二五頁。
96 同前報導二五，二六頁。前掲〈ワセダ事件をあやつる男たち〉一六九頁。〈安保以来の強力布陣〉（收錄於前掲〈全調査早稲田大学〉）一〇七頁。
97 前掲吉良〈戦後最大の大学紛争〉一六頁。又，自二月二十四日至二十五日發生的武裝内鬥也記載於此吉良論文及前掲〈ワセダ事件をあやつる男たち〉一〇七頁，但前掲《早稲田をゆるがした一五〇日》中卻無記載。
98 大隈秀夫〈混迷する全学連の内幕〉（《時》一九六六年六月號）一四八頁。
99 前掲〈ワセダ事件をあやつる男たち〉一〇九，一〇六頁。前掲〈学生はどう動いたか〉二二頁。
100 前掲日本社会主義青年同盟早稲田大学学生班（第五章）〈早稲田大学闘争の中間総括〉六三頁。

101 前揭〈学生はどう動いたか〉二一頁。
102 前揭〔第五章〕〈私大紛争・早慶明三つの型〉二三頁。
103 前揭〈ワセダ事件をあやつる男たち〉二二頁。
104 早大学生有志会議事務局〈早大紛争の陰にあるもの〉（《民族公論》一九六六年八月號）四五頁。
105 前揭〈ワセダ事件をあやつる男たち〉二二頁。
106 同前報導二二頁。
107 村山有〈学生運動のなかの早稲田騒動〉（《自由世界》一九六六年四月號）二七頁。
108 前揭公安調查庁〈早大紛争〉六六頁。
109 前揭吉良〈戦後最大の大学紛争〉二二頁。船田宗男〈早大紛争における学生運動の実態〉（《月刊時事》一九六六年五月號）七七頁。
110 橋本公亘〈学生運動——離合集散の虚実〉（《潮》一九六七年十二月號）二〇九頁。
111 前揭《早稲田をゆるがした一五〇日》七三頁。
112 前揭〈早大事件にみる教育の不在〉一六八頁。前揭〈OBはこう思う〉二五頁。
113 前揭《早稲田をゆるがした一五〇日》七三—七四頁。
114 前揭宮崎《突破者》上卷一六四頁。身為民青運動者的宮崎為何在此時間參加本部封鎖，理由不明，且其回憶錄中也未提及此中原委。
115 同前書一六四，一六五頁。
116 同前書一六七頁。宮崎的回憶此次引入機動隊是在「二十日黎明」，但前揭《早稲田をゆるがした一五〇日》或其他資料都記錄為二十一日，故此處採二十一日。
117 村松喬〈紛争の決定的問題点を突く〉（《時》一九六六年四月號）三九頁。
118 〈大学当局の言い分〉（《時》一九六六年四月號）三九頁。大學方二月二十一日公布聲明書的節錄。
119 表示被逮捕學生中有其他大學的學生的記述，出自前揭吉良〈戦後最大の大学紛争〉一五頁。據此資料被逮捕人數為「明大四人，專修大二人，慶應二人，東京工大、日大、法大、京大、東大、早大OB、靜岡大各一人」。被捕者的總數，根據各資料為二百零三人、二百零八人、二百一十八人等，各有不同且難以判斷何者正確，本文採用二百零三人。
120 前揭村松〈紛争の決定的問題点を突く〉四〇頁。
121 〈ゆらぐ大学〉（《毎日新聞》一九六六年三月三日）。
122 前揭稲垣〈「一五〇日スト」の提起したもの（下）〉一〇一頁。
123 前揭〈早大〝トロツキスト〟の家庭〉三二，三三，三四頁。大口更在日後成為律師後的二〇〇〇年的談話〈早大闘争の創造性〉（收錄於前揭〔第五章〕《高度成長》）一八八頁中，指出「本部封鎖的階段無論革馬派或民青皆未參加」（一月以後才合流），且「革馬派認為『鬥爭會遭鎮壓』，所以從〔六六年〕春天起放棄鬥爭，完全不從事鬥爭」，「至於民青，則很清楚轉向維持秩序」，為此政經學部的社青同解放派前往支援並與革馬派的罷課合流。這是領導社青同解放派的大口個人見解，是否符合事實並不清楚。
124 以下兩位學生的發言引自大隈前揭〈混迷する全学連の内幕〉一四三頁。

125 大宅壮一〈学生運動の歴史と本質〉（《時》一九六六年六月號）一四二頁。福田恆存〈軟弱な甘ったれた論理〉（《時》一九六六年六月號）一五三頁。

126 前掲〈早大〝トロツキスト〟の家庭〉三四頁。

127 前掲吉丸〈卒業を前にした闘い〉二一七頁。

128 同前論文二二二，二二三頁。

129 同前論文二一九頁。

130 前掲《早稲田をゆるがした一五〇日》一〇六，一〇七頁。

131 〈早大内外にまたも暴風〉（《朝日ジャーナル》一九六六年五月一日號）一〇頁。

132 同前報導一一頁。

133 前掲《早稲田をゆるがした一五〇日》一二五，一三七，一一五頁。

134 同前書九九頁。

135 〈ワセダの森のジャンヌ・ダルク〉（《サンデー毎日》一九六六年七月三日號）二〇，二一，二三頁。

136 前掲宮崎《突破者》上巻一七九—一八〇頁。

第七章　橫濱國大鬥爭、中大鬥爭

1 以下關於大學重整，出自前掲北小路（第六章）〈甦える〝闘うゼンガクレン〟〉一二〇—一二二頁。本章處理的各大學鬥爭，依筆者管見並無先行研究。

2 同前論文一二一頁。

3 〈学園コンミューンの思想〉（《図書新聞》一九六六年四月一六日號）。

4 前掲北小路〈甦える〝闘うゼンガクレン〟〉一二一頁。

5 《横浜国大新聞》一九六六年四月一五日付。前掲鈴木（第一章）《学生運動》一五四頁再引用。

6 前掲〈学園コンミューンの思想〉。前掲鈴木《学生運動》八五頁。

7 前掲鈴木《学生運動》一四一頁。

8 竹村弘〈学園自主管理の思想〉（《新世界ノート》一九六六年八月號）六四頁。

9 前掲〈学園コンミューンの思想〉。

10 前掲竹村〈学園自主管理の思想〉六三頁。

11 以下自一月下旬至二月上旬的過程，出自前掲竹村〈学園自主管理の思想〉附錄的鬥爭日誌（七〇頁）及公安調查廳〈横浜国立大紛争〉（收錄於前掲〔第五章〕《学園紛争白書（上）》）八三頁。

12 前掲（第二章）〈教授からみた現代の学生像〉一〇一頁。引用時因改行略有縮減。

13 吉野源三郎〈山本君に言いたかったこと〉（《世界》一九六九年三月號）四六頁。

14 前掲竹村〈学園自主管理の思想〉六四頁。

15 《横浜国大新聞》一九六六年四月十五日號。前掲鈴木《学生運動》一三三—一三四頁再引用。

16 前掲竹村〈学園自主管理の思想〉六四頁。前掲〈学園コンミューンの思想〉。

17 前掲竹村〈学園自主管理の思想〉六五頁。

18 前掲公安調查庁〈横浜国立大紛争〉八三—八四頁。

19 前揭竹村〈学園自主管理の思想〉六五，六八，七〇頁。

20 前揭鈴木《学生運動》一三六頁再引用。

21 前揭竹村〈学園自主管理の思想〉六九頁。

22 同前論文六四頁。

23 以下竹村的引用出自竹村弘〈自主管理の確立を〉（《教育大学新聞》一九六七年六月二五日號）。

24 前揭竹村〈学園自主管理の思想〉六八頁。

25 同前論文六五頁。

26 同前論文六五頁。

27 前揭鈴木《学生運動》一四〇頁。

28 前揭北小路〈甦える〝闘うゼンガクレン〞〉一二五頁。

29 前揭竹村〈学園自主管理の思想〉六六頁。

30 以下「中村君」的事例及引用出自前揭〈学園コンミューンの思想〉。

31 前揭鈴木《学生運動》八五頁。

32 前揭北小路〈甦える〝闘うゼンガクレン〞〉一二五—一二六頁。各新左翼黨派與無黨派運動者重視平等與自由的說法，出自中核派幹部北小路的文章，因此有中核派自吹自擂之嫌，但觀看横濱國大鬥爭相關資料也有佐證，因此在處仍加以採用。又，學藝學部自治會中ML派強勢的敘述，出自前揭公安調查庁〈横浜国立大紛争〉八三頁。鬥爭委員長三戸部如第十六章所述，乃社學同ML派。

33 前揭北小路〈甦る〝闘うゼンガクレン〞〉一二六頁。前揭公安調查庁〈横浜国立大紛争〉八二頁。

34 前揭竹村〈学園自主管理の思想〉六七頁。

35 三戸部貴士〈学園闘争・残された課題〉（《二〇世紀》一九六八年二月號）九七頁。

36 前揭〈学園コンミューンの思想〉。

37 前揭鈴木《学生運動》i—ii頁。

38 前揭中島編著（第三章）《全学連》八—一〇頁。

39 前揭鈴木《学生運動》八三頁再引用。

40 前揭竹村〈学園自主管理の思想〉九六頁。

41 前揭高橋（第四章）〈体系への信従と実験〉二八五頁。

42 前揭〈学園コンミューンの思想〉。

43 前揭竹村〈学園自主管理の思想〉六五頁。

44 同前論文六八頁。

45 同前論文六八頁。

46 前揭〈学園コンミューンの思想〉。

47 前揭鈴木《学生運動》一四四頁。

48 同前書一四四頁。

49 前揭公安調查庁〈横浜国立大紛争〉八五頁。

50 前揭竹村〈学園自主管理の思想〉附錄日誌七〇頁。又，前揭公安調查廳〈横浜国立大紛争〉八四頁中刊載的演講日誌與竹村的版本略有出入，二月二十八日舉行高山英男〈戰後児童文学論〉、三月一日舉行里見実〈マンパワーポリシイ〉、三月五日舉行倉石庸〈教員養成の歴史〉與梅根悟〈教員養成制度の歴史と現実〉等演講，何者正確現在已無法確認，此處先以身處鬥爭內部的竹村日誌為準。

51 前揭〈学園コンミューンの思想〉。

52 前揭竹村〈学園自主管理の思想〉六五—六六頁。

53 同前書一四三頁。

54 前揭鈴木書一四五頁再引用。此處指出演講只能在上午舉行，但前揭公安調査廳〈横浜国立大紛争〉八五頁中則記道「自主學程舉辦期間的活動為，上午舉行全體集會、各科班級討論，午後舉辦演講的形式進行」。何者正確，照例無法判別。

55 前揭三戸部〈学園闘争・残された課題〉九六頁。

56 前揭鈴木《学生運動》一四三頁。

57 前揭三戸部〈学園闘争・残された課題〉九八頁。

58 前揭公安調査庁〈横浜国大紛争〉八六頁。

59 前揭竹村〈学園自主管理の思想〉附錄日誌七〇頁。

60 以下三戸部的發言出自前揭北小路〈甦える〟闘うゼンガクレン〟〉一一六頁。

61 同前論文一一七頁。

62 前揭〈学園コンミューンの思想〉。

63 北小路〈甦える〟闘うゼンガクレン〉一二六頁。

64 前揭竹村〈学園自主管理の思想〉附錄日誌七〇頁。

65 前揭〈学園コンミューンの思想〉。關於解除罷課之日，前揭竹村〈学園自主管理の思想〉附錄日誌中記載三月二十五日「解除罷課」，但前揭〈学園コンミューンの思想〉中記載「學生發布解除罷課宣言是在三月二十二日」。此處，比起外部記者報導的〈学園コンミューンの思想〉，毋寧採用身處鬥爭內部的竹村日誌。

66 〈隷属と屈従の「秩序」へ〉（《都立大学新聞》一九六七年四月一〇日號）。前揭〈学園コンミューンの思想〉。

67 前揭竹村〈自主管理の確立を〉。前揭竹村〈学園自主管理の思想〉六四頁。

68 前揭公安調査庁〈横浜国立大紛争〉八五頁。

69 以下北小路的引用出自前揭北小路〈甦える〟闘うゼンガクレン〟〉一三〇，一二八頁。

70 同前論文一三一頁。

71 前揭三上〈序章〉《一九六〇年代論Ⅱ》八三，一〇八頁。

72 前揭高橋〈第二章〉〈直接行動の心理と思想〉一三八頁。

73 以下關於中大學館鬥爭的原委，出自〈中大学生会館問題の教訓〉（《世界》一九六七年三月號）一六八頁。

74 以下三上在明大學館罷課中的回憶，出自《一九六〇年代論Ⅱ》二七—三二頁。但三上在學館鬥爭中強行進入大學評議會的會場，導致一九六四年初遭中大以退學懲處，因此一九六五年至一九六六年「自學生運動中抽身」（八頁）。

75 神津陽〈退路なき起点〉（前揭田中吉六及其他〔第三章〕，最初收錄於《全共闘・解体と現在》）一〇七頁。

76 前揭神津（第四章）《極私的全共闘史　中大一九六五—六八》七六，八七頁。

77 同前書九一—九二頁再引用。

78 同前書九三頁。神津日後表示「與我相關的社學同是統一社學同，六六年九月第二次共產同統一後，也沒有高層指導。」（同前書八二頁），強調即便加入社學同，仍舊於新左翼黨派之外獨立行動。但如在第十一章可見，東大鬥爭中社學同的支援部隊明顯位於共產同政治局的指導之下，故共產同不可能不指揮社學同。即便神津的證詞屬實，推估那也只有中大社學同，即便在社學同內部也能獨立行動，亦即中大的特殊情況。

79 同前書九二，九三頁再引用。
80 同前書九〇—九一頁。
81 前掲〈中大学生会館問題の教訓〉一六九頁再引用。前田隸屬社學同一事，出自前掲神津《極私的全共闘史　中大一九六五—六八》一二〇頁。
82 以下的原委出自前掲〈中大学生会館問題の教訓〉一六八—一六九頁。
83 同前論文一六九—一七〇頁。
84 〈「自主管理」の中大学生会館〉（《朝日ジャーナル》一九六七年二月五日號）一〇四—一〇五頁。
85 中大學館的自主講座之趣旨與內容，出自前掲中島編著《全学連》一三七—一三八頁。
86 前掲池田（第五章）〈明治大学——バリケートの背後〉一六四頁。
87 前掲（第五章）〈私大紛争・早慶明三つの型〉二〇頁。
88 一月十八日學生大會的情況，出自同前記事二一頁、大野前掲（第一章）《全学連》一六三—一六四頁。又前掲〈私大紛争・早慶明三つの型〉中，記載一月十八日的臨時學生大會中代議員出席者約四百五十人（二一頁），但大野前掲《全学連》中則記載「代議員、観察員約二千人」（一六三頁），故無法判斷正確的大會參加人數。此處先採用清楚記錄代議員人數的《朝日ジャーナル》記述。
89 前掲大野《全学連》一六四頁。
90 前掲〈私大紛争・早慶明三つの型〉報導二一頁。
91 《朝日新聞》一九六七年一月二〇日。前掲池田〈明治大学〉一六四頁再引用。
92 前掲池田〈明治大学〉一七四，一六六頁。
93 前掲〈私大紛争・早慶明三つの型〉二一頁。
94 同前記事二二頁。
95 同前記事二三頁。
96 同前記事二二頁。
97 前掲中島編著《全学連》一四八，一四九頁再引用。但，共産同＝社學同在明大、中大、關西共産同的各地團體都有性質差異，把明大或中大社學同的特徵套用社學同整體其實有微妙之處，此處特加以說明。
98 前掲〈私大紛争・早慶明三つの型〉二二頁。
99 前掲大野《全学連》一五四—一五五頁再引用。
100 前掲〈私大紛争・早慶明三つの型〉二一頁。
101 同前記事二一頁。
102 前掲池田〈明治大学〉一六二，一六三頁。
103 前掲藏田（第三章）《安保全学連》三二八頁。
104 同前書三二八—三二九頁。前掲池田〈明治大学〉一七五頁。
105 前掲藏田《安保全学連》三二九頁。前掲池田〈明治大学〉一七五頁。
106 前掲藏田《安保全学連》三三〇頁再引用。
107 前掲荒（第三章）《新左翼とは何だったのか》一二〇—一二一頁。
108 前掲小野田（第三章）《革命的左翼という擬制》一三〇—一三一頁。
109 高知聡〈中央大学の叛乱〉（《現代の眼》一九六八年三月號）

一六一頁。
110 真下孝雄〈中大闘争が残したもの〉（《法学セミナー》一九六八年四月號）七七頁。
111 〈卒業試験をはねつけた中大紛争〉（《サンデー毎日》一九六八年二月二五日號）一一二頁。
112 以下，至一月中旬為止的動向，出自前揭高知〈中央大学の叛乱〉一六一頁。
113 前揭〈卒業試験をはねつけた中大紛争〉一一二頁。
114 荒井勉〈中央大学闘争〉（《中央公論》一九六八年五月號）二九六頁。
115 同前論文三〇一頁。
116 前揭高知〈中央大学の叛乱〉一六一頁。前揭荒井〈中央大学闘争〉三〇一頁記載，一月九日的校長會見中聚集了約三千名學生，但正確的數字不明。
117 前揭荒井〈中央大学闘争〉三〇一頁。
118 前揭〈卒業試験をはねつけた中大紛争〉一一二頁。
119 前揭高知〈中央大学の叛乱〉一六一頁。
120 前揭荒井〈中央大学闘争〉二九七頁。
121 同前論文二九七頁。
122 前揭真下〈中大闘争が残したもの〉七七頁。
123 前揭高知〈中央大学の叛乱〉一六四頁。
124 前揭真下〈中大闘争が残したもの〉七七頁。
125 前揭高知〈中央大学の叛乱〉一六三—一六四頁。
126 前揭中島編著《全学連》一四〇，一五八頁。
127 前揭高知〈中央大学の叛乱〉一六二—一六三頁。
128 同前論文一六三頁。
129 前揭中島編著《全学連》一四一頁。
130 同前書一四〇頁。
131 前揭荒井〈中央大学闘争〉三〇二頁再引用。
132 同前論文二九八頁。
133 以下，關於中大鬥爭中共產同及社學同的方針，出自前揭三上《一九六〇年代論Ⅱ》一〇四—一〇五頁。
134 前揭中島編著《全学連》一四七—一四八頁。
135 同前書一四一頁。
136 前揭荒井〈中央大学闘争〉二九八—二九九頁。引用時因改行而略有縮減。
137 同前論文二九九頁。
138 同前論文三〇〇頁。又前揭真下〈中大闘争が残したもの〉七九頁記載「收集超過七百人的學生證」，在數字上有若干出入，此處採用身在現場的荒井的數字。
139 前揭真下〈中大闘争が残したもの〉七九頁。
140 前揭中島編著《全学連》一四九頁。
141 前揭荒井〈中央大学闘争〉三〇〇頁。引用時因改行而略有縮減。
142 同前論文三〇一頁。
143 前揭〈卒業試験をはねつけた中大紛争〉一〇八頁。
144 前揭荒井〈中央大学闘争〉三〇五頁。
145 前揭內藤〈序章〉《ドキュメント　東大紛争》一四頁。
146 前揭荒井〈中央大学闘争〉三〇三頁。
147 前揭〈卒業試験をはねつけた中大紛争〉一一〇，一一一頁。

148 同前記事一〇九頁。
149 前揭荒井〈中央大学闘争〉三〇四頁。
150 同前論文三〇四頁。前揭真下〈中大闘争が残したもの〉七七頁。
151 前揭荒井〈中央大学闘争〉三〇四，三〇五頁。
152 前揭〈卒業試験はねつけた中大紛争〉一一〇頁。
153 前揭荒井〈中央大学闘争〉三〇四頁。
154 前揭中島編著《全学連》一五〇頁。
155 前揭荒井〈中央大学闘争〉三〇五頁。
156 前揭真下〈中大闘争が残したもの〉七六頁。
157 前揭中島編著《全学連》一四二頁。
158 前揭真下〈中大闘争が残したもの〉七九頁。
159 前揭荒井〈中央大学闘争〉三〇六頁。
160 前揭三上《一九六〇年代論Ⅱ》一〇六—一〇七頁。三上於一九六四年初以四年級生身分遭中大退學，到一九六五年底又以三年級生的身分復學（三三頁）。
161 田村元行〈中大全中闘の思い出〉（收錄於前揭〔第三章〕《全共鬪三〇年》）二〇七頁。
162 前揭神津《極私的全共鬪史　中大一九六五—六八》二一三頁。但神津所謂未進行高層交涉的說法乃基於田村的證詞，然而田村並未明白如此表示。又，神津在二一七頁提及三上治（味岡）打算破壞鹽見的方針，關於此點，當時味岡寫道「〔共產同的〕學對處於機能癱瘓狀態」「不具備那種實力與影響力」，但事實如何仍舊不明。
163 前揭真下〈中大闘争が残したもの〉七六頁。〈これから騒ぎそうな大学一覧〉（《週刊現代》一九六八年三月七日號）四二頁。
164 前揭荒井〈中央大学闘争〉三〇七頁。

國家圖書館出版品預行編目(CIP)資料

1968：日本現代史的轉捩點，席捲日本的革命浪潮 第一冊／小熊英二著；黃耀進；馮啓斌；羅皓名譯. -- 初版. -- 新北市：黑體文化出版：遠足文化事業股份有限公司發行，2024.12
面；　公分. --（黑盒子；29）
譯自：1968.上:若者たちの叛 とその背景
ISBN　978-626-7512-20-3（平裝）

1. CST：學運　2. CST：現代史　3. CST：日本史

731.2793　　113017385

特別聲明：
有關本書中的言論內容，不代表本公司／出版集團的立場及意見，由作者自行承擔文責。

黑體文化　　讀者回函

黑盒子29

1968：日本現代史的轉捩點，席捲日本的革命浪潮 第一冊
1968〈上〉若者たちの叛乱とその背景

作者・小熊英二｜譯者・黃耀進｜責任編輯・張智琦｜封面設計・林宜賢｜出版・黑體文化／遠足文化事業股份有限公司｜總編輯・龍傑娣｜發行・遠足文化事業股份有限公司（讀書共和國出版集團）｜電話：02-2218-1417｜傳真・02-2218-8057｜客服專線・0800-221-029｜讀書共和國客服信箱・service@bookrep.com.tw｜官方網站・http://www.bookrep.com.tw｜法律顧問・華洋法律事務所・蘇文生律師｜印刷・中原造像股份有限公司｜排版・菩薩蠻數位文化有限公司｜初版・2024年12月｜ISBN・9786267512203｜EISBN・9786267512227（PDF）・9786267512210（EPUB）｜書號・2WBB0029｜套書ISBN・9786267512340｜套書EISBN・9786267512302（PDF）・9786267512296（EPUB）｜套書不分售・定價3600元